田端到・加藤栄の

種牡馬

しゅぼばじてん

事典

2024-2025

oo-parts
publishing

は じ め に

『田端到・加藤栄の種牡馬事典2024-2025』、本年度版は帯に大きく「種牡馬 戦国時代！」と入っています。

ディープインパクトやキングカメハメハの訃報が流れたのはもう結構前ですが、競馬というのは亡くなった人からの手紙が届き続ける世界のようでもあり、今もディープやキンカメやステイゴールドの仔が競馬場を走っています。産駒が現役でいる限り、その父もまだ血統上は現役です。

しかし、さすがに今年はディープやキンカメやステイの産駒が少なくなったなあと感じる機会が増えました。いよいよ本当に区切りの時期が来たのです。天下を統一していた大将軍がいなくなれば、その跡目を争う戦国時代が始まり、各地で新興の武将が台頭してきます。

2023年の種牡馬リーディングを獲得したのはドゥラメンテでしたが、この将軍ももういません。23年のダービー馬を送り出したのは新種牡馬サトノクラウンでしたが、そのまま天下取りへ駆け上がるほどの勢いは感じません。

まさに混沌の時代。誰が天下を統一するのか、あるいは誰も天下を統一できないまま、各部門で各将軍が覇権を握るのか。そう、こんな戦国時代こそ、新しく台頭してきた各将軍の特徴を知っておかないと、私たちも馬券で戦えません！1口クラブで実利を得ながら楽しめません！

「種牡馬事典は2年に1回くらい、買えばいいかな」とか迷っているあなた、それは違います。毎年の購入を推奨します。常に最新の情報をアップデートしていかないと、新興の武将が入り乱れる今の血統地図をひもとけないのです！

今年、新種牡馬のトップにはアドマイヤマーズを掲載しました。1年目の産駒数でいえば新種牡馬の中で12番目の種牡馬です。一方、産駒数トップのルヴァンスレーヴは24年9月5日現在、まだ中央で勝ち上がった産駒が出ていません。新種牡馬レースの動向でさえ、誰も未来を読めないのが現状なのです。

本年度版のデータ集計期間は2019年から24年6月30日まで。新種牡馬については、24年8月25日までとしています。種牡馬の順位は23年のJRA平地競走のランクを採用しています。

本書が皆様の競馬ライフをよりいっそう楽しくして、その懐も大将軍になることを願います。

田端 到

24年欧米クラシックはストームキャット系が猛威を振るいました。ケンタッキー・ダービーのイントゥミスチーフ系ゴールデンセンツの産駒ミスティックダンを皮切りに、仏1000ギニーをジャイアンツコーズウェイ系ロペデヴェガ産駒ルーヒヤ、愛2000ギニーをジャイアンツコーズウェイ系ブルーポイント産駒ロサリオン、英ダービーをスキャットダディ系ジャスティファイ産駒シティオブトロイ、仏ダービーを仏1000ギニーに続いてロペデヴェガ産駒ルックドゥヴェガが制しました。

イントゥミスチーフ系、ジャイアンツコーズウェイ系はそれぞれの部門で実績がありましたが、衝撃だったのがジャスティファイ産駒の英ダービー制覇です。父がベルモントSも制しているとはいえ、同レースと英ダービーとは雲泥の差があり、後者はスピードだけで勝てるほど甘いレースではなかったはずです。それをストームキャット系の中で最もスピードを"売り"にしているスキャットダディ系が制したのですから。「スピードはスタミナを制する」という格言があります。スピードは欧州選手権距離までも凌駕するのでしょうか。それは日本にも及ぶのでしょうか。スキャットダディ系の動向に目が離せません。新種牡馬ミスターメロディも含めてです。

加藤 栄

進化の完成形

本書は、2017年版以降、大幅なグレードアップを行っており、2020年版からはさらに実践的な内容とした。2024年版もそれを踏襲しつつさらにバージョンアップ。馬券に直結する各種データを多く盛り込んでいる。

●大好評、ヒット連発の"特注馬"

1ページ以上で掲載している種牡馬については、その種牡馬の現役産駒のなかでも筆者特薦の"特注馬"を紹介している。これまでもヒット&ホームラン連発の大好評企画、ぜひマークされることをお勧めする。

●産駒距離別芝／ダート別勝ち鞍グラフ

読者の方々のリクエストにより復活。産駒の芝／ダート適性、距離適性、早熟度がひと目で把握できる。

用語解説

●用語の説明

馬名の前の*印は、本邦輸入馬をあらわす。なお、本文およびデータ解説中の*は省略した。

レース名のステークスはS、カップ（一部チャレンジ、チャンピオン）はC、トロフィーはT、ハンデはHと略記してある。また、BCはブリーダーズ・カップを表す。

距離の、メートルはM、ファロン（ハロン）制。フランスはメートル制。1Fは約200メートル、8Fで1マイル（約1609メートル）。日本では1F＝200メートルで定着している。

インブリード、クロスとは近親交配のことで、同じ意味で使っている。父系とラインも同じ意味で使っている。なお、1/2P以上で紹介している種牡馬の血統表の下に、5代までの血統表にあらわれるクロスを表記した。たとえば"Mahmoud 5・4×4"は、Mahmoud が父方の5代前と4代前に、母方の4代前にあらわれることを意味する。

また「母系」と「牝系」の使い分けについて。「母系」と言った場合は、母馬の血統全体を指し、母の父も含む。「牝系」と言った場合は、母→祖母→三代母とさかのぼるファミリーラインを指す。ただし、厳密な定義には基づいていない。

産駒完全データ

●データ／対象・集計期間

産駒のデータは「中央競馬の平地レース」を対象としている。種牡馬ランキングも平地レースのもので、障害レースは含んでいない。

データ集計期間は2019年1月1日より2024年6月末まで。産駒の傾向はその種牡馬の年齢とともに変化するので、古いデータは採用していない。

また、新種牡馬の産駒のデータに関しては、2024年8月25日

までを集計している。

産駒データの着度数は、「○-○-○／○」は「1着数-2着数-3着数／総出走数」を表す。また、「○-○-○-○」は「1着数-2着数-3着数-4着以下数」を表す。"／"と"-"で異なるのでご注意を。

●データ解説

主だったデータ、グラフにはコメントを付した。データ、グラフの解読、理解の一助になると同時に、【勝利へのポイント】と併せ読むことで、レース検討の具体的な指標となる。

●コース特徴別勝ち鞍グラフ

芝勝利の多い種牡馬は芝の勝ち鞍、ダート勝利の多い種牡馬はダートの勝ち鞍の内訳をグラフ化。芝の「直線長い」は東京・京都外・阪神外・中京・新潟外の合計勝利数、「急坂」＝中山・阪神・中京の合計勝利数、「直線平坦」＝京都・福島・新潟・小倉・函館・札幌の合計勝利数、「内・小回り」＝中山内・阪神内・京都内・新潟内・福島・小倉・函館の合計勝利数、「外・大回り」＝東京・阪神外・京都外・札幌の合計勝利数、「洋芝」＝札幌・函館の合計勝利数、「1600m以下」＝全場1600m以下の勝利数をそれぞれ表している。

ダートの「直線長い」は東京・中京の合計勝利数、「急坂」＝中山・阪神・中京の合計勝利数、「直線平坦」＝京都・福島・新潟・小倉・函館・札幌の合計勝利数、「直線短い」＝札幌・函館・福島・小倉の合計勝利数、「重不良」＝重・不良馬場の合計勝利数、「1700m以上」＝全場1700m以上、「1600m以下」＝全場1600m以下の勝利数を表している。

「条件別・勝利割合」の「穴率」とは「5番人気以下の勝利数」の全勝利数に対する割合、芝・ダそれぞれの「道悪率」は「稍重・重・不良馬場での勝利数」の全勝利数に対する割合、「平坦芝率」は「京都＋福島＋新潟＋小倉＋函館＋札幌の芝の勝利数」の全芝勝利数に対する割合、「晩成率」は「3歳9月以降の勝利数」の全勝利数に対する割合、「芝広いコース率」は「京都・阪神・新潟の外回り＋東京＋中京の芝の勝利数」の全芝勝利数に対する割合を表す。

●競馬場別成績

競馬場別成績の棒グラフは産駒による1着数、連対数、3着内数を表す。芝は緑、ダートは茶で、それぞれ最も濃い色が1着数。その1着数に2着数を足した連対数がその次に色の濃い部分。さらにその連対数に3着数を足したものが最も薄い色となる。

種付け料／ファミリー・ナンバー

2024年度種付け料の後の記号は、FR／不受胎、流産、死産の場合、翌年も同じ種牡馬に種付けできる権利付き、受／受胎確認後支払い、生／産駒誕生後支払い、不受返／不受胎時返還、不生返／死産、流産等の場合返還（全て単位は万円）。なお、各種牡馬の種付け料にはいくつかのバリエーションがあるケースも多く、詳しくはその種牡馬の繋養スタリオン、JBISのHPをご確認いただきたい。

なお1ページ以上で掲載する種牡馬の血統表には、生産に携わる方々、牝系に注目している読者のみなさまから要望の多かった、種牡馬自身およびその父のファミリー・ナンバーを血統表に掲載している。

大好評!! 巻末データ

中央4場の、芝・ダート別の種牡馬成績ベスト10を「～1600」と「1700～」に分けて掲載しており、コース形態による各種牡馬の傾向が顕著にうかがえる。勝利数のみならず、連対率や重賞勝ち数にも注意して活用いただきたい。

また、ランク50位までの種牡馬については、巻末に短・マイル率、芝率、平坦芝率などのほか、芝広いコース率などのユニークなランクを掲載している。さまざまな活用法が可能な強力データと自負している。

●1ページに6頭紹介している項の"能力適性表"の表記

距離　短＝～1200M向き　　　　マ＝1400～1600M向き
　　　中＝1700～2000M向き　　　長＝2100M～向き

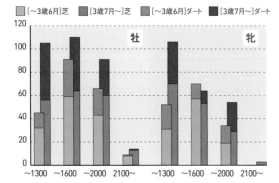

凡例：[～3歳6月]芝　[3歳7月～]芝　[～3歳6月]ダート　[3歳7月～]ダート

牡

牝

~1300　~1600　~2000　2100~　　　~1300　~1600　~2000　2100~

▲ロードカナロア産駒
距離別芝／ダート別勝利数グラフ

以上のような4段階と、産駒がどちらかのタイプに出るという意味で、"短マ"、"マ中"、あるいは"中長"とに分けている。"短中"は、芝1600Mの勝ち鞍は少ないが、短距離と中距離の勝ち鞍が多いタイプ。もちろんこれは目安で、距離適性のみならず、以下の項目においても母系によってそれぞれの適性が大きく左右されることは言うまでもない。

馬場／芝芝＝ダートは明らかに不向き。芝＝どちらかと言えば芝向き。万＝どちらが得意とは特に言いにくい、あるいは、どちらもこなす。ダ＝どちらかと言えばダート向き。ダダ＝芝は明らかに不向き。

性格／堅＝成績にムラが少なく、堅実に走るという意味と、レース上手の賢い馬が多いという意味の両方。普＝平均的。狂＝気性が悪く、人気薄で突っ込む穴タイプが多い狂気の血統。

成長力／早＝どちらかと言えば早熟タイプで、2歳戦から3歳戦前半が稼ぎどき。普＝ごく普通。強＝デビュー時から活躍するが、古馬になってまた一段と成長するタイプ。晩＝晩成型。3歳時よりも、古馬になってからのほうがいいタイプ。

海外のレース体系について

〈イギリス〉

3歳クラシックは、2000ギニー（芝8F）、ダービー（芝12F）、セントレジャー（芝14.5F）。2000ギニーは皐月賞に相当するが、マイルとあって、日本ほどダービーとのつながりは少ない。菊花賞に相当するセントレジャーは、凱旋門賞を目標とする3歳馬にとって余計な一戦と揶揄された時期もあったが、最古のクラシックとしての重きは保っている。牝馬は1000ギニー（芝8F）とオークス（芝12F）。

短距離路線はキングチャールズ3世S（旧キングズスタンドS。芝5F）、クイーンエリザベス2世ジュビリーS（芝6F）、3歳限定のコモンウェルスC（芝6F）のロイヤルアスコット開催3レースと初夏のジュライC（芝6F）が主要。

マイル路線は、ロイヤルアスコット開催の3歳戦セントジェームズパレスS（芝8F）、古馬のクイーンアンS（芝8F）を経て、夏のサセックスS（芝8F）で3歳、古馬の一流マイラーが激突する。

中距離路線の最高峰は7月末のキングジョージ6世＆クイーンエリザベスS（芝12F）。欧州各国の強豪が参戦する。本書では"キングジョージ"と略記している。7月初旬のエクリプスS（芝10F）は3歳と古馬の一流どころが初対決。夏のインターナショナルS（芝10.5F）にはマイルや12F路線からの参戦がある。

長距離はロイヤルアスコット開催のゴールドC（芝20F）から17年にGI格上げのグッドウッドC（芝16F）が主要路線。

シーズン終盤のチャンピオンズデー開催ではチャンピオンS（芝10F）、クイーンエリザベス2世S（芝8F）、チャンピオンズスプリントS（芝6F）、牝馬限定のチャンピオンズフィリーズ＆メアズS（芝12F）のGIが組まれ、それぞれの各路線を締めくくる。

2歳はデューハーストS（芝7F）とフューチュリティT（芝8F）がクラシックに直結。牝馬はフィリーズマイル（芝8F）。

なお、イギリスの距離表記は、計測方法を変えての再計測により、コースによって若干の変更が生じたため、本書全てにおいておおよそとする。

〈アイルランド〉

3歳クラシックは愛2000ギニー（芝8F）、愛ダービー（芝12F）。愛セントレジャー（芝14F）は古馬にも開放され、豪メルボルンCのステップ戦的位置づけ。牝馬は愛1000ギニー（芝8F）、愛オークス（芝12F）。

中距離路線は秋の愛チャンピオンS（芝10F）に注目。強豪が揃い、凱旋門賞の重要ステップ戦でもある。

2歳は牡馬がナショナルS（芝7F）、牝馬がモイグレアスタッドS（芝7F）。ここで好走すると、英、仏のGIへ挑む。

〈フランス〉

3歳クラシックは、仏2000ギニー（牡馬限定。芝1600M）。仏ダービー（芝2100M）は回を重ねるごとに中距離部門での重要度が増している。パリ大賞（芝2400M）は3歳馬の凱旋門賞へ向けての重要レース。3歳牝馬は仏1000ギニー（芝1600M）、仏オークス（芝2100M）。

スプリント路線はアベイユドロンシャン賞（芝1000M）、マイル路線はムーランドロンシャン賞（芝1600M）がシーズン最後のGI。

中距離路線は、ガネー賞（芝2100M）、サンクルー大賞（芝2400M）を経て、欧州競馬の総決算、凱旋門賞（芝2400M）で締めくくる。

2歳馬は凱旋門賞当日のジャンリュックラガルデール賞（芝1400M）、牝馬のマルセルブーサック賞（牝、芝1600M）が重要。

〈ドイツ〉

3歳クラシックは独ダービー（芝2400M）と独オークス（芝2200M）がGI格付け。混合GIは秋のバーデン大賞（芝2400M）が最重要。凱旋門賞のステップ戦ともなる。

〈アメリカ〉

3歳クラシックは、ケンタッキー・ダービー（ダート10F）、プリークネスS（ダート9.5F）、ベルモントS（ダート12F。24年はダート10F）。5月上旬から6月上旬にかけて行われる。サンタニタ・ダービーをはじめ、4月上旬までの○○ダービーは各地区の代表決定戦で、弥生賞などに該当する。三冠後は"真夏のダービー"トラヴァーズS（ダート10F）を目指す。

3歳牝馬の最初の目標はケンタッキー・オークス（ダート9F）。その後は、東西に分かれる。アラバマS（ダート10F）はトラヴァーズSの牝馬版。

84年にブリーダーズC（以下BC）が創設されると、BCの結果が年度代表馬を含む各部門の最優秀馬の行方を左右するようになった。開催時期は10月下旬から11月上旬。BCはクラシック（3歳上、ダート10F）をメインに、ターフ（3歳上、芝12F）、マイル（3歳上、芝8F）、スプリント（3歳上、ダート6F）、ディスタフ（3歳上牝、ダート9F）、フィリー＆メアターフ（3歳上牝、芝9～11F）、ジュヴェナイル（2歳牡、ダート8.5F）、ジュヴェナイルフィリーズ（2歳牝、ダート8.5F）の従来の8レースに加え、07年以降に加わったダートマイル（3歳上、ダート8F）、フィリー＆メアスプリント（3歳上牝、ダート7F）、ジュヴェナイルターフ（2歳牡、芝8F）、ターフスプリント（3歳上、芝5.5F）、ジュヴェナイルフィリーズターフ（2歳牝、芝8F）、ジュヴェナイルターフスプリント（2歳、芝5～5.5F）の14競走がGI格付け。根幹距離以外は開催競馬場によって多少の距離変更がある。

〈カナダ〉

カナダ三冠はカナダ産限定。ダービーに相当するキングズプレート（オールウェザー10F）から始まり、プリンスオブウェールズS（ダート9.5F）、ブリーダーズS（芝12F）と続く。秋のカナダ国際S（芝10F）は欧州からの遠征馬も多い。

〈ドバイ〉

ドバイワールドCデーは各レースに世界各国からの参戦があり、競馬のオリンピックといった趣。10年に新設のメイダン競馬場に舞台を移し、これまでのダートがオールウェザーで行われるようになったが、15年からは再びダートへ回帰。GIはドバイワールドC（ダート2000M）、ドバイシーマクラシック（芝2410M）、ドバイターフ（芝1800M）、ドバイゴールデンシャヒーン（ダート1200M）、アルクオーツスプリント（芝直線1200M）。GIIはゴドルフィンマイル（ダート1600M）、UAEダービー（ダート1900M）、ドバイゴールドC（芝3200M）。

〈香港〉

春のクイーンエリザベス2世C（芝2000M）、チャンピオンズマイル（芝1600M）、チェアマンズスプリントプライズ（芝1200M）と12月の香港C（芝2000M）、香港マイル（芝1600M）、香港ヴァーズ（芝2400M）、香港スプリント（芝1200M）は国際競走として定着している。

〈オーストラリア〉

11月のメルボルンC（芝3200M）が最大のレース。ただ、ハンデ戦のため、専門家筋は10月末のコックスプレート（芝2040M）を重視する。ダービーは各地で行われている。ゴールデンスリッパーS（芝1200M）は世界最高賞金の2歳戦。14年からシーズン終盤の4月にザ・チャンピオンシップス開催として2週にわたってドンカスターマイル（芝1600M）、クイーンエリザベスS（芝2000M）などのGIが多数組まれている。

初心者のための父系入門 2024年版

種牡馬を理解するには、おおまかな「父系」の知識が必要です。
現代の日本競馬において重要な7つの父系のポイントをまとめておきます。

その1 サンデーサイレンス系

主な種牡馬／ディープインパクト、キズナ、ハーツクライ、オルフェーヴル、ダイワメジャー、キンシャサノキセキ、ジャスタウェイ、ゴールドシップ、ステイゴールド

サンデーサイレンスはアメリカの名馬で、日本競馬を変えた革命的な種牡馬でした。産駒は1994年に2歳デビュー。スローペースから鋭い瞬発力を繰り出す競馬を得意として、主に芝1600mから芝2400mのGIを勝ちまくりました。その代表産駒や、そのまた代表産駒が種牡馬になり、サンデーサイレンス系という一大父系を築いています。サンデー系は総じて「末脚の切れ味」、特に「上がり3ハロン」の速さが他の血統よりも優れています。

現在では後継種牡馬の特徴も多岐に渡り、父系をひとまとめにするのは大雑把すぎますが、それでも「アイビスSDはサンデー系が勝てない」など、父系全般の傾向も健在です。末脚をためて瞬発力を使う能力が高い一方、直線1000mの短距離を突っ走るようなスプリント戦は得意ではないのです。

クラシック型サンデー系

2024年現在、芝1600mから芝2400mのGIを争うサンデー系の種牡馬は、ディープインパクト、キズナ、ハーツクライ、オルフェーヴル、ジャスタウェイ、ゴールドシップなど。新しい種牡馬では、キタサンブラック、シルバーステートもこのグループです。

マイル型サンデー系

マイル戦を中心に芝1200mから芝1800mを得意とするグループ。ミッキーアイル、ダイワメジャー、カレンブラックヒル、キンシャサノキセキ、リアルインパクトなど。以前はフジキセキが中心的な存在でした。サンデー系はしなやかな馬体を持つ馬が多いのですが、このグループには筋肉質な大型馬も珍しくありません。

これらマイラー型は2歳戦に強い早熟性を持ち、軽快なスピードが武器。末脚をためずにスピードを持続させる能力が高く、内枠からの先行差しが得意という傾向もあります。

ダート型サンデー系

サンデー系には少数派の、ダートを得意とする種牡馬もいます。ゴールドアリュール（その仔スマートファルコン、エスポワールシチー）、ネオユニヴァース（その仔ヴィクトワールピサ）、カネヒキリなど。

これらダート向きの種牡馬は、「タイムの遅い良馬場のダートに強い馬」と、「タイムの速い稍重や重のダートに強い馬」を見分けるのが、馬券のポイントになります。

その2 キングマンボ系

主な種牡馬／ロードカナロア、キングカメハメハ、ルーラーシップ、ドゥラメンテ、リオンディーズ、エイシンフラッシュ、ホッコータルマエ、ビーチパトロール

現在、サンデー系に次ぐ勢力となっているのが、キングカメハメハ産駒を中心とするキングマンボ系です。

キングマンボは欧州の名種牡馬で、日本における代表産駒がキングカメハメハ（ダービー、NHKマイルC）と、エルコンドルパサー（ジャパンC、NHKマイルC）です。この2頭はどちらも現役時代に芝1600mと芝2400mのGIを両方勝った共通点があります。自在性や学習能力があり、距離適性が広く、代表産駒も短距離馬から長距離馬、ダートの鬼までバラエティに富むのがキングマンボ系の特徴です。

とは言え、後継になった各種牡馬は、現役時代の成績がそのま

ま産駒に反映される例が目立ちます。マイル前後の得意なスピード馬が多いロードカナロア、中長距離の得意な不器用な産駒が多いルーラーシップ、道悪の鬼のエイシンフラッシュ、ダートの得意なベルシャザール、ホッコータルマエなど。

好位から差す優等生のレースができるのも長所で、最強牝馬アーモンドアイ（父ロードカナロア）もこの父系です。サンデー系やロベルト系のような派手な勝ち方が多くない分、強さに気付かれないまま、勝ち星を重ねていく例（アパパネやラブリーデイが代表馬）も見かけます。レースが上手なのです。

キングカメハメハ産駒にはダートの名馬も多く、小回りの地方競馬では一段と安定感が際立ちます。デビュー当初は芝で走っても、やがてダートで新境地を見せるなど、芝ダート兼用の万能性を持っています。

その3 ロベルト系

主な種牡馬／エピファネイア、モーリス、スクリーンヒーロー、ストロングリターン、シンボリクリスエス

ロベルト系が最初に日本でGIを勝ちまくったのは1990年代です。ブライアンズタイム、リアルシャダイ、グラスワンダーなどの種牡馬が、三冠馬ナリタブライアン（父ブライアンズタイム）や、悲運のステイヤー・ライスシャワー（父リアルシャダイ）など、多数の名馬を輩出しました。

特に菊花賞、有馬記念、春の天皇賞などの長距離戦における強さが抜群で、スタミナは豊富。ダートや道悪にも強さを発揮しました。牝馬でダービーを制したウオッカ（父タニノギムレット）も、ロベルト系です。安定して能力を出すサンデー系に対して、ロベルト系は「目一杯に仕上げられた時」や「流れが向いた時」に繰り出される能力の振り幅が大きいのも特徴です。

一時期はサンデー系に押され、父系の勢力が弱まっていましたが、近年、シンボリクリスエスの代表産駒エピファネイアや、スクリーンヒーローの代表産駒モーリスが種牡馬としても成功し、再び勢力を強めています。

以前ほど長距離抜群というイメージはありませんが、逆にマイル戦に強いスピード馬も多く、モーリス産駒のピクシーナイトは、ロベルト系で初めて芝1200mのGIを制しました。

エピファネイア産駒の三冠牝馬デアリングタクトや、エフフォーリアのような超大物が出るのも魅力で、サンデー系はA級の繁殖牝馬から一流馬を出すのに対して、ロベルト系は無名の繁殖牝馬から一流馬を出すという面白い違いもあります。

かってのロベルト系を支えたブライアンズタイムの血をひく種牡馬は、現在ではダートの中長距離を主戦場にする馬が多く、フリオーソや、エスポワールシチー（母父ブライアンズタイム）が当てはまります。

その4 トニービンを持つ種牡馬

主な種牡馬／ハーツクライ、ルーラーシップ、ドゥラメンテ、ジャングルポケット、ラブリーデイ

トニービンは凱旋門賞などヨーロッパの大レースを勝ったイタリアの名馬で、産駒は1992年に2歳デビュー。距離が延びてから台頭するスタミナ豊富な馬が多く、直線の長い東京コースの芝1800mから芝2400mを得意としました。

これは末脚を長く持続的に使える長所を持つためで、反面、トップスピードに乗るのに時間がかかる分、馬群の内が苦手だったり、スローからの上がり勝負は得意ではありませんでした。ペー

スの緩急や、レース展開に左右されるため、穴が多いという特徴もあります。「能力を出し切れるレース」と「能力を出し切れないレース」が、分かれやすいのです。

現在、トニービン直系の種牡馬はジャングルポケットくらいになってしまいましたが、母の父や祖母の父にトニービンを持つ種牡馬は多く、これらの産駒にはトニービンの長所や短所が出ます。

ハーツクライ（父サンデー×母父トニービン）はサンデー系であると同時に、トニービンの特徴を色濃く持ち、スタミナが豊富。古馬になって覚醒し、良い脚を長く使う反面、一瞬の反応は遅め。産駒によっては、中山などの小回りコースが苦手で、東京などの広いコースが得意だったり、展開によって強い競馬ともろい競馬が分かれたり。これらトニービンの特徴が出ているかいないかを見極めるのが大事です。

ルーラーシップ（父キンカメ×母父トニービン）もキンカメ系であると同時に、トニービンの特徴を受け継ぐ種牡馬です。ドゥラメンテや、ラブリーデイも、血統構成は近い。21年にドゥラメンテの初年度産駒タイトルホルダーが菊花賞を勝ちましたが、ルーラーシップの初年度産駒キセキも菊花賞を勝ちました。

その5 ミスタープロスペクター系（キングマンボ系以外）

主な種牡馬／アイルハヴアナザー、サウスヴィグラス、マクフィ、アドマイヤムーン、ファインニードル、ダンカーク、スパイツタウン、アメリカンファラオ

キングマンボ系もミスタープロスペクター系の一部ですが、個人的には「キングマンボ系」と「その他のミスタープロスペクター系」を分類して、考えることにしています。

また、もう一代さかのぼって、ネイティヴダンサー系という区切りにする場合もあります。例えばオグリキャップは「ミスタープロスペクターではないネイティヴダンサー系」なので、この名馬を含めるにはネイティヴダンサー系の区切りが適切です。が、「ミスプロ系」の呼称が定着したため、この分け方を主に使っています。

ミスプロ系は、アメリカのダート競馬で繁栄して、80年代から90年代にフォーティナイナー、アフリート、ジェイドロバリーなど多数の種牡馬が輸入されました。もともとはダートの1000mから2000mが得意で、小回りコースの多い地方競馬にも強い父系です。

現在は、ダートの短距離が主戦場のサウスヴィグラス、ダートの中距離が主戦場のアイルハヴアナザー、芝の短距離馬が多いアドマイヤムーン、芝ダート兼用の中距離型ダンカークなど。ヨーロッパで成功を収めているドバウィの系統のモンテロッソやマクフィも、芝ダート兼用のマイラー型（ややダート寄り）。

芝もダートも走る血統ですが、芝ならば時計のかかる芝を、ダートならちょっと時計の速いダートを得意にするという傾向があります。各馬ごとに、このような特徴を見つけることが馬券のポイントです。

鋭い切れ味には欠ける分、高速タイムや、速い上がりを求められる芝の重賞では勝ち切れないという弱点もあります。ただし、直線重賞のアイビスサマーダッシュには強さを見せます。

その6 サドラーズウェルズ系

主な種牡馬／フランケル、メイショウサムソン、ローエングリン、ロゴタイプ、ケープブランコ

かつて世界の競馬を席巻したのがノーザンダンサー系。その中でも特にイギリスやフランスなど、欧州の芝2400mに圧倒的な実績を残し、現在もガリレオを中心に繁栄する「スタミナ父系」がサドラー系です。

オルフェーヴルやエルコンドルパサーが凱旋門賞にあと一歩と迫った時も、最後に立ちはだかったのはサドラー系の欧州ホースでした。今はこの「日本キラー血統」がタイトルホルダーやパンサラッサなど海外GIに挑む馬たちの母系に入っているのも、面白い巡り合わせです。

サドラー系が強さを発揮するのは、コースに起伏があり、タイムも遅めの競馬です。平坦に近いコースで、タイムの速い日本には本質的に向かないのですが、そんな中、たまにテイエムオペラオーやメイショウサムソンのような中長距離のスーパーホースが出る。

現在、日本に多数の産駒がいる直系の種牡馬は、ケープブランコ、メイショウサムソン、ローエングリンなど。

母系にサドラーを持つ馬にも特徴があり、例えば「ディープインパクト産駒で母系にサドラーを持つ馬」は大物っぽく見えて、人気を背負いやすいが、高速馬場の切れ味比べでは勝負どころの反応が鈍く、不発も多い。「キングマンボ系で母系にサドラーを持つ馬」は、タイトルホルダーやパンサラッサのように、ハイペースで先行してもバテない耐久力がある、などの特徴があります。全般にサドラーが入ると、厳しい流れや、タフな馬場の持久戦に向くようになります。

その7 ダンチヒ系（ダンジグ系）とストームキャット系

主なダンチヒ系の種牡馬／ハービンジャー、アメリカンペイトリオット、デクラレーションオブウォー、ザファクター

主なストームキャット系の種牡馬／ヘニーヒューズ、ドレフォン、ディスクリートキャット、エスケンデレヤ、ヨハネスブルグ、シャンハイボビー

こちらもノーザンダンサー系の中の系統です。当初はどちらも「スピード」の代名詞で、産駒もスプリンターやマイラー中心でしたが、代を経て距離をこなす一流馬も多数出るようになりました。それでも基本イメージは「スピードの源泉ダンチヒとストームキャット」です。

これも直系の種牡馬だけでなく、母系に入った場合の影響力に注意したい。例えば「母系にダンチヒやストームキャットを持つディープインパクト産駒やハーツクライ産駒」は、勝負どころの加速が速くなり、GIホースが多数出ています。

ディープ×ダンチヒ系の代表馬に、サトノダイヤモンド、ロジャーバローズ、ジェンティルドンナなど。ディープ×ストームキャット系の代表馬に、キズナ、エイシンヒカリ、ラキシスなど。

現在、ダンチヒ系の直系種牡馬にはハービンジャーなどがいますが、注目すべきは母系のダンチヒとデインヒル。この血が入ると高速タイムに強い馬が生まれたり、大跳びのディープ産駒やハーツ産駒が軽いピッチ走法になります。

一方、ストームキャット系は2歳戦とダートのスピード競馬に強く、ダート1200mではワンツーの独占がたびたび見られます。ダートの短距離に強い種牡馬や、中距離に強い種牡馬がいます。

芝の2歳チャンピオンや、短距離王者がときどき出るのもストームキャット系の特徴です。高松宮記念を勝ったミスターメロディ、朝日杯FSを勝ったアジアエクスプレスなども種牡馬になりました。

母系にストームキャットを持つ種牡馬の代表は、ロードカナロアとキズナです。ロードカナロアの産駒が短距離に強いのは、母の父ストームキャットの影響が大きい。また、キズナの産駒がディープインパクトよりマイラーが多く、ダートも走るのはやはり、母の父ストームキャットの影響と思われます。

その8 エーピーインディ系

主な種牡馬／シニスターミニスター、パイロ、マジェスティックウォリアー、タピット、ラニ、クリエイターII、カジノドライヴ、ベストウォリア、インカンテーション

現在、ダート戦の主流になりつつあるのがエーピーインディ系です。もう少し父系をさかのぼって「シアトルスルー系」、さらにのぼって「ボールドルーラー系」と呼ぶ場合もあります。

最大の特徴は、ほぼダートしか走らないこと。ダートの1400mから2100mあたりを得意にします。アメリカで発展した父系のため、時計の速いダートに強いとか、左回りに強いとか、基本のイメージはありますが、現在は右回りも、時計の遅いダートに強い馬もたくさんいます。

プルピットを経由すると、気性のうるさい馬が多くなる特徴もあり、パイロやラニがこれに当てはまります。

目　　次

▶馬名のあとの青色の数字とアルファベットは、折り込みの種牡馬系統表での、その馬の位置の目安です。地図の要領でお探しください。なお、馬によっては系統表に掲載できなかったため、その馬の父、あるいは父系の位置を示している場合もあります。

▶種牡馬の掲載順は、**2024年に産駒をデビューさせる新種牡馬**、以下、**トップ種牡馬25頭**、注目の有力種牡馬、海外の種牡馬の順になっております。

特別収録 種牡馬系統表

必見DATA 条件別・マルチ種牡馬ランキング

●ランクおよびその資料／（社）日本軽種馬協会 JBIS Search 提供
表紙画／キズナ by 小畠直子

2024年
産駒デビューの
新種牡馬

アドマイヤマーズ
ADMIRE MARS

マイルGI3勝、3歳で香港マイルを制した名マイラー

2016年生　栗毛　初年度登録産駒62頭　2024年種付け料▷受胎確認後250万円（FR）

現役時代

中央11戦5勝、香港2戦1勝。主な勝ち鞍、朝日杯FS、NHKマイルC、香港マイル、デイリー杯2歳S。

ミルコ・デムーロを鞍上に、新馬、中京2歳S、デイリー杯、朝日杯FSと、芝1600を4連勝。朝日杯FSではダイワメジャー産駒らしい先行力と完成度の高さで3番手から抜け出し、グランアレグリアやファンタジストとの「無敗馬対決」を制して2歳王者の座についた。管理する友道康夫調教師にとっては初めての、デムーロにとっては4度目の朝日杯FS制覇だった。

3歳になり、共同通信杯2着から皐月賞へ向かうも、距離が長かったか、サートゥルナーリアの4着。そこから中2週のローテでNHKマイルCを選択する。

前半57秒8のハイペースで流れたNHKマイルC、アドマイヤマーズは中団の外につけて、直線は外へ持ち出す。1番人気のグランアレグリアが若さを見せてフラフラと進路を探すのを横目で見ながら、しぶとく末脚を使い、差し切った。

休養をはさみ、富士Sの9着から向かった3歳12月の香港マイル、シャティンの芝1600m。日本からノームコア、インディチャンプスら4頭が顔を揃える中、3連覇を狙う地元の名馬ビューティジェネレーションの背後につけ、スミヨンの左ムチに応えて先頭に立つ。レースの3週間前に亡くなったアドマイヤの近藤利一オーナーへの手向けとなる海外GI制覇だった。表彰式では近藤オーナーの遺影が夫人の手によって掲げられ、友道調教師の目に光るものがあった。

4歳になった翌2000年は、あらたに川田将雅を鞍上に迎えて、安田記念6着、スワンS3着、マイルCS3着。好勝負はするものの、勝ち切れない。連覇を狙った香港マイルもムーアを鞍上に迎えたが、ゴールデンシックスティの3着だった。

産駒が楽勝続きで話題沸騰
芝2000mや2400mも走れる!?
先行して脚をためる長所あり

ダイワメジャー 栗 2001	*サンデーサイレンス Sunday Silence	Halo
		Wishing Well
	スカーレットブーケ	*ノーザンテースト
		*スカーレットインク(4-d)
*ヴィアメディチ Via Medici 栗 2007	メディチアン Medicean	Machiavellian
		Mystic Goddess
	ヴィアミラノ Via Milano	Singspiel
		Salvinaxia (4-l)

Halo 3×5・5、Northern Dancer 4×5

種付け年度	種付け頭数	血統登録頭数	種付け料
2023年	129頭	—	250／受・不生返
2022年	107頭	55頭	250／受・不生返
2021年	115頭	62頭	300／受・不生返

血統背景

父ダイワメジャーは同馬の項を参照。

母ヴィアメディチはリューリー賞（仏GⅢ・芝1600m）の勝ち馬。祖母ヴィアミラノも仏のGⅢ馬。

半兄フレッチアは中央4勝、半姉ヴィアピサはイタリアGⅠリディアテシオ賞の3着がある。

母系にサドラーズウェルズを持つダイワメジャー産駒は活躍馬が多いことで知られ、本馬は祖母の父がサドラー系のシングスピール。

代表産駒

セイウンビッグバン（ダリア賞2着）など、8月25日までに中央競馬で8頭が勝ち上がり。

豪州でも21年から4年連続でシャトル供用され、23年の種付け料は2万2000オーストラリア・ドル。

関係者コメント

「好調です。2歳の最初から芝1800mでこれだけ勝てるということは、かなり距離は持つはずで、ホープフルSに出てくる馬もいるだろうし、3歳になれば2000mや2400mがターゲットに入ってきます。楽しみにしています。

アドマイヤマーズ自身の馬体は父のダイワメジャーよりすっきりしてて、お尻も大きくないし、顔も小さい。お母さんの系統が出ているようです。

1年目の産駒の数はそんなに多くないですが、現役時代の成績をあらためて見ると、相当強い馬ですよね。朝日杯FSを勝って、NHKマイルCを勝って、3歳で香港マイルまで勝っている。種付け頭数というのは、お父さんが元気なうちはなかなか息子は増えないものなんです。今年も7月に豪州へシャトルに出しました」（社台スタリオン、24年8月）

特注馬

エンブロイダリー／新潟芝1800をレコード勝ち。祖母の兄姉にアドマイヤオーラ、ブエナビスタがいる名牝系。母父クロフネだからNHKマイルC合いそう。

メイショウツヨキ／母は昇竜Sを勝ったダート馬。芝で軽い切れ味を求められるレースは不向きも、道悪や、内回りコースを早め先頭の乗り方で長所を出す。

アドマイヤマーズ産駒完全データ

●**最適コース**
牡／中山芝2000、小倉芝1800
牝／中山芝1600、新潟芝1600

●**クラス別成績**

新馬	牡馬:3-2-0-5		牝馬:0-2-1-11
未勝利	牡馬:1-0-2-0		牝馬:4-0-0-1
OPEN	牡馬:0-1-0-0		牝馬:0-0-0-0

●**距離別成績**

～芝1200	牡馬:1-0-0-0		牝馬:1-0-1-1
芝1400	牡馬:0-1-0-0		牝馬:0-0-0-0
～芝1600	牡馬:1-1-0-2		牝馬:1-2-0-8
芝1800～	牡馬:1-1-2-3		牝馬:2-0-0-3
ダート	牡馬:1-0-0-0		牝馬:0-0-0-0

●**人気別回収率**

1人気	単57%・複76%		3-1-2-3
2～4人気	単87%・複81%		3-2-1-5
5人気～	単127%・複86%		2-2-0-9

●**枠順別連対数**

1～3枠／2回	4～6枠／9回	7,8枠／2回

勝利へのポイント

3角4番手以内の馬【8-3-3-5】

24年デビュー組の最大のヒット新種牡馬だ。

7馬身差で逃げ切ったエンブロイダリー、3馬身半差で勝ったジャルディニエとブルーサンセットなど、楽勝した馬が目につく。奥は深い。

8勝の内訳は、芝1800で3勝、芝1600で2勝、芝1200で2勝、ダ1200で1勝。脚質は逃げ切り2勝、先行差し6勝。3コーナー4番手以内だった馬の結果は上記で、好位で脚をためる安定感がすごい。ひとまずは、新馬で先行力を見せた馬を、次走や上のクラスで連軸にする買い方が賢い。逆に新馬の1番人気はあまり人気に応えていない。

勝ち上がった8頭のうち、母父クロフネが2頭いるのは納得するが、母父シニスターミニスターも2頭いるのは驚く。ダート専用血統を母父に持つ馬が芝1600を勝ってみせるのは、父のポテンシャルの高さの証明だ。芝の稍重は3戦3連対と合う。

サートゥルナーリア
SATURNALIA

素質ピカイチ、中距離で活躍したロードカナロアの看板後継

2016年生　黒鹿毛　初年度登録産駒142頭　2024年種付け料▷受胎確認後800万円（FR）

現役時代

　中央10戦6勝。主な勝ち鞍、ホープフルS、皐月賞、神戸新聞杯、金鯱賞。有馬記念2着。

　キャロットクラブの募集価格は総額1億4000万円。母シーザリオや、半兄エピファネイア、半兄リオンディーズと同じ角居勝彦厩舎からデビューした。

　新馬は1.1倍、萩Sは1.2倍、ホープフルSは1.8倍という断然人気に応え、無傷の3連勝でGI制覇。デムーロを鞍上に、ホープフルSはアドマイヤジャスタやニシノデイジーを先行抜け出しで封じた。

　デムーロにはアドマイヤマーズもいたため、クラシックで誰が相棒になるか注目されたが、あらたにルメールとのコンビが決まり、ぶっつけで皐月賞へ向かった。19年の皐月賞。前半59秒1の淀みない流れのなか、ダノンキングリー、ヴェロックス、アドマイヤマーズら上位人気馬が先行集団を形成する。その後ろに1番

人気サートゥルナーリアが虎視眈々。一度落ち着いたペースが4コーナー手前から再び速くなり、人気馬の進路も内と外へ分かれる。

　直線、馬場の真ん中から先に抜け出したのは川田のヴェロックス。その外からルメールのサートゥルが馬体を併せるように並びかけ、斜行と接触しながらの叩き合い。と思ったところへ最内から戸崎のダノンキングリーが一気に伸びる。サートゥルがわずかに出て、頭、ハナ差で2頭が続いた。

　ダービーも1番人気になったが、ルメールが騎乗停止中で乗れず、代打のレーンはスタートで立ち遅れてしまう。上がり最速で追い込むも4着まで。

　秋は神戸新聞杯を楽勝して、天皇賞・秋へ向かったが、道中ずっと力みっぱなしで6着。東京コースはいまいちと判明する。その後、有馬記念でリスグラシューの2着、4歳になって金鯱賞を勝利した。

POINT

ロードカナロアより中距離向き
牝馬が芝1600重賞で好走!
前走3着以内の人気馬は堅実

ロードカナロア 鹿 2008	キングカメハメハ	Kingmambo
		*マンファス
	レディブラッサム	Storm Cat
		*サラトガデュー （2-s）
シーザリオ 青 2002	スペシャルウィーク	*サンデーサイレンス
		キャンペンガール
	*キロフプリミエール Kirov Premiere	Sadler's Wells
		Querida （16-a）

Northern Dancer 5×4

種付け年度	種付け頭数	血統登録頭数	種付け料
2023年	201頭	—	800／受・FR
2022年	195頭	137頭	700／受・FR
2021年	205頭	142頭	600／受・FR

血統背景

　父ロードカナロアは同馬の項を参照。

　母シーザリオは05年のオークスと、アメリカンオークス（米GI・芝2000M）に優勝。桜花賞はラインクラフトの2着だった。祖母キロフプリミエールは米国のGⅢラトガーズBCH勝ち。

　半兄エピファネイア（ジャパンC）、半兄リオンディーズ（朝日杯FS）も種牡馬になっている。近親にオーソリティ（アルゼンチン共和国杯）。

代表産駒

　コートアリシアン（新潟2歳S2着）、マジカルフェアリー（新潟2歳S4着）。

　24年8月25日までに中央競馬で8頭が勝ち上がり。牝馬が6頭、牡馬が2頭だ。

　7月までは牝馬のデビューが多かったが、8月以降は牡馬の出走も増えた。

関係者コメント

　「産駒は筋肉量があって、ころっとした馬体はボリューム感があるので、仕上がりはゆっくりめです。ロードカナロアの系統だからといって、2歳の夏から短い距離でスピードを発揮してテンに行くというタイプではなさそうです。シーザリオの仔で長い距離も走るような血統構成なので、秋以降に適鞍が増えて、そうすると同じ新馬戦に何頭も出てくるようになるのかもしれません。すごい馬がたくさん控えていますから、これからです。

　種付け頭数は1年目から3年続けて200頭前後でしたが、今年は160頭くらい。ちょっと様子を見られたのか、いつもよりはヒマしてる感じでした（笑）」（社台スタリオン、24年8月）

特注馬

コートアリシアン／母の兄姉にストロングリターン、レッドオーヴァル。スローで追走できたほうが持ち味を活かせそう。東京芝1600のGⅢ重賞で買いたい。

ショウナンサムデイ／母はジャパンCと秋華賞の勝ち馬。小柄な馬体のせいか、良血の割には人気にならない。強気の格上挑戦でひょっこり穴をあけるタイプ。

サートゥルナーリア産駒完全データ

●最適コース
牡／中京芝2000、中山芝1600
牝／東京芝1600、新潟芝1600

●クラス別成績

新馬	牡馬：2-1-0-9	牝馬：3-1-2-9
未勝利	牡馬：0-0-0-0	牝馬：3-0-1-1
OPEN	牡馬：0-0-0-0	牝馬：0-1-0-1

●距離別成績

〜芝1200	牡馬：0-0-0-0	牝馬：1-0-0-1
芝1400	牡馬：0-0-0-0	牝馬：0-0-0-2
〜芝1600	牡馬：0-0-0-3	牝馬：2-2-2-5
芝1800〜	牡馬：2-1-0-5	牝馬：3-0-1-3
ダート	牡馬：0-0-0-1	牝馬：0-0-0-0

●人気別回収率

1人気	単68%・複100%	3-2-0-1
2〜4人気	単130%・複96%	5-0-3-8
5人気〜	単0%・複26%	0-1-0-11

●枠順別連対数

1〜3枠／4回	4〜6枠／5回	7、8枠／2回

勝利へのポイント

芝1800／4勝、芝2000／1勝

　8勝の内訳は、芝1800で4勝、芝2000、芝1600、芝1500、芝1200で各1勝。牡馬のほうが長い距離に良績が集まっている。ロードカナロアのように短距離を勝ちまくるのではなく、中距離を中心にマイラーも出るだろうし、2400mの得意な馬も出るだろうという概観だ。兄エピファネイア同様に、牡馬は芝2000、牝馬は芝1600を基準に、あとは母系で調整すれば良い。

　重賞は新潟2歳Sでコートアリシアンが2着、マジカルフェアリーが4着。8勝のうち、逃げ切り1勝、先行中団から6勝、後方差し1勝。コートアリシアンの新潟2歳Sはさておき、折り合いに苦労する馬は少なめ。気性の難しさは感じない。

　新馬で2着か3着だった馬の次走は【3-0-0-0】。きっちり人気に応えている。ダートは出走1例しかないが、条件戦ならダ1800を中心に走れる。

タワーオブロンドン
TOWER OF LONDON

筋骨隆々、成長力に富んだ良血スプリンター

2015年生　鹿毛　初年度登録産駒98頭　2024年種付け料▷産駒誕生後150万円

©Darley

タワーオブロンドン　TOWER OF LONDON

現役時代

中央17戦7勝、香港1戦0勝。主な勝ち鞍、スプリンターズS、京王杯2歳S、アーリントンC、京王杯スプリングC、セントウルS。

ゴドルフィンの持ち込み馬で、祖母の兄妹に英ダービー馬ジェネラスや、英オークス馬イマジンがいる欧州の名牝系。藤沢和雄厩舎、主戦はルメール。

札幌芝1500の新馬を逃げ切り、4戦目に京王杯2歳Sを差し切り。朝日杯FSは2番人気を集めたが、ダノンプレミアムに突き放されて3着に敗れた。すでに2歳から510キロ台の筋骨隆々の馬体を持っていた。

アーリントンCを勝って向かったNHKマイルCは1番人気。しかし、中2週のローテが響いたか、直線で進路が狭くなった不利も大きかったか、能力を出し切れず12着に大敗。

4歳になって馬が変わった。レーンに乗り替わった

5月の京王杯SCを1分19秒4のレコードで差し切ると、9月のセントウルSも1分6秒7のレコード勝ち。洋芝の北海道重賞は勝てなかったが、高速タイムに抜群の強さを発揮した。

19年のスプリンターズSは、本命視されたグランアレグリアの回避により、一転、混戦ムード。3番人気モズスーパーフレアがテン32秒8のハイラップで逃げ、1番人気ダノンスマッシュが中団待機。2番人気のタワーオブロンドンはそれより後ろで脚をためた。勝負どころ、ルメールが巧みに外へ持ち出すと、ロンドン塔のワタリガラスが一斉に飛び立つかのようにストライドを伸ばし、前を行く馬たちを追い詰めていく。懸命に粘るモズスーパーフレアを半馬身捕まえ、先頭ゴールインした。

5歳の高松宮記念は1番人気を集めたが、重馬場になってまったく動けず。良馬場が得意だった。

芝1400以下でスピードを発揮!
穏やかで従順な気性
中距離馬も出そうな血統構成

	イルーシヴクオリティ Elusive Quality	Gone West
レイヴンズパス Raven's Pass 栗　2005		Touch of Greatness
	アズカットニー Ascutney	Lord At War
		Right Word　(17-b)
*スノーパイン Snow Pine 芦　2010	ダラカニ Dalakhani	Darshaan
		Daltawa
	*シンコウエルメス Shinko Hermes	Sadler's Wells
		Doff the Derby(4-n)

Mr. Prospector 4×5、Northern Dancer 5×4

種付け年度	種付け頭数	血統登録頭数	種付け料
2023年	133頭	―	150／生
2022年	157頭	98頭	150／生
2021年	134頭	98頭	100／生

血統背景

　父レイヴンズパスは08年のBCクラシック、クイーンエリザベス2世Sに優勝。ミスプロ系。

　祖母シンコウエルメスはジェネラス(英ダービー)の半妹、イマジン(愛1000ギニー)の全姉。日本でデビュー後、調教中に骨折して安楽死も検討されたが、藤沢和雄調教師の熱意によって手術を経て繁殖入り。のちのタワーオブロンドンやディーマジェスティ(皐月賞)の誕生につながった。

　他にオセアグレイト(ステイヤーズS)、ソベッツ(サンタラリ賞)、25年に日本で産駒デビューの新種牡馬ヴァンゴッホも同じファミリー。

代表産駒

　アーリントンロウ(小倉2歳S3着)、レイピア(小倉2歳S4着)。24年8月25日までに中央競馬で4頭が勝ち上がり。

関係者コメント

　「今年は種付け4シーズン目と、種馬としては不利な状況のなか過去最高の172頭に種付けしました。産駒デビュー前からセリでの高評価や、育成場でも2月の段階で動きが素晴らしいという評価が非常に多く、質の高い繁殖牝馬が多く集まってくれました。産駒は総じて本馬に似た筋肉質でいかにも短距離で走りそうな馬体ですね。骨量があるので2歳戦からスピードを発揮できていますが、本馬自身のように成長とともに馬格をさらに活かせるようになるのではないでしょうか。産駒は本馬に似て非常に穏やかで従順。順調に育成に進めるので早期デビューする産駒も多いでしょう。レースぶりにも素直さが感じられます。芝・ダートともに走れる血統背景もあります」(ダーレー・ジャパン、24年8月)

特注馬

レイピア／折り合いの難しさはあるが、馬群を縫う勝負根性もあり、内枠を活かせる。祖母は芝1200の重賞を勝った快速馬で、ブラックホークの代表産駒。

カガバベル／母の全兄ヴィクトワールピサ、近親オメガギネスという名牝系。福島芝1200の未勝利勝ちは目立たないが、2歳、3歳から走るファミリーで注目。

タワーオブロンドン産駒完全データ

●最適コース
牡／新潟芝1400、小倉芝1200
牝／札幌芝1200、函館芝1200

●クラス別成績

	牡馬	牝馬
新馬	0-4-1-13	0-0-1-4
未勝利	3-0-0-9	1-0-1-1
OPEN	0-0-0-0	0-0-0-0

●距離別成績

	牡馬	牝馬
～芝1200	2-1-1-15	1-0-1-3
芝1400	1-2-0-2	0-0-1-0
～芝1600	0-1-0-2	0-0-0-1
芝1800～	0-0-0-1	0-0-0-0
ダート	0-0-0-2	0-0-0-1

●人気別回収率

1人気	単126%・複120%	2-1-0-0
2～4人気	単25%・複63%	1-2-2-11
5人気～	単115%・複82%	1-1-1-16

●枠順別連対数

1～3枠／4回	4～6枠／3回	7、8枠／1回

勝利へのポイント

新馬／0勝、未勝利／4勝

　勝ち星4勝は、小倉芝1200、函館芝1200、福島芝1200、新潟芝1400。すべて未勝利クラスの1着で、小倉2歳Sは3、4着。芝1600の2着もある。

　軽快なスピードを持ち、先行力を活かしたレースが得意。現役時代は朝日杯FS3着などマイルでも活躍した馬で、その割には芝1200に使われる馬が多すぎるのでは、という印象を持つ。血統構成はダルシャーンやサドラーズウェルズを持ち、こういう馬は現役時にスプリンターでも、産駒はもっと長めの距離に適性を持つ馬が増えるもの。芝1800や芝2000に向く馬が出ても不思議はない。

　競馬場では、東京や京都でも、福島や函館でも、まんべんなく連対馬が出ている。

　ダートはまだ3頭しか出走してない。地方競馬では5頭が勝ち上がっているから、半分くらいはダート馬になるのか。脚抜きのいい馬場向き。

ナダル
NADAL

コロナに翻弄されたケンタッキー・ダービー有力候補

2017年生　鹿毛　アメリカ産　初年度登録産駒98頭　2024年種付け料▷受胎確認後300万円（FR）

現役時代

北米で4戦4勝。主な勝ち鞍、アーカンソー・ダービー（GI・9F）、レベルS（GII・8.5F）、サンヴィセンテS（GII・7F）。

2020年の世界の競馬はコロナ禍により日程の変更を余儀なくされ、アメリカでもステップ戦を含めた三冠路線を直撃。ケンタッキー・ダービーは9月5日に大幅順延。本来は最終戦となるベルモントSが2週遅れの6月20日に距離9Fに短縮され一冠目、プリークネスSは10月3日に三冠の最終戦としてそれぞれ行われた。

西海岸を拠点とするB・バファート厩舎から3歳1月にサンタアニタ競馬場でデビュー。ここを逃げ切り、続くサンタアニタ競馬場でのサンヴィセンテSはBCジュヴェナイルの勝ち馬ストームザコートを抑えて1番人気に支持され、2番手から抜け出して重賞制覇。

ストームザコートは4着。

アーカンソー州オークローン競馬場に遠征してのレベルSでも逃げ切り勝ち。本来はケンタッキー・ダービーの開催日だった5月2日のアーカンソー・ダービーは登録馬多数のため、2分割にして施行。圧倒的1番人気に支持されて分割2に出走したナダルは2番手追走から3コーナー過ぎて先頭に立ち、2着キングギレルモに3馬身差をつけて快勝。デビューから4連勝とした。なお、分割1もバファート厩舎の1番人気馬シャーラタンが制し、デビューから3戦3勝としている。

4月の時点でフロリダ・ダービーの勝ち馬ティズザロウやシャーラタンらとともにケンタッキー・ダービーの有力候補に挙がり、アーカンソー・ダービーの勝利でさらに確固としたが、不運にも5月28日の調教後に左前脚の骨折が判明。現役引退と翌年から種牡馬入りすることが発表された。

相次いで芝短距離新馬戦を勝利
ダート中距離楽勝馬も現る
クラシックとダート三冠への期待大

ブレイム Blame 鹿 2006	アーチ Arch	Kris S.
		Aurora
	ライアブル Liable	Seeking the Gold
		Bound　(5-h)
アセンディングエンジェル Ascending Angel 栗 2011	プルピット Pulpit	A.P. Indy
		Preach
	ソーラーコロニー Solar Colony	Pleasant Colony
		Meteor Stage (23-b)

Mr. Prospector 4×4、Northern Dancer 5・5×5

種付け年度	種付け頭数	血統登録頭数	種付け料
2023年	103頭	―	350／受・FR
2022年	114頭	72頭	400／受・FR
2021年	150頭	98頭	400／受・FR

血統背景

父ブレイム。無敗の女傑ゼニヤッタを破ったBCクラシックなど北米GI3勝。産駒にセンガ（仏オークスGI）、フォルト（サンタマルガリータSGI）、ランドネ（愛知杯3着）、リゾネーター（伏竜S）。3代父クリスエスの産駒にシンボリクリスエス。

母系は近親にプレゼントステージ（BCジュヴェナイルフィリーズGI）。

代表産駒

6月8日にヒデノブルースカイ、翌9日のポートデラメール、翌週15日にクレーキングと立て続けに新馬戦勝利。夏競馬終了時、中央は出走23頭、勝ち馬5頭。地方は出走4頭、勝ち馬1頭。

関係者コメント

「とにかく大きな馬で、最初に見たときはビックリしました。今は670キロくらい。骨と筋肉が多くてムキムキなんだけど、太っているわけじゃない。余計なところに肉がなく、短距離走も走れる柔道選手とか、ボブ・サップみたいな感じです。でも、産駒はそこまで大きくないし、脚元は柔らかく、飛節も深い。

今年は大人気で、190頭くらいに付けました。来年から種付け価格が上がるんじゃないかという噂だけひとり歩きして、先物買いの人もいたようです。思ったより仕上がりも早くて、芝も走れることがわかったからでしょう。もっとカーッといくタイプかと思ったら、折り合いもいいし、意外に操縦性がいい。

現役時代は無敗だったのに、コロナ禍の年でケンタッキー・ダービーが順延になったりして、その段階で骨折してしまった。骨折したから買えたレベルの馬だと思います」（社台スタリオン、24年8月）

特注馬

カロローザ／母はシルクロードS2着、近親に日経賞2着のクロミナンス。血統的に奥は深く、上級条件でも。
ファンタムウェーブ／クビを振りながらも馬群を苦にしない走りは好感。このまま坂井との継続騎乗希望。
ポートデラメール／近親にシャフリヤール。リボー系ヒズマジェスティ5×5。常に一発の魅力あり。

ナダル産駒完全データ

●**最適コース**
牡／中京ダ1800、東京ダ1400
牝／中山ダ1800、中京芝1400

●**クラス別成績**

新馬	牡馬:3-0-0-5	牝馬:1-5-1-6
未勝利	牡馬:0-0-0-3	牝馬:0-0-0-4
OPEN	牡馬:0-0-0-1	牝馬:0-0-0-0

●**距離別成績**

～芝1200	牡馬:1-0-0-1	牝馬:1-2-0-3
芝1400	牡馬:0-0-0-1	牝馬:0-2-0-0
～芝1600	牡馬:0-0-0-2	牝馬:0-0-0-1
芝1800～	牡馬:0-0-0-4	牝馬:0-0-0-1
ダート	牡馬:2-0-0-1	牝馬:0-1-1-2

●**人気別回収率**

1人気	単80%・複90%	3-3-0-2
2～4人気	単41%・複46%	1-2-1-11
5人気～	単0%・複0%	0-0-0-6

●**枠順別連対数**

1～3枠／2回	4～6枠／5回	7、8枠／2回

勝利へのポイント

夏競馬終了時5勝【新馬／4勝、未勝利／1勝】

2歳初っ端から新馬の芝短距離を相次いで勝利。シンボリクリスエスと同父系と思えない、仕上がりの早さと短距離適性だ。それでも徐々に本来のクリスエス系らしさが垣間見え、500キロを超える大型馬ファンタムウェーブがダート1800新馬戦を楽勝し、カロローザが叩いての変わり身から芝1400未勝利を圧勝している。奇しくも2頭の鞍上は坂井騎手だった。

短距離新馬戦を勝ち上がったヒデノブルースカイは函館2歳S、ポートデラメールは小倉2歳Sでそれぞれ11着、7着に終わったが、秋以降には中距離の上級条件に何頭も挑戦してくるだろう。そこを難なく突破するようならクラシックやダート三冠が見えてくる。2歳から走る芝の短距離馬と素質の片鱗をみせつつ、3歳以降に本格化する芝、ダートの中距離馬に分かれると予想する。

フォーウィールドライブ
FOUR WHEEL DRIVE

アメリカンファラオ系の快速馬

2017年生　鹿毛　アメリカ産　初年度登録産駒86頭　2024年種付け料▶受胎確認後120万円（FR）／産駒誕生後170万円

現役時代

北米で通算4戦3勝。主な勝ち鞍、BCジュヴェナイルターフスプリント（GⅡ・5F）、フューチュリティS（GⅢ・6F）、ロージーズS（5.5F）。

管理するのはW・ウォード調教師。同師は2015年のダイヤモンドジュビリーSをアンドラフティド、2017年のキングズスタンドSをレディオーレリアで制するなど英ロイヤルアスコット開催の短距離GⅠで実績を残している。本馬も一貫して芝短距離路線を歩み、2歳8月のブラックタイプ競走（勝利、入着することによりセリ名簿において馬名を太字で記載することができる競走）のロージーズSでデビュー。経験馬相手に1番人気に推され、その期待に応えるかのように2番手から抜け出し、2着馬に3馬身1／4差をつけて楽勝した。良馬場の勝ち時計はコースレコードの1分00秒84。ベルモント競馬場でのフューチュリティSも圧

倒的1番人気に推され、デビュー戦と同じく2番手から抜け出し、2着馬に3馬身差をつけて優勝した。

迎えた大一番はサンタアニタ開催のBCジュヴェナイルターフスプリント。前年に創設、GⅡでも2歳芝短距離馬にとっては最大の目標レース。英、仏GⅡ3勝の遠征馬アーリらを抑えて本命馬として出走。スピードに任せて発走直後にはハナに立ち、後続を寄せ付けることなく逃げ切った。良馬場の勝ち時計は55秒66。最後の1Fは11秒63。2着馬との着差は3／4差だが完勝だった。アーリは後方のまま見せ場なく、12頭立ての10着。

3歳時は5月のアローワンス競走から始動。他馬より5ポンド重い123ポンドの斤量で出走。当然のように1番人気だったが、先手を取れず中団から流れ込んでの7着敗退。生涯唯一の黒星を喫し、この一戦を最後に現役を退いた。

アメリカンファラオ American Pharoah 鹿　2012	パイオニアオブザナイル Pioneer of the Nile	*エンパイアメーカー Empire Maker
		Star of Goshen
	リトルプリンセスエマ Littleprincessemma	Yankee Gentleman
		Exclusive Rosette (14)
ファンフェア Funfair 黒鹿　2010	モアザンレディ More Than Ready	*サザンヘイロー Southern Halo
		Woodman's Girl
	フルーロン Fleuron	Distant View
		Flamboyance (9-h)

Mr. Prospector 4×5（母方）

種付け年度	種付け頭数	血統登録頭数	種付け料
2023年	83頭	─	120／受・FR
2022年	109頭	81頭	120／受・FR
2021年	139頭	86頭	100／受・FR

血統背景

父アメリカンファラオは同馬の項参照。日本とは対照的にリフロケット（オーストラリアン・ダービーGI）、アバーヴザカーヴ（サンタラリ賞GI）、ヴァンゴッホ（クリテリウムアンテルナシオナルGI）など芝重賞勝ち馬を多数輩出している。ヴァンゴッホも22年から日本で供用。

母ファンフェアも芝5Fのステークス勝ち馬。近親にダイネヴァー（ドバイワールドCGI2着）、ファーゼストランド（BCダートマイルGI）。5代母はゴールドアリュールの3代母。ペルシアンナイトも同牝系。母の父モアザンレディはカフェファラオと同じ。

代表産駒

夏競馬終了時、中央は出走19頭、未勝利。地方は20頭が出走20頭、勝ち馬8頭で計10勝。浦和重賞ルーキーズサマーC4着のクマノコ、高知で2戦2勝のドライブアウェイらがいる。地方の新種牡馬ランキングはゴールドドリームに次ぐ2位。

関係者コメント

「地方のダートでは2歳の勝ち馬が何頭も出て結果を出していますが、まだ中央では7月までの時点で勝ち馬は出ていません。

現役時代にアメリカの芝のスプリントGIIを勝った馬で、ダートだと相手が強いから手薄な芝を狙ったと聞いています。本来はダート向きでダートの短距離がベストでしょう。ダートのレースが増えてくれば、中央の勝ち馬も出るはずです。

芝のレースで負けた馬のダート替わりが甘く見られていたら、馬券で狙ってみるのも面白いんじゃないでしょうか。

気性は穏やかすぎるくらい穏やかで、カーっといく短距離馬という感じの気性ではありません。アメリカンファラオの系統は左回りがいいなんて言われますけど、それは得意ゾーンの幅が狭いせいかもしれませんね。走れる条件にマッチすれば爆発的な能力を出せるけど、ミスマッチの条件だと走らない。そんな面も受け継がれているのかどうか、注目です」（ブリーダーズ・スタリオン、24年8月）

フォーウィールドライブ産駒完全データ

●最適コース
牡／集計期間内では判断できず
牝／集計期間内では判断できず

●クラス別成績
新馬	牡馬:0-0-0-6	牝馬:0-1-2-9
未勝利	牡馬:0-0-0-3	牝馬:0-3-0-8
OPEN	牡馬:0-0-0-0	牝馬:0-0-0-1

●距離別成績
～芝1200	牡馬:0-0-0-0	牝馬:0-2-2-9
芝1400	牡馬:0-0-0-0	牝馬:0-1-0-4
～芝1600	牡馬:0-0-0-1	牝馬:0-1-0-2
芝1800～	牡馬:0-0-0-3	牝馬:0-0-0-0
ダート	牡馬:0-0-0-5	牝馬:0-0-0-0

●人気別回収率
1人気	単0%・複0%	0-0-0-0
2～4人気	単0%・複80%	0-1-0-1
5人気～	単0%・複171%	0-3-2-26

●枠順別連対数
| 1～3枠／3回 | 4～6枠／1回 | 7、8枠／0回 |

勝利へのポイント

2着計4回【～芝1200／2、芝1400／1、芝1600／1】

データ集計期間中、中央は未勝利ながら、芝1400以下で2着3回と、産駒は父の現役時を踏襲するかのように芝短距離で走っている。それでも出だし好調の地方と関係者コメントから本筋はダート向きと予想する。それこそ芝で負けた馬のダート替わりは狙い目だろう。距離適性は個々の産駒によって判断するとし、やはり関係者コメントでも述べているように、アメリカンファラオ系は条件さえ合えば大駆けする反面、気性的な難しさからの惨敗があることを考慮する必要がある。近走の成績より枠順、展開や以前に好走したコースを重視するのがアメリカンファラオ系に対する常套手段でもある。とはいいつつ、一筋縄ではいかないのがアメリカンファラオ系。父同様に芝短距離での大暴れや、意表を突いて芝中距離の上級馬が出ても驚かないように。あらゆる面で注目だ。

ノーブルミッション
NOBLE MISSION

日本でもGI馬輩出フランケルの全弟

2009年生　鹿毛　イギリス産　初年度登録産駒85頭　2024年種付け料 ▷ 受胎確認後150万円 (不受返・不生返)

現役時代

イギリス、フランス、アイルランド、ドイツで通算21戦9勝。主な勝ち鞍、チャンピオンS（GI・10F）、タタソールズGC（GI・10.5F）、サンクルー大賞（GI・2400M）、ゴードンS（GIII・12F）、ゴードンリチャーズS（GIII・10F）、ハクスリーS（GIII・10F75y）。ダルマイヤー大賞（GI・2000M）2着。

フランケルの全弟ということで注目を集めたに違いなく、フランケルと同じくH・セシル調教師が管理。2013年6月に同師の逝去により、同師夫人が引き継いだ。鞍上もフランケルの主戦だったT・クウィリー騎手。

3歳7月のゴードンSで重賞初制覇を果たすが、その後の重賞路線では大敗こそないものの勝ち切れず、5歳4月のゴードンリチャーズSまで待たなければならなかった。前年終盤からJ・ドイル騎手に乗り替わり、ここも同騎手が騎乗。これまでとは違っての逃げ切り

勝ちだった。この後もJ・ドイル騎手が主戦を務め、ハクスリーSを制すると、タタソールズGCでGI初制覇。続くサンクルー大賞は2着入線ながら1位入線馬のスピリットジムの降着により繰り上がり優勝。これで重賞4連勝。フランケルとは比較にならないものの見事な快進撃。

続くダルマイヤー大賞は半馬身差の2着惜敗だが、現役最後の一戦となるチャンピオンSで感動的な勝利を収めることになる。

2年前にフランケルも制しているチャンピオンS。ここも鞍上のJ・ドイル騎手は積極的に逃げの戦法。そのまま直線に入り、残り2Fから2番手を進んだアルカジームと一騎打ちを展開。これを最後まで凌ぎ、同馬をクビ差抑えてゴールへ飛び込んだ。この勝利は関係者はもちろん、アスコット競馬で観戦していた多くのファンを魅了したそうだ。

POINT

- フランケルの全弟は忘れろ
- 中長距離でこそ本領発揮
- ダート上級馬を期待

血統背景

父ガリレオ。

母系は全兄にフランケル（同馬の項参照）。祖母レインボウレイクは英GⅢ勝ち馬。母の半兄にパワーズコート（タタソールズGCGI、アーリントンミリオンGI）、全妹にリポースト（リブルスデイルSGⅡ）。

ガリレオ×デインヒルの配合から、ハイランドリール（同馬の項参照）、キプリオス（ゴールドCGI 2回）、ジャパン（インターナショナルSGI）などGI勝ち馬多数輩出。

代表産駒

2015年からアメリカで種牡馬入りし、コードオブオナー（トラヴァーズSGI・10F）、ノバルス（BCターフスプリントGI・5F）、スパニッシュミッション（ヨークシャーCGⅡ・14F）、ジャウスター（アパラチアンSGⅡ・8F）、バッファローリヴァー（MRCムーンガSGⅢ・1400M）など、ダート、芝、距離を不問に、北アメリカ、ヨーロッパ、オーストラリアで重賞勝ち馬を輩出。

父ストリートクライ牝馬との配合から3頭の重賞勝ち馬が出ている。

外国産馬として中央は5頭が出走、1頭が1勝（東京ダ2100）。日本産馬は夏競馬終了時、中央は7頭が出走、未勝利。地方は9頭が出走、3頭が勝利。

関係者コメント

「産駒は父に似て素直で前向きな性格の馬が多く、本馬の特徴がよく伝わっていると思います。レースで先行力があるところも似ていますね。

フランケルの全弟という血統背景と、軽快で美しい馬体の産駒が多く、昨年の1歳市場で高額取引された馬もいるように、多くの生産者が大物の誕生を期待しています。

勝ち鞍はまだ地方競馬のみですが、ノーブルミッションが古馬になってから活躍したように産駒の本格的な活躍はこれからでしょう。芝の中長距離が主な活躍の場になりそうですが、本馬の力強さが伝わればダートでも成功する産駒が出てくると思います」（日本軽種馬協会、24年8月）

ガリレオ Galileo 鹿　1998	サドラーズウェルズ Sadler's Wells	Northern Dancer
		Fairy Bridge
	アーバンシー Urban Sea	Miswaki
		Allegretta　(9-h)
カインド Kind 鹿　2001	*デインヒル Danehill	Danzig
		Razyana
	レインボウレイク Rainbow Lake	Rainbow Quest
		Rockfest　(1-k)

Northern Dancer 3×4、Natalma 4×5・5、Buckpasser 5×5

種付け年度	種付け頭数	血統登録頭数	種付け料
2023年	33頭	―	150／受・不生返
2022年	61頭	28頭	150／受・不生返
2021年	128頭	85頭	150／受・不生返

ノーブルミッション産駒完全データ

●最適コース
牡／東京ダ2100
牝／中山芝2000

●クラス別成績 ※データは2022年産限定

新馬	牡馬:0-0-0-4	牝馬:0-0-0-3
未勝利	牡馬:0-0-0-4	牝馬:0-0-0-2
OPEN	牡馬:0-0-0-1	牝馬:0-0-0-0

●距離別成績

～芝1200	牡馬:0-0-0-5	牝馬:0-0-0-1
芝1400	牡馬:0-0-0-1	牝馬:0-0-0-1
～芝1600	牡馬:0-0-0-0	牝馬:0-0-0-0
芝1800～	牡馬:0-0-0-1	牝馬:0-0-0-0
ダート	牡馬:0-0-0-2	牝馬:0-0-0-2

●人気別回収率

1人気	単0%・複0%	0-0-0-0
2～4人気	単0%・複0%	0-0-0-2
5人気～	単0%・複0%	0-0-0-12

●枠順別連対数

1～3枠／0回	4～6枠／0回	7、8枠／0回

勝利へのポイント

日本産馬出走距離【～1500／11走、1600～／3走】

現役時同様に産駒も2歳からガンガン走らなそうだし、海外で短距離GI勝ち馬を出してはいるが、関係者コメントでも述べているように中長距離こそ本領発揮の場だろう。時期的なものもあるが、短距離での出走が多く、現状の成績はやむを得ない。中長距離を使われ出すに従い、勝ち鞍が増えてくるはず。3歳になって未勝利を脱し、そこからは使われながら力を付けて上のクラスを突破していく成長曲線とする。洋芝も合いそうで、2600は望むところ。トラヴァーズSの勝ち馬を出した実績も買いたく、ダート上級馬が出ることを期待する。エーピーインディ系やキングカメハメハ系に伍して重賞戦線を賑わせるようなら、最大の"売り"となる。いずれにしてもフランケルの全弟というのはひとまず置いといて、日本でのガリレオ系と考え、長い目で見るのが正解とする。

ゴールドドリーム

GOLD DREAM

4歳にして中央ダートGI両制覇の最優秀ダートホース

2013年生 鹿毛 初年度登録産駒129頭
2024年種付け料▷受胎確認後180万円 (FR)

現役時代

　中央と地方交流25戦9勝、海外2戦0勝。主な勝ち鞍、フェブラリーS、チャンピオンズC、帝王賞、かしわ記念 (2回)、ユニコーンS。

　ダートの名種牡馬としてGIホースを多数送り出したゴールドアリュールが急死したのは、17年の2月18日。フェブラリーSの前日だった。そしてその年のフェブラリーSを勝ったのが、同産駒のゴールドドリーム。4歳の若き砂の王の誕生だった。

　初重賞は3歳のユニコーンS。しかしジャパンダートダービーは3着、チャンピオンズCはスタートで出遅れて外を回り、12着に大敗。まだ古馬の一線級とは差があるかと思われたが、4歳緒戦のフェブラリーSをデムーロの手綱で差し切り、優勝した。

　次走はドバイワールドCへ参戦。大差の最下位に敗れ、しばらく調子を崩したが、12月のチャンピオンズCでムーアを鞍上に迎えると、単勝1300円で復活。豪快な差し切りを決めて、中央のダートGIを4歳で両制覇。17年の最優秀ダートホースに。

　ここからは堅実無比。かしわ記念連覇、帝王賞優勝などのほか、ダートGIの2着が6回。7歳でサウジCに参戦し、クリソベリルに先着の6着だった。

血統背景

　父ゴールドアリュールはフェブラリーS、東京大賞典、ジャパンダートダービーなどの勝ち馬。産駒のスマートファルコン、エスポワールシチー、コパノリッキー、クリソベリルらが後継種牡馬になっている。

　母モンヴェールは中央のダート4勝。関東オークス3着。

　3代母の兄ジェイドロバリー、4代母の兄ヌレイエフ、近親サドラーズウェルズなどのスペシャル牝系。

代表産駒

　グランジョルノ、ジャナドリア。24年8月25日までに中央で2頭が勝ち上がり。地方競馬では多数勝ち上がっている。

ゴールドアリュールの正統後継

ノーザンファームの良血馬に注目

地方競馬で勝ち馬ラッシュ

ゴールドアリュール 栗　1999	*サンデーサイレンス Sunday Silence	Halo
		Wishing Well
	*ニキーヤ Nikiya	Nureyev
		Reluctant Guest (9-h)
モンヴェール 鹿　2003	*フレンチデビュティ French Deputy	Deputy Minister
		Mitterand
	*スペシャルジェイド Special Jade	Cox's Ridge
		Statistic　　　(5-h)

Northern Dancer 4×5、Special 4×5、Turn-to 5×5、Nijinsky 5×5

ゴールドドリーム産駒完全データ

● 最適コース

牡／札幌ダ1700、新潟ダ1800

牝／東京ダ1600、京都ダ1400

● クラス別成績

新馬	牡馬:2-0-0-2	牝馬:0-0-0-4
未勝利	牡馬:0-0-0-0	牝馬:0-0-0-1
OPEN	牡馬:0-0-0-0	牝馬:0-0-0-0

● 距離別成績

～芝1200	牡馬:0-0-0-0	牝馬:0-0-0-1
芝1400	牡馬:0-0-0-0	牝馬:0-0-0-1
～芝1600	牡馬:0-0-0-1	牝馬:0-0-0-0
芝1800～	牡馬:0-0-0-0	牝馬:0-0-0-0
ダート	牡馬:2-0-0-1	牝馬:0-0-0-3

● 人気別回収率

1人気	単130%・複110%	1-0-0-0
2～4人気	単510%・複500%	1-0-0-0
5人気～	単0%・複0%	0-0-0-7

● 枠順別連対数

1～3枠／0回	4～6枠／1回	7,8枠／1回

勝利へのポイント

ダ1700とダ1800の新馬／2勝

　中央の勝ち馬は2頭。地方競馬では14頭が勝ち上がっている。地方のダートが活躍の中心になる可能性もあるが、中央所属でデビュー前の産駒もたくさん控えている。なにしろ1年目産駒129頭は、ルヴァンスレーヴ、サートゥルナーリアに続き、新種牡馬で3番目の多さ。弾の数はある。

　勝ち上がった2頭はどちらもノーザンファーム生産馬。操縦性は高く、育成の影響も大きい。

　新潟ダ1800の新馬を勝ったジャナドリアは、サウジダービー3着のコンシリエーレの半弟。東京ダ1600も得意そうな血統だ。札幌ダ1700の新馬を勝ったグランジョルノは、母ヴィータアレグリアが船橋ダ1600の重賞を勝ち、川崎ダ2100のエンプレス杯2着。サンデー3×3で難しさはあるかも。

　芝は3頭が出走して、現時点で5着が最高着順。芝でも走ることがわかった馬だけ買うべき。

#08

モズアスコット

MOZU ASCOT

芝・ダート両GI制覇
二刀流のフランケル産駒

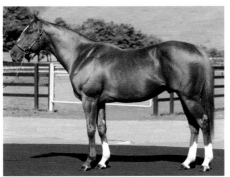

2014年生　栗毛　アメリカ産　初年度登録産駒105頭
2024年種付け料▷受胎確認後350万円（FR）

現役時代

　中央と地方交流25戦7勝、香港1戦0勝。主な勝ち鞍、安田記念、フェブラリーS、根岸S。

　投手と打者の二刀流で歴史を変えた大谷翔平のように、競馬界にも5年に1頭くらいの割合で、芝とダートの二刀流GIホースが登場する。クロフネ、アグネスデジタル、イーグルカフェ、アドマイヤドン。そして史上5頭目の芝・ダート両GI制覇を成し遂げたのが、モズアスコットだった。

　フランケルの初年度産駒として注目を集めたが、デビューは遅く、初勝利は3歳7月の未勝利戦。そこから芝1600と芝1400を4連勝して、一気にオープンへ駆け上がる。主戦はルメール、所属は矢作厩舎。

　それでも重賞制覇には時間がかかった。阪急杯2着、マイラーズC2着と勝ち切れない。オープン特別の安土城Sで賞金の上積みを狙うが、これも2着。ギリギリで安田記念の出走枠が空くと、連闘で参戦。9番人気ながら、後方から直線一気の上がり33秒3。アエロリットとスワーヴリチャードを差し切った。

　その後は1年半、勝ち星から遠ざかり、6歳になるとダート路線へ。根岸Sを鋭く差し切ると、続くフェブラリーSも中団から突き抜けて、復活した。

血統背景

　父フランケルは14戦無敗、英国GIを10勝。その父ガリレオの産駒は日本の軽い芝で苦戦するのに対して、フランケルはデインヒルの血を持つため、産駒は日本の芝にも適応する。日本の代表産駒にソウルスターリング（阪神JF、オークス）、グレナディアガーズ（朝日杯FS）。

　4代母の全妹の仔にブライアンズタイム。モズアスコットの配合はミスワキ4×3のクロスを持つ。

代表産駒

　リリーフィールドとモズナナスターは、函館2歳Sに出走。24年8月25日までに中央で4頭が勝ち上がり。

芝とダートの両GI制覇!
洋芝や小回りを先行押し切り
産駒が芝1500でレコード記録

フランケル Frankel 鹿 2008	ガリレオ Galileo	Sadler's Wells
		Urban Sea
	カインド Kind	*デインヒル
		Rainbow Lake (1-k)
インディア India 栗 2003	*ヘネシー Hennessy	Storm Cat
		Island Kitty
	ミスティアワー Misty Hour	Miswaki
		Our Tina Marie (4-r)

Miswaki 4×3、Northern Dancer 4・5×5・5

モズアスコット産駒完全データ

●最適コース
牡／札幌芝1500、東京ダ1600
牝／札幌芝1200、小倉芝1200

●クラス別成績

新馬	牡馬:1-0-1-3	牝馬:2-1-0-3
未勝利	牡馬:0-2-1-3	牝馬:1-0-0-1
OPEN	牡馬:0-0-0-0	牝馬:0-0-0-2

●距離別成績

〜芝1200	牡馬:0-0-0-4	牝馬:2-1-0-5
芝1400	牡馬:0-0-0-0	牝馬:0-0-0-1
〜芝1600	牡馬:1-1-1-0	牝馬:0-0-0-0
芝1800〜	牡馬:0-1-1-1	牝馬:0-0-0-0
ダート	牡馬:0-0-0-1	牝馬:1-0-0-0

●人気別回収率

1人気	単175%・複110%	2-0-0-0
2〜4人気	単70%・複174%	2-3-2-3
5人気〜	単0%・複0%	0-0-0-9

●枠順別連対数

1〜3枠／3回	4〜6枠／2回	7、8枠／2回

勝利へのポイント

1、2番人気【4-1-1-1】

　函館ダ1000、小倉芝1200、札幌芝1200、札幌芝1500で勝利。フランケル後継らしいスピードを見せ、メリディアンスターは札幌芝1500の新馬をレコードで逃げ切り。この馬は母父ゴールドアリュールだから、ダートでも強いかもしれない。

　中距離でも芝1800の2着と3着があり、どちらも母父ハーツクライの馬。距離適性は母系によって1200から2000の間で幅があり、ダートも走る。

　注目は函館と札幌の芝が優秀なこと。芝とダートの兼用血統だから、鋭い切れ味を求められる芝コースより、先行して押し切れるコースに向く。「今年は105頭に種付けしました。産駒も中央の芝・ダート両方で勝ち上がっていますし、南関のダートでも結果を出しています。馬体も筋肉質なモズアスコット似の仔が多いですよ。遺伝力を感じます」（アロースタッド、24年8月）

ミスターメロディ

MR MELODY

名血スキャットダディの血を受け継ぐスプリンター

POINT
高松宮記念優勝のスプリンター
世界のスキャットダディ後継!
ダートもレコード勝ちあり

スキャットダディ Scat Daddy 黒鹿　2004	*ヨハネスブルグ Johannesburg	ヘネシー Hennessy
		Myth
	ラヴスタイル Love Style	Mr. Prospector
		Likeable Style（1-w）
トラスティレイディ Trusty Lady 鹿　1998	デピュティミニスター Deputy Minister	Vice Regent
		Mint Copy
	クラッシーキム Klassy Kim	Silent Screen
		クールアライヴァル（8-k）

Mr. Prospector 3×5（父方）、Northern Dancer 5×4

2015年生　鹿毛　アメリカ産　初年度登録産駒81頭
2024年種付け料▷受胎確認後150万円（FR）

現役時代

　中央と地方交流17戦4勝。主な勝ち鞍、高松宮記念、ファルコンS。

　アメリカの三冠馬ジャスティファイと同じ年に生まれたスキャットダディ産駒。日本に輸入され、藤原英昭厩舎で走った。初重賞制覇は3歳のファルコンS。それまでダートで2勝。芝は初めてだったにもかかわらず、福永祐一を鞍上に先行策から抜け出し。

　次走はNHKマイルCへ向かい、直線で先頭に立つ見せ場たっぷりのレースで4着に食い込む。左回りの中京と東京は走りがスムーズだった。

　阪神C2着、阪急杯7着ときて、19年の高松宮記念は3番人気。実績の割に高い評価を受けたのは、陣営の強気コメントが流れてきたためもあっただろう。レースは人気のモズスーパーフレアやダノンスマッシュの後ろ、インコースで脚をためる展開。ロスのない進路から抜け出し、セイウンコウセイをとらえて勝利した。福永祐一は高松宮記念3勝目だった。

　ただし、その後は勝ち星をあげられず。スプリンターズSは4歳で4着、5歳も4着。ダートのJBCスプリントにも2度参戦したが、これも及ばず。勝ち鞍4勝はすべて左回りだった。

血統背景

　父スキャットダディはシャンペンS（米GI・ダ8F）、フロリダ・ダービー（米GI・ダ9F）の勝ち馬。種牡馬として大成功をおさめ、産駒に米国三冠馬ジャスティファイ、カラヴァッジオ（26年に日本供用産駒デビュー）、ノーネイネヴァーなど。その父ヨハネスブルグは日本でもおなじみ。

　母は不出走。祖母クラッシーキムは米国のダート重賞2勝。近親にグランドボヌール、ゴーイングパワー。

代表産駒

　クラスペディア（小倉2歳S2着）。ほかにスリールミニョンが小倉芝1200の新馬を勝ち上がり。

ミスターメロディ産駒完全データ

●最適コース
牡／中京芝1200、中山芝1600
牝／小倉芝1200、中京芝1400

●クラス別成績

新馬	牡馬:0-2-1-6	牝馬:1-0-1-5
未勝利	牡馬:0-2-1-7	牝馬:0-1-0-3
OPEN	牡馬:0-0-0-0	牝馬:0-0-0-1

●距離別成績

〜芝1200	牡馬:0-3-1-6	牝馬:1-0-0-4
芝1400	牡馬:0-1-0-0	牝馬:0-0-1-3
〜芝1600	牡馬:0-0-0-3	牝馬:0-1-0-2
芝1800〜	牡馬:0-0-0-0	牝馬:0-0-0-0
ダート	牡馬:0-0-1-4	牝馬:0-0-0-0

●人気別回収率

1人気	単230%・複130%	1-0-0-0
2〜4人気	単0%・複92%	0-3-2-5
5人気〜	単0%・複58%	0-2-1-17

●枠順別連対数

1〜3枠／2回	4〜6枠／3回	7、8枠／1回

勝利へのポイント

芝の2着から4着／13回

　小倉芝1200の新馬を2番手から抜け出したスリールミニョンが勝ち馬第1号。同馬は近親にダイワメジャーのいる名牝系で、新潟2歳Sは7着だった。クラスペディアは新馬2着の次走に小倉2歳Sへ格上挑戦して2着。能力の高さを示した。

　1着は1回しかないが、2着から4着は13回もある。先行力を持つが勝ち切れず、最後に捕まってしまう馬が目につく。ただ、こういう血統は時期が来ると一斉に勝ち上がることもあり、まだ「切れ味が甘い」などの判断は時期尚早だろう。たぶん1400ベストの芝ダート兼用型か。重もうまそう。「現役時代はダートの新馬でもレコードを記録するなど、芝・ダート問わずにスピードを活かすタイプで短距離向きだと思います。父スキャットダディは世界で誰もが注目している種牡馬、その日本最初の後継です」（優駿スタリオン、24年8月）

#10

フィエールマン

FIEREMENT

異例のローテで長距離GI3勝!
ぶっつけの王者

2015年生　鹿毛　初年度登録産駒72頭
2024年種付け料▷受胎確認後200万円(FR) ／産駒誕生後300万円

現役時代

　中央11戦5勝、フランス1戦0勝。主な勝ち鞍、菊花賞、天皇賞・春(2回)。天皇賞・秋2着。

　かつて休み明けでGIに出走することはマイナス材料だった。しかし、いつしか〝ぶっつけローテ〟は当たり前になり、ノーザンファーム天栄の馬ならプラス材料とも考えられるようになった。その象徴的な存在が、ぶっつけの王者フィエールマンだ。

　新馬から3戦は石橋脩の騎乗、管理は手塚厩舎。休み休みに使われ、ラジオNIKKEI賞2着。わずか3戦2勝のキャリアで向かった菊花賞は、ルメールに乗り替わりも7番人気。重賞未勝利馬のぶっつけローテなら妥当な評価だ。スローペースを中団で折り合い、エタリオウとの一騎打ちを制して、上がり33秒9で優勝。ステイヤーとしての資質を開花させた。

　4歳になるとAJCC2着をはさみ、3ヵ月の休み明けで天皇賞・春へ。グローリーヴェイズとの一騎打ちを制して長距離GIを2勝目。秋には凱旋門賞に参戦するも、重馬場にスタミナを失い、失速。

　5歳で無観客の天皇賞・春を連覇。有馬記念以来の4ヵ月半の休み明けだったが、単勝オッズは2.0倍。もうこのローテを疑う者はいなかった。

血統背景

　父ディープインパクトは同馬の項を参照。

　母リュヌドールは、リディアテシオ賞(伊GI・芝2000)と、ポモーヌ賞(仏GII・芝2500)の勝ち馬。2004年のジャパンカップに出走して7着だった。

　フィエールマンの半姉の仔にフランス重賞4勝のインズオブコートがいる。

　母の父グリーンチューンはニジンスキー系。

代表産駒

　24年8月25日までに勝ち上がった産駒は、中央・地方ともまだ出ていない。しかし、掲示板に載った馬は多数いる。

POINT

菊花賞と春天制覇の長距離王
産駒は直線の長いコース向き?
4着5着多数のため券種に要注意

ディープインパクト 鹿 2002	*サンデーサイレンス Sunday Silence	Halo
		Wishing Well
	*ウインドインハーヘア Wind in Her Hair	Alzao
		Burghclere (2-f)
*リュヌドール Lune d'Or 黒鹿 2001	グリーンチューン Green Tune	Green Dancer
		Soundings
	リュートドール Luth D'Or	Noir et Or
		Viole d'Amour (20-d)

Northern Dancer 5×5

フィエールマン産駒完全データ

●最適コース
牡／新潟芝1800、中京芝1400
牝／京都芝1600、札幌芝1200

●クラス別成績

新馬	牡馬:0-2-0-8	牝馬:0-0-0-5
未勝利	牡馬:0-0-0-6	牝馬:0-0-0-4
OPEN	牡馬:0-0-0-0	牝馬:0-0-0-0

●距離別成績

～芝1200	牡馬:0-0-0-5	牝馬:0-0-0-1
芝1400	牡馬:0-0-0-0	牝馬:0-0-0-0
～芝1600	牡馬:0-1-0-2	牝馬:0-0-0-3
芝1800～	牡馬:0-1-0-7	牝馬:0-0-0-4
ダート	牡馬:0-0-0-0	牝馬:0-0-0-1

●人気別回収率

1人気	単0%・複110%	0-1-0-0
2～4人気	単0%・複0%	0-0-0-6
5人気～	単0%・複53%	0-1-0-17

●枠順別連対数

1～3枠／1回	4～6枠／1回	7,8枠／0回

勝利へのポイント

芝の4着と5着が計8回

　6月に産駒がデビューしたときから、4着や5着続き。距離が短いせいかと思いきや、芝1800に使い始めたら今度は5着か6着続き。それでも上位に来る走力はあり、上がり33秒台の末脚を使った馬も何頭かいる。本領発揮はこれからだ。ブエナビスタ一族のエデルクローネは中距離で出世しそう。

　単勝より、3連複やワイド向きの血統か。2着に来た2回はどちらも新潟の外回りコース。直線の長い競馬場や、持続勝負に向く馬が多くなりそうで、広いコース替わりを狙おう。ダートは割引き。
「2歳の夏から走る血統ではありませんから、芝1800以上の新馬が始まって素質のある馬がデビューしてくれれば走ると思います。現役時代のイメージほどステイヤーではなく、調教師さんは中距離でも活躍しただろうとおっしゃっていました」(ブリーダーズ・スタリオン、24年8月)

ウインブライト

WIN BRIGHT

香港GI2勝を誇る"中山の鬼"

2014年生　芦毛　初年度登録産駒66頭
2024年種付け料▷受胎確認後120万円（FR）

現役時代

　中央21戦7勝、香港3戦2勝。主な勝ち鞍、クイーンエリザベス2世C、香港カップ、中山記念（2回）、スプリングS、中山金杯、福島記念。ウインレーシングクラブの募集価格は総額3200万円。17年のスプリングSで重賞初勝利をあげ、皐月賞は8着、ダービーは15着。福島記念で重賞2勝目をあげ、小回りの先行差しのうまさが判明していく。

　4歳になって中山金杯2着、中山記念1着。さらに5歳で中山金杯1着、中山記念連覇とくれば、もう〝中山の鬼〟は誰の目にも明らかだった。ここまで重賞5勝しているのに、まだ重賞で1番人気になったことがないという、強さを感じさせない脇役キャラでもあった。そんなウインブライトの能力を早くから評価していたのが、主戦の松岡正海。中山記念の連覇は手術後まもない時期だったにもかかわらず、本馬の騎乗にこだわった。

　5歳の4月、香港のQエリザベス2世C。父ステイゴールドが得意とした舞台で輝きを見せる。地元のエグザルタントや日本のリスグラシューを抑えて優勝。初GI制覇は海外の地だった。この年、12月の香港カップも制して重賞7勝目を飾った。

血統背景

　父ステイゴールドは同馬の項を参照。
　全姉ウインファビラスは15年の阪神JFでメジャーエンブレムの2着。半妹ウインエクレール（スイートピーS）。5代母ミスブゼンの一族にコスモドリーム（オークス）、ラッキーゲラン（阪神3歳S）、ハクサンムーン（セントウルS）。

代表産駒

　バセリーナ（クローバー賞3着）、シュードタキライト。24年8月25日までに中央で3頭が勝ち上がり。
　ウインブライト自身はゴールドシップの隣の放牧地で、シップを意識して走ったり、いなないたりするという。

POINT

中山の鬼、中距離の王者
レースに使われ着順アップ！
直線の短いコース向き？

ステイゴールド 黒鹿 1994	*サンデーサイレンス Sunday Silence	Halo
		Wishing Well
	ゴールデンサッシュ	*ディクタス
		ダイナサッシュ　（1-t）
サマーエタニティ 芦 2005	アドマイヤコジーン	Cozzene
		アドマイヤマカディ
	オールフォーゲラン	*ジェイドロバリー
		ミスゲラン　（18）

ノーザンテスト 4×4、Nijinsky 5×5（母方）

ウインブライト産駒完全データ

●最適コース
牡／札幌芝1800、福島芝1800
牝／中山芝1600、小倉芝1200

●クラス別成績

新馬	牡馬：0-0-3-15	牝馬：0-0-0-6
未勝利	牡馬：3-1-2-11	牝馬：0-0-0-6
OPEN	牡馬：0-0-1-1	牝馬：0-0-0-0

●距離別成績

〜芝1200	牡馬：1-0-2-1	牝馬：0-0-0-2
芝1400	牡馬：0-0-0-1	牝馬：0-0-0-4
〜芝1600	牡馬：0-1-1-6	牝馬：0-0-0-1
芝1800〜	牡馬：2-0-3-18	牝馬：0-0-0-5
ダート	牡馬：0-0-0-0	牝馬：0-0-0-0

●人気別回収率

1人気	単0%・複0%	0-0-0-1
2〜4人気	単62%・複88%	1-1-1-2
5人気〜	単213%・複56%	2-0-5-36

●枠順別連対数

1〜3枠／1回	4〜6枠／2回	7,8枠／1回

勝利へのポイント

新馬／0勝、未勝利／3勝

　勝ち星は函館芝1200、福島芝1800、札幌1800。どれも未勝利クラスの1着で、新馬戦はまだ2着以内がない。使われながら良化するタイプだ。

　少々気になるのは、札幌や函館に良績が多い一方、東京や新潟コースは現時点で不振なこと。現役時代は「中山の鬼」として鳴らした馬だけに、産駒も直線の短い小回りコースが得意なようだ。距離は長くても走りそうで、長距離馬も出るだろう。小回り替わりや、距離延長をマークしたい。

　「早々に勝ち馬が出てくれました。5着以内で入線している産駒もたくさんおり、これから勝利数が伸びてくると思います。まだ産駒の適性をはかるにはサンプルが少ないですが、柔らかさがあって全身を使った走りのできる産駒が多く、年齢を重ねていくうちに成長曲線を描いてくれそうな印象です」（ビッグレッドファーム、24年8月）

#12

ルヴァンスレーヴ LE VENT SE LEVE

2歳から素質全開! 圧倒的能力で ダート界のトップに駆け上がる

2015年生　鹿毛　初年度登録産駒149頭
2024年種付け料▷受胎確認後300万円(FR)

中長距離のダート王者!

評判の馬体で芝も走れる?

距離延長の大穴に注意

*シンボリクリスエス Symboli Kris S 黒鹿　1999	クリスエス Kris S.	Roberto
		Sharp Queen
	ティーケイ Tee Kay	Gold Meridian
		Tri Argo　(8-h)
マエストラーレ 鹿　2006	ネオユニヴァース	*サンデーサイレンス
		*ポインテッドパス
	オータムブリーズ	*ティンバーカントリー
		セプテンバーソング(9-f)

Roberto 3×5、Hail to Reason 4×5

ルヴァンスレーヴ産駒完全データ

●最適コース
牡／中京ダ1800、新潟ダ1800
牝／札幌ダ1700、福島芝1800

●クラス別成績

新馬	牡馬:0-1-2-6	牝馬:0-1-0-12
未勝利	牡馬:0-0-0-4	牝馬:0-0-0-2
OPEN	牡馬:0-0-0-0	牝馬:0-0-0-0

●距離別成績

～芝1200	牡馬:0-0-0-0	牝馬:0-0-0-5
芝1400	牡馬:0-0-0-1	牝馬:0-0-0-0
～芝1600	牡馬:0-0-1-2	牝馬:0-0-0-2
芝1800～	牡馬:0-1-0-0	牝馬:0-0-0-2
ダート	牡馬:0-0-1-7	牝馬:0-1-0-5

●人気別回収率

1人気	単0%・複0%	0-0-0-1
2～4人気	単0%・複196%	0-0-2-3
5人気～	単0%・複352%	0-2-0-20

●枠順別連対数

1～3枠／1回	4～6枠／1回	7、8枠／0回

勝利へのポイント

2着2回は9番人気と10番人気

　8月25日までに22頭デビューして、勝ち馬は出ていない。地方では6頭が勝ち上がり、ダートならもっと勝てると思いたくなるが、中央の内訳は、芝【0-1-1-12】、ダート【0-1-1-12】。

　ダートに出走した馬も少なくない。今後に期待しよう。芝1800の新馬と、ダ1700の新馬で超人気薄が2着にきているから、芝ダートの問題より、まだ距離が足りないと考えるべきかも。中距離のレースが増えれば、芝もダートも走るはず。

　「つなぎがきれいでクッションもいいので、芝も走れそうな馬体です。ただ、ダイナフェアリーの牝系は早い時期が得意という感じではなく、少し時間がかかるのかもしれません。セールでは馬体の評判が良くて高値のついた馬が多く、それで種付け料も1年目の150万から今の300万に上がったんです」(社台スタリオン、24年8月)

現役時代

　中央と地方交流10戦7勝。主な勝ち鞍、全日本2歳優駿、ジャパンダートダービー、マイルChS南部杯、チャンピオンズC。

　ミルコ・デムーロを鞍上に、新馬からダート3連勝で全日本2歳優駿を制覇。無敗で砂の2歳王者に。

　3歳緒戦の伏竜Sは2着に敗れて連勝ストップも、ユニコーンS、大井のジャパンダートダービー、盛岡の南部杯と、楽勝続き。ジャパンDDは出負けして後方の位置取りになりながら大外を回してひとまくり、オメガパフュームに1馬身半の差をつけた。

　薄暮開催の南部杯は2つ上のゴールドドリームに1番人気を譲ったが、余裕の手応えで相手にせず。デムーロは「賢い馬です。ハンパない」と語った。

　18年のチャンピオンズC、内の3番手に折り合うと直線は危なげなく抜け出した。追い込むウェスタールンド、サンライズソアらの古馬を寄せ付けず、単勝1.9倍に応え、18年の最優秀ダートホースに選出。

　しかし、4歳になると左前脚に脚部不安を発症。ドバイ遠征のプランも白紙になり、復帰は1年半の休養を経た20年のかしわ記念。能力は戻らず、10戦7勝で引退した。馬名はフランス語で「風立ちぬ」。

血統背景

　父シンボリクリスエスは天皇賞・秋を連覇、有馬記念を連覇。代表産駒エピファネイアが種牡馬として大成功しているほか、ストロングリターンやサンカルロも後継種牡馬に。

　母マエストラーレは中央のダ1800を4勝。4代母ダイナフェアリー(重賞5勝)のファンシミン系。

　同い年のライバルだったチュウワウィザード(26年産駒デビュー)とは、祖母が同じで、いとこ同士にあたる。

代表産駒

　24年8月25日までに中央競馬の勝ち馬なし。セールで5000万円以上の高値がついた馬は多数いる。

シスキン

SISKIN

仕上がり早の愛2000ギニー馬
初年度産駒7頭も、好発進!

2017年生　鹿毛　アメリカ産　初年度登録産駒7頭
2024年種付け料▷受胎確認後200万円(FR)

現役時代

　愛、英、仏、北米で通算8戦5勝。主な勝ち鞍、愛2000ギニー(GI・8F)、フェニックスS(GI・6F)、レイルウェイS(GII・6F)。サセックスS(GI・8F)3着。

　2歳5月のデビューからフェニックスSなど重賞2勝を含め4連勝。続くミドルパークSはゲート入りを拒み、競走除外となった。コロナ禍により6月に順延された3歳初戦の愛2000ギニーは直線突き抜けて優勝、初のマイルを克服した。続くサセックスSは初黒星を喫しての3着。仏GI、BCマイルも4着、9着に終わった。アイルランドでは5戦5勝。3敗は遠征競馬で古馬と対戦しての敗戦だった。

血統背景

　父ファーストディフェンス。フォアゴーSGIなど米重賞2勝。産駒にクローズハッチズ(北米GI5勝)、アントノエ(ジャストアゲームSGI)。母バードフラウンは仏1勝。ベストインショウに遡る牝系で、一族にアーモンドアイ。

代表産駒

　初年度血統登録数7頭。夏競馬終了時、中央は出走4頭、勝ち馬2頭。地方は未出走。

関係者コメント

　「典型的なスプリンター体型で、お尻も大きくて、馬体のバランスがいい。アーモンドアイと同じ母系ですし、産駒は前向きの気性で、ゲートをまっ先に飛び出すようなすばしっこさがある。桜花賞とかNHKマイルCの路線で活躍して欲しいですね」(社台スタリオン、24年8月)

特注馬

キトンインザスカイ／半兄に中山金杯などGIII3勝のトリオンフ、フローラSのクールキャット。アサマユリに遡るメジロの米びつ牝系。マイルでも。
テリオスララ／牝系は近親にヴィブロス、シュヴァルグランらの重賞勝ち馬多数。フラワーCはただ貰い。

POINT

産駒7頭から早くも2頭が勝利
交配牝馬の質は高い
2年目以降はマイル、中距離狙い

ファーストディフェンス First Defence 鹿　2004	アンブライドルズソング Unbridled's Song	Unbridled
		Trolley Song
	オネストレイディ Honest Lady	Seattle Slew
		Toussaud　(6-d)
バードフラウン Bird Flown 鹿　2011	オアシスドリーム Oasis Dream	Green Desert
		Hope
	シルヴァースター Silver Star	Zafonic
		Monroe　(8-f)

Sir Ivor 4×5(母方)、Mr. Prospector 5×5、Northern Dancer 5×5

シスキン産駒完全データ

●**最適コース**
牡／集計期間内では判断できず
牝／札幌芝1800、京都芝1400

●**クラス別成績**

新馬	牡馬:0-0-0-0	牝馬:1-1-0-1
未勝利	牡馬:0-0-0-0	牝馬:1-0-0-0
OPEN	牡馬:0-0-0-0	牝馬:0-0-0-0

●**距離別成績**

～芝1200	牡馬:0-0-0-0	牝馬:0-0-0-0
芝1400	牡馬:0-0-0-0	牝馬:1-0-0-1
～芝1600	牡馬:0-0-0-0	牝馬:0-0-0-0
芝1800～	牡馬:0-0-0-0	牝馬:1-1-0-0
ダート	牡馬:0-0-0-0	牝馬:0-0-0-0

●**人気別回収率**

1人気	単65%・複110%	1-1-0-0
2～4人気	単860%・複210%	1-0-0-0
5人気～	単0%・複0%	0-0-0-1

●**枠順別連対数**

1～3枠／0回	4～6枠／1回	7、8枠／2回

勝利へのポイント

夏競馬終了時、芝1800【1-2-0-0】

　産駒のキトンインザスカイが6月2日の新馬戦を勝利し、新種牡馬の中では最初の中央勝ち馬を出した。その後にテリオスララが未勝利戦を勝ち、出走馬4頭のうち2頭が勝ち上がる高打率。初年度の血統登録頭数は7頭ながら交配牝馬の質は高い。新潟最終週の新馬戦2着のグロスビークは祖母がアドマイヤグルーヴ、未出走のツァイトガイストは半兄に鳳雛Sのエクロジャイトと、期待の大きさが窺える。種付け頭数も2年目以降は70頭を超えている。

　勝ち距離は芝1400と芝1800。他、芝1800で2着2回。仕上がりの早さと短距離適性を示しているが、3歳以降のマイル、中距離でこそがアンブライドルド系の真骨頂。2世代目以降はそうなるとみた。ダートも悪いわけがなく、アンブライドルド系十八番の東京ダ1600やダート三冠が視野に入る。

エポカドーロ

EPOCA D'ORO

日高の星
三冠馬の真打ち登場

2015年生　黒鹿毛　初年度登録産駒36頭
2024年種付け料▷受胎確認後50万円（FR）

オルフェーヴル 栗　2008	ステイゴールド	*サンデーサイレンス
		ゴールデンサッシュ
	オリエンタルアート	メジロマックイーン
		エレクトロアート　（8-c）
ダイワパッション 鹿　2003	*フォーティナイナー	Mr. Prospector
		File
	サンルージュ	*シェイディヘイツ
		*チカノヴァ　（1-l）

ノーザンテースト 4×5（父方）、Northern Dancer 5×4

現役時代

　中央10戦3勝。主な勝ち鞍、皐月賞。ダービー2着。
　三冠馬オルフェーヴルの初年度産駒は、毀誉褒貶が激しかった。評判馬が多数いたのに、実戦では気性の難しさを出し、人気を裏切る馬が相次いだからだ。そんななか、真打ちは小倉から出てきた。ヒダカBUで総額4500万円で募集されたエポカドーロだ。
　デビュー2戦目の京都芝1600を勝つと、次戦は小倉芝2000あすなろ賞を選択。戸崎圭太とコンビを組んで逃げ切り。スプリングSではステルヴィオのハナ差2着に敗れるも、皐月賞の出走権を獲得した。
　18年皐月賞は稍重のコンディション。1番人気ワグネリアンが馬場にのめり、先行3頭が後続を引き離すなか、7番人気のエポカドーロは馬場の良い場所を選びながら4番手につける。第2集団の先頭という絶好位だ。直線は外めに持ち出し、力強く抜け出した。
　続くダービーも距離不安から4番人気にとどまるが、前半60秒8の逃げに持ち込み、ワグネリアンの2着。秋は神戸新聞杯4着から、菊花賞8着だった。

血統背景

　父オルフェーヴルは三冠馬。その1年目産駒。
　母系にフォーティナイナーを持つ配合は、本馬の他にラッキーライラック（エリザベス女王杯）や、ラーゴム（きさらぎ賞）と共通のニックス。
　母ダイワパッションは05年フェアリーS、06年フィリーズレビューに勝利。半弟キングストンボーイ（青葉賞2着）。

代表産駒

　24年8月25日までに中央の勝ち馬なし。小倉芝1800の新馬で逃げて3着がある。高知競馬で勝ち馬あり。

> **POINT**
> **皐月賞優勝、ダービー2着！**
> **オルフェーヴルの1年目産駒**
> **馬券1号は芝1800の逃げ残り**

オーヴァルエース

OVAL ACE

3戦無敗の大物
ヘニーヒューズの国産後継

2016年生　栗毛　初年度登録産駒26頭
2024年種付け料▷受胎確認後30万円（FR）／産駒誕生後50万円

*ヘニーヒューズ Henny Hughes 栗　2003	*ヘネシー Hennessy	Storm Cat
		Island Kitty
	メドウフライヤー Meadow Flyer	Meadowlake
		Shortley　（25）
アブラシオ 鹿　2005	*グラスワンダー Grass Wonder	Silver Hawk
		Ameriflora
	ジュウジホウセキ	マルゼンスキー
		ジュウジターキン　（13-c）

Northern Dancer 5×5・5

現役時代

　中央3戦3勝。主な勝ち鞍、ヒヤシンスS。
　ダートで無敗のまま引退した、馬体重500キロ台のヘニーヒューズ産駒とくれば期待は高まる。
　新馬戦は東京ダ1600を9馬身差で圧勝。中団から悠々と差し切り、最初からモノが違った。2戦目は中京ダ1400の寒椿賞に出走。ここも中団から豪快に差し切り、単勝1.5倍の断然人気に応えた。
　3戦目はオープンのヒヤシンスS。東京ダ1600の出世レースだ。1番人気はデルマルーヴルに譲ったが、オーヴァルエースは3.7倍の2番人気。他にもマスターフェンサーやヴァイトブリックなど素質馬が揃うなか、中団で折り合いに専念し、直線はヴァイトブリックとの叩き合いを制して1着ゴールイン。無傷の連勝を「3」に伸ばした。
　3戦とも手綱を取った蛯名正義は「前に馬を置いたらリラックスした。もう一段階、上がありそう」と期待を口にしたが、故障のため、ヒヤシンスSが最後のレースになった。管理は高木登調教師。

血統背景

　父ヘニーヒューズは同馬の項を参照。日本生まれの産駒で後継種牡馬になったのは本馬が初めて。
　母アブラシオは函館芝1800で1勝。
　4代母シャダイターキンは1969年のオークス馬。近親にヴァルツァーシャル（マーチS）、ディアジーナ（フローラS）、レッツゴーターキン（天皇賞・秋）など。

代表産駒

　24年8月25日までに中央の出走1頭。新潟ダ1200の新馬で4着だった。地方では川崎のダ1400で新馬勝ちが出た。

> **POINT**
> **ダート無敗のまま引退**
> **同期のライバルを寄せ付けず**
> **ヘニーヒューズの国産後継**

ブルドッグボス

BULLDOG BOSS

2012年生●サンデーサイレンス系

```
┌ ダイワメジャー ────┌ *デインヒル
└ リファールカンヌ ────└ リファールニース
```

45戦14勝／JBCスプリント、クラスターC

2019年のNAR年度代表馬。中央のダ1200で活躍した後、浦和の小久保厩舎へ転厩。GⅢのクラスターCを制した他、19年のJBCスプリント（浦和ダ1400）で御神本騎手を鞍上に、コパノキッキングらを負かした。大井ダ1200のJBCスプリントでも3着が2回ある。近親シーキングザパール（NHKマイルC）。産駒はスピード武器、距離も1600なら走れそう。

距離	短マ	馬場	ダ	性格	普	成長力	早

レッドベルジュール

RED BEL JOUR

2017年生●ディープインパクト系

```
┌ ディープインパクト ──┌ Unbridled's Song
└ *レッドファンタジア ──└ Cat Chat
```

3戦2勝／デイリー杯2歳S

阪神芝1800の新馬を勝ち、京都芝1600のデイリー杯2歳Sではウイングレイテストらを寄せ付けずに完勝。朝日杯FSも3番人気を集めたが、末脚不発、サリオスの10着だった。全弟レッドベルオーブもデイリー杯に勝利、全姉レッドベルローズはフェアリーS3着。ディープ×アンブライドルズソングはコントレイルと同じ。地方競馬のダートも走れる。

距離	マ中	馬場	芝	性格	堅	成長力	普

サングレーザー

SUNGRAZER

2014年生●ディープインパクト系

```
┌ ディープインパクト ──┌ Deputy Minister
└ マンティスハント ────└ *ウィッチフルシンキング
```

20戦7勝／札幌記念、スワンS、マイラーズC

3歳でスワンS勝利、マイルCSを3着。主戦は福永祐一。4歳になってマイラーズCを制すると、安田記念5着から夏は芝2000の札幌記念へ向かい、中団から差し切り。天皇賞・秋ではモレイラを背にレイデオロの2着した。香港C4着もある。ダート馬が多めの牝系のせいか、交配牝馬もダート寄りを感じさせるが、そこはディープ。芝の切れ味を見極めたい。

距離	マ中	馬場	万	性格	普	成長力	普

スマートオーディン

SMART ODIN

2013年生●サンデーサイレンス系

```
┌ ダノンシャンティ ────┌ Alzao
└ *レディアップステージ ──└ She's The Tops
```

23戦5勝／東スポ杯2歳S、毎日杯、京都新聞杯、阪急杯

父ダノンシャンティの1年目産駒で、上がり32秒台の末脚を武器にダービーまで6戦4勝、重賞3勝というエリートコースを歩んだが、ダービーはマカヒキの6着。その後、屈腱炎による2年以上の休養。GⅠは勝てなかった。フジキセキの父系というイメージも先行したが、母系はコテコテの欧州スタミナ型。母はアイルランドのGⅡ芝2000の重賞勝ち。

距離	マ中	馬場	芝	性格	普	成長力	普

その他の種牡馬

ハッピースプリント（父アッミラーレ）	2013年と15年のNAR年度代表馬。全日本2歳優駿、東京ダービー優勝。帝王賞3着健闘。
ミッキースワロー（父トーセンホマレボシ）	セントライト記念、日経賞などに勝利。父父ディープの長距離砲。供用2年で産駒10頭。
オールブラッシュ（父ウォーエンブレム）	川崎記念、浦和記念に勝利。少ない産駒しか残せなかった父の貴重な後継。青森で供用。
アルバート（父アドマイヤドン）	ステイヤーズSをムーア騎手で3連覇、天皇賞春5着。近親インティライミ、ジオグリフ。
ウォータービルド（父ディープインパクト）	芝とダートの1800と2000で計3勝。同馬主のウォーターリーグと入れ替わりで種牡馬入り。
ストーミーシー（父アドマイヤムーン）	東風S、朱鷺Sなどオープン特別で活躍したマイラー。実質、ミルファームの自家種牡馬。
エタリオウ（父ステイゴールド）	菊花賞2着、ダービー4着。父になぞらえ「最強の重賞未勝利馬」とも。母は米国GI馬。
ロンドンタウン（父カネヒキリ）	エルムSを勝ち、ダ1800の韓国重賞を連覇。日本で2年供用後、韓国へ渡り人気種牡馬に。
サングラス（父スタチューオブリバティ）	芝・ダート兼用のマイラー。父は函館2歳Sの勝ち馬などを出したストームキャット系。
ダイシンサンダー（父アドマイヤムーン）	芝1600から2000で5勝。3代母の妹ビワハイジ、近親ブエナビスタ。ダイシンの自家種牡馬。
キタノコマンドール（父ディープインパクト）	皐月賞5着。全姉デニムアンドルビー。DMMが華々しく競馬界参入したときの良血馬。
クワイトファイン（父トウカイテイオー）	トウカイテイオー×ミスターシービーの浪漫配合。クラファンで種牡馬入りして話題に。

新種牡馬 Newcomer

2025年にデビューする主な新種牡馬12頭

インディチャンプ
父／ステイゴールド

●ステイゴールド産駒には珍しい牡馬のマイラーで、19年の安田記念とマイルチャンピオンシップに勝利した。母系はスピード型で、母のきょうだいにリアルインパクト（安田記念）、ネオリアリズム（Qエリザベス2世C）など。ステイの後継種牡馬はどんな産駒が出るか読みにくい。道悪上手の仔が出そう。

| 初年度登録産駒 | **67頭** | 2024年種付け料 | **120万円** |

ヴァンゴッホ
父／American Pharoah

●父アメリカンファラオは米国三冠馬。母イマジンは英オークスと愛1000ギニーに勝ち、母の半兄ジェネラス、近親タワーオブロンドン、ディーマジェスティの名門牝系。芝1600の仏GIクリテリウムアンテルナシオナルに優勝した。父の産駒はカフェファラオやリフレイムなど「1着か着外か」の個性派揃い。

| 初年度登録産駒 | **58頭** | 2024年種付け料 | **180万円** |

クリソベリル
父／ゴールドアリュール

●サウジCの敗戦を除くと、デビューから国内8連勝。チャンピオンズC、帝王賞、JBCクラシックなど、ダートGIを楽々と勝ちまくった。1年目からダート種牡馬では高額の種付け300万円だったが大人気。半姉マリアライトなど牝系も名門で、ダート三冠を狙う産駒が出るか。母父エルコンも泣かせる。

| 初年度登録産駒 | **112頭** | 2024年種付け料 | **300万円** |

コントレイル
父／ディープインパクト

●2020年の三冠馬。道悪の1枠で位置取りが後ろになった皐月賞や、アリストテレスと接戦になった距離不安の菊花賞など、苦しんだ末の三冠達成だった。他にホープフルSとジャパンCも制している。種付けは1、2年目が1200万円、3年目は1500万円。祖母は米国のGIマイラーで、産駒は中距離向きか。

| 初年度登録産駒 | **130頭** | 2024年種付け料 | **1500万円** |

ダノンキングリー
父／ディープインパクト

●ディープインパクト×ストームキャットの配合はキズナ、リアルスティール、サトノアラジンらと同じで、種牡馬成功の可能性は高そう。運動神経が抜群に良かったという関係者の証言もある。皐月賞3着、ダービー2着。5歳の安田記念を鋭い切れ味で差し切った。半兄ダノンレジェンドも種牡馬で健闘。

| 初年度登録産駒 | **44頭** | 2024年種付け料 | **150万円** |

ダノンスマッシュ
父／ロードカナロア

●父ロードカナロアと同じ安田隆行厩舎、同じケイアイファームの生産。前哨戦に強いのにGIでは足りないキャラだったが、ぶっつけでGIに出走するようになって変わった。20年の香港スプリントと21年の高松宮記念を連勝。どちらも父仔2代制覇だった。それまでに芝の短距離重賞を6勝。仕上がりは早い。

| 初年度登録産駒 | **106頭** | 2024年種付け料 | **220万円** |

ダノンプレミアム
父／ディープインパクト

●3戦無敗で朝日杯FSを制して2歳王者に。弥生賞でワグネリアンをノーステッキで負かしたが、ダービーは6着だった。古馬になってマイラーズCは上がり32秒2で先行抜け出し。天皇賞・秋とマイルCSで2着。母父インティカブはエリ女連覇スノーフェアリーの父で知られ、母系のスタミナはある。

| 初年度登録産駒 | **94頭** | 2024年種付け料 | **120万円** |

フィレンツェファイア
父／Poseidon's Warrior

●8FのシャンパンS（米2歳GI）など、ダート6Fから8Fの米国重賞を9勝。キャリア38戦を重ね、BCスプリントは3着。闘争心にあふれ、ライバルを噛みつきにいって2着に敗れたレースもある。父の父スパイツタウン。日本実績のあるアンブライドルドやラングフールを持ち、2歳から走れる。

| 初年度登録産駒 | **62頭** | 2024年種付け料 | **150万円** |

ベンバトル
父／Dubawi

●日本馬を負かした18年ドバイターフなど、芝1800と2000のGIを3勝。ダートも含めて重賞10勝。ビッグレッドファームが力を入れる芝と砂の兼用型だ。父ドバウィは種付けの最高4000万円、母ナーレインはオペラ賞など英国3歳牝馬チャンピオン。GIの3勝はドバイ、ドイツ、豪州と遠征に強く、タフだった。

| 初年度登録産駒 | **74頭** | 2024年種付け料 | **250万円** |

ポエティックフレア
父／Dawn Approach

●2021年の英2000ギニーと、セントジェームズパレスSの芝マイルGIを2勝。両レースとも父ドーンアプローチとの父仔2代制覇だった。3代父はガリレオ。母系はスピードタイプで、2歳の芝5Fの勝利もある。1年目の種付け料は600万円だったが、種付け108頭に対して登録産駒は37頭と少なめ。

| 初年度登録産駒 | **37頭** | 2024年種付け料 | **プライベート** |

マテラスカイ
父／Speightstown

●中京ダ1400のプロキオンSを4馬身差の逃げ切りでレコード勝ち。盛岡ダ1200のクラスターCもレコード勝ちした、砂の快速スプリンター。GIは5歳のドバイゴールデンシャヒーンと6歳のJBCスプリントで2着。父スパイツタウンの代表産駒にモズスーパーフレア。残念ながら2024年6月に死亡した。

| 初年度登録産駒 | **83頭** | 2024年種付け料 | **100万円** |

ミスチヴィアスアレックス
父／Into Mischief

●米国ダート7FのGIカーターHなど、6Fから8Fのダート重賞を4勝。2着につけた着差の合計は30馬身以上。父イントゥミスチーフは2019年から23年まで5年連続の米国リーディングサイアー。その後継種牡馬としては日本初供用となる。ダート向きはもちろん、2歳戦なら芝の短距離も走れるかも。

| 初年度登録産駒 | **88頭** | 2024年種付け料 | **120万円** |

2024年
供用開始

イクイノックス

2022年
供用開始

コントレイル

Snapshots 2024 Summer

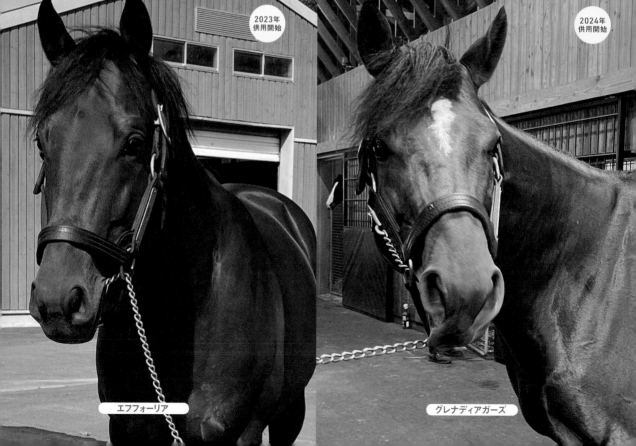

2023年
供用開始

エフフォーリア

2024年
供用開始

グレナディアガーズ

トップ種牡馬
25頭

ドゥラメンテ
DURAMENTE

種牡馬ランク　2023年度／第1位　2022年度／第3位　2021年度／第11位

早逝惜しまれる名血重ねたチャンピオン血統

2012年生　鹿毛　2021年死亡

左端縦書き：ドゥラメンテ DURAMENTE

現役時代

中央8戦5勝、UAE1戦0勝。主な勝ち鞍、日本ダービー、皐月賞、中山記念。ドバイシーマクラシック2着（唖GI・芝2410）、宝塚記念2着。

母アドマイヤグルーヴは本馬を出産した年に急逝。名牝の忘れ形見としても注目を集め、サンデーレーシングの募集価格は総額1億円。堀宣行厩舎。

新馬は出遅れて2着に敗れたが、2戦目はムーアにしごかれて東京芝1800を6馬身差の圧勝。3歳になると、石橋脩でセントポーリア賞を5馬身差1着、共同通信杯は断然人気でリアルスティールの2着。折り合いを欠き、最後の伸びが鈍った。

2ヵ月の休み明けぶっつけの皐月賞はデムーロに乗り替わり、サトノクラウン、リアルスティールに続く3番人気。後方に控えて徐々に進出し、4角では馬群の内へ外へ進路を取ろうとする……が、そこで外へ吹っ飛ぶように大きく斜行。立て直して、先に抜け出したリアルスティールを捉えると、ゴール前はミルコが左の拳を握る余裕のゴールインだった。鞍上は4日間の騎乗停止。ドゥラメンテは母、祖母、3代母に続く母子4代のGI制覇を達成した。

単勝1.9倍のダービーは中団から差し切る危なげない勝利。皐月賞と同じ上がり33秒9の切れ味で、他馬を圧した。二冠制覇にも堀調教師は「完成はまだまだ先」と将来を見据えたが、秋は骨折で休養。

4歳。復帰戦の中山記念を制して向かったドバイシーマクラシック。末脚をためて最後はよく伸びたが、ポストポンドに及ばず2着。帰国後の宝塚記念も稍重の中、直線は鋭く伸びたが、マリアライトに届かず2着。ゴール後にデムーロが下馬して、これが最後のレースになった。カミソリの切れ味はあったが、タフな馬場になると欧州血統が上だった。

古馬の長距離王と二冠牝馬が登場!
中長距離で安定、短距離は不振
急坂や洋芝コースを早め仕掛けで

血統背景

父キングカメハメハは同馬の項を参照。

母アドマイヤグルーヴは03、04年のエリザベス女王杯を連覇。ローズS、マーメイドSと重賞4勝。桜花賞3着、秋華賞2着、天皇賞・秋3着。

祖母エアグルーヴはオークス、天皇賞・秋の勝ち馬で、その仔にルーラーシップ(種牡馬)、フォゲッタブル(ダイヤモンドS)のいる日本を代表する名牝系。近親にグルーヴィット(中京記念)など。

3代母ダイナカールは1983年のオークス馬。

代表産駒

タイトルホルダー(21菊花賞、22天皇賞・春、22宝塚記念)、スターズオンアース(22桜花賞、22オークス)、リバティアイランド(22阪神JF、23牝馬三冠)、シャンパンカラー(23NHKマイルC)、ドゥラエレーデ(22ホープフルS)、ドゥレッツァ(23菊花賞)、サウンドビバーチェ(23阪神牝馬S)、シングザットソング(23フィリーズR)、ドゥーラ(22札幌2歳S)、シュガークン(24青葉賞)、ルガル(24シルクロードS)、ミアネーロ(24フラワーC)。

産駒解説

ネヴァーベンドを持つ母とニックスだ。タイトルホルダーとキングストンボーイは、それぞれ祖母の父がシャーリーハイツとシェイディハイツ。二冠牝馬スターズオンアースも、祖母スタセリタの母の父がシャーリーハイツ系のダッシングブレード。サウンドビバーチェの祖母の父もダッシングブレード。アスコルターレやバーデンヴァイラーも母系にリヴァーマンを持ち、ウオッカとの配合を夢想する。

関係者コメント

「24年の2歳が最後の世代です。

昨年はチャンピオンサイアーになり、後継のタイトルホルダーも種牡馬入りしました。最後の世代からもまた一流馬が出るだろうし、社台グループからも後継種牡馬になるような馬が出てほしいと期待しています。

GIに強い理由ですか? ドゥラメンテ自身はサンデ

	キングカメハメハ 鹿 2001	キングマンボ Kingmambo	Mr. Prospector
			Miesque
		*マンファス Manfath	*ラストタイクーン
			Pilot Bird (22-d)
	アドマイヤグルーヴ 鹿 2000	*サンデーサイレンス Sunday Silence	Halo
			Wishing Well
		エアグルーヴ	*トニービン
			ダイナカール (8-f)

Northern Dancer 5・5×5

種付け年度	種付け頭数	血統登録頭数	種付け料
2023年	—	—	—
2022年	—	—	—
2021年	131頭	95頭	1000／受・FR

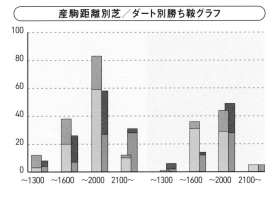

産駒距離別芝／ダート別勝ち鞍グラフ

ーやトニービンを持ち、気性もきつかったので、それがいい方向に出ているんでしょう。骨格の良さが遺伝した産駒たちは見た目から大人びた印象があり、この母系共通のやんちゃな性格も、2歳の早い時期からの活躍につながっています」(社台スタリオン、24年8月)

特注馬

シュガークン／キタサンブラックの半弟で注目度は高いが、青葉賞の上位馬は次走以降に凡走多数。

サウンドビバーチェ／牝馬戦に好成績。得意の急坂コースで芝1600に戻れば、まだ一変があるのでは。

ミアネーロ／内で脚をため瞬時に馬群を抜ける器用さあり、内枠向き。半姉ミスエルテは重賞マイラー。

競馬場別成績

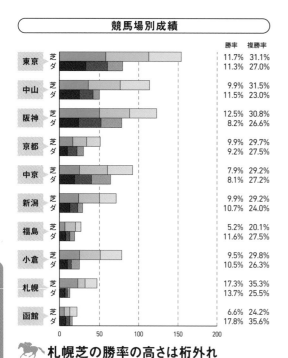

		勝率	複勝率
東京	芝	11.7%	31.1%
	ダ	11.3%	27.0%
中山	芝	9.9%	31.5%
	ダ	11.5%	23.0%
阪神	芝	12.5%	30.8%
	ダ	8.2%	26.6%
京都	芝	9.9%	29.7%
	ダ	9.2%	27.5%
中京	芝	7.9%	29.2%
	ダ	8.1%	27.2%
新潟	芝	9.9%	29.2%
	ダ	10.7%	24.0%
福島	芝	5.2%	20.1%
	ダ	11.6%	27.5%
小倉	芝	9.5%	29.8%
	ダ	10.5%	26.3%
札幌	芝	17.3%	35.3%
	ダ	13.7%	25.5%
函館	芝	6.6%	24.2%
	ダ	17.8%	35.6%

🐎 **札幌芝の勝率の高さは桁外れ**

勝利数上位コース

	コース	着度数	勝率	複勝率
1位	中山ダ1800	20-12-7-112	13.2%	25.8%
2位	東京ダ1600	19-13-14-111	12.1%	29.3%
3位	東京芝1600	18-15-10-92	13.3%	31.9%
4位	阪神芝2000	17-12-9-64	16.7%	37.3%
5位	阪神ダ1800	16-19-17-94	11.0%	35.6%

🐎 **5コース中3コースがダート**

距離別成績

		着度数	勝率	複勝率
芝	～1200	10-15-10-139	5.7%	20.1%
	1400	19-16-16-154	9.3%	24.9%
	～1600	51-52-36-387	9.7%	26.4%
	～1800	76-73-71-422	11.8%	34.3%
	2000	67-73-70-503	9.4%	29.5%
	～2400	33-28-29-158	13.3%	36.3%
	2500～	15-9-10-65	15.2%	34.3%
ダ	～1300	17-19-9-226	6.3%	16.6%
	～1600	44-31-24-297	11.1%	25.0%
	～1900	90-77-71-552	11.4%	30.1%
	2000～	6-6-9-50	8.5%	29.6%

🐎 **芝・ダートともにマイル以上で安定**

コース特徴別 勝ち鞍グラフ

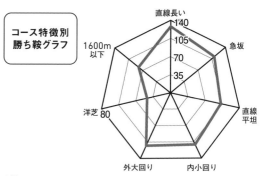

🐎 **外・内、平坦・急坂の差がない良バランス**

得意重賞			不得意重賞	
オークス	2-0-1-4		マーメイドS	0-0-0-5
菊花賞	2-0-0-4		フローラS	0-0-0-5
毎日杯	1-0-1-2		ファルコンS	0-0-0-4

🐎 **ダービー未勝利もクラシックで力を発揮**

馬場状態別成績

		着度数	勝率	複勝率
芝	良	210-203-187-1400	10.5%	30.0%
	稍重	45-39-38-284	11.1%	30.0%
	重	12-20-15-118	7.3%	28.5%
	不良	4-4-2-26	11.1%	27.8%
ダ	良	107-76-76-684	11.3%	27.5%
	稍重	22-37-15-234	7.1%	24.0%
	重	14-12-11-133	8.2%	21.8%
	不良	14-8-11-74	13.1%	30.8%

🐎 **芝・ダートともに重より良**

1番人気距離別成績

		着度数	勝率	複勝率
芝	～1200	3-2-2-5	25.0%	58.3%
	1400	7-3-5-14	24.1%	51.7%
	～1600	25-18-8-18	36.2%	73.9%
	～1800	33-18-15-27	35.5%	71.0%
	2000	25-12-12-32	30.9%	60.5%
	～2400	17-8-9-8	40.5%	81.0%
	2500～	3-0-1-3	42.9%	57.1%
ダ	～1300	6-0-0-5	54.5%	54.5%
	～1600	14-4-2-19	35.9%	51.3%
	～1900	53-27-15-45	37.9%	67.9%
	2000～	3-1-2-4	30.0%	60.0%

🐎 **芝クラシックディスタンスの安定感！**

ドゥラメンテ DURAMENTE

騎手ベスト5（3番人気以内）

	騎手	着度数	勝率	複勝率
1位	C.ルメール	31-22-16-56	24.8%	55.2%
2位	川田将雅	21-10-10-28	30.4%	59.4%
3位	戸崎圭太	18-8-6-30	29.0%	51.6%
4位	坂井瑠星	13-9-10-23	23.6%	58.2%
5位	横山武史	12-15-6-22	21.8%	60.0%

🏇 **戸崎の単勝回収率100%以上**

騎手ベスト5（4番人気以下）

	騎手	着度数	勝率	複勝率
1位	鮫島克駿	4-4-3-48	6.8%	18.6%
2位	C.ルメール	4-3-3-14	16.7%	41.7%
3位	菱田裕二	4-3-1-38	8.7%	17.4%
4位	内田博幸	3-6-4-44	5.3%	22.8%
5位	菅原明良	3-5-2-37	6.4%	21.3%

🏇 **ルメールの数字は驚異的**

クラス別成績

	芝 着度数	勝率	ダ 着度数	勝率
新馬	45-43-31-251	12.2%	7-10-9-45	9.9%
未勝利	89-71-79-670	9.8%	70-63-52-514	10.0%
1勝	60-74-67-435	9.4%	50-40-38-385	9.7%
2勝	34-43-30-167	12.4%	20-7-8-110	13.8%
3勝	14-8-12-93	11.0%	8-10-4-50	11.1%
OPEN	4-10-10-61	4.7%	2-2-1-12	11.8%
GⅢ	7-10-6-60	8.4%	0-1-0-5	0%
GⅡ	6-3-1-46	10.7%	0-0-0-0	—
GⅠ	12-4-6-45	17.9%	0-0-1-4	0%

🏇 **芝はオープン勝ち切れば大仕事の可能性**

条件別勝利割合

穴率	16.4%	平坦芝率	37.6%
芝道悪率	22.5%	晩成率	35.5%
ダ道悪率	31.8%	芝広いコース率	47.2%

🏇 **穴率低く、素直に人気馬を信頼**

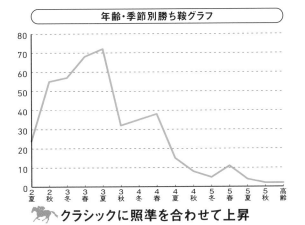

年齢・季節別勝ち鞍グラフ

🏇 **クラシックに照準を合わせて上昇**

※「春」＝3、4、5月。「夏」＝6、7、8月。
　　「秋」＝9、10、11月。「冬」＝12、1、2月。高齢＝5歳12月以降。

▶ 勝 利 へ の ポ イ ン ト ◀

重賞の牡馬、距離延長／5勝、単勝回収250%
重賞の牡馬、距離短縮／1勝、単勝回収10%

　23年は三冠牝馬リバティアイランドが出たほか、菊花賞も制してGⅠは12勝目。ジャパンCと有馬記念の両方で2頭が馬券に絡み、その合間にダートのチャンピオンズCでも3着。GⅡやGⅢより、GⅠの勝利数が多い王者の血統として、リーディングサイアーに輝いた。気性の強さ・激しさが、大舞台での勝負強さにつながっている。ただ、GⅢに強くないのは、全体にゆるんだ流れは割引とか、ちゃんと仕上げないと、とぼけるという意味でもある。

▶牡馬は距離延長、牝馬はマイルも

　マイラーからステイヤーまで多様も、牡馬は距離が延びると勝率が上がり、夏のローカルの芝2600を勝って菊花賞へ向かう馬も出る。いくらGⅠに強いといっても、高松宮記念のルガルの1番人気はさすがに難しかった。牝馬は忙しい距離も走るが、芝1200以下は3勝のみ。桜花賞とオークスでも危なげないのはオークスのほう。スタミナは豊富だ。ダートも中距離の勝ち鞍が多く、オープン馬が出る。

▶長い直線向きか、急坂向きか

　芝の勝率が高いのは、札幌、阪神、東京。洋芝や、長い直線だ。札幌は函館よりだいぶ良い。タイトルホルダーのように母系がサドラー系などのスタミナ型だと、阪神や中山の急坂が得意な馬に出て、シャンパンカラーのように母系がダンジグ系などのスピード型だと切れ味抜群で、上がりの速いコースに適性を示す。母系に注目しながら、得意コースで狙おう。道悪は巧者と苦手が分かれるから慎重に。

　成長力を持ち、スイッチが入れば連勝して上昇するから、軌道に乗った馬は続けて買える。

▶ダ1400の1番人気は疑いも

　ダートの勝利も多く、芝で勝ち切れなかった馬が新境地を開く例あり。馬体重480キロ以上の勝率や回収率が高いから、ダート替わりは馬体重も確認しよう。阪神と中山のダ1800の1番人気が堅実で、東京ダ1600や、各地のダ1400は1番人気が堅くない。

ドウラメンテ DURAMENTE

ロードカナロア
LORD KANALOA

種牡馬ランク　2023年度／第2位　2022年度／第2位　2021年度／第2位

香港スプリントを2年連続で圧勝! キンメ産駒の最強スプリンター

2008年生　鹿毛　2024年種付け料▷受胎確認後1200万円 (FR)

現役時代

　国内17戦11勝、香港2戦2勝。主な勝ち鞍、スプリンターズS（2回）、高松宮記念、安田記念、香港スプリント（2回）、阪急杯、京阪杯、シルクロードS。

　数多くの名スプリンターを育てた安田隆行調教師の下で、早くから芝1200に絞って使われた。3歳から明け4歳まで、京阪杯、シルクロードSなど5連勝。高松宮記念は同厩舎のカレンチャンの3着に敗れて連勝ストップするも、夏に立て直しをはかり、鞍上も福永祐一から岩田康誠に乗り替わり。

　12年スプリンターズSは大外枠を引き、いつもより後ろの位置からのレースを強いられたが、カレンチャンを差して1分6秒7のレコード。岩田のトントン乗りが決まり、短距離界のトップに立つ。

　次のターゲットは香港スプリント、沙田競馬場の芝1200。海を司る神にちなんだ馬名から、地元新聞に「龍王」と表記されたロードカナロアは楽々と抜け出し、並み居る香港の強豪を制圧した。

　5歳になると完成期を迎え、もはや敵なし。高松宮記念は単勝1.3倍でレコード勝ち。マイル挑戦の安田記念も、中団の外から差し切って二階級制覇。直線で外にヨレて、2着ショウナンマイティが不利を受ける結果に批判もあったが、再び5連勝。

　セントウルS2着をはさみ、スプリンターズSを単勝1.3倍で勝利。ハクサンムーンを捕まえ、サクラバクシンオー以来の連覇を飾る。

　さらに圧巻だったのが、ラストランの香港スプリント。危なげなく抜け出すと、直線は差が開くばかり。ストライドごとに他馬が置いていかれ、ゴールでは5馬身の差が付いていた。このとき本馬にちぎられた馬たちが、翌年、世界各国の短距離GIを次々に制覇したというオマケも記しておこう。

🏇 2歳から勝ちまくる優等生マイラー!

🏇 高速馬場は大歓迎のレコード血統

🏇 内枠、軽ハンデ、休養明けの大駆け!

血統背景

父キングカメハメハは04年の日本ダービー馬。後継種牡馬に本馬のほか、ルーラーシップ、ベルシャザール、ドゥラメンテ、リオンディーズなど多数。

母レディブラッサムは中央5勝(芝3勝、ダ2勝)。半兄ロードバリオスは六甲Sの勝ち馬。

祖母サラトガデューはベルダムS(米GI・ダ9F)、ガゼルH(米GI・ダ9F)の勝ち馬。

本馬の母はセクレタリアト=シリアンシーの全きょうだいクロス3×4を持つ。

代表産駒

アーモンドアイ(18・20ジャパンC、19・20天皇賞・秋、19ドバイターフ、18牝馬三冠)、ステルヴィオ(18マイルCS)、サートゥルナーリア(19皐月賞)、ダノンスマッシュ(20香港スプリント、21高松宮記念)、ダノンスコーピオン(22NHKマイルC)、パンサラッサ(22ドバイターフ、23サウジC)、ファストフォース(23高松宮記念)、ベラジオオペラ(24大阪杯)。

産駒解説

ヌレイエフ、サドラーズウェルズ、フェアリーキングと、スペシャル牝系の種牡馬を持つ母と合う。

アーモンドアイは祖母の父ヌレイエフ。ブレイディヴェーグは祖母の父ヌレイエフ系。サートゥルナーリアは祖母の父サドラー。パンサラッサやダノンスコーピオンも母の父サドラー系で、これらの血を引く配合はハイペースに対する耐久力が高まる。

また、母系にサンデーを持たない活躍馬を探すと、ダノンスマッシュほか芝1200の得意な馬が並ぶ。

関係者コメント

「最近は、短い距離向きの牝馬に付けて、スピードに特化させようという配合が増えています。アーモンドアイが活躍した後は、クラシックの距離を意識した配合も見られたんですが、やはり得意なのは短距離ですから、そっちへ戻りつつあります。それと骨格のある牝馬に付けたほうがカナロアらしい子供が出るとわかったので、小さい牝馬には付けなくなりました。

キングカメハメハ 鹿 2001	キングマンボ Kingmambo	Mr. Prospector
		Miesque
	*マンファス Manfath	*ラストタイクーン
		Pilot Bird (22-d)
レディブラッサム 鹿 1996	ストームキャット Storm Cat	Storm Bird
		Terlingua
	*サラトガデュー Saratoga Dew	Cormorant
		Super Luna (2-s)

Northern Dancer 5・5×4

種付け年度	種付け頭数	血統登録頭数	種付け料
2023年	120頭	—	1200／受・FR
2022年	136頭	96頭	1500／受・FR
2021年	157頭	111頭	1500／受・FR

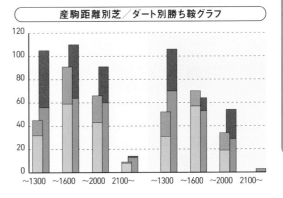

産駒距離別芝／ダート別勝ち鞍グラフ

年々、ボスザルというか王様みたいになってきて、馬房から他の馬が見えるだけで不機嫌になってしまうので、見えないように視界を塞いでいます。キズナも似たところがあるので、ストームキャットの影響かもしれません」(社台スタリオン、24年8月)

特注馬

サトノレーヴ／半兄ハクサンムーン。スプリンターズSの結果は不明も、急坂のないコース合う。

レッドモンレーヴ／距離短縮の芝1400で馬券になるのがパターン化してきた。道悪は【0-0-0-3】。

ナナオ／京都の内枠推奨も、母父オルフェーヴルで振り幅は大きそう。道悪【3-1-0-1】の重巧者。

競馬場別成績

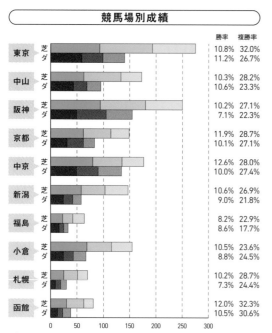

		勝率	複勝率
東京	芝	10.8%	32.0%
	ダ	11.2%	26.7%
中山	芝	10.3%	28.2%
	ダ	10.6%	23.3%
阪神	芝	10.2%	27.1%
	ダ	7.1%	22.3%
京都	芝	11.9%	28.7%
	ダ	10.1%	27.1%
中京	芝	12.6%	28.0%
	ダ	10.0%	27.4%
新潟	芝	10.6%	26.9%
	ダ	9.0%	21.8%
福島	芝	8.2%	22.9%
	ダ	8.6%	17.7%
小倉	芝	10.5%	23.6%
	ダ	8.8%	24.5%
札幌	芝	10.2%	28.7%
	ダ	7.3%	24.4%
函館	芝	12.0%	32.3%
	ダ	10.5%	30.6%

芝・ダートともに函館が優秀

勝利数上位コース

	コース	着度数	勝率	複勝率
1位	小倉芝1200	48-35-24-332	10.9%	24.4%
2位	東京芝1400	32-27-22-176	12.5%	31.5%
3位	東京芝1600	29-35-28-200	9.9%	31.5%
4位	東京ダ1400	29-22-17-160	12.7%	29.8%
5位	中山ダ1200	28-18-18-194	10.9%	24.8%

東京芝の好走率高い

距離別成績

		着度数	勝率	複勝率
芝	～1200	189-156-122-1212	11.3%	27.8%
	1400	97-69-59-608	11.6%	27.0%
	～1600	136-137-114-979	10.0%	28.3%
	～1800	87-87-54-612	10.4%	27.1%
	2000	64-58-43-421	10.9%	28.2%
	～2400	17-20-15-104	10.9%	33.3%
	2500～	7-5-5-47	10.9%	26.6%
ダ	～1300	119-98-87-871	10.1%	25.9%
	～1600	102-77-80-724	10.4%	26.3%
	～1900	94-80-83-909	8.1%	22.0%
	2000～	2-5-6-57	2.9%	18.6%

出走してくれば中距離でも侮れず

コース特徴別 勝ち鞍グラフ

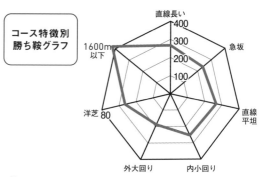

より短距離化の傾向あり

得意重賞	
函館スプリントS	3-3-0-10
京王杯SC	2-2-3-10
スワンS	2-1-1-7

不得意重賞	
阪神C	1-0-0-12
ターコイズS	0-0-0-8
阪神JF	0-0-0-6

12～2月の阪神重賞で振るわず

馬場状態別成績

		着度数	勝率	複勝率
芝	良	464-415-322-3027	11.0%	28.4%
	稍重	94-82-59-604	11.2%	28.0%
	重	33-31-28-287	8.7%	24.3%
	不良	6-4-3-65	7.7%	16.7%
ダ	良	194-150-157-1525	9.6%	24.7%
	稍重	51-67-48-507	7.6%	24.7%
	重	49-33-35-327	11.0%	26.4%
	不良	23-10-16-202	9.2%	19.5%

スピード活かせる馬場で好走

1番人気距離別成績

		着度数	勝率	複勝率
芝	～1200	71-39-25-90	31.6%	60.0%
	1400	31-13-11-40	32.6%	57.9%
	～1600	53-39-25-69	28.5%	62.9%
	～1800	35-32-12-35	30.7%	69.3%
	2000	29-14-6-25	39.2%	66.2%
	～2400	10-9-3-7	34.5%	75.9%
	2500～	1-0-1-3	20.0%	40.0%
ダ	～1300	35-27-15-39	30.2%	66.4%
	～1600	33-24-17-40	28.9%	64.9%
	～1900	34-18-14-39	32.4%	62.9%
	2000～	1-0-1-3	20.0%	40.0%

芝1600より、芝2000の勝率高い

ロードカナロア
LORD KANALOA

騎手ベスト5（3番人気以内）

	騎手	着度数	勝率	複勝率
1位	C.ルメール	69-41-26-80	31.9%	63.0%
2位	川田将雅	58-41-24-78	28.9%	61.2%
3位	坂井瑠星	35-16-12-42	33.3%	60.0%
4位	北村友一	30-19-17-33	30.3%	66.7%
5位	松山弘平	28-19-8-67	23.0%	45.1%

坂井の回収率120%超え

騎手ベスト5（4番人気以下）

	騎手	着度数	勝率	複勝率
1位	岩田康誠	12-7-10-108	8.8%	21.2%
2位	岩田望来	10-10-13-108	7.1%	23.4%
3位	鮫島克駿	9-8-5-117	6.5%	15.8%
4位	斎藤新	9-7-6-105	7.1%	17.3%
5位	北村友一	8-4-7-87	7.5%	17.9%

岩田親子が高回収率でワンツー

クラス別成績

	芝 着度数	勝率	ダ 着度数	勝率
新馬	57-59-41-372	10.8%	9-7-8-67	9.9%
未勝利	147-139-105-1061	10.1%	104-93-103-866	8.9%
1勝	157-126-98-988	11.5%	113-84-80-872	9.8%
2勝	99-83-73-497	13.2%	50-39-35-408	9.4%
3勝	50-48-37-400	9.3%	23-15-14-180	9.9%
OPEN	34-33-20-233	10.6%	15-18-13-139	8.1%
GⅢ	28-18-15-232	9.6%	3-3-3-23	9.4%
GⅡ	15-19-17-109	9.4%	0-0-0-1	0%
GⅠ	10-7-6-91	8.8%	0-1-0-5	0%

昇級後も安定して勝ち星稼ぐ

条件別勝利割合

穴率	20.9%	平坦芝率	44.7%
芝道悪率	22.3%	晩成率	52.5%
ダ道悪率	38.8%	芝広いコース率	46.6%

スピード馬場のダートは得意

年齢・季節別勝ち鞍グラフ

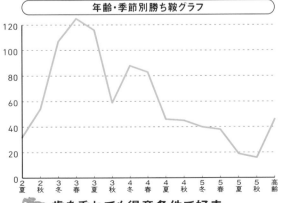

歳を重ねても得意条件で好走

※「春」＝3、4、5月。「夏」＝6、7、8月。
　「秋」＝9、10、11月。「冬」＝12、1、2月。高齢＝5歳12月以降。

勝利へのポイント

3歳までの重賞1、2番人気／複勝率48%
4歳以降の重賞1、2番人気／複勝率71%

　ベラジオオペラが24年大阪杯を勝利。重賞の勝率で言えば、断然高いのは芝2000の17%。芝1200は10%、芝1400は11%、芝1600は6%。参考までに。

▶2、3歳は前走着順とローテで絞る

　成長力が抜群で、重賞勝ちが一番多いのは5歳。さらに7歳でも短距離重賞の勝ち星を積み上げる。ファストフォースが高松宮記念を勝ったのも7歳だ。初老ジャパンなみにすごい。衰えず、巻き返す。

　3歳までと4歳以降に分けると、重賞傾向がかなり変わる。3歳までは「前走4着以内」で「レース間隔5週以上」の馬が勝利の大部分を占める。4歳以降は前走着順問わず、レース間隔が詰まっても走れる。

▶芝1200のコツは展開の出し入れ

　芝1200重賞のポイント。高松宮記念2勝、函館スプリントS3勝など無双で、内有利な馬場なら内枠の逃げ先行馬が穴をあけ、外有利な馬場なら外枠の差し馬が穴をあける。終わったレースについて、内と外、前と後ろ、どっちが有利だったかを確認して、枠順替わりによるプラスマイナスを次走以降に活かすこと。この把握が大穴的中につながる。

▶高速タイムはおまかせ

　ダッシュの速さ、機敏に馬群をさばく操縦性を持ち、逃げ先行の安定感が武器。芝1200や芝1400に複数の産駒がいると「どれかが来る感」は強力だ。単純に足が速い。タイムの速い勝負や、高速馬場は大歓迎。連勝が多く「接戦で勝ち上がったから、昇級戦は苦しいかも」と思われた馬が、タイムも内容もアップグレードしながらクラスの壁を突破する。

▶短期休み明けや内枠替わりで穴

　人気薄の大駆けを狙うなら、短期リフレッシュ後の休み明け、軽ハンデの一変、内枠替わりなど。

▶ダートは実績のある距離限定で○

　ダートも重賞勝ちがあり、優秀なのは東京ダ1400、中京ダ1400など。ただし、各馬の適性距離は狭く、実績ある距離で狙うこと。軽いダートは得意だ。

ハーツクライ
HEART'S CRY

種牡馬ランク　2023年度／第3位　2022年度／第4位　2021年度／第4位

有馬&ドバイSC優勝。ディープに土をつけた唯一の日本調教馬

2001年生　鹿毛　2023年死亡

現役時代

国内17戦4勝、海外2戦1勝。主な勝ち鞍、有馬記念、ドバイシーマクラシック（GI・2400M）、京都新聞杯。ダービー2着、宝塚記念2着、JC2着。

新馬、若葉Sを勝ち、皐月賞14着の後、京都新聞杯を差し切り。ダービーは後方17番手から外を鋭く伸びたが、前にはキングカメハメハがいた。後方一気しかできないため、自分でレースをつくれない弱点が付きまとう。菊花賞では1番人気に祭り上げられるも7着。その後も追い込んで届かずを繰り返し、宝塚記念でスイープトウショウの2着などが精一杯だった。

05年秋、ルメールと新コンビを組み、新境地を切り開く。ジャパンCでは内を突き、ラスト100Mでウィジャボードを弾き飛ばしながら、隙間をこじ開けて猛追。アルカセットと並んでゴール。ハナ差の2着で大魚は逸するも、タイムはレコードを上回る2分22秒1。

続く有馬記念はディープインパクト一色のムード。脚質から中山不向きと見なされ、単勝17.1倍の伏兵扱いも、スタート後、多くの者が評価の不当に気付く。3番手をすいすいと先行する新生ハーツクライがそこにいた。直線でコスモバルクを捕まえ、先頭に立つ。ディープも大外から伸びるが、いつもの迫力はない。無敗馬の勝利を信じて疑わぬファンに、現実の厳しさを教えるかのように完勝。中山にため息が満ちた。

5歳になると海外へ。ドバイシーマCでは意表を突く逃げの手に出てスローに持ち込み、軽く追っただけの楽勝。同じ橋口厩舎のユートピアもゴドルフィンマイルを制して、ドバイはジャパン・デーに。さらに英国の最強馬決定戦キングジョージ6世&QESでも、凱旋門賞馬ハリケーンラン、ドバイワールドC馬エレクトロキューショニストと、壮絶な名勝負を演じて3着。世界クラスの実力を示した。

マイルで鍛えて中長距離で覚醒！
広い東京や阪神の持久戦で本領発揮
近年は小回りの人気馬も安定感あり

血統背景

父サンデーサイレンス × 母父トニービン。

母アイリッシュダンスは95年の新潟記念、新潟大賞典の勝ち馬。全兄アグネスシラヌイ（6勝）。半妹の仔にオメガハートランド（フラワーC）、オメガハートロック（フェアリーS）。

3代母マイブッパーズの一族にノンコノユメ（フェブラリーS）、ミッキーアイル（マイルCS。種牡馬）、ラッキーライラック（阪神JF）、アエロリット（NHKマイルC）、ダイヤモンドビコー（ローズS）、ステラマドリッド（エイコーンS）など。

代表産駒

ジャスタウェイ（14ドバイDF）、リスグラシュー（19コックスプレート、19宝塚記念、19有馬記念）、スワーヴリチャード（18大阪杯、19ジャパンC）、シュヴァルグラン（17ジャパンC）、ワンアンドオンリー（14ダービー）、ヌーヴォレコルト（14オークス）、タイムフライヤー（17ホープフルS）、サリオス（19朝日杯FS）、アドマイヤラクティ（14コーフィールドC）、ドウデュース（22ダービー）、コンティニュアス（23英セントレジャー）。

産駒解説

ドウデュースは「母系にシアトルスルー」という点で、スワーヴリチャードやカレンミロティックと同じ。

サリオスの祖母の父は99年ジャパンCにも出走したタイガーヒル。「祖母の父ダンジグ系」は、ワンアンドオンリー、ヌーヴォレコルト、マイスタイル、ロジクライとも共通する成功パターンだ。

関係者コメント

「23年の3月9日に亡くなりました。種付けは20年が最後で、24年の3歳世代がラストクロップになります。後継種牡馬ではスワーヴリチャードが大成功して、種付け料は200万円から1500万円へと過去最高の値上がりを記録しました。海外での後継ヨシダの産駒も昨年デビューして、日本でも何頭か勝ち上がっています。

距離適性が長めで、当初は良くなるまで時間のかかる産駒が多かったのが、徐々に仕上がりの早いマイラ

* サンデーサイレンス Sunday Silence 青鹿 1986	ヘイロー Halo	Hail to Reason
		Cosmah
	ウィッシングウェル Wishing Well	Understanding
		Mountain Flower (3-e)
アイリッシュダンス 鹿 1990	*トニービン Tony Bin	*カンパラ
		Severn Bridge
	*ビューパーダンス Buper Dance	Lyphard
		My Bupers (6-a)

種付け年度	種付け頭数	血統登録頭数	種付け料
2023年	—		
2022年	—		
2021年	—		

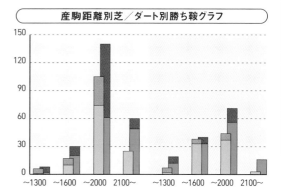

産駒距離別芝／ダート別勝ち鞍グラフ

ータイプの母に付けて、クラシックに間に合う馬が増えていきました。ハーツの仔は脚長で、背中も長めに出る傾向がありますが、体形的にコロっとした牝馬に付けると、背中が伸びすぎない子供が生まれるんです」（社台スタリオン、24年8月）

特注馬

ドウデュース／不向きなレースに使われることが多く、敗因は体調じゃないと思う。有馬記念に合う。

バークスライ／馬番6番以内なら【2-0-1-1】の内枠巧者。出遅れたCBC賞を度外視すれば、まだ狙える。

チャックネイト／東京の良馬場は【0-0-4-1】。ベストは中山と思われ、多頭数にならない日経賞で。

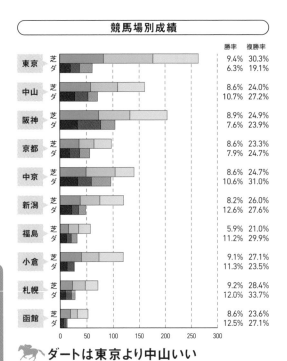

競馬場別成績

		勝率	複勝率
東京	芝	9.4%	30.3%
	ダ	6.3%	19.1%
中山	芝	8.6%	24.0%
	ダ	10.7%	27.2%
阪神	芝	8.9%	24.9%
	ダ	7.6%	23.9%
京都	芝	8.6%	23.3%
	ダ	7.9%	24.7%
中京	芝	8.6%	24.7%
	ダ	10.6%	31.0%
新潟	芝	8.2%	26.0%
	ダ	12.6%	27.6%
福島	芝	5.9%	21.0%
	ダ	11.2%	29.9%
小倉	芝	9.1%	27.1%
	ダ	11.3%	23.5%
札幌	芝	9.2%	28.4%
	ダ	12.0%	33.7%
函館	芝	8.6%	23.6%
	ダ	12.5%	27.1%

🐎 ダートは東京より中山いい

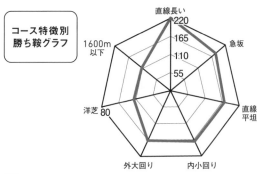

コース特徴別 勝ち鞍グラフ

🐎 トニービン特性で直線長いコース得意

得意重賞	
有馬記念	2-0-0-4
東京新聞杯	1-2-1-3
宝塚記念	1-1-1-3

不得意重賞	
日経賞	0-0-0-8
目黒記念	0-0-1-9
阪神大賞典	0-1-0-8

🐎 同一重賞を複数回好走の馬が多い

勝利数上位コース

	コース	着度数	勝率	複勝率
1位	東京芝1800	23-24-22-133	11.4%	34.2%
2位	中京芝2000	23-22-11-175	10.0%	24.2%
3位	小倉芝2000	22-18-21-135	11.2%	31.1%
4位	中山芝2000	21-18-17-150	10.2%	27.2%
5位	中山ダ1800	21-17-14-144	10.7%	26.5%

🐎 小回り向きと大回り向きに分けて考える

馬場状態別成績

		着度数	勝率	複勝率
芝	良	334-341-329-2790	8.8%	26.5%
	稍重	71-49-75-600	8.9%	24.5%
	重	24-18-28-245	7.6%	22.2%
	不良	5-6-5-69	5.9%	18.8%
ダ	良	117-114-96-922	9.4%	26.2%
	稍重	43-34-34-314	10.1%	26.1%
	重	26-20-17-181	10.7%	25.8%
	不良	9-13-13-127	5.6%	21.6%

🐎 不良以外は大きな差はなし

距離別成績

		着度数	勝率	複勝率
芝	～1200	17-26-31-267	5.0%	21.7%
	1400	27-30-28-237	8.4%	26.4%
	～1600	69-66-71-589	8.7%	25.9%
	～1800	88-87-90-703	9.1%	27.4%
	2000	140-124-127-1116	9.3%	25.9%
	～2400	64-60-57-521	9.1%	25.8%
	2500～	29-21-33-271	8.2%	23.4%
ダ	～1300	23-15-22-177	9.7%	25.3%
	～1600	29-32-33-315	7.1%	23.0%
	～1900	127-113-90-871	10.6%	27.5%
	2000～	16-21-15-181	6.9%	22.3%

🐎 芝ダートともに1800～2000の好走多い

1番人気距離別成績

		着度数	勝率	複勝率
芝	～1200	7-6-5-9	25.9%	66.7%
	1400	7-6-3-9	28.0%	64.0%
	～1600	26-10-12-38	30.2%	55.8%
	～1800	41-26-10-43	34.2%	64.2%
	2000	43-29-23-61	27.6%	60.9%
	～2400	21-10-6-25	33.9%	59.7%
	2500～	8-3-5-9	32.0%	64.0%
ダ	～1300	5-3-4-6	27.8%	66.7%
	～1600	6-7-7-14	17.6%	58.8%
	～1900	55-26-13-40	41.0%	70.1%
	2000～	6-6-1-10	26.1%	56.5%

🐎 ダート1700～1900の信頼度は高い

騎手ベスト5（3番人気以内）

	騎 手	着度数	勝率	複勝率
1位	C.ルメール	50-31-28-88	25.4%	55.3%
2位	川田将雅	43-17-20-63	30.1%	55.9%
3位	武豊	28-22-10-49	25.7%	55.0%
4位	松山弘平	23-10-10-46	25.8%	48.3%
5位	田辺裕信	13-15-3-22	24.5%	58.5%

🏇 **武豊は重賞の高率が目立つ**

騎手ベスト5（4番人気以下）

	騎 手	着度数	勝率	複勝率
1位	藤岡佑介	6-6-6-68	7.0%	20.9%
2位	田辺裕信	6-6-3-62	7.8%	19.5%
3位	鮫島克駿	6-5-6-88	5.7%	16.2%
4位	西村淳也	6-4-8-84	5.9%	17.6%
5位	松若風馬	6-3-12-100	5.0%	17.4%

🏇 **【3-6-6-14】の川田もマーク**

クラス別成績

	芝 着度数	勝率	ダ 着度数	勝率
新馬	43-46-38-226	12.2%	4-5-4-20	12.1%
未勝利	118-90-109-850	10.1%	63-60-55-473	9.7%
1勝	120-130-119-921	9.3%	66-57-42-480	10.2%
2勝	72-69-72-653	8.3%	35-36-40-300	8.5%
3勝	35-32-44-442	6.3%	13-16-7-152	6.9%
OPEN	16-11-23-174	7.1%	9-6-10-75	9.0%
GⅢ	13-16-13-173	6.0%	4-1-1-34	10.0%
GⅡ	10-16-9-152	5.3%	1-0-1-2	25.0%
GⅠ	7-4-10-113	5.2%	0-0-0-8	0%

🏇 **ダートオープン以上の勝率が高い**

条件別勝利割合

穴率	20.7%	平坦芝率	39.6%
芝道悪率	23.0%	晩成率	53.7%
ダ道悪率	40.0%	芝広いコース率	50.9%

🏇 **穴率がさらに上昇中**

年齢・季節別勝ち鞍グラフ

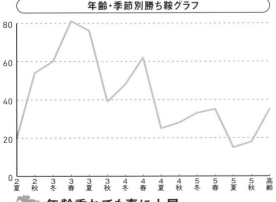

🏇 **年齢重ねても春に上昇**

※「春」＝3、4、5月。「夏」＝6、7、8月。
「秋」＝9、10、11月。「冬」＝12、1、2月。高齢＝5歳12月以降。

◆ 勝 利 へ の ポ イ ン ト

5番人気以下の勝利が多いコース／中京芝2200、阪神芝2000、京都芝2000、東京ダ1600

　24年前半は、チャックネイトが不良のAJCCを勝ち、ドウデュースが重の宝塚記念で敗退。道悪の巧拙は各馬で明確に分かれるが、原則「大型馬は重不良が良くない。小・中型馬は得意な馬が多い」。

　近年の人気薄の勝利が多いコースを調べたのが、上記の特記データ。内回りの芝2000で穴をあけるのは欧州血統の特徴で、ヨーロピアンの香りがする。

▶**トニービン彷彿の左回り、長い直線巧者**

　24年の3歳世代が最後の産駒。ダービー2勝、ジャパンC2勝、青葉賞2勝など、東京芝2400は得意中の得意として知られ、左回りと長い直線が合う。

　他にもダイヤモンドS4勝、中山記念4勝、アルゼンチン共和国杯3勝など、得意重賞は多数あり、トータルで産駒の重賞勝ちが一番多いのは5歳。牝馬の重賞勝ちは近年、芝1600が中心だ。

▶**古馬が覚醒する成長力**

　基本は成長力あるスタミナ血統も、近年は2歳から勝つマイル中距離馬が多い。そこから芝2400の一流馬を出し、リスグラシューやジャスタウェイに代表される、古馬になって覚醒する馬が出る。

▶**外伸び馬場向きか、小回りもOKか**

　一瞬の反応が遅い不器用なタイプかの見極めが大事。トニービンの特徴「広いコース向き。加速に時間がかかり、馬群を割れない」を受け継ぐ馬は、そこが弱点で、内伸び馬場より外伸び馬場、右回りより左回り、小回りより大回りコース向き。母系がスタミナ型だと、勝負どころでもたつく。

　母系にダンジグやストームキャットのスピード血統を持つと、これらの弱点が出にくく、距離が延びるより芝1600から芝2000を持ち場にする。脚を余さずに乗るのが難しいため、外国人騎手が乗った時しか好走しない馬もよくいる。騎手との相性に注目。

▶**ローカルダートは大型の先行馬**

　ダート勝利の7割はダ1800とダ1700。小回りは差し馬がアテにならず、大型の先行型が好調だ。

キズナ
KIZUNA

種牡馬ランク　2023年度／第4位　2022年度／第5位　2021年度／第3位

武豊を背に直線一気でダービー制覇。ディープ×ストームキャットの成功配合

2010年生　青鹿毛　2024年種付け料▷受胎確認後1200万円（FR）

現役時代

中央12戦6勝、フランス2戦1勝。主な勝ち鞍、日本ダービー、ニエル賞（仏GII・芝2400M）、毎日杯、京都新聞杯、大阪杯。

1998年の桜花賞や秋華賞を勝ったファレノプシス。その15歳下の半弟で、母の最後の仔となったのがキズナだった。馬名は2011年の大震災で広まった言葉「絆」にちなみ、震災直後のドバイワールドCで2着したトランセンド（同じノースヒルズ系の生産所有馬）の経験も、由来になっているという。

佐藤哲三の手綱で新馬、黄菊賞を連勝。しかし佐藤の大怪我により、鞍上は当時不振を極めていた武豊にスイッチされた。弥生賞で敗れると、中2週で毎日杯へ向かって1着。皇月賞には出走せず、京都新聞杯を勝って、ダービーへの態勢を整える。

13年ダービーは、皐月賞馬ロゴタイプを上回る1番人気。復興に重なる馬名や、復活を期す武豊の話題もあり、人気の高さを示すオッズとなった。レースは後方15番手に控える待機策。ここから直線一気のゴボウ抜きを決め、逃げたアポロソニックや、ライバルのエピファネイアを差し切った。

秋はフランスへ遠征。前哨戦のGIIニエル賞を勝ち、凱旋門賞への期待が高まるも、本番は圧勝したトレヴや、2着オルフェーヴルに離された4着まで。道悪でタフな争いになったのが不運だった。佐々木晶三調教師にとってはタップダンスシチーに続く二度目の凱旋門賞挑戦だったが、かなわなかった。

4歳春は大阪杯を豪快に差しきって天皇賞で断然人気になるも、後方から届かずフェノーメノの4着。その後は故障と闘いながら、翌5歳も春の天皇賞で1番人気になったが、ゴールドシップの7着。芝2000〜2400向きで、ステイヤーではなかった。

血統背景

父ディープインパクトは同馬の項を参照。

母キャットクイルは英国2戦0勝。半姉ファレノプシス（桜花賞、秋華賞、エリザベス女王杯）、半兄サンデーブレイク（ピーターパンS。米国と仏国で種牡馬供用され、フランスのGⅠ馬を出した）。

祖母パシフィックプリンセスの一族に、ビワハヤヒデ（菊花賞など）、ナリタブライアン（三冠、有馬記念）、ラストインパクト（京都大賞典）。

ディープ×ストームキャットの組み合わせは、ほかにアユサン（桜花賞）、ラキシス（エリザベス女王杯）、サトノアラジン（安田記念）など、ニックス。

代表産駒

アカイイト（21エリザベス女王杯）、ソングライン（22・23安田記念、23ヴィクトリアM）、ジャスティンミラノ（24皐月賞）、ディープボンド（20京都新聞杯、21・22阪神大賞典）、クリスタルブラック（20京成杯）、ファインルージュ（21紫苑S）、バスラットレオン（22ゴドルフィンM）、アスクワイルドモア（22京都新聞杯）、シックスペンス（24スプリングS）。

産駒解説

皐月賞馬のジャスティンミラノと、桜花賞3着のライトバックは母父エクシードアンドエクセルという共通点があり、他にも母父ダンジグ系はサヴォーナやボルザコフスキーなど活躍馬が多い。

GⅠを制したアカイイトとソングラインは、どちらも母父シンボリクリスエスで、この配合もニックス。

関係者コメント

「24年の3歳はキズナの最強世代と昨年お話しした通り、大活躍してくれました。唯一残念なのはダービーを勝てなかったこと。しかもエピファネイア産駒（ダノンデサイル）に勝たれた。キズナとエピファネイアは現役も同期、種牡馬になったのも同期、最初の種付け料も同じ250万円。ずーっと張り合っているんです。キズナはエピファネイアに比べて万能型で、芝もダートもバランスよく走る。

ディープインパクト 鹿 2002	＊サンデーサイレンス Sunday Silence	Halo
		Wishing Well
	＊ウインドインハーヘア Wind in Her Hair	Alzao
		Burghclere （2-f）
＊キャットクイル Catequil 鹿 1990	ストームキャット Storm Cat	Storm Bird
		Terlingua
	パシフィックプリンセス Pacific Princess	Damascus
		Fiji （13-a）

Northern Dancer 5×4

種付け年度	種付け頭数	血統登録頭数	種付け料
2023年	152頭	―	1200／受・FR
2022年	170頭	119頭	1200／受・FR
2021年	195頭	136頭	1000／受・FR

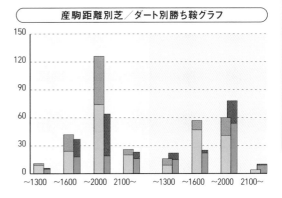

産駒距離別芝／ダート別勝ち鞍グラフ

短距離から長距離まで多彩な活躍を見せ、牝馬がよく走ります。産駒には筋肉質の馬体と、皮膚の薄さ、運動神経の良さを伝えています。蹄もしっかりしているので、ダートの力のいる馬場でも地面をとらえる走りができています」（社台スタリオン、24年8月）

特注馬

サヴォーナ／堅実だけど、どこも一歩足りない。日経新春杯など京都芝2400まで待つのが正解かも。

パラレルヴィジョン／芝1600なら中山と阪神向きで、東京や新潟は不向き。東京で負けた後の中山狙う。

ボルザコフスキー／パラレルと近いタイプ。中山や阪神の差しが決まる開催後半の馬場で飛んでくる。

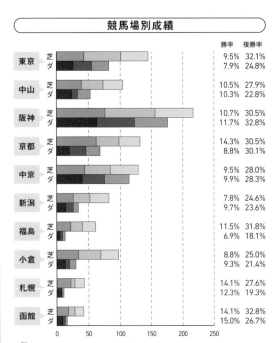

競馬場別成績

		勝率	複勝率
東京	芝	9.5%	32.1%
	ダ	7.9%	24.8%
中山	芝	10.5%	27.9%
	ダ	10.3%	22.8%
阪神	芝	10.7%	30.5%
	ダ	11.7%	32.8%
京都	芝	14.3%	30.5%
	ダ	8.8%	30.1%
中京	芝	9.5%	28.0%
	ダ	9.9%	28.3%
新潟	芝	7.8%	24.6%
	ダ	9.7%	23.6%
福島	芝	11.5%	31.8%
	ダ	6.9%	18.1%
小倉	芝	8.8%	25.0%
	ダ	9.3%	21.4%
札幌	芝	14.1%	27.6%
	ダ	12.3%	19.3%
函館	芝	14.1%	32.8%
	ダ	15.0%	26.7%

🐎 北海道シリーズの高勝率に注目

勝利数上位コース

	コース	着度数	勝率	複勝率
1位	阪神ダ1800	34-42-30-174	12.1%	37.9%
2位	中京ダ1800	20-14-18-118	11.8%	30.6%
3位	阪神ダ1400	20-7-10-104	14.2%	26.2%
4位	阪神芝2000	18-20-14-95	12.2%	35.4%
5位	中山ダ1800	18-7-13-125	11.0%	23.3%

🐎 5コース中3コースがダート1800m

距離別成績

		着度数	勝率	複勝率
芝	～1200	38-39-46-417	7.0%	22.8%
	1400	35-31-42-258	9.6%	29.5%
	～1600	76-63-49-528	10.6%	26.3%
	～1800	87-73-65-479	12.4%	32.0%
	2000	101-82-74-590	11.9%	30.3%
	～2400	37-40-36-217	11.2%	34.2%
	2500～	12-15-11-87	9.6%	30.4%
ダ	～1300	17-17-20-258	5.4%	17.3%
	～1600	50-40-33-375	10.0%	24.7%
	～1900	134-115-115-863	10.9%	29.7%
	2000～	20-15-21-109	12.1%	33.9%

🐎 1600～2400mが主戦場

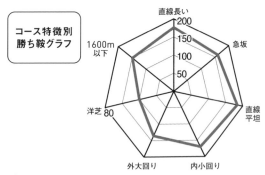

コース特徴別 勝ち鞍グラフ

🐎 しぶとさ活かせるコースで良績

得意重賞			不得意重賞	
京都新聞杯	3-0-1-3		愛知杯	0-0-0-7
紫苑S	2-0-0-3		ローズS	0-0-1-10
エリザベス女王杯	1-1-0-3		秋華賞	0-1-0-9

🐎 芝2200m重賞は【4-1-2-18】

馬場状態別成績

		着度数	勝率	複勝率
芝	良	289-263-248-1900	10.7%	29.6%
	稍重	58-57-48-458	9.3%	26.2%
	重	29-19-22-164	12.4%	29.9%
	不良	10-4-5-54	13.7%	26.0%
ダ	良	141-104-131-996	10.3%	27.4%
	稍重	31-44-33-297	7.7%	26.7%
	重	27-30-15-181	10.7%	28.5%
	不良	22-9-10-131	12.8%	23.8%

🐎 複勝率は馬場に関係なく安定

1番人気距離別成績

		着度数	勝率	複勝率
芝	～1200	14-8-5-13	35.0%	67.5%
	1400	18-4-6-10	47.4%	73.7%
	～1600	21-11-4-23	35.6%	61.0%
	～1800	27-14-6-18	41.5%	72.3%
	2000	31-18-11-30	34.4%	66.7%
	～2400	10-9-6-8	30.3%	75.8%
	2500～	5-4-1-7	29.4%	58.8%
ダ	～1300	4-2-3-12	19.0%	42.9%
	～1600	16-5-5-22	33.3%	54.2%
	～1900	57-29-20-40	39.0%	72.6%
	2000～	10-7-2-6	40.0%	76.0%

🐎 芝1400、1800mの好走率が高い

騎手ベスト5（3番人気以内）			
	騎 手	着度数	勝率	複勝率
1位	C.ルメール	31-13-11-24	39.2%	69.6%
2位	川田将雅	27-18-9-24	34.6%	69.2%
3位	鮫島克駿	24-16-11-26	31.2%	66.2%
4位	武豊	19-16-8-38	23.5%	53.1%
5位	松山弘平	19-8-11-32	27.1%	54.3%

🐎 **ルメール×キャロットは【6-0-3-1】**

騎手ベスト5（4番人気以下）			
	騎 手	着度数	勝率	複勝率
1位	和田竜二	10-9-11-79	9.2%	27.5%
2位	藤岡佑介	9-7-6-61	10.8%	26.5%
3位	岩田望来	9-5-5-75	9.6%	20.2%
4位	坂井瑠星	8-8-12-82	7.3%	25.5%
5位	鮫島克駿	7-6-11-102	5.6%	19.0%

🐎 **和田竜の単勝回収率200％超え**

クラス別成績					
	芝 着度数	勝率	ダ 着度数	勝率
新馬	49-51-34-301	11.3%	12-8-5-55	15.0%
未勝利	123-87-85-852	10.7%	93-76-67-625	10.8%
1勝	95-91-98-603	10.7%	68-62-67-513	9.6%
2勝	53-45-33-226	14.8%	28-21-32-217	9.4%
3勝	19-24-30-191	7.2%	13-10-9-117	8.7%
OPEN	18-21-11-93	12.6%	6-5-4-52	9.0%
GⅢ	15-6-14-131	9.0%	1-4-4-24	3.0%
GⅡ	9-8-11-91	7.6%	0-1-0-1	0%
GⅠ	5-10-7-88	4.5%	0-0-1-1	0%

🐎 **芝・ダートともに3勝クラスでダウン**

条件別勝利割合			
穴率	23.4%	平坦芝率	47.7%
芝道悪率	25.1%	晩成率	36.6%
ダ道悪率	36.2%	芝広いコース率	45.6%

🐎 **晩成率が頭打ち**

年齢・季節別勝ち鞍グラフ

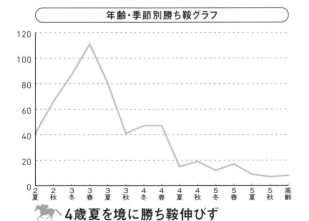

🐎 **4歳夏を境に勝ち鞍伸びず**

※「春」＝3、4、5月。「夏」＝6、7、8月。
　「秋」＝9、10、11月。「冬」＝12、1、2月。高齢＝5歳12月以降。

勝利へのポイント

東京重賞、牡馬／1勝、牝馬／5勝
京都芝2200～2400／勝率21％、複勝率46％

　黄金世代と呼ばれた24年の3歳馬から、ジャスティンミラノが皐月賞を優勝。ダービーには産駒が5頭出走する快挙だった。それでも東京芝2400重賞【0-2-3-22】の壁はまだ破れない。左回りで直線の長い東京と新潟の重賞は、マイラー牝馬以外、成績が下降する……という特徴はまだ書き続けよう。

　ただ、昨年まで強調した阪神芝の内回りと外回りの差は、重賞以外もう見られないし、新装された京都芝は外回りの成績が素晴らしい。個別に短い直線向きか、長い直線向きかは気にするべきだが、内回りが良くて外回りが割引きとは、もう書きません。

　中京の芝重賞【1-0-5-38】も入れておこう。

▶**牡馬は中距離とダート中心**

　牡馬は ダ1800、芝2000、芝1800。牝馬は芝2000、芝1600、芝1800に勝ち鞍が多い。男馬は中距離とダート、女馬はマイラーを基準に考えつつ、あとはディープボンドのようなジリ脚ステイヤーも出る。

▶**前走大敗馬の巻き返し！**

　どのデータを拾っても回収率が高い。馬券的にお得な種牡馬で、不当な人気になりやすいのは着順の揺れが大きいため。ソングラインでさえ、二桁着順の次走に馬券になったことが3回あるなど、前走大敗馬が得意条件に戻って一変し、穴をあける。

　前走着順より、該当コースの過去成績を重視。

▶**ダート馬は「砂」のコメント注意**

　ディープ産駒よりダート得意な馬が多いのも特徴で、バスラットレオンはドバイのダート重賞を制した。3歳ハピのチャンピオンズC3着も価値が高い。

　ダートは砂を被るのを嫌がる馬がよくいて、このタイプは外枠替わりがプラス。砂を気にしない先行馬なら2枠と3枠がいい。ダ1800とダ1400が得意。

▶**水分を含んだダ1800は特注！**

　ダ1800に限定して馬場状態成績を出してみたら、良→稍重→重と悪化するほど、連対率が大幅に上がっていく。不良は下がるが、これは狙い目だ。

ディープインパクト
DEEP IMPACT

種牡馬ランク　2023年度／第5位　2022年度／第1位　2021年度／第1位

世界のディープ。日英愛のオークス・ダービー馬の父に

2002年生　鹿毛　2019年死亡

現役時代

中央、仏で14戦12勝。重賞勝ちは順に、弥生賞、皐月賞、ダービー、神戸新聞杯、菊花賞、阪神大賞典、天皇賞・春、宝塚記念、ジャパンC、有馬記念。

新馬は4馬身、若駒Sは5馬身。武豊が軽く手綱を動かすと、ぐっと馬体を沈み込ませ、4コーナー手前から馬群の外を流れるように進出。またたく間に他馬を置いてけぼりにしてしまう。のちに「空を飛んでいるみたい」と形容された、そのバネの利いた軽やかな走りと身のこなしは、たちまち耳目を集めた。

皐月賞はスタートで体勢を崩しながらひとまくり、シックスセンスに2馬身半。ダービーは後方15番手から上がり33秒4で、インティライミに5馬身。ゴール後はスタンド前ですましてポーズをとってみせた。無事に夏を越した菊花賞も、上がり33秒3でアドマイヤジャパンに2馬身。前に馬を置いて我慢させる菊花賞

前の調教など、陣営の労は逐一伝えられたが、まるでハラハラしない無敗の三冠達成。三冠の単勝配当は順に、130円、110円、100円。菊花賞の元返しは大事件だ。

古馬相手の有馬記念も軽く突破すると見られたが、先行策に出たハーツクライをとらえることができず、2着敗退。小回りの中山はギア全開が難しいのか。

4歳になると一段と安定感を増し、春の天皇賞はリンカーンに3馬身半、宝塚記念はナリタセンチュリーに4馬身。そして渡仏、06年凱旋門賞に挑む。日本から多数のツアーが組まれ、大応援団が駆けつけるなか、ディープインパクトと武豊はいつもと違う先行策に出る。欧州の馬場を意識したと思われる積極勝負だったが、ゴール前で伸びず、レイルリンクの3着入線。後日、禁止薬物が検出され、失格処分となった。大騒動になるも、真相はうやむやのまま。帰国後、ジャパンカップと有馬記念を危なげなく連勝。霧は晴れたか。

血統背景

父サンデーサイレンス。ディープインパクトの誕生日は父と同じ3月25日。ディープ誕生の02年に急逝したという、神秘的な巡り合わせもある。

母ウインドインハーヘアは英オークス2着の後、妊娠した状態でアラルポカル（独GI・芝2400M）に優勝。全兄ブラックタイド（スプリングS）、近親レイデオロ（ダービー）、ゴルトブリッツ（帝王賞）。

祖母バーグクレアの孫にウインクリューガー（NHKマイルC）。3代母ハイクレアはエリザベス女王の持ち馬で英1000ギニー、仏オークス優勝。一族にナシュワン、ネイエフ、ミルフォードなど名馬多数。母父アルザオは主に英・愛のGIホースを多数輩出。

代表産駒

コントレイル（20三冠）、キズナ（13ダービー）、シャフリヤール（22ドバイSC）など日本ダービー馬7頭。ジェンティルドンナ（12・13ジャパンC）、ラヴズオンリーユー（21BCF&Mターフ）など日オークス馬4頭。グランアレグリア（20安田記念）、スノーフォール（21英・愛オークス）、オーギュストロダン（23英・愛ダービー）。

産駒解説

母系がヨーロッパのスタミナ型だと、一瞬の反応に弱点があって大レースを勝ち切れず、母系がスピード型だと、回転の速いフットワークを得て、大舞台に強さを発揮する馬が生まれる。

グランアレグリアやシャフリヤールは母父ボールドルーラー系。ジェンティルドンナ、サトノダイヤモンド、ミッキーアイルは母父ダンジグ系。キズナ、リアルスティールは母父ストームキャットだ。

関係者コメント

「ノーザンホースパークと、社台スタリオン内に1体ずつ、ディープインパクトの銅像ができました。ウインドインハーヘアは元気にホースパークにいるので、母とご対面させてあげようと思っています。

最終世代のオーギュストロダンが、英ダービー、愛ダービー、BCターフなどGIをいくつも勝っています。

			Hail to Reason
*サンデーサイレンス Sunday Silence 青鹿 1986	ヘイロー Halo		Hail to Reason
			Cosmah
	ウィッシングウェル Wishing Well		Understanding
			Mountain Flower (3-e)
*ウインドインハーヘア Wind in Her Hair 鹿 1991	アルザオ Alzao		Lyphard
			Lady Rebecca
	バーグクレア Burghclere		Busted
			Highclere (2-f)

種付け年度	種付け頭数	血統登録頭数	種付け料
2023年	―	―	―
2022年	―	―	―
2021年	―	―	―

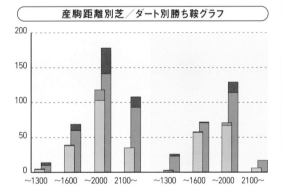

産駒距離別芝／ダート別勝ち鞍グラフ

ディープが最初からヨーロッパにいたら、すごいことになっていたんじゃないでしょうか。サドラー系など欧州血統の母に付けると、日本の軽い馬場では少しスピードが足りない感じになるのに、ヨーロッパではぴったりですからね」（社台スタリオン、24年8月）

特注馬

プログノーシス／秋のローテは不明も、天皇賞・秋に出てくれば有力。稍重くらいがちょうど良い。

フィアスプライド／中山では内枠を引くと好走し、外枠に入ると連対圏に届かない。ルメール頼み。

ドーブネ／涼しい季節が合うようで、3年連続10月に勝利し、2月の中山記念までいい。少頭数ベター。

ディープインパクト DEEP IMPACT

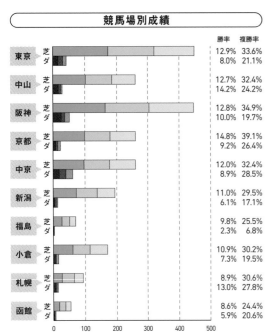

競馬場別成績

		勝率	複勝率
東京	芝	12.9%	33.6%
	ダ	8.0%	21.1%
中山	芝	12.7%	32.4%
	ダ	14.2%	24.2%
阪神	芝	12.8%	34.9%
	ダ	10.0%	19.7%
京都	芝	14.8%	39.1%
	ダ	9.2%	26.4%
中京	芝	12.0%	32.4%
	ダ	8.9%	28.5%
新潟	芝	11.0%	29.5%
	ダ	6.1%	17.1%
福島	芝	9.8%	25.5%
	ダ	2.3%	6.8%
小倉	芝	10.9%	30.2%
	ダ	7.3%	19.5%
札幌	芝	8.9%	30.6%
	ダ	13.0%	27.8%
函館	芝	8.6%	24.4%
	ダ	5.9%	20.6%

🏇 **改装後も京都芝は高値安定**

勝利数上位コース

	コース	着度数	勝率	複勝率
1位	東京芝1800	56-40-34-219	16.0%	37.2%
2位	阪神芝1800	49-36-30-159	17.9%	42.0%
3位	東京芝1600	48-24-24-224	15.0%	30.0%
4位	中京芝2000	42-36-33-172	14.8%	39.2%
5位	阪神芝1600	38-38-37-222	11.3%	33.7%

🏇 **直線の長いワンターンで活躍**

距離別成績

		着度数	勝率	複勝率
芝	～1200	39-38-50-400	7.4%	24.1%
	1400	47-44-53-330	9.9%	30.4%
	～1600	179-133-126-973	12.7%	31.0%
	～1800	230-172-151-948	15.3%	36.8%
	2000	195-198-175-1069	11.9%	34.7%
	～2400	113-106-92-606	12.3%	33.9%
	2500～	38-42-39-329	8.5%	26.6%
ダ	～1300	9-8-6-79	8.8%	22.5%
	～1600	12-19-19-191	5.0%	20.7%
	～1900	67-32-45-521	10.1%	21.7%
	2000～	19-17-8-123	11.4%	26.3%

🏇 **芝1800mの好走率が突出**

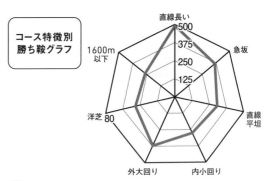

**コース特徴別
勝ち鞍グラフ**

🏇 **直線長いコースで本領発揮**

得意重賞			不得意重賞	
金鯱賞	4-2-2-15		福島記念	0-0-0-10
天皇賞(春)	4-1-1-12		宝塚記念	0-0-2-16
阪神牝馬S	3-1-2-10		府中牝馬S	1-0-0-22

🏇 **七夕賞も【0-0-0-8】で、福島不振**

馬場状態別成績

		着度数	勝率	複勝率
芝	良	664-575-544-3579	12.4%	33.3%
	稍重	111-111-92-686	11.1%	31.4%
	重	53-36-42-289	12.6%	31.2%
	不良	13-11-8-101	9.8%	24.1%
ダ	良	68-40-44-595	9.1%	20.3%
	稍重	18-19-12-167	8.3%	22.7%
	重	14-7-13-108	9.9%	23.9%
	不良	7-10-9-44	10.0%	37.1%

🏇 **芝の重・稍重は苦手ではない**

1番人気距離別成績

		着度数	勝率	複勝率
芝	～1200	14-7-5-23	28.6%	53.1%
	1400	19-11-10-20	31.7%	66.7%
	～1600	81-30-28-82	36.7%	62.9%
	～1800	106-59-37-93	35.9%	68.5%
	2000	88-66-49-99	29.1%	67.2%
	～2400	52-24-12-50	37.7%	63.8%
	2500～	15-11-7-20	28.3%	62.3%
ダ	～1300	0-0-0-2	0%	0%
	～1600	6-2-4-11	26.1%	52.2%
	～1900	19-9-3-21	36.5%	59.6%
	2000～	5-5-0-7	29.4%	58.8%

🏇 **短距離の人気馬は信頼度低め**

騎手ベスト5（3番人気以内）			
	騎　手	着度数	勝率	複勝率
1位	川田将雅	121-46-43-118	36.9%	64.0%
2位	C.ルメール	100-71-46-146	27.5%	59.8%
3位	武豊	40-34-17-70	24.8%	56.5%
4位	M.デムーロ	30-13-10-62	26.1%	46.1%
5位	岩田望来	27-24-11-62	21.8%	50.0%

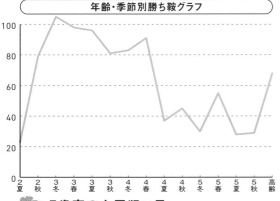 川田が抜けて好走

クラス別成績					
	芝	着度数	勝率	ダ	着度数	勝率
新馬		87-38-39-151	27.6%		1-0-1-4	16.7%
未勝利		155-128-88-635	15.4%		26-9-16-130	14.4%
1勝		228-191-182-1198	12.7%		45-42-31-325	10.2%
2勝		144-155-160-887	10.7%		23-18-24-267	6.9%
3勝		82-79-60-579	10.3%		11-3-4-104	9.0%
OPEN		44-48-62-347	8.8%		1-4-2-71	1.3%
GⅢ		35-39-43-376	7.1%		0-0-0-10	0%
GⅡ		40-28-29-239	11.9%		0-0-0-2	0%
GⅠ		26-27-23-243	8.2%		0-0-0-1	0%

GⅡ、GⅠの勝率はさすが

条件別勝利割合			
穴率	16.2%	平坦芝率	36.3%
芝道悪率	21.0%	晩成率	57.7%
ダ道悪率	36.4%	芝広いコース率	58.3%

穴率微増。高齢馬の激走増えるか

年齢・季節別勝ち鞍グラフ

（グラフ：縦軸 0〜100、横軸 2夏・2秋・3冬・3春・3夏・3秋・3冬・4春・4夏・4秋・4冬・5春・5夏・5秋・高齢）

5歳春の上昇狙い目

※「春」＝3、4、5月。「夏」＝6、7、8月。
　「秋」＝9、10、11月。「冬」＝12、1、2月。高齢＝5歳12月以降。

騎手ベスト5（4番人気以下）			
	騎　手	着度数	勝率	複勝率
1位	吉田隼人	13-4-11-92	10.8%	23.3%
2位	岩田望来	9-18-17-168	4.2%	20.8%
3位	北村友一	9-13-19-80	7.4%	33.9%
4位	浜中俊	9-5-11-68	9.7%	26.9%
5位	田辺裕信	8-6-10-74	8.2%	24.5%

吉田隼の復帰を待ち望む

勝 利 へ の ポ イ ン ト

GⅡの勝率11.9%、複勝率29.1%、単回率183% 前走4、5着馬の重賞単勝回収率259%

24年4歳が最後の世代。19年以降の重賞データをとると、GⅡの勝率や複勝率が飛び抜け、回収率も高い。今のディープは「GⅡで狙え！」。24年も京都記念と金鯱賞を勝ち、目黒記念で穴をあけた。

▶母父で得意コースを見抜く

母系によって適性は判断できる。母父ダンジグ系の牝馬はマイルに抜群の適性を示し、母父ストームキャット系は東京重賞に強い。母父エーピーインディ系とデピュティミニスター系は急坂の阪神と中山に向き、母父サドラー系は東京など上がりの速いレースで不振の反面、道悪や欧州の芝に強い。

母系がスピード型なら一瞬の加速が速く、内枠や短い直線も平気。母系がスタミナタイプなら加速に助走が必要で、差し馬は外枠が好成績。

▶ゆったりローテの好調馬を！

好調馬を買うのがセオリー。不振の実績馬より、近走着順の良い馬を評価すること。ローテも重要。間隔をゆったり取るノーザンファーム流のローテに向き、間隔を詰めるローテは反動が出やすい。

▶前走4着か5着の馬に馬券の妙味

19年以降の重賞データ。馬券的においしいのは、前走4着や5着の馬。勝率も複勝率も高く、単勝回収率は驚きの259%（計149頭）。大阪杯を人気薄で勝ったアルアインとポタジェはどっちもこれ。

年齢面では、牡馬は7歳以上、牝馬は6歳以上で、がくっと重賞成績が下がる。目安にしよう。

▶4歳春に再充実の傾向あり

4歳春に勝ち鞍が増える現象があり、冬に休んでいた牝馬の休み明けか、叩き2戦目が良い。休養後は緒戦か2戦目に走らなければ、しばらく様子見。

▶ダートの人気馬なら条件戦の1800

ダートで人気馬が安定しているのは、中山、新潟、中京のダ1800だ。逆に1、2番人気の勝率が2割に満たないのは福島と東京のダート。ダ1200も不安定だから、これらの条件の人気馬は疑おう。

キタサンブラック
KITASAN BLACK

種牡馬ランク　2023年度／第6位　2022年度／第13位　2021年度／第82位

他馬のスタミナを削る競馬で王座に君臨

2012年生　鹿毛　2024年種付け料▷受胎確認後2000万円（FR）

キタサンブラック　KITASAN BLACK

現役時代

　中央20戦12勝。主な勝ち鞍、菊花賞、天皇賞・春（2回）、ジャパンC、大阪杯、天皇賞・秋、有馬記念。

　新馬から3連勝でスプリングSを勝ち、皐月賞はドゥラメンテの3着、ダービーはハイペースを追いかけて14着。主戦は北村宏司、血統も地味なためか人気になりにくく、セントライト記念を4角先頭の強い内容で勝ってもなお「母父サクラバクシンオーでは3000Mは厳しい」との声が多く、菊花賞は5番人気に。

　菊花賞。キタサンブラックの通過順は5-5-10-8。動いているように見えるが、違う。好位の内でじっと我慢し続けた結果、他馬がめまぐるしく動き、キタサンの通過順が変わっただけだ。直線では最内を突き、猛追するリアルスティールを抑えてクビ差1着。最初のGIトロフィーを手に入れた。表彰式では馬主の北島三郎が、公約通りに『まつり』のサビを熱唱した。

　北村宏負傷のため、以降は乗り替わり、有馬記念3着の後、翌年の大阪杯から武豊が主戦ジョッキーに。

　16年天皇賞・春。1枠からハナを切ると先頭を譲らず、カレンミロティックとのせめぎあいを制し、芝3200を逃げ切り。この4歳時は「逃げのキタサンブラック」として、宝塚記念3着、ジャパンC1着、有馬記念2着。逃げて他馬のスタミナをそぎ落とし、持久戦に持ち込む王者の競馬で新境地を開いていく。

　5歳を迎え、完成形を示したのが17年天皇賞・春。ハイペースの2番手から押し切り、3分12秒5のレコード。ディープインパクトの記録を1秒近く更新した。天皇賞・秋は不良馬場を、後方から差して辛勝。一騎打ちの相手は、誕生日が同じサトノクラウンだった。

　ラストランの有馬記念は6度めの白い帽子で逃げ切り。GIトロフィーは7つになり、暮れの中山にフルコーラスの『まつり』が響いた。

POINT

- 2年連続の皐月賞とダービー連対
- 大物感あふれる振り幅の魅力
- 雨は芝もダートもプラス材料

血統背景

　父ブラックタイドは2004年のスプリングS1着、きさらぎ賞2着、07年の中山金杯3着。ディープインパクトの全兄として有名。

　母シュガーハートは不出走。祖母オトメゴコロは中央4勝。半兄にショウナンバッハ（中日新聞杯2着、AJCC3着）、近親にアドマイヤフライト（日経新春杯2着）、オトメノイノリ（フェアリーS3着）。

代表産駒

　イクイノックス（22・23天皇賞・秋、22有馬記念、23ドバイシーマC、23宝塚記念、23ジャパンC）、ソールオリエンス（23皐月賞）、ガイアフォース（22セントライト記念）、スキルヴィング（23青葉賞）、ラヴェル（22アルテミスS）、サトノカルナバル（24函館2歳S）、コナコースト（23桜花賞2着）。

産駒解説

　23年のセレクトセールでは、9頭が1億円を超える高額価格で取り引きされ、人気沸騰。24年の同セールも、3億円ホースなど高額落札馬が続出した。

　フレンチデビューを持つ牝馬と相性が良く、ガイアフォースは母の父クロフネ。ウィルソンテソーロとコナコーストとラヴェルは祖母の父フレンチデビュー。祖母ブラッシンググルーム系の活躍馬も多く、ソールオリエンス、オディロンに、ジャスティンスカイとサトノカルナバルの兄弟もこれ。

関係者コメント

「去年は人気が集中して242頭に種付け。今年は2000万円に上げたことと、イクイノックスが入ってきた影響で、頭数は少し落ち着きました。日本の種牡馬界を牛耳ったかのように見られてますが、まだダービーを勝ってませんからね。今年の3歳は層が薄いですが、代わりに1歳世代から繁殖の質が上がり、すごいことになりそうです。もともと健康で丈夫が売りだから、これらがみんなデビューしてきたら相当に層が厚くなるはず。きれいな歩きでまっすぐ歩くから、疲れにくい体質を持っています。

ブラックタイド 黒鹿　2001	*サンデーサイレンス Sunday Silence	Halo
		Wishing Well
	*ウインドインハーヘア Wind in Her Hair	Alzao
		Burghclere　(2-f)
シュガーハート 鹿　2005	サクラバクシンオー	サクラユタカオー
		サクラハゴロモ
	オトメゴコロ	*ジャッジアンジェルーチ
		*ティズリー　(9-g)

Lyphard 4×4、Northern Dancer 5×5・5

種付け年度	種付け頭数	血統登録頭数	種付け料
2023年	242頭	—	1000／受・FR
2022年	178頭	133頭	500／受・FR
2021年	102頭	70頭	300／受・FR

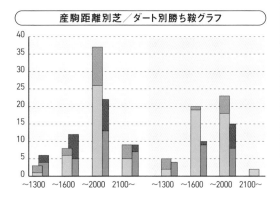

産駒距離別芝／ダート別勝ち鞍グラフ

　イクイノックスの種付けはファイターですね。かーっとなるのがキタサンブラックより速い。キタサンは普段ぼーっとしていて、切り替えがあるタイプ。サクラバクシンオーの普段の穏やかさを受け継いでいます」（社台スタリオン、24年8月）

特注馬

ソールオリエンス／宝塚記念の好走要因は重上手もあるが、外伸び馬場が大きい。今後も外伸びの日に。
ガイアフォース／24年のマイルCSに出走するのか。一桁馬番なら上位有力。3着付けで。
コナコースト／23年後半から「内有利な馬場の外枠」という不運が続いている。阪神に戻れば買う。

57

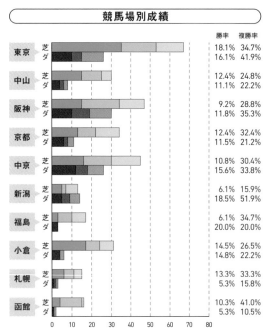

競馬場別成績

		勝率	複勝率
東京	芝	18.1%	34.7%
	ダ	16.1%	41.9%
中山	芝	12.4%	24.8%
	ダ	11.1%	22.2%
阪神	芝	9.2%	28.8%
	ダ	11.8%	35.3%
京都	芝	12.4%	32.4%
	ダ	11.5%	21.2%
中京	芝	10.8%	30.4%
	ダ	15.6%	33.8%
新潟	芝	6.1%	15.9%
	ダ	18.5%	51.9%
福島	芝	6.1%	34.7%
	ダ	20.0%	20.0%
小倉	芝	14.5%	26.5%
	ダ	14.8%	22.2%
札幌	芝	13.3%	33.3%
	ダ	5.3%	15.8%
函館	芝	10.3%	41.0%
	ダ	5.3%	10.5%

🐎 **新潟ダートの複勝率が驚異の50%超え**

勝利数上位コース

	コース	着度数	勝率	複勝率
1位	東京芝1800	11-3-4-24	26.2%	42.9%
2位	小倉芝1800	10-3-1-25	25.6%	35.9%
3位	東京芝1600	9-6-4-37	16.1%	33.9%
4位	中京ダ1800	7-5-5-27	15.9%	38.6%
5位	阪神ダ1800	7-5-5-24	17.1%	41.5%

🐎 **芝・ダートの1800mが4つランクイン**

距離別成績

		着度数	勝率	複勝率
芝	~1200	11-16-9-75	9.9%	32.4%
	1400	13-7-6-65	14.3%	28.6%
	~1600	26-19-15-151	12.3%	28.4%
	~1800	33-20-15-157	14.7%	30.2%
	2000	32-32-28-207	10.7%	30.8%
	~2400	11-6-9-75	10.9%	25.7%
	2500~	3-2-2-17	12.5%	29.2%
ダ	~1300	7-4-3-45	11.9%	23.7%
	~1600	11-6-12-53	13.4%	35.4%
	~1900	32-16-25-167	13.3%	30.4%
	2000~	6-3-4-25	15.8%	34.2%

🐎 **芝短距離は勝ち切れず**

コース特徴別 勝ち鞍グラフ

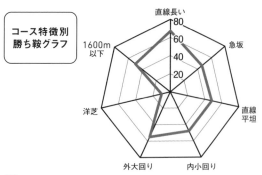

🐎 **大回り＞小回りがより顕著に**

得意重賞	
宝塚記念	1-1-0-0
皐月賞	1-1-0-0
ダービー	0-2-0-1

不得意重賞	
オークス	0-0-0-4
秋華賞	0-0-0-4
フローラS	0-0-0-4

🐎 **牝馬路線は大物産駒待ちか**

馬場状態別成績

		着度数	勝率	複勝率
芝	良	91-80-62-576	11.2%	28.8%
	稍重	26-15-12-115	15.5%	31.5%
	重	11-5-10-45	15.5%	36.6%
	不良	1-2-0-11	7.1%	21.4%
ダ	良	34-22-26-178	13.1%	31.5%
	稍重	12-3-8-66	13.5%	25.8%
	重	6-2-7-30	13.3%	33.3%
	不良	4-2-3-16	16.0%	36.0%

🐎 **芝・ダートともに道悪上手**

1番人気距離別成績

		着度数	勝率	複勝率
芝	~1200	3-4-2-9	16.7%	50.0%
	1400	6-2-0-0	75.0%	100%
	~1600	8-3-3-11	32.0%	56.0%
	~1800	16-5-4-6	51.6%	80.6%
	2000	13-7-5-13	34.2%	65.8%
	~2400	5-2-1-4	41.7%	66.7%
	2500~	2-0-1-2	40.0%	60.0%
ダ	~1300	2-0-1-3	33.3%	50.0%
	~1600	4-1-0-3	50.0%	62.5%
	~1900	12-1-5-13	38.7%	58.1%
	2000~	2-0-0-1	66.7%	66.7%

🐎 **芝1400mはパーフェクト連対**

騎手ベスト5（3番人気以内）

	騎手	着度数	勝率	複勝率
1位	C.ルメール	19-12-2-19	36.5%	63.5%
2位	横山武史	13-7-4-10	38.2%	70.6%
3位	戸崎圭太	11-5-5-13	32.4%	61.8%
4位	川田将雅	9-4-1-11	36.0%	56.0%
5位	松山弘平	8-4-3-11	30.8%	57.7%

🏇 ヨーロピアンスタイルがワンツー

騎手ベスト5（4番人気以下）

	騎手	着度数	勝率	複勝率
1位	池添謙一	3-0-1-7	27.3%	36.4%
2位	幸英明	3-0-0-13	18.8%	18.8%
3位	岩田望来	2-2-3-23	6.7%	23.3%
4位	横山和生	2-2-0-7	18.2%	36.4%
5位	菱田裕二	2-1-2-4	22.2%	55.6%

🏇 菱田を3連馬券のお供に

クラス別成績

	芝 着度数	勝率	ダ 着度数	勝率
新馬	24-17-12-92	16.6%	1-1-3-10	6.7%
未勝利	44-38-31-283	11.1%	25-12-21-122	13.9%
1勝	28-27-23-196	10.2%	18-7-13-95	13.5%
2勝	15-4-11-64	16.0%	7-5-5-26	16.3%
3勝	5-4-3-34	10.9%	4-1-2-13	20.0%
OPEN	2-2-0-14	11.1%	1-0-0-20	4.8%
GⅢ	2-1-2-21	7.7%	0-1-0-3	0%
GⅡ	3-4-1-24	9.4%	0-0-0-0	—
GⅠ	6-5-1-19	19.4%	0-2-0-1	0%

🏇 ダート条件戦の安定感は買い材料

条件別勝利割合

穴率	16.2%	平坦芝率	37.2%
芝道悪率	29.5%	晩成率	34.6%
ダ道悪率	39.3%	芝広いコース率	51.9%

🏇 道悪も割引き必要なし

年齢・季節別勝ち鞍グラフ

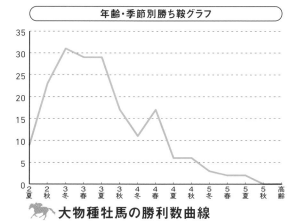

🏇 大物種牡馬の勝利数曲線

※「春」＝3、4、5月。「夏」＝6、7、8月。
「秋」＝9、10、11月。「冬」＝12、1、2月。高齢＝5歳12月以降。

勝利へのポイント

前走と同距離重賞／3勝、複勝率18%
前走と距離変化重賞／8勝、複勝率35%

　1年目からイクイノックス、2年目からソールオリエンスが出て種付け料は2000万円に。面白い特徴は「距離変化」による激走が多いこと。24年はガイアフォースが距離短縮でフェブラリーS2着、ソールオリエンスが距離延長で宝塚記念2着。同じ距離を走り続けるより、変化があるほうが好走する血統で、ジャスティンスカイは青葉賞に出走した馬なのに、短縮のたびに好走して芝1200の馬になった。

▶スタミナ豊富も距離短縮が効く

　勝ち鞍が多いのは、牡馬が芝2000、ダ1800、芝1800。牝馬は芝1800、芝1600、芝1400。持久力豊富で長距離も走り、ダ2100やダ2400の勝利もあるが、スローに慣れるとエンジンがかかりにくくなる傾向もあり、単純に距離を延ばせばいいわけではない。

▶広いコース向きか、小回りも走れるか

　一時期「東京、中京が得意、中山不振」と言われたが、現在は競馬場による偏りが小さくなった。ただ、脚の長い体形でフットワークが大跳びのため、小回りより大回りに合う馬が多いのは確か。ソールオリエンスもそうだが、中山の好走は外伸び馬場の日が多く、内が残る馬場は割引き。外を回る差し馬は、東京など直線の長いコースに安定感がある。

▶大型馬は左回りダート活躍、1枠不振

　ダートも交流重賞3勝のウィルソンテソーロなど、一流馬が出る。大型馬が多いせいか、1枠は不振。中山ダートの1番人気は【2-0-0-5】だから慎重に。ダートは新潟、東京、中京の左回りがいい。

　芝の道悪は得意。稍重と重で数字が上がる。

▶人気薄の単勝なら中京！

　1番人気の信頼度を見ると、高いのは芝1400と芝1800、芝2400。低めなのは芝1200、ダ1700あたり。

　5番人気以下を調べると、芝もダートも中京の勝利数がトップに来る。持続する脚が中京で武器になるのだろう。GIの穴も多く、桜花賞のコナコーストなど締まった流れでMAXの能力が引き出される。

キタサンブラック KITASAN BLACK

モーリス
MAURICE

種牡馬ランク　2023年度／第7位　2022年度／第7位　2021年度／第12位

1600〜2000Mで日本と香港を制圧したメジロ血統の遺宝

2011年生　鹿毛　2024年種付け料▷受胎確認後800万円（FR）

現役時代

中央15戦8勝、香港3戦3勝。主な勝ち鞍、安田記念、マイルCS、天皇賞・秋、香港マイル（香GI・芝1600）、チャンピオンズマイル（香GI・芝1600）、香港C（香GI・芝2000）、ダービー卿CT。

1歳のサマーセールにて150万円で大作ステーブルに購入され、2歳のセールでは破格のタイムを出してノーザンファームに1000万円で転売された。

2歳の新馬をレコード勝ち、3歳のスプリングSで4着など素質を見せるが、まだ開花の手前。栗東から美浦の堀宣行厩舎へ転厩すると馬が変わった。

4歳からマイルを中心に使われ、3連勝でダービー卿CTを勝利。中山で上がり33秒0の後方一気という、めったにお目にかかれない勝ち方でドギモを抜く。続く安田記念は3番手から抜け出す横綱相撲、休養後のマイルCSもぶち抜いて、5連勝と古馬マイル二冠を達成。もはや国内に敵はいなかった。

初の海外遠征となった12月の香港マイルは、地元スターのエイブルフレンドに次ぐ2番人気に甘んじたが、直線でライバルを競り落として優勝。ムーアとモレイラの叩き合いも見応えがあった。

5歳の始動戦も香港のチャンピオンズマイル。コンテントメントを2馬身突き放して、これで7連勝、GIを4連勝。続く安田記念はロゴタイプの逃げ切りを許して2着に敗れるも、陣営は次なる照準を中距離の2000Mに合わせる。

札幌記念2着を叩いて向かった16年の天皇賞・秋。先行策から難なく抜け出して1着。リアルスティールを寄せ付けなかった。引退レースは3度めの香港遠征となる芝2000の香港C。逃げ馬エイシンヒカリとの対決も注目されたが、スタートの出遅れから、直線は内の狭いところを抜けて3馬身突き放した。

緩急のある流れよりワンペース向き!
重賞は人気馬より伏兵が激走傾向
レコード決着に強い持続スピード

血統背景

父スクリーンヒーローは08年のジャパンC、アルゼンチン共和国杯に勝ち、09年天皇賞・秋2着。

母メジロフランシスは0勝。全弟ルーカス(東スポ杯2歳S2着)。祖母メジロモントレーはアルゼンチン共和国杯、AJCC、中山金杯、クイーンSの勝ち馬。メジロボサツの牝系で、近親にメジロドーベル(オークス、秋華賞、エリザベス女王杯)。

母の父カーネギーは1994年の凱旋門賞を優勝。

代表産駒

ピクシーナイト(21スプリンターズS)、ジェラルディーナ(22エリザベス女王杯)、ジャックドール(23大阪杯)、シゲルピンクルビー(21フィリーズレビュー)、カフジオクタゴン(22レパードS)、ルークスネスト(21ファルコンS)、ノースブリッジ(23AJCC)、ノッキングポイント(23新潟記念)、ルペルカーリア(21京都新聞杯2着)、インフィナイト(20サウジアラビアRC2着)、ストゥーティ(21チューリップ賞3着)。

産駒解説

同じロベルト系のエピファネイア産駒はサンデーサイレンスのクロスが成功しているのに対し、モーリス産駒はサンデーを持たない牝馬との配合に"大成功"が出ている。ピクシーナイト、ジャックドール、シゲルピンクルビーなどだ。これらの代表産駒は、いずれもサンデーなしの母から生まれている。

母系にサドラーズウェルズを持ち、サドラーのクロスのあるシゲルピンクルビー、ストゥーティ、ルペルカーリアが、マイラーに出ているのは面白い。

関係者コメント

「今年の2歳も札幌芝1500の新馬でワンツーを決めるなど好調です。安定期に入ったと思います。脚をためて切れるタイプでもないので、ジャックドールのように、ためずに行ったほうがいいこともわかってきました。シャトル先のオーストラリアでも複数のGI馬が出ていますし、向こうはスプリンター大国だから、かっちりとした体形の馬が多いですね。」

スクリーンヒーロー 栗 2004	*グラスワンダー	Silver Hawk
		Ameriflora
	ランニングヒロイン	*サンデーサイレンス
		ダイナアクトレス (1-s)
メジロフランシス 鹿 2001	*カーネギー Carnegie	Sadler's Wells
		Detroit
	メジロモントレー	*モガミ
		メジロクインシー(10-d)

Northern Dancer 5・5×4・5、Hail to Reason 5・5(父方)

種付け年度	種付け頭数	血統登録頭数	種付け料
2023年	158頭	—	800/受・FR
2022年	133頭	93頭	700/受・FR
2021年	146頭	97頭	800/受・FR

モーリス MAURICE

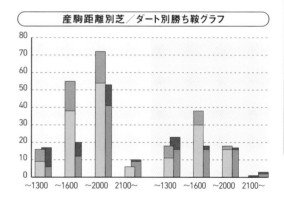

産駒距離別芝/ダート別勝ち鞍グラフ

母系はメジロ血統ですが、8代母のデヴォーニアは先代の吉田善哉社長の父が100年近く前に輸入した在来母系という縁があります。長い年月を日本の環境に慣れ親しんできた適応力と、生命力の強さを感じます」(社台スタリオン、24年8月)

特注馬

ノースブリッジ/高速芝は不振という以前の傾向がそのままなら、GIの狙いは国内より香港だ。

アルナシーム/母の全弟シャフリヤール。実績は芝1800中心も、血統は芝2000に合うように思える。

ハセドン/ダートの直線一気で、届くかどうかは展開次第。差しが決まりやすい東京の根岸Sで狙う。

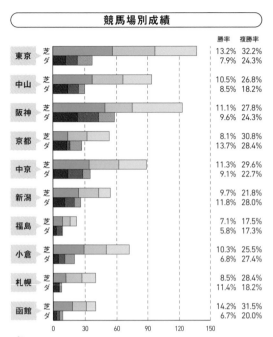

競馬場別成績

			勝率	複勝率
東京	芝		13.2%	32.2%
	ダ		7.9%	24.3%
中山	芝		10.5%	26.8%
	ダ		8.5%	18.2%
阪神	芝		11.1%	27.8%
	ダ		9.6%	24.3%
京都	芝		8.1%	30.8%
	ダ		13.7%	28.4%
中京	芝		11.3%	29.6%
	ダ		9.1%	22.7%
新潟	芝		9.7%	21.8%
	ダ		11.8%	28.0%
福島	芝		7.1%	17.5%
	ダ		5.8%	17.3%
小倉	芝		10.3%	25.5%
	ダ		6.8%	27.4%
札幌	芝		8.5%	28.4%
	ダ		11.4%	18.2%
函館	芝		14.2%	31.5%
	ダ		6.7%	20.0%

🐎 **東京芝の成績良好**

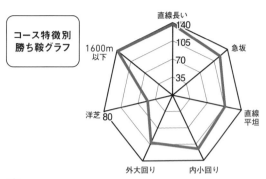

コース特徴別 勝ち鞍グラフ

🐎 **直線長いコースの成績上昇**

得意重賞	
ファルコンS	2-0-0-6
シンザン記念	1-2-0-3
毎日杯	0-2-0-2

不得意重賞	
セントライト記念	0-0-0-6
NHKマイルC	0-0-0-6
朝日杯FS	0-0-0-5

🐎 **阪神JFも【0-0-0-5】。マイルGI鬼門**

勝利数上位コース

	コース	着度数	勝率	複勝率
1位	東京芝1800	17-10-8-52	19.5%	40.2%
2位	東京芝1600	16-16-18-110	10.0%	31.3%
3位	阪神芝1600	14-11-18-105	9.5%	29.1%
4位	東京芝2000	13-8-4-39	20.3%	39.1%
5位	小倉芝1800	12-7-5-71	12.6%	25.3%

🐎 **小倉芝2000mも複勝率40%超え**

馬場状態別成績

		着度数	勝率	複勝率
芝	良	230-164-170-1436	11.5%	28.2%
	稍重	34-34-36-304	8.3%	25.5%
	重	12-14-15-117	7.6%	25.9%
	不良	6-5-4-34	12.2%	30.6%
ダ	良	59-44-38-531	8.8%	21.0%
	稍重	24-21-21-152	11.0%	30.3%
	重	11-9-8-101	8.5%	21.7%
	不良	9-8-7-69	9.7%	25.8%

🐎 **芝の不良で急上昇**

距離別成績

		着度数	勝率	複勝率
芝	～1200	42-35-24-361	9.1%	21.9%
	1400	36-22-24-226	11.7%	26.6%
	～1600	60-67-72-497	8.6%	28.6%
	～1800	65-50-45-350	12.7%	31.4%
	2000	62-34-47-323	13.3%	30.7%
	～2400	16-7-10-108	11.3%	23.4%
	2500～	1-2-3-26	3.1%	18.8%
ダ	～1300	32-24-23-258	9.5%	23.4%
	～1600	35-19-22-238	11.1%	24.2%
	～1900	32-37-26-321	7.7%	22.8%
	2000～	4-2-3-36	8.9%	20.0%

🐎 **芝1400～2000mがスイートスポット**

1番人気距離別成績

		着度数	勝率	複勝率
芝	～1200	15-8-5-15	34.9%	65.1%
	1400	14-3-7-11	40.0%	68.6%
	～1600	28-19-12-30	31.5%	66.3%
	～1800	24-10-4-22	40.0%	63.3%
	2000	24-9-12-26	33.8%	63.4%
	～2400	4-2-3-5	28.6%	64.3%
	2500～	1-0-0-0	100%	100%
ダ	～1300	8-7-3-16	23.5%	52.9%
	～1600	9-3-2-12	34.6%	53.8%
	～1900	9-8-4-12	27.3%	63.6%
	2000～	2-1-3-2	25.0%	75.0%

🐎 **芝1600の1番人気は単より複向き**

モーリス
MAURICE

騎手ベスト5（3番人気以内）

	騎手	着度数	勝率	複勝率
1位	C.ルメール	20-17-11-48	20.8%	50.0%
2位	横山武史	14-9-8-18	28.6%	63.3%
3位	川田将雅	14-4-10-23	27.5%	54.9%
4位	松山弘平	13-9-7-18	27.7%	61.7%
5位	戸崎圭太	11-6-4-24	24.4%	46.7%

🏇 **ルメールはやや差して届かずの傾向**

騎手ベスト5（4番人気以下）

	騎手	着度数	勝率	複勝率
1位	坂井瑠星	5-4-1-27	13.5%	27.0%
2位	吉田隼人	5-2-2-42	9.8%	17.6%
3位	北村友一	5-2-2-34	11.6%	20.9%
4位	岩田康誠	5-1-2-38	10.9%	17.4%
5位	岩田望来	4-1-2-37	9.1%	15.9%

🏇 **先行上手の坂井がトップ**

クラス別成績

	芝 着度数	勝率	ダ 着度数	勝率
新馬	45-36-39-257	11.9%	0-4-2-43	0%
未勝利	96-87-71-695	10.1%	55-41-41-414	10.0%
1勝	63-47-55-443	10.4%	27-29-19-256	8.2%
2勝	33-16-25-130	16.2%	10-3-4-77	10.6%
3勝	16-7-18-135	9.1%	5-1-1-25	15.6%
OPEN	12-10-6-60	13.6%	5-4-7-27	11.6%
GⅢ	6-10-6-70	6.5%	1-0-0-11	8.3%
GⅡ	8-4-2-58	11.1%	0-0-0-0	—
GⅠ	3-0-3-43	6.1%	0-0-0-0	—

🏇 **ダートの新馬勝ちなし**

条件別勝利割合

穴率	19.2%	平坦芝率	37.6%
芝道悪率	18.4%	晩成率	34.3%
ダ道悪率	42.7%	芝広いコース率	48.6%

🏇 **晩成率がさらに上昇中**

年齢・季節別勝ち鞍グラフ

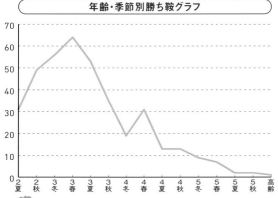

🏇 **3歳夏、4歳春にもうひと伸び**

※「春」＝3、4、5月。「夏」＝6、7、8月。
「秋」＝9、10、11月。「冬」＝12、1、2月。高齢＝5歳12月以降。

勝利へのポイント

3歳までの重賞8勝のうち、芝1600以下／5勝 古馬の重賞10勝はすべて、芝1800から芝2200

　データ集計期間後も、アルナシームの中京記念、ノースブリッジの札幌記念と順調に重賞タイトルを追加。これを含めて古馬の重賞勝ちは全部、芝1800から芝2200に集中している。2歳、3歳は気性に若さが見られ、折り合いに苦労する馬が多いため、重賞勝ちは芝1200から芝1600に多く、この変身が成長を物語る。古馬もそのうち一流マイラーは出るだろうが「本格化したら芝2000ベスト」のイメージだ。

▶**緩みのないラップで激走！**

　自ら飛ばすと強いジャックドールに代表される、スピードの持続力をどう活かすか。騎手の技量や相性も問われ、脚をためすぎる騎手は合わない。

　締まったペースに強さを見せ、スローや緩急のある流れでは能力を出し切れないのが特徴。ピクシーナイトは激流のスプリンターズSを快勝し、シゲルピンクルビーは距離短縮で流れが速くなると好走した。締まったペースから上がり35秒台がツボだ。

　スローでキレを活かす馬もいるが、それぞれ合うペースや得意なラップがあり、ハマると穴になる。

▶**中京マイルのモーリス**

　シンザン記念を2勝するなど、中京コースが得意。芝の1番人気の複勝率が高いのも中京だ。

　ダートの重賞勝ちはレパードSしかないが、オープンでは5勝をあげ、ダ1400とダ1600で関西馬が活躍している。ただし、かなり穴っぽい。ハセドンのような後方強襲型か、サンライズアムールのような逃げ馬か、極端な脚質のオープン馬が目につき、人気でずっこけ、人気落ちで走る。ダートの上級条件では人気馬を素直に買うよりも、ムラな爆弾のつもりで穴血統として扱おう。京都の勝率が高い。

▶**道悪微妙、ダートの稍重得意**

　昨年版に「芝の道悪は割引き」と書いたら、その後、道悪の成績が大幅に良化。ほとんど良馬場と差がなくなった。ドンマイ。脚抜きの良いダートは歓迎する馬が多いが、これも多様。稍重が良い。

モーリス MAURICE

ハービンジャー
HARBINGER

種牡馬ランク　2023年度／第8位　2022年度／第15位　2021年度／第15位

"キングジョージ"をレコードで圧勝! 欧州を席巻するデインヒル系

2006年生　鹿毛　イギリス産　2024年種付け料▷PRIVATE

現役時代

イギリスで通算9戦6勝。主な勝ち鞍、キングジョージ6世＆クイーンエリザベスS（GI・12F）、ハードウィックS（GⅡ・12F）、ゴードンS（GⅢ・12F）、オーモンドS（GⅢ・13F）、ジョンポーターS（GⅢ・12F）。

3歳4月のデビューとあってクラシックは不出走。3戦目となる3歳7月のゴードンSで重賞初制覇を果たすも、続くGⅡ、GⅢを連敗。その後に軟口蓋の手術を受け、そのまま休養に入った。これが功を奏したのか、半年ぶりの出走となった4歳4月のジョンポーターSで重賞2勝目。返す刀でオーモンドSも制し、続くロイヤルアスコット開催のハードウィックSもフォワ賞でナカヤマフェスタを破るダンカンに3馬身半差をつけ、重賞3連勝とした。

これにより"キングジョージ"の有力候補に浮上。この年は6頭立てながら、英ダービーをレコードで圧勝した僚馬ワークフォース、愛ダービー馬ケープブランコの3歳2強が出走。これらを相手に4番手追走から残り2Fを過ぎると一気に加速。他馬をぐんぐんと突き放し、ゴールでは2着ケープブランコに11馬身差をつけていた。しかもコースレコードの2分26秒78。ワークフォースは5着。2頭を管理するM・スタウト調教師はワークフォースの敗戦にこそ渋い顔をみせたが、ハービンジャーを絶賛。また、鞍上は主戦のR・ムーアがワークフォースに騎乗したため、フランスのO・ペリエに替わっていた。

しかし好事魔多し。凱旋門賞の前哨戦、インターナショナルSへ向けての調教後に骨折が判明し、そのまま電撃引退、社台ファームへ種牡馬入りすることが決まった。金看板は"キングジョージ"の1勝ながら、その勝ち方が衝撃的で、2010年代を代表する名馬の一頭といえる。

🏇 芝2000メートル重賞、内回りがツボ！
🏇 牝馬は高速タイムも洋芝もおまかせ
🏇 外しか回れない差し馬が波乱を呼ぶ！

血統背景

父ダンシリ。産駒にレイルリンク（凱旋門賞GI）、フリントシャー（香港ヴァーズGI）、ダンク（BCフィリー＆メアターフGI）。デインヒル系にとって鬼門の北米でもGI勝ち馬を送り出した。

母ペナンパールは重賞未勝利。母系は近親にカインドオブハッシュ（プリンスオブウェールズSGII）、ミスイロンデル（兵庫ジュニアグランプリ）、フロンタルアタック（神戸新聞杯2着）。同牝系にクリンチャー。母の父ベーリングは仏ダービー馬。1960年代の名馬シーバードを経たネイティヴダンサー系。

代表産駒

ブラストワンピース（18有馬記念）、チェルヴィニア（24オークス）、ナミュール（23マイルCS）、ディアドラ（19ナッソーS）、ペルシアンナイト（17マイルCS）、モズカッチャン（17エリザベス女王杯）、ノームコア（19ヴィクトリアマイル）、ファントムシーフ（23共同通信杯）。

産駒解説

データ集計期間の母父別勝利数はディープインパクトが最多ながら、産駒の質になるとキングカメハメハが負けてはいない。モズカッチャン、ブラストワンピースに続き、オークス馬チェルヴィニアを送り出し、長めの中距離では絶対的な強さを持つ。母父キングカメハメハのローシャムパークやテウメッサらのGIでの走りに注目だ。母の父としてもロードカナロアとの配合でベラジオオペラを出し、この部門でもキングカメハメハ系との相性の良さが窺える。

関係者コメント

「急激に受胎率が落ちてしまい、今年は11頭くらいにしか種付けしてません。ほぼリタイアですね。

ハービンジャー自身、お尻は小さいし、華奢に見えるのですが、欧州の血が強く出ていると思われます。ちょっと時計のかかる馬場や、札幌、函館などの洋芝に合いますし、今年はチェルヴィニアがオークスを勝ったり、ナミュールがドバイや東京の速い馬場でも走

ダンシリ Dansili 黒鹿　1996	＊デインヒル Danehill	Danzig
		Razyana
	ハシリ Hasili	Kahyasi
		Kerali　(11)
ペナンパール Penang Pearl 鹿　1996	ベーリング Bering	Arctic Tern
		Beaune
	グアパ Guapa	Shareef Dancer
		Sauceboat　(1-k)

Northern Dancer 4×5・4、Natalma 5・5×5

種付け年度	種付け頭数	血統登録頭数	種付け料
2023年	60頭	—	350／受・FR
2022年	86頭	48頭	400／受・FR
2021年	81頭	48頭	400／受・FR

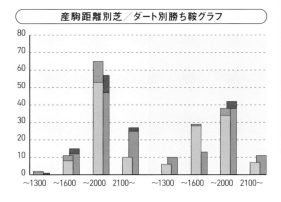

産駒距離別芝／ダート別勝ち鞍グラフ

るなど、幅の広い活躍を見せています。

産駒はバネがあって、柔らかさもある。コーナーで加速できるから、小回りもいい。母父としてもベラジオオペラやメイケイエールを出して、芝向きの軽い動きを伝えています」（社台スタリオン、24年8月）

特注馬

ローシャムパーク／従来のハービンジャーの傾向なら、天皇賞・秋は合わないが、くつがえせるか。

チェルヴィニア／桜花賞が負けすぎだったため、遠征競馬苦手説もある。長距離輸送の有無をチェック。

グランディア／コーナー4つの小回り、ちょっと時計遅めの芝に向く、ハービンジャーの典型モデル。

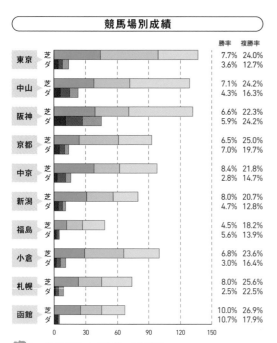

競馬場別成績

		勝率	複勝率
東京	芝	7.7%	24.0%
	ダ	3.6%	12.7%
中山	芝	7.1%	24.2%
	ダ	4.3%	16.3%
阪神	芝	6.6%	22.3%
	ダ	5.9%	24.2%
京都	芝	6.5%	25.0%
	ダ	7.0%	19.7%
中京	芝	8.4%	21.8%
	ダ	2.8%	14.7%
新潟	芝	8.0%	20.7%
	ダ	4.7%	12.8%
福島	芝	4.5%	18.2%
	ダ	5.6%	13.9%
小倉	芝	6.8%	23.6%
	ダ	3.0%	16.4%
札幌	芝	8.0%	25.6%
	ダ	2.5%	22.5%
函館	芝	10.0%	26.9%
	ダ	10.7%	17.9%

🐎 北海道の洋芝で好調

勝利数上位コース

	コース	着度数	勝率	複勝率
1位	中京芝2000	24-14-17-143	12.1%	27.8%
2位	中山芝2000	14-11-16-135	8.0%	23.3%
3位	小倉芝2000	12-18-17-124	7.0%	27.5%
4位	東京芝1600	12-17-9-92	9.2%	29.2%
5位	東京芝2400	12-12-6-79	11.0%	27.5%

🐎 さすが2000mスペシャリスト

距離別成績

		着度数	勝率	複勝率
芝	～1200	17-13-17-256	5.6%	15.5%
	1400	16-12-11-201	6.7%	16.3%
	～1600	45-54-58-479	7.1%	24.7%
	～1800	58-59-59-707	6.6%	19.9%
	2000	114-103-140-961	8.6%	27.1%
	～2400	42-41-47-369	8.4%	26.1%
	2500～	11-19-22-201	4.3%	20.6%
ダ	～1300	2-5-3-95	1.9%	9.5%
	～1600	7-6-7-113	5.3%	15.0%
	～1900	28-41-42-447	5.0%	19.9%
	2000～	4-4-4-66	5.1%	15.4%

🐎 芝2000mの勝率、複勝率がトップ

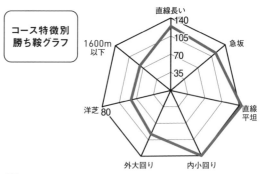

コース特徴別 勝ち鞍グラフ

🐎 内回り巧者健在

得意重賞			不得意重賞	
札幌記念	2-1-1-4		桜花賞	0-0-0-6
マイルCS	1-0-1-2		中山牝馬S	0-0-0-6
ヴィクトリアM	1-0-1-2		金鯱賞	0-0-0-5

🐎 このほか阪神重賞が不振傾向

馬場状態別成績

		着度数	勝率	複勝率
芝	良	219-220-273-2380	7.1%	23.0%
	稍重	57-60-50-532	8.2%	23.9%
	重	24-19-26-215	8.5%	24.3%
	不良	3-2-5-47	5.3%	17.5%
ダ	良	32-30-42-434	5.9%	19.3%
	稍重	1-12-5-153	0.6%	10.5%
	重	7-8-6-83	6.7%	20.2%
	不良	1-6-3-51	1.6%	16.4%

🐎 ダート稍重の「2着突出」に注目

1番人気距離別成績

		着度数	勝率	複勝率
芝	～1200	3-1-3-9	18.8%	43.8%
	1400	4-4-2-4	28.6%	71.4%
	～1600	17-5-3-17	40.5%	59.5%
	～1800	24-12-9-19	37.5%	70.3%
	2000	40-18-13-38	36.7%	65.1%
	～2400	13-10-3-8	38.2%	76.5%
	2500～	2-3-2-8	13.3%	46.7%
ダ	～1300	0-0-1-1	0%	50.0%
	～1600	3-1-0-3	42.9%	57.1%
	～1900	6-5-7-17	17.1%	51.4%
	2000～	0-0-1-0	0%	100%

🐎 芝1800～2400mの信頼度は高い

ハービンジャー HARBINGER

騎手ベスト5（3番人気以内）			
	騎　手	着度数	勝率	複勝率
1位	C.ルメール	24-11-12-28	32.0%	62.7%
2位	川田将雅	19-16-9-22	28.8%	66.7%
3位	戸崎圭太	12-13-6-18	24.5%	63.3%
4位	横山武史	10-11-8-33	16.1%	46.8%
5位	横山和生	8-7-2-7	33.3%	70.8%

🏇 **ハービン産駒はルメールで変わる**

クラス別成績					
	芝 着度数	勝率	ダ 着度数	勝率
新馬	34-32-21-265	9.7%	3-2-1-28	8.8%
未勝利	100-106-134-1131	6.8%	21-30-27-411	4.3%
1勝	80-83-91-836	7.3%	11-17-24-207	4.2%
2勝	42-40-61-360	8.3%	5-5-2-41	9.4%
3勝	20-18-21-245	6.6%	1-1-2-21	4.0%
OPEN	7-9-7-99	5.7%	0-1-0-13	0%
GⅢ	10-8-9-117	6.9%	0-0-0-0	―
GⅡ	7-2-6-67	8.5%	0-0-0-0	―
GⅠ	3-3-4-54	4.7%	0-0-0-0	―

🏇 **GⅠより、GⅡとGⅢに実績**

条件別勝利割合			
穴率	24.7%	平坦芝率	47.5%
芝道悪率	27.7%	晩成率	40.7%
ダ道悪率	22.0%	芝広いコース率	40.9%

🏇 **穴率低めで、5番人気までが軸向き**

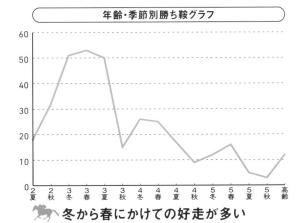

年齢・季節別勝ち鞍グラフ

🏇 **冬から春にかけての好走が多い**

※「春」=3、4、5月。「夏」=6、7、8月。
　「秋」=9、10、11月。「冬」=12、1、2月。高齢=5歳12月以降。

騎手ベスト5（4番人気以下）			
	騎　手	着度数	勝率	複勝率
1位	吉田隼人	6-3-8-54	8.5%	23.9%
2位	菅原明良	5-3-3-50	8.2%	18.0%
3位	坂井瑠星	5-1-2-34	11.9%	19.0%
4位	団野大成	4-3-9-54	5.7%	22.9%
5位	鮫島克駿	4-3-4-61	5.6%	15.3%

🏇 **坂井の勝ち切りに注目**

勝 利 へ の ポ イ ン ト

東京芝1600と1800の1番人気【11-5-1-2】
福島芝の1番人気【2-0-3-7】

　24年の前半は、チェルヴィニアがオークス優勝、ナミュールが安田記念2着、ローシャムパークが大阪杯2着。牝馬は以前から切れ味を使うが、最近は牡馬の東京芝の1番人気もきっちり人気に応える。

　23年は、重の皐月賞でファントムシーフが3着。不良のフラワーCでエミューが1着。重の小倉大賞典でヒンドゥタイムズが1着。小回り、中距離、道悪と、得意要素が揃えば強い。欧州血統の代表だ。

▶小回りや洋芝の芝2000ベスト

　内回り芝2000や、洋芝の2000適性が抜群に高い。勝利数上位のコースは全部、芝2000。重賞も同じ傾向で、札幌記念は5頭、京成杯は4頭が馬券絡みしているほか、紫苑Sも2勝。伏兵が大穴をあけている。

　もっと渋いレースをあげれば、中京芝2000の関ケ原Sや、小倉芝2000の国東特別も得意レース。過去に実績のあるレースに産駒がいたら気をつけよう。

▶牡馬はマクリ、牝馬は切れ味

　牡馬はブラストワンピースのような、小回りをマクる脚が持ち味。無器用な馬が多く、ばらける展開で4角の外から動くと能力発揮。外差し馬場に合う。

　牝馬は内から差せる馬も多く、京都や東京のGⅠで何度も馬券になっている。鋭い末脚を持ち、速いタイムの決着もこなす。近年の傾向として、母父ディープインパクトとの配合馬が切れ味を見せる。

▶ハービンジャー祭りに乗れ！

　産駒がまとめて馬券に絡む「ハービン祭り」の週がある。走る馬場かどうかを当日の結果で確かめよう。17年秋の京都は開催単位でGⅠを勝ちまくった。

　スタートのまずさも特徴のひとつ。出遅れが多く、先にゲートに入る奇数番は出遅れ率が上がる。

▶東京→福島で人気馬が危ない

　近年、芝の1番人気が優秀なのは東京。落ち込むのは福島。道悪は歓迎も、芝の不良は良くない。

　重賞級はさておき、休み明けは良くない。詰まったレース間隔や、叩き数戦のローテで上昇する。

エピファネイア
EPIPHANEIA

種牡馬ランク　2023年度／第9位　2022年度／第9位　2021年度／第5位

菊花賞、ジャパンCを圧勝! 名牝シーザリオから生まれた最初のGI馬

2010年生　鹿毛　2024年種付け料▷受胎確認後1500万円（FR）

現役時代

　中央12戦6勝、香港とドバイ2戦0勝。主な勝ち鞍、菊花賞、ジャパンC、神戸新聞杯、ラジオNIKKEI杯2歳S。皐月賞2着、ダービー2着。

　新馬、京都2歳S、ラジオNIKKEI杯と、好位抜け出しの3連勝。行きたがる気性を見せつつも、一戦ごとにダービー候補の声が高まっていく。主戦は福永祐一。ラジオNIKKEI杯ではキズナも負かした。

　3歳初戦の弥生賞はビュイックの手綱に折り合いを欠き、ゴール手前で失速して4着。続く皐月賞は4角先頭から抜け出すも、直線でロゴタイプに競り負けて2着惜敗。今度こそのダービーも、3角でつまずいてバランスを崩し、直線で猛然と追い込むも、外から強襲したキズナに届して2着どまり。福永は「エピファネイアのありあまる闘志をコントロールできなかった」と悔しさを吐露した。

　神戸新聞杯を楽勝して、次走は菊花賞。キズナもロゴタイプもいないなか、もう負けるわけにはいかない。単勝1.6倍の断然人気に応え、2着サトノノブレスをノーステッキで5馬身突き放す独り舞台。この夏に結婚したばかりの鞍上は「初めてうまく乗れた」と、満面の笑みで正直すぎる言葉を発した。

　しかし古馬になってからも、道中に力んでしまい、鞍上が制御できない走りは続く。4歳4月に遠征した香港のクイーンエリザベス2世Cは4着。秋の天皇賞は6着。手応えは抜群なのに、直線で弾けない。

　たまったストレスを晴らすかのような快走を見せたのは、4歳秋のジャパンC。乗り替わったスミヨンは速めのペースに抑えることなく3番手を追走。直線は気持ち良さそうに独走して、ジャスタウェイに4馬身差。本気の能力を解放したのは、菊花賞と、このジャパンCの2戦だけだったように思う。

🐎 **ダービー馬誕生！大舞台で強さを発揮！**

🐎 **2歳戦に強く、菊花賞にも強い**

🐎 **根幹距離の芝1600と2000で勝利量産！**

血統背景

父シンボリクリスエスは同馬の項を参照。

母シーザリオは6戦5勝。フラワーC1着、桜花賞2着、オークス1着、アメリカンオークス1着（米GI・芝10F）。半弟リオンディーズ（朝日杯FS）、半弟サートゥルナーリア（皐月賞、ホープフルS）。祖母キロフプリミエールは米GⅢラトガーズH勝ち。

シーザリオが制した05年アメリカンオークスは、3角から持ったままで先頭に立ち、4馬身差の楽勝。イスラボニータの母イスラコジーンが逃げ、シンハライトの母シンハリーズ（3着）も出走していた。

代表産駒

デアリングタクト（20牝馬三冠）、エフフォーリア（21皐月賞、21天皇賞・秋、21有馬記念）、サークルオブライフ（21阪神JF）、ダノンデサイル（24ダービー）、ステレンボッシュ（24桜花賞）、ブローザホーン（24宝塚記念）、アリストテレス（21アメリカJCC、20菊花賞2着）、イズジョーノキセキ（22府中牝馬S）、モリアーナ（23紫苑S）、セルバーグ（23中京記念）、オーソクレース（21菊花賞2着）。

産駒解説

代表産駒の多くがサンデーサイレンスの4×3を持つなか、ダノンデサイルはこのクロスなし。種牡馬になったときにサンデー持ちの牝馬と配合しやすそう。

デアリングタクトは母父キングカメハメハ。この組み合わせは相性抜群で、スカイグルーヴ、イズジョーノキセキ、クラヴェルと、牝馬に活躍が多い。

関係者コメント

「24年は上半期だけで4つもGIを勝ちました。桜花賞、ヴィクトリアマイル、ダービー、宝塚記念。古馬になって420キロ台の男馬が宝塚記念を勝つって、すごいですよね。これで早熟説を唱える人もいなくなるでしょう。エフフォーリアはうちに入ったときには、かなりの身体的ダメージがありましたし、デアリングタクトもジャパンCなどのローテがかなりハードでした。あの2頭が古馬で勝てなくなったのには理由があります。

*シンボリクリスエス Symboli Kris S 黒鹿 1999	クリスエス Kris S.	Roberto
		Sharp Queen
	ティーケイ Tee Kay	Gold Meridian
		Tri Argo (8-h)
シーザリオ 青 2002	スペシャルウィーク	*サンデーサイレンス
		キャンペンガール
	*キロフプリミエール Kirov Premiere	Sadler's Wells
		Querida (16-a)

Hail to Reason 4×5

種付け年度	種付け頭数	血統登録頭数	種付け料
2023年	124頭	—	1800／受・FR
2022年	163頭	119頭	1800／受・FR
2021年	218頭	150頭	1000／受・FR

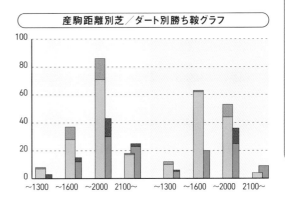

産駒距離別芝／ダート別勝ち鞍グラフ

体形は胴長の低重心で、首が太く、いわゆる流線型のサラブレッドとは違います。父のシンボリクリスエスもそういう体形でした。普段のエピファネイアは扱いやすい馬ですが、スイッチが入ると激しさを出すことがあります」（社台スタリオン、24年8月）

特注馬

ダノンデサイル／絞るなら、有馬記念で買いたい。母父ボールドルーラー系の実績が根拠。

エピファニー／成長力ある牝系。小倉の重賞【1-1-0-0】に向き、芝2000→芝1800の距離短縮もいい。

マキシ／母ラキシスはエリザベス女王杯馬。成長ある牝系で重賞も好勝負。アル共和国杯のヒモに。

競馬場別成績

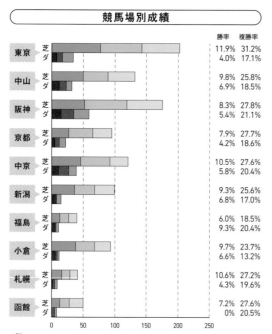

		勝率	複勝率
東京	芝	11.9%	31.2%
	ダ	4.0%	17.1%
中山	芝	9.8%	25.8%
	ダ	6.9%	18.5%
阪神	芝	8.3%	27.8%
	ダ	5.4%	21.1%
京都	芝	7.9%	27.7%
	ダ	4.2%	18.6%
中京	芝	10.5%	27.6%
	ダ	5.8%	20.4%
新潟	芝	9.3%	25.6%
	ダ	6.8%	17.0%
福島	芝	6.0%	18.5%
	ダ	9.3%	20.4%
小倉	芝	9.7%	23.7%
	ダ	6.6%	13.2%
札幌	芝	10.6%	27.2%
	ダ	4.3%	19.6%
函館	芝	7.2%	27.6%
	ダ	0%	20.5%

🐎 東京・中京・札幌芝で良績

勝利数上位コース

	コース	着度数	勝率	複勝率
1位	東京芝1600	24-16-17-133	12.6%	30.0%
2位	阪神芝1600	19-18-17-134	10.1%	28.7%
3位	東京芝1800	18-16-13-117	11.0%	28.7%
4位	中京芝1600	17-17-10-98	12.0%	31.0%
5位	東京芝2000	17-9-14-65	16.2%	38.1%

🐎 東京芝1600〜2000mで良績

距離別成績

		着度数	勝率	複勝率
芝	〜1200	23-25-20-358	5.4%	16.0%
	1400	26-37-25-289	6.9%	23.3%
	〜1600	96-85-76-643	10.7%	28.6%
	〜1800	79-81-82-627	9.1%	27.8%
	2000	91-95-83-639	10.0%	29.6%
	〜2400	37-29-28-210	12.2%	30.9%
	2500〜	16-8-6-82	14.3%	26.8%
ダ	〜1300	6-7-11-183	2.9%	11.6%
	〜1600	13-16-22-258	4.2%	16.5%
	〜1900	46-47-49-537	6.8%	20.9%
	2000〜	5-8-11-59	6.0%	28.9%

🐎 短距離は苦手

コース特徴別 勝ち鞍グラフ

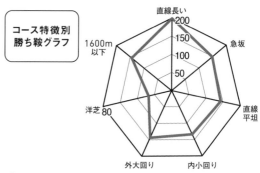

🐎 直線長いコースで成績を伸ばす

得意重賞		不得意重賞	
桜花賞	2-0-0-3	NHKマイルC	0-0-0-6
京成杯	1-1-1-3	東スポ杯2歳S	0-0-0-5
菊花賞	0-2-1-3	青葉賞	0-0-0-5

🐎 弥生賞など、牡馬クラシックTRで不振の傾向

馬場状態別成績

		着度数	勝率	複勝率
芝	良	288-278-238-2128	9.8%	27.4%
	稍重	61-52-61-442	9.9%	28.2%
	重	13-24-15-222	4.7%	19.0%
	不良	6-6-6-56	8.1%	24.3%
ダ	良	44-49-49-656	5.5%	17.8%
	稍重	9-17-16-188	3.9%	18.3%
	重	10-7-18-119	6.5%	22.7%
	不良	7-5-10-74	7.3%	22.9%

🐎 芝・ダートともに軽い馬場でこそ

1番人気距離別成績

		着度数	勝率	複勝率
芝	〜1200	6-4-3-18	19.4%	41.9%
	1400	12-7-2-12	36.4%	63.6%
	〜1600	36-15-8-24	43.4%	71.1%
	〜1800	35-14-11-29	39.3%	67.4%
	2000	31-20-7-30	35.2%	65.9%
	〜2400	15-7-2-12	41.7%	66.7%
	2500〜	11-3-2-4	55.0%	80.0%
ダ	〜1300	0-1-1-0	0%	100%
	〜1600	4-3-2-7	25.0%	56.3%
	〜1900	12-11-3-14	30.0%	65.0%
	2000〜	3-2-2-5	25.0%	58.3%

🐎 芝2500以上の1番人気は抜群

エピファネイア EPIPHANEIA

騎手ベスト5（3番人気以内）

	騎 手	着度数	勝率	複勝率
1位	C.ルメール	39-31-16-45	29.8%	65.6%
2位	戸崎圭太	21-6-7-29	33.3%	54.0%
3位	川田将雅	17-12-5-19	32.1%	64.2%
4位	横山武史	17-6-2-30	30.9%	45.5%
5位	松山弘平	14-12-4-29	23.7%	50.8%

🐎 モレイラは【4-3-0-0】連対率100%

騎手ベスト5（4番人気以下）

	騎 手	着度数	勝率	複勝率
1位	横山典弘	8-3-4-42	14.0%	26.3%
2位	幸英明	6-10-9-68	6.5%	26.9%
3位	鮫島克駿	6-3-8-65	7.3%	20.7%
4位	三浦皇成	5-7-6-84	4.9%	17.6%
5位	和田竜二	5-4-10-97	4.3%	16.4%

🐎 ベテラン横山典の勝率が圧倒的

クラス別成績

	芝 着度数	勝率	ダ 着度数	勝率
新馬	74-58-61-318	14.5%	1-3-4-52	1.7%
未勝利	137-135-119-1100	9.2%	36-39-56-573	5.1%
1勝	82-87-69-767	8.2%	24-28-24-274	6.9%
2勝	33-27-22-232	10.5%	8-4-3-76	8.8%
3勝	11-15-8-128	6.8%	1-3-5-55	1.6%
OPEN	8-15-12-74	7.3%	0-0-0-7	0%
GⅢ	8-8-15-95	6.3%	0-1-1-0	0%
GⅡ	4-8-9-80	4.0%	0-0-0-0	—
GⅠ	11-7-5-54	14.3%	0-0-0-0	—

🐎 トライアルより本番で勝負

条件別勝利割合

穴率	20.5%	平坦芝率	38.9%
芝道悪率	21.7%	晩成率	26.3%
ダ道悪率	37.1%	芝広いコース率	54.1%

🐎 古馬の活躍が増え、晩成率が上昇

年齢・季節別勝ち鞍グラフ

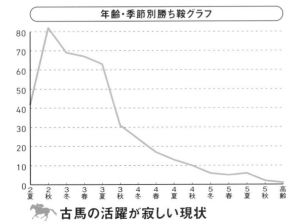

🐎 古馬の活躍が寂しい現状

※「春」＝3、4、5月。「夏」＝6、7、8月。
「秋」＝9、10、11月。「冬」＝12、1、2月。高齢＝5歳12月以降。

勝 利 へ の ポ イ ン ト

東京芝2400重賞の1番人気【1-2-0-1】
中山芝2000重賞の1番人気【0-1-0-4】

24年ダービー。キズナ産駒の親子二代制覇を阻止したのは、現役時にキズナに差されたエピファネイアの産駒ダノンデサイルだった。大舞台での強さを遺憾なく発揮し、24年のGIを勝ちまくっている。重賞の勝率が高いのは、京都と東京の芝。6歳牝馬テンハッピーローズのVM大駆けも強烈だった。

▶得意距離はここ！

勝ち鞍が多いのは牡馬の芝2000、牝馬の芝1600。この距離を中心に、牡馬は芝1600から長距離まで、牝馬は芝1200から長距離までが守備範囲。

ダートは重賞の上位馬がちらほら出ているが、牡馬はダ1800、牝馬はダ1700がいいのも面白い。

▶長い直線、マイナス馬体重

重賞23勝のうち、中央21勝、ローカル2勝。キレキレの瞬発力と、馬群を苦にしない勝負根性で大舞台の主役になり、GIを11勝。三冠牝馬やダービー馬も出て、どちらかと言えば直線の長いコースで能力を発揮する。3歳の三冠レースは全部、要注意。

小型馬と大型馬で傾向の違いはないかと探したが、どっちにも道悪巧者はいるし、小回り巧者もいる。重賞の回収率が高いのはマイナス馬体重だ。プラス体重は3着が明確に増えるからオカルトじゃない。

▶2歳の高勝率ゆえの早熟説

一時騒がれた「早熟説」は、2歳から走れるゆえの反動だろう。ロベルト系は3歳春に完成するタイプも以前から多かった。じっくり育てれば成長力はあり、ブローザホーンのような成長曲線を描く。

年齢別の勝率を並べると、2歳／12.5%、3歳／8.0%、4歳／7.4%、5歳／4.0%、6歳／1.0%。この傾向を押さえつつ、どこに充実期が来るかを見極めよう。

▶中京芝1600から芝2200を狙え

芝2200から2600で53勝と、長距離の強さは条件戦も同じ。牝馬ディヴァインラヴの菊花賞3着もある。

競馬場では、中京の芝1600、芝2000、芝2200に高い適性を示し、どの距離も複勝率が3割を超える。

ルーラーシップ
RULERSHIP

種牡馬ランク　2023年度／第10位　2022年度／第8位　2021年度／第7位

ディープ牝馬と好相性。エアグルーヴ一族の兄貴分

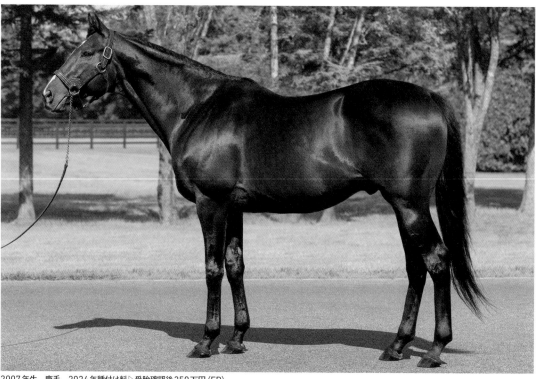

2007年生　鹿毛　2024年種付け料▷受胎確認後350万円（FR）

現役時代

　中央18戦7勝、UAEと香港で2戦1勝。主な勝ち鞍、クイーンエリザベス2世C（香GI・芝2000M）、日経新春杯、金鯱賞、AJCC、鳴尾記念。宝塚記念2着、天皇賞・秋3着、ジャパンC3着、有馬記念3着。

　サンデーレーシングでの募集価格は総額1億8000万円。生まれ落ちた時から注目された超良血馬は角居厩舎に入厩し、ヴィクトワールピサと同厩だった。

　しかし、若い時期はエアグルーヴの仔に共通の体質の弱さがあり、1番人気の毎日杯は出遅れて敗退。春はプリンシパルS1着、ダービーは四位の騎乗でエイシンフラッシュの5着にとどまる。楽な手応えで進みながら勝負どころの一瞬の反応が鈍く、進路を失って脚を余すような負け方が目立った。

　復帰戦の鳴尾記念で重賞勝ちを飾り、4歳で日経新春杯も勝利。ドバイのシーマクラシックはスミヨン騎手との折り合いを欠いて6着に敗れる。帰国初戦の金鯱賞は雨の不良馬場を最後方からひとまくりして、力の違いを見せつける。

　ハイライトは5歳。AJCCを3馬身差で楽勝すると、4月の香港へ向かい、リスポリ騎手を鞍上にクイーンエリザベス2世Cに出走。A・オブライエン厩舎のトレジャービーチらを相手に、これまでの出遅れ癖や、どん詰まりが嘘のようにスムーズな競馬で世界の強豪を一蹴。3馬身以上の差をつけてGI馬に。

　その後は国内の王道路線を歩み、惜敗の繰り返し。出遅れ癖や反応の遅さは解消されず、宝塚記念2着の後は、秋の天皇賞もジャパンCも有馬記念も、レースが終わる頃にすっ飛んできて3着だった。ジャパンCは上がり32秒7の末脚を使っただけに、スタートがまともならジェンティルドンナとオルフェーヴルの激アツ勝負に割り込めたのでは、と惜しまれる。

いい脚を長く使えるロングスパート型!

3歳夏秋に上昇する魅惑の成長力!

一瞬の切れ味弱点で惜敗大将の一面も

血統背景

父キングカメハメハは2004年の日本ダービー馬。

母エアグルーヴは1996年のオークスのほか、天皇賞・秋、札幌記念、チューリップ賞など重賞7勝。97年ジャパンCでピルサドスキーの2着もある。

半姉にアドマイヤグルーヴ（エリザベス女王杯）、半兄にフォゲッタブル（菊花賞2着）、サムライハート（種牡馬）。近親にドゥラメンテ（皐月賞、ダービー）、オレハマッテルゼ（高松宮記念）、アイムユアーズ（フィリーズレビュー）など。祖母ダイナカールは1983年のオークス優勝、桜花賞3着。

キンカメ×トニービンの配合の重賞勝ち馬は意外なことに本馬のみ。祖母の父トニービンがいい。

代表産駒

キセキ（17菊花賞）、メールドグラース（19コーフィールドC）、ドルチェモア（22朝日杯FS）、ダンビュライト（19京都記念）、ムイトオブリガード（19アルゼンチン共和国杯）、マスクトディーヴァ（23ローズS、24阪神牝馬S）、ソウルラッシュ（22・24マイラーズC）。

産駒解説

サンデーサイレンス牝馬に本馬を交配すると、ドゥラメンテに似た血統構成の馬ができあがる。

獲得賞金上位10頭中、母父サンデー系が8頭。21年以降に重賞を勝った産駒は、ワンダフルタウンやエヒトなど、母父ディープインパクトとの配合が目立つ。一方、ディアンドルやホウオウイクセルなど、母父スペシャルウィークとの配合は牝馬の活躍が多い。

関係者コメント

「17歳になりましたが、まだ受胎率も良く、元気です。父ルーラーシップ×ディープインパクト牝馬は今や鉄板配合のようになってきて、24年4歳世代からマスクトディーヴァ、ドゥアイズ、ドルチェモア、フリームファクシなどが出ました。キングカメハメハ産駒のなかでは気性が穏やかで、馬体も大きく出るので、これがディープ牝馬に合うのでしょう。

伸びやかな馬体で、跳びの大きな馬が多いですね。

キングカメハメハ 鹿 2001	キングマンボ Kingmambo	Mr. Prospector
		Miesque
	*マンファス Manfath	*ラストタイクーン
		Pilot Bird (22-d)
エアグルーヴ 鹿 1993	*トニービン Tony Bin	*カンパラ
		Severn Bridge
	ダイナカール	*ノーザンテースト
		シャダイフェザー (8-f)

Northern Dancer 5・5×4

種付け年度	種付け頭数	血統登録頭数	種付け料
2023年	151頭	—	350／受・FR
2022年	97頭	60頭	300／受・FR
2021年	133頭	83頭	400／受・FR

産駒距離別芝／ダート別勝ち鞍グラフ

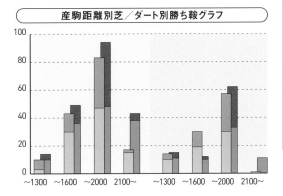

中長距離だけでなく、前向きな性格が強く表れた馬は、マイル戦でも活躍しています。ロードカナロアの産駒はシャープな馬体でピッチ走法。ルーラーシップ産駒は肩の傾斜にトニービンが出て、ストライドは大きいという違いがあります」（社台スタリオン、24年8月）

特注馬

ヘデントール／母父ステイゴールドで、菊花賞と相性の良い日本海Sを楽勝。菊花賞の有力候補だ。

ディスペランツァ／母系がスタミナ十分なだけに、マイルに絞るのはもったいない。阪神芝2000合う。

ヨシノイースター／1分8秒台の芝1200なら安定感は抜群。二桁馬番なら【3-3-1-0】の外枠巧者。

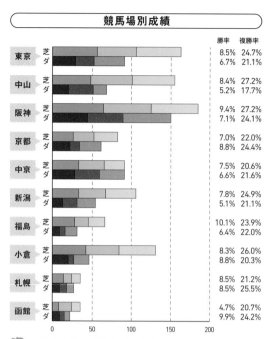

競馬場別成績

		勝率	複勝率
東京	芝	8.5%	24.7%
	ダ	6.7%	21.1%
中山	芝	8.4%	27.2%
	ダ	5.2%	17.7%
阪神	芝	9.4%	27.2%
	ダ	7.1%	24.1%
京都	芝	7.0%	22.0%
	ダ	8.8%	24.4%
中京	芝	7.5%	20.6%
	ダ	6.6%	21.6%
新潟	芝	7.8%	24.9%
	ダ	5.1%	21.1%
福島	芝	10.1%	23.9%
	ダ	6.4%	22.0%
小倉	芝	8.3%	26.0%
	ダ	8.8%	20.3%
札幌	芝	8.5%	21.2%
	ダ	8.5%	25.5%
函館	芝	4.7%	20.7%
	ダ	9.9%	24.2%

🏇 複勝率の平均的高さが特徴的

勝利数上位コース

	コース	着度数	勝率	複勝率
1位	阪神ダ1800	30-27-35-254	8.7%	26.6%
2位	阪神芝1600	19-14-12-117	11.7%	27.8%
3位	東京芝1600	19-11-14-138	10.4%	24.2%
4位	小倉ダ1700	18-7-18-164	8.7%	20.8%
5位	阪神芝2000	17-14-16-95	12.0%	33.1%

🏇 勝利数なら阪神ダ1800がダントツ

距離別成績

		着度数	勝率	複勝率
芝	～1200	34-31-36-314	8.2%	24.3%
	1400	22-21-20-251	7.0%	20.1%
	～1600	73-64-52-593	9.3%	24.2%
	～1800	69-74-96-655	7.7%	26.7%
	2000	89-77-93-847	8.0%	23.4%
	～2400	49-56-45-356	9.7%	29.6%
	2500～	16-18-14-197	6.5%	19.6%
ダ	～1300	19-18-24-217	6.8%	21.9%
	～1600	39-40-60-511	6.0%	21.4%
	～1900	130-118-145-1353	7.4%	22.5%
	2000～	15-13-20-209	5.8%	18.7%

🏇 非根幹距離のほうが合う

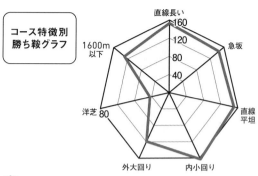

コース特徴別勝ち鞍グラフ

🏇 小回りコースでしぶとさ活かす

得意重賞 / 不得意重賞

得意重賞		不得意重賞	
福島牝馬S	2-1-0-5	目黒記念	0-0-0-6
青葉賞	2-0-1-5	阪神大賞典	0-0-0-5
小倉記念	2-0-0-2	日経新春杯	0-0-0-4

🏇 ローカル芝2000m重賞の好走が多い

馬場状態別成績

		着度数	勝率	複勝率
芝	良	254-252-275-2439	7.9%	24.3%
	稍重	71-56-43-483	10.9%	26.0%
	重	23-26-30-225	7.6%	26.0%
	不良	4-7-8-66	4.7%	22.4%
ダ	良	135-109-146-1370	7.7%	22.2%
	稍重	26-40-59-478	4.3%	20.7%
	重	25-20-26-283	7.1%	20.1%
	不良	17-20-18-159	7.9%	25.7%

🏇 ちょっと時計がかかるぐらいがベスト

1番人気距離別成績

		着度数	勝率	複勝率
芝	～1200	10-7-6-16	25.6%	59.0%
	1400	10-1-2-13	38.5%	50.0%
	～1600	28-14-8-26	36.8%	65.8%
	～1800	28-9-15-22	37.8%	70.3%
	2000	33-17-13-39	32.4%	61.8%
	～2400	19-10-8-10	40.4%	78.7%
	2500～	5-1-1-8	33.3%	46.7%
ダ	～1300	6-6-3-7	27.3%	68.2%
	～1600	12-5-2-11	40.0%	63.3%
	～1900	41-22-19-50	31.1%	62.1%
	2000～	8-2-1-5	50.0%	68.8%

🏇 芝2600mは勝率44.4%

ルーラーシップ RULERSHIP

騎手ベスト5（3番人気以内）

	騎　手	着度数	勝率	複勝率
1位	C.ルメール	32-16-9-42	32.3%	57.6%
2位	川田将雅	26-25-13-34	26.5%	65.3%
3位	武豊	18-8-7-22	32.7%	60.0%
4位	岩田望来	16-9-8-23	28.6%	58.9%
5位	戸崎圭太	14-14-10-26	21.9%	59.4%

🐎 **ルメールは東京芝2400mで6勝**

騎手ベスト5（4番人気以下）

	騎　手	着度数	勝率	複勝率
1位	丸山元気	8-5-7-61	9.9%	24.7%
2位	西村淳也	6-5-7-77	6.3%	18.9%
3位	幸英明	6-5-4-90	5.7%	14.3%
4位	団野大成	5-10-8-72	5.3%	24.2%
5位	吉田隼人	5-9-7-74	5.3%	22.1%

🐎 **丸山元気が抜けて元気**

クラス別成績

	芝 着度数	勝率	ダ 着度数	勝率
新馬	25-27-40-322	6.0%	7-8-9-88	6.3%
未勝利	108-103-97-1041	8.0%	94-84-109-865	8.2%
1勝	101-92-105-831	8.9%	72-72-95-852	6.6%
2勝	54-49-56-360	10.4%	19-14-16-313	5.2%
3勝	22-32-23-273	6.3%	9-10-13-109	6.4%
OPEN	14-13-13-109	9.4%	2-1-6-49	3.4%
GⅢ	18-14-9-133	10.3%	0-0-1-13	0%
GⅡ	9-6-8-83	8.5%	0-0-0-1	0%
GⅠ	1-5-5-61	1.4%	0-0-0-0	—

🐎 **GⅠでの勝負弱さがキズ**

条件別勝利割合

穴率	25.6%	平坦芝率	42.9%
芝道悪率	27.8%	晩成率	46.1%
ダ道悪率	33.5%	芝広いコース率	43.8%

🐎 **トップ10種牡馬で穴率1位**

年齢・季節別勝ち鞍グラフ

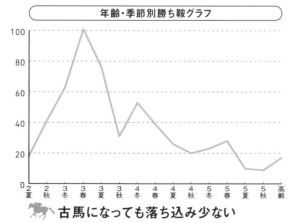

🐎 **古馬になっても落ち込み少ない**

※「春」＝3、4、5月。「夏」＝6、7、8月。
「秋」＝9、10、11月。「冬」＝12、1、2月。高齢＝5歳12月以降。

勝利へのポイント

芝1600のGⅡとGⅢ【5-5-3-37】
芝1600のGⅠ【0-1-2-14】（2歳戦を除く）

　ヘデントールがキセキに続く菊花賞馬になれるのか。ソウルラッシュやマスクトディーヴァの悲願のGⅠ制覇なるか。24年秋は注目のレースが多い。

　▶GⅠの惜敗多数。弱点は？

　通算で重賞31勝しているのに、GⅠ勝利は菊花賞と朝日杯FSのふたつだけ。コーナーのもたつきや、一瞬の反応が速くない弱点があり、GⅡやGⅢは強くても、GⅠでは2着や3着を積み重ねる。

　ただし、広いコースや、母父ディープインパクトなら、この弱点が補われ、GⅠの好勝負の確率が上がる。道悪がプラスに働く馬も少なくない。

　▶長距離得意も近年はマイル特注！

　長所はいい脚を長く使い、ロングスパートの持続力勝負や、スタミナ勝負に強いこと。

　青葉賞2勝、福島牝馬S2勝、紫苑S3連対など、得意重賞がハッキリしている。中山牝馬S、サウジアラビアRC、七夕賞、京都大賞典も、3着以内が3回ずつ。産駒実績のある重賞に網を張ろう。とはいえ、近年は芝1600の活躍が目立ち、芝1200の重賞でも穴をあけたりするから、距離の忙しさをマイナスに見ないこと。ラップが緩まないマイルの流れに合う。

　▶条件クラスでの連勝を狙え

　特筆すべき特徴として、芝の2勝クラス54勝のうち、半数近い24勝が前走からの連勝だ。出世の遅れていた馬が連勝するパターンを狙おう。普通1勝C→2勝Cの連勝は3歳馬に多いが、ルーラー産駒の場合は4歳馬も多い。身が入り、一気に軌道に乗る。

　条件クラスには、詰めの甘いジリ脚の馬も多数存在し、相手が強くても弱くても3着を繰り返すイメージ。このタイプは相手強化の時に旨味がある。

　▶ダートの特注コースは阪神

　ダートのJRA重賞は【0-0-1-17】も、オープン勝ちは2つある。阪神ダ2000とダ1800は勝利数が抜けて多いから、特注コースにしよう。東京ダ1600は3着と4着が多いから慎重に。剛腕騎手に向く。

ルーラーシップ RULERSHIP

11

ドレフォン
DREFONG

種牡馬ランク　2023年度／第11位　2022年度／第16位　2021年度／第40位

2、3歳時につけた22馬身差が物語るスピード野郎

2013年生　鹿毛　アメリカ産　2024年種付け料▷受胎確認後600万円（FR）

現役時代

北米で通算9戦6勝。主な勝ち鞍、BCスプリント（GⅠ・6F）、キングズビショップS（GⅠ・7F）、フォアゴーS（GⅠ・7F）。

西海岸のB・バファート厩舎に所属。2歳10月のデビュー戦5着も2戦目から翌3歳のBCスプリントまで5連勝。未勝利戦とアローワンス競走の2戦とも逃げ切っての楽勝。トラヴァーズSの短距離版キングズビショップSも逃げ切り、重賞初制覇をGⅠで果たした。ぶっつけで挑んだBCスプリントはマゾキスティックとの先行争いを直線で制し、同馬に1馬身1／4差をつけての勝利だった。マゾキスティックはレース後の薬物検査陽性反応により後に失格の裁定が下された。ここまで2着馬につけた着差の合計は22馬身3／4。

4歳時も現役を続け、夏のビングクロスビーSで復帰。ここは3連勝中の上がり馬ロイエイチとの対決に注目が集まったが、スタート直後の周回コースとの合流地点で内にヨレて落馬競走中止。馬はそのまま逸走。先行するロイエイチを外に膨らませる悪さまでしでかした。勝ったのは内を突いたランサムザムーン。ロイエイチは2着。勝負事にアヤは付き物だが、次走のフォアゴーSで払拭。先手を取っての4馬身勝ち。2連覇を狙ったBCスプリントは単勝2倍台の圧倒的人気だったが、スタートで行き脚がつかずに中団追走のまま流れ込んだだけの6着に終わった。勝ったのは3番人気ロイエイチ。同馬は翌年もBCスプリントを制覇する。3着のマインドユアビスケッツは17年、18年のドバイゴールデンシャヒーンを連覇している。

競走中止に、2度の敗戦が先手を取れなかったデビュー戦と2度目のBCスプリント。「加速力と短距離のスピードはワールドクラス」と、おらが国が世界一を自負するアメリカ人は言いそうだ。

1年目産駒から皐月賞馬誕生!

ダートの1400から1800に安定感

世界に羽ばたくダート王の期待も

血統背景

父ジオポンティ。シャドウェルターフマイル、アーリントンミリオンなど芝のマイル、中距離GI7勝。祖父テイルオブザキャットは本邦輸入種牡馬ヨハネスブルグと同父系、同牝系。

母の半兄にアクションディスデイ(BCジュヴェナイルGI)。同牝系にスターキャッチャー(愛オークスGI)。母の父ゴーストザッパーはBCクラシックなどGI4勝。産駒にミスティックガイド(ドバイワールドCGI)。前記ヨハネスブルグを祖父とする米三冠馬ジャスティファイの母の父でもある。

代表産駒

ジオグリフ(22皐月賞)、アンデスビエント(24関東オークス)、ミッキーファイト(24レパードS)、デシエルト(22若葉S)、ワープスピード(24阪神大賞典2着)、カワキタレブリー(22NHKマイルC3着)、ウォーターリヒト(24きさらぎ賞2着)、サーフズアップ(23東京プリンセス賞)。

産駒解説

芝馬とダート馬を母父別にみると、母父二強のディープインパクトとキングカメハメハは芝、ダート不問だが、芝馬の多くがSS系牝馬との配合。一方、ダート馬もSS系が上位を占めるなかで、こと上級馬になるとミスプロ系やアンブライドルド系が気を吐いている。サンライズフレイム、タイセイドレフォンはミスプロ系、コンシリエーレはアンブライドルド系だ。しかもクラスの突破が早く、古馬になっての落ち込みが少ない。だからこそ上級まで出世するのだが。両系に続くのはエーピーインディ系か。GI級を期待。

関係者コメント

「勝ち上がり率がとても高く、芝とダートの二刀流ですね。特にダートの1400、1600、1800は効率がいい。もともとBCスプリントを勝った馬なので、ダート向きですが、初年度産駒のジオグリフが皐月賞を勝ったために、芝も走るのかと欲が出てしまい、レースのターゲットがぼやけてしまった面もあるかもしれません。

ジオポンティ Gio Ponti 鹿 2005	テイルオブザキャット Tale of the Cat	Storm Cat
		Yarn
	チペタスプリングズ Chipeta Springs	Alydar
		Salt Spring (2-g)
エルティマース Eltimaas 鹿 2007	ゴーストザッパー Ghostzapper	Awesome Again
		Baby Zip
	ネイジェカム Najecam	Trempolino
		Sue Warner (1-n)

Raise a Native 5・4(父方)

種付け年度	種付け頭数	血統登録頭数	種付け料
2023年	125頭	—	700／受・FR
2022年	198頭	120頭	700／受・FR
2021年	172頭	96頭	300／受・FR

産駒距離別芝／ダート別勝ち鞍グラフ

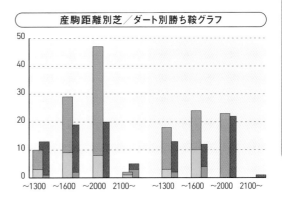

スプリンターのがっちりした体形で、馬体に幅があり、まっすぐ歩ける。脚元も丈夫です。

骨格が立派なので、牝馬は将来、母馬にも向きそうです。フレンチデピュティやクロフネみたいな役割になるかもしれません」(社台スタリオン、24年8月)

特注馬

ジオグリフ／中山記念と札幌記念以外なら、どこを狙いにすればいいのか。道悪の宝塚記念で見たい。

ミッキーファイト／チャンピオンズCを勝ったジュンライトボルトの半弟。ダートのGIを狙える器。

サンライズフレイム／25年は根岸SからフェブラリーS路線か。東京ダートでは一瞬だけ鋭い。

ドレフォン DREFONG

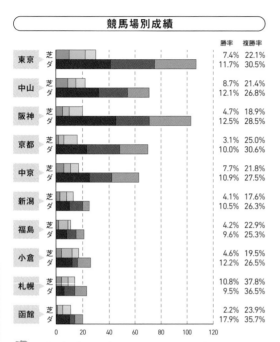

競馬場別成績

		勝率	複勝率
東京	芝	7.4%	22.1%
	ダ	11.7%	30.5%
中山	芝	8.7%	21.4%
	ダ	12.1%	26.8%
阪神	芝	4.7%	18.9%
	ダ	12.5%	28.5%
京都	芝	3.1%	25.0%
	ダ	10.0%	30.6%
中京	芝	7.7%	21.8%
	ダ	10.9%	27.5%
新潟	芝	4.1%	17.6%
	ダ	10.5%	26.3%
福島	芝	4.2%	22.9%
	ダ	9.6%	25.3%
小倉	芝	4.6%	19.5%
	ダ	12.2%	26.5%
札幌	芝	10.8%	37.8%
	ダ	9.5%	36.5%
函館	芝	2.2%	23.9%
	ダ	17.9%	35.7%

🐎 **北海道のダートで堅実に好走**

勝利数上位コース

	コース	着度数	勝率	複勝率
1位	中山ダ1800	21-10-9-106	14.4%	27.4%
2位	東京ダ1600	19-20-13-117	11.2%	30.8%
3位	阪神ダ1800	19-14-15-104	12.5%	31.6%
4位	東京ダ1400	17-9-13-89	13.3%	30.5%
5位	阪神ダ1400	15-6-9-98	11.7%	23.4%

🐎 **中山ダート1800mの勝率は頼もしい**

距離別成績

		着度数	勝率	複勝率
芝	～1200	9-21-17-143	4.7%	24.7%
	1400	9-9-11-113	6.3%	20.4%
	～1600	16-14-20-168	7.3%	22.9%
	～1800	5-11-9-99	4.0%	20.2%
	2000	3-4-5-59	4.2%	16.9%
	～2400	3-1-1-20	12.0%	20.0%
	2500～	1-1-1-6	11.1%	33.3%
ダ	～1300	45-36-38-303	10.7%	28.2%
	～1600	59-45-45-409	10.6%	26.7%
	～1900	102-72-72-558	12.7%	30.6%
	2000～	6-4-5-31	13.0%	32.6%

🐎 **ダート長距離での好走光る**

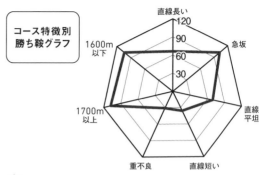

コース特徴別
勝ち鞍グラフ

直線長い / 急坂 / 直線平坦 / 直線短い / 重不良 / 1700m以上 / 1600m以下

🐎 **距離を問わない好走**

得意重賞			不得意重賞	
カトレアS(OP)	2-0-0-0		朝日杯FS	0-0-0-3
レパードS	0-1-0-1		ファンタジーS	0-0-0-3
―	―		―	―

🐎 **集計期間後にレパードS勝利**

馬場状態別成績

		着度数	勝率	複勝率
芝	良	37-50-46-465	6.2%	22.2%
	稍重	7-9-14-104	5.2%	22.4%
	重	1-2-2-30	2.9%	14.3%
	不良	1-0-2-9	8.3%	25.0%
ダ	良	129-100-100-844	11.0%	28.0%
	稍重	52-33-32-244	14.4%	32.4%
	重	19-15-21-140	9.7%	28.2%
	不良	12-9-7-73	11.9%	27.7%

🐎 **ダートスピード馬場歓迎**

1番人気距離別成績

		着度数	勝率	複勝率
芝	～1200	4-4-1-16	16.0%	36.0%
	1400	2-2-3-5	16.7%	58.3%
	～1600	2-3-3-5	15.4%	61.5%
	～1800	1-3-0-3	14.3%	57.1%
	2000	0-1-1-0	0%	100%
	～2400	1-0-0-1	50.0%	50.0%
	2500～	0-0-0-0	―	―
ダ	～1300	15-9-3-15	35.7%	64.3%
	～1600	24-8-8-10	48.0%	80.0%
	～1900	38-16-16-24	40.4%	74.5%
	2000～	4-1-2-2	44.4%	77.8%

🐎 **ダートは概ね信頼度が高い**

ドレフォン DREFONG

騎手ベスト5（3番人気以内）			
	騎　手	着度数	勝率	複勝率
1位	C.ルメール	16-9-6-15	34.8%	67.4%
2位	鮫島克駿	14-4-3-14	40.0%	60.0%
3位	松山弘平	12-4-2-15	36.4%	54.5%
4位	横山武史	12-3-4-20	30.8%	48.7%
5位	川田将雅	7-8-5-10	23.3%	66.7%

🏇 **ルメールは乗り替わり時に注目**

クラス別成績					
	芝	着度数	勝率	ダ	着度数	勝率
新馬		12-10-16-131	7.1%		12-12-10-93	9.4%
未勝利		15-25-23-264	4.6%		92-64-77-538	11.9%
1勝		7-12-12-115	4.8%		61-50-41-421	10.6%
2勝		4-4-0-20	14.3%		28-21-19-128	14.3%
3勝		3-0-3-8	21.4%		10-5-8-77	10.0%
OPEN		3-6-4-24	8.1%		9-4-3-33	18.4%
GⅢ		1-3-3-24	3.2%		0-1-2-9	0%
GⅡ		0-1-2-7	0%		0-0-0-1	0%
GⅠ		1-0-1-15	5.9%		0-0-0-1	0%

🏇 **OPで高勝率。ダート重賞に手が届くのもすぐ**

条件別勝利割合			
穴率	19.0%	平坦芝率	34.8%
芝道悪率	19.6%	晩成率	33.3%
ダ道悪率	39.2%	芝広いコース率	41.3%

🏇 **スピード馬場大歓迎**

年齢・季節別勝ち鞍グラフ

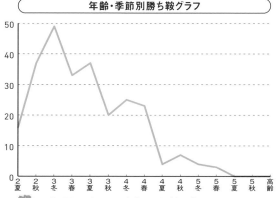

🏇 **古馬になってもうひと伸び**

※「春」＝3、4、5月。「夏」＝6、7、8月。
　「秋」＝9、10、11月。「冬」＝12、1、2月。高齢＝5歳12月以降。

騎手ベスト5（4番人気以下）			
	騎　手	着度数	勝率	複勝率
1位	松山弘平	6-4-1-29	15.0%	27.5%
2位	三浦皇成	5-1-2-28	13.9%	22.2%
3位	和田竜二	4-0-7-49	6.7%	18.3%
4位	鮫島克駿	3-4-4-40	5.9%	21.6%
5位	西村淳也	3-3-1-22	10.3%	24.1%

🏇 **三浦の単勝回収率400％近く**

勝 利 へ の ポ イ ン ト

東京ダ1600の1番人気【8-2-6-2】
東京芝のオープン【0-1-2-12】

　24年はワープスピードが長距離重賞で好走。ステイヤーも出るところを見せた。産駒は多様だ。とはいえ、全体では勝利の8割がダート、2割が芝。ダートのリーディングサイアーも見えてきた。

　同じ日に行われた24年のレパードSとエルムSの両方で馬券になったが、この両重賞ともドレフォンの得意コースだから今後も同日馬券に要注意。

▶**東京ダ1600とダ1400特注！**

　勝ち鞍が多いのは、牡馬がダ1800とダ1400、牝馬はダ1800とダ1200。オープンの勝利が多いのは東京ダ1600で、カトレアS、オアシスSなどを制している。芝も走れる血統らしく、速いタイムのダートに適性を見せ、レコード勝ちもいくつか。スピードに乗りやすい東京のダ1600とダ1400はベストとも呼べる舞台で、1番人気の信頼度はバカ高い。

▶**牝馬や小型馬の稍重ダート！**

　コーナー2つのダート向きか、コーナー4つのダート向きか、軽い馬場向きか、力のいる馬場向きかが最初のチェックポイント。

　脚抜きの良いダートは全般に得意で、牝馬は稍重のダート成績がぐっと上がる。雨のダートはドレフォン牝馬を狙え。逆に大型の牡馬は力のいる馬場に合う馬も多く、コーナー4つのダ1800を得意とする馬にこっちのタイプが目立つ。大雑把な作戦は、大型馬は良、中型小型馬は湿ったダートで買う。

▶**芝の短距離は人気馬危険**

　1番人気の複勝率を見ると、ダートは74％に対して、芝は51％と低い。人気馬を信頼するならダートだ。芝は短距離の1番人気が低調で、24年も北九州記念のサーマルウインドが大敗した。小倉芝1200の1番人気は【0-1-1-5】と、内緒にしたい沈没データ。

▶**芝のオープンなら内回り**

　芝の一流馬は中山と札幌が得意なジオグリフがモデル。阪神内回りも含めて短い直線で好成績の反面、東京と京都の芝のオープン勝ちはまだない。

ヘニーヒューズ
HENNY HUGHES

種牡馬ランク　2023年度／第12位　2022年度／第12位　2021年度／第9位

世界でブレイクするヘネシー系。日本の競馬も席巻中！

2003年生　栗毛　アメリカ産　2024年種付け料▷受胎確認後500万円（FR）

現役時代

北米で通算10戦6勝。主な勝ち鞍、キングズビショップS（GI・7F）、ヴォスバーグS（GI・6F）、サラトガスペシャルS（GII・6F）、ジャージーショアBCS（GIII・6F）。BCジュヴェナイル（GI・8.5F）2着、シャンペンS（GI・8F）2着。

2歳6月にデビュー。ここを6馬身差で制し、続くステークスを15馬身差で圧勝。サラトガスペシャルSは逃げ切ってここまで3連勝。しかし、夏の2歳王者決定戦ホープフルS、東海岸代表決定戦シャンペンSの2戦とも先に抜け出したファーストサムライを捉えられずの2着。2歳王者決定戦BCジュヴェナイルは早めに先頭に立ち、ファーストサムライに先着するもののスティーヴィーワンダーボーイの強襲に屈し、GI3連戦はすべて2着に敗れた。

3歳になって春は調整不足で全休を余儀なくされ、初夏の短距離路線から始動。手始めのジャージーショアBCSは早めに先手を奪うと他馬を離す一方。最後は10馬身の差をつけていた。トラヴァーズSの短距離版キングズビショップSも早めに抜け出しての5馬身1/4差勝ち。古馬相手のヴォスバーグSでも定石通りの戦法を用い、2着ウォーフロントに2馬身3/4差をつけ、そのまま押し切った。

最大目標のBCスプリントは単勝2.6倍の圧倒的人気もスタートで後手を踏む予想外の展開。先手を取れずに後方のまま最下位14着に敗れ、生涯で唯一の連対を外した。ベルモント競馬場、サラトガ競馬場、モンマス競馬場と東海岸での経験しかなく、BCスプリントの行われたチャーチルダウンズ競馬場の砂が合わなかったのか、あるいは遠征疲れか。10戦6勝、2着3回。最長勝ち距離は7F。2着につけた着差の合計は42馬身3/4。先行力に秀でたスプリンターだった。

POINT

- 筋肉質な馬体でダートを押し切るスピード
- 2歳から全開。芝・ダート両重賞制覇も
- 内枠成績ダウンの気性と一本調子が弱点

血統背景

　父ヘネシー。産駒のヨハネスブルグを経たスキャットダディが後継種牡馬ノーネイネヴァーや米三冠馬ジャスティファイを輩出。ハーランズホリデー系、ジャイアンツコーズウェイ系と共にストームキャット系の主流を担う。

　母系は、祖母ショートレイは米GⅢ勝ち馬。母の父メドウレイクはリアルインパクトの母の父。

*ヘネシー Hennessy 栗　1993	ストームキャット Storm Cat	Storm Bird
		Terlingua
	アイランドキティ Island Kitty	Hawaii
		T.C.Kitten　(8-c)
メドウフライヤー Meadow Flyer 鹿　1989	メドウレイク Meadowlake	Hold Your Peace
		Suspicious Native
	ショートレイ Shortley	Hagley
		Short Winded　(25)

種付け年度	種付け頭数	血統登録頭数	種付け料
2023年	97頭	―	500／受・FR
2022年	98頭	38頭	500／受・FR
2021年	117頭	73頭	500／受・FR

代表産駒

　モーニン（16フェブラリーS）、アジアエクスプレス（13朝日杯FS）、ワイドファラオ（20かしわ記念）、アマンテビアンコ（24羽田盃）、アランバローズ（20全日本2歳優駿）、ウェルドーン（21関東オークス）、セラフィックコール（24ダイオライト記念）、ペリエール（23ユニコーンS）、ゼルトザーム（23函館2歳S）、セキフウ（23エルムS）。

産駒解説

　羽田盃を制したアマンテビアンコを筆頭に地方競馬で産駒が例年以上に活躍。他にセラフィックコールがダイオライト記念、フェルディナンドが南関東牝馬二冠目の東京プリンセス賞を勝利。中央に比べて長めの距離で結果を出し、地方ではマイラー血統とはいわせない。しかし、最大の武器がスピードであることに違いはなく、パサパサの馬場より湿った馬場が向く。アマンテビアンコ、セラフィックコールとも質の良い母系であることも見逃せない。

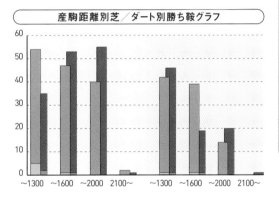

産駒距離別芝／ダート別勝ち鞍グラフ

～1300　～1600　～2000　2100～　　　～1300　～1600　～2000　2100～

関係者コメント

「4年連続で中央のダート・リーディングサイアーになり、今年もドレフォンとトップを争ってます。産駒は馬格があって、みんな筋肉質です。最近の傾向として羽田盃を制したアマンテビアンコやセラフィックコールなど、ダ1800m以上も走れる中距離タイプの産駒も増えてきました。本馬自身20歳を過ぎましたので、さらに後継種牡馬が増えて日本でのダートの一大父系となってくれればと思います。

　後継のモーニンとアジアエクスプレスもうちにいて、人気を集めています。モーニンは1年目で地方の2歳リーディングを獲り、馬体もヘニーヒューズに似ています。アジアエクスプレスは母父ディープインパクトと相性が良く、芝でも走る産駒の多さが特徴です」（優駿スタリオン、24年8月）

特注馬

セラフィックコール／GI以外は【6-0-0-0】、GI【0-0-0-3】が悩ましい。中京は不向きかも。

アマンテビアンコ／白毛のシラユキヒメ一族。速いタイムのダートで走れるか、今後の観察ポイント。

カンピオーネ／横山武史が乗ると【2-0-2-0】。レース間隔が2ヵ月以上あくと、馬券率が下がる。

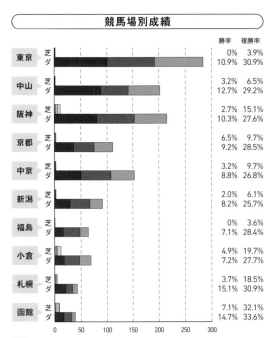

競馬場別成績

		勝率	複勝率
東京	芝	0%	3.9%
	ダ	10.9%	30.9%
中山	芝	3.2%	6.5%
	ダ	12.7%	29.2%
阪神	芝	2.7%	15.1%
	ダ	10.3%	27.6%
京都	芝	6.5%	9.7%
	ダ	9.2%	28.5%
中京	芝	3.2%	9.7%
	ダ	8.8%	26.8%
新潟	芝	2.0%	6.1%
	ダ	8.2%	25.7%
福島	芝	0%	3.6%
	ダ	7.1%	28.4%
小倉	芝	4.9%	19.7%
	ダ	7.2%	27.7%
札幌	芝	3.7%	18.5%
	ダ	15.1%	30.9%
函館	芝	7.1%	32.1%
	ダ	14.7%	33.6%

🐎 新潟・福島・小倉の凹みに要注意

勝利数上位コース

	コース	着度数	勝率	複勝率
1位	中山ダ1200	60-25-36-301	14.2%	28.7%
2位	東京ダ1600	49-48-52-261	12.0%	36.3%
3位	東京ダ1400	38-34-32-280	9.9%	27.1%
4位	阪神ダ1400	32-20-20-230	10.6%	23.8%
5位	阪神ダ1200	28-30-23-170	11.2%	32.3%

🐎 東京ダートの平場は庭

距離別成績

		着度数	勝率	複勝率
芝	～1200	9-11-13-171	4.4%	16.2%
	1400	3-6-5-70	3.6%	16.7%
	～1600	1-2-0-65	1.5%	4.4%
	～1800	0-0-0-31	0%	0%
	2000	0-0-1-12	0%	7.7%
	～2400	0-0-0-7	0%	0%
	2500～	0-0-0-3	0%	0%
ダ	～1300	168-154-127-1109	10.8%	28.8%
	～1600	154-133-127-1047	10.5%	28.3%
	～1900	127-152-119-940	9.5%	29.7%
	2000～	6-2-2-67	7.8%	13.0%

🐎 ダート1900mの勝率14.8%

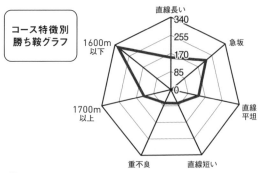

コース特徴別 勝ち鞍グラフ

🐎 平坦よりも急坂コースで良績

得意重賞		不得意重賞	
ユニコーンS	2-1-1-6	東海S	0-0-0-4
エルムS	2-1-0-1	プロキオンS	0-0-0-4
マーチS	1-0-1-3	武蔵野S	0-1-0-11

🐎 プロキオンSは2～4人気でも凡走

馬場状態別成績

		着度数	勝率	複勝率
芝	良	8-14-16-259	2.7%	12.8%
	稍重	4-4-2-64	5.4%	13.5%
	重	1-1-1-30	3.0%	9.1%
	不良	0-0-0-6	0%	0%
ダ	良	285-267-239-1889	10.6%	29.5%
	稍重	100-105-66-626	11.1%	30.2%
	重	51-51-46-440	8.7%	25.2%
	不良	19-18-24-208	7.1%	22.7%

🐎 重・不良は勝率が急落

1番人気距離別成績

		着度数	勝率	複勝率
芝	～1200	2-1-1-4	25.0%	50.0%
	1400	1-1-0-1	33.3%	66.7%
	～1600	0-0-0-0	—	—
	～1800	0-0-0-0	—	—
	2000	0-0-0-0	—	—
	～2400	0-0-0-0	—	—
	2500～	0-0-0-0	—	—
ダ	～1300	73-29-21-59	40.1%	67.6%
	～1600	60-34-22-59	34.3%	66.3%
	～1900	51-35-25-55	30.7%	66.9%
	2000～	3-1-0-1	60.0%	80.0%

🐎 ダート短距離の人気馬は高勝率

騎手ベスト5（3番人気以内）			
	騎　手	着度数	勝率	複勝率
1位	C.ルメール	27-14-13-31	31.8%	63.5%
2位	横山武史	22-8-7-30	32.8%	55.2%
3位	松山弘平	16-10-10-25	26.2%	59.0%
4位	戸崎圭太	13-12-10-26	21.3%	57.4%
5位	川田将雅	12-11-4-17	27.3%	61.4%

🏇 **戸崎の取りこぼしに注意**

騎手ベスト5（4番人気以下）			
	騎　手	着度数	勝率	複勝率
1位	石橋脩	7-8-5-44	10.9%	31.3%
2位	岩田望来	5-5-9-34	9.4%	35.8%
3位	武豊	4-7-6-23	10.0%	42.5%
4位	M.デムーロ	4-4-1-24	12.1%	27.3%
5位	津村明秀	4-3-4-53	6.3%	17.2%

🏇 **武豊の複勝率！**

クラス別成績	芝 着度数	勝率	ダ 着度数	勝率
新馬	1-1-3-42	2.1%	44-33-32-187	14.9%
未勝利	2-7-3-105	1.7%	137-136-106-823	11.4%
1勝	6-6-2-81	6.3%	138-131-117-1050	9.6%
2勝	2-5-6-73	2.3%	72-74-63-572	9.2%
3勝	0-0-3-32	0%	36-35-24-268	9.9%
OPEN	0-0-2-11	0%	22-29-27-199	7.9%
GⅢ	1-0-0-8	11.1%	6-3-5-50	9.4%
GⅡ	1-0-0-4	20.0%	0-0-0-4	0%
GⅠ	0-0-0-3	0%	0-0-1-10	0%

🏇 **頭打ちになる馬の深追い禁物**

条件別勝利割合			
穴率	17.3%	平坦芝率	69.2%
芝道悪率	38.5%	晩成率	42.9%
ダ道悪率	37.4%	芝広いコース率	15.4%

🏇 **若駒は平坦芝でも**

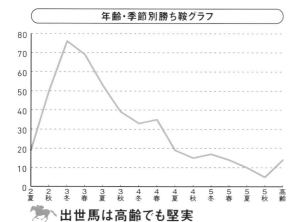

年齢・季節別勝ち鞍グラフ

🏇 **出世馬は高齢でも堅実**

※「春」=3、4、5月。「夏」=6、7、8月。
「秋」=9、10、11月。「冬」=12、1、2月。高齢=5歳12月以降。

勝利へのポイント

中山ダ1200の1番人気／28勝、勝率54%
中山ダ1800の1番人気／8勝、勝率20%

　24年は総武S、平城京S、レパードSと、ダ1800の重賞やオープンの活躍が目立っている。ダート短距離のナンバーワン血統に間違いないが、牡馬は中距離でも無視できず、穴をあける。2歳から3歳春までは芝も走る特徴があり、アジアエクスプレスとワイドファラオは芝とダートの両方の重賞を制した。

▶2歳ダートは高い回収率

　2歳から走れる完成の早さが武器で、2歳のダート戦は高い回収率を誇る。速めのペースで先行して粘る長所を持ち、前で勝負する騎手に合う。

▶ストームキャットの日に乗れ！

　筋肉質の馬体がトレードマーク。馬券のコツは、「今日はストームキャット系がよく来ている」という日に、ダ1200とダ1400で外枠中心に買う作戦。平場戦ではワンツーもたびたび見られる。注意事項は、1番人気の信頼度が平場戦と特別戦でだいぶ違うこと。下級条件は人気の先行馬が安定して走る一方、クラスが上がると先行馬の信頼度が下がり、差しを覚えた馬がダ1600やダ1800で穴をあける。

▶外枠のダート人気馬を軸に

　枠順にも注目。気の強さを前面に出した走りは揉まれた時のもろさもあり、1番人気の勝率は内枠が低いのに対して、7、8枠は優秀。外枠の人気馬がいい。イレ込みのきつい馬はパドックでわかる。

▶冬は馬体重の変動に注目

　好調期と不調期が分かれる。連勝が多い一方、調子を崩すと立ち直りが難しく、早熟で終わってしまう例も多々あり。旬の時期に買い、勢いがなくなったら深追いは禁物だ。馬体が立派すぎて絞れない弱点も見られ、冬は馬体重の変動に注目しよう。

▶ダートの距離短縮で変わり身！

　得意レースを紹介。東京ダ1400のオキザリス賞、東京ダ1600のユニコーンSとヒヤシンスS、阪神ダ1200の妙見山S、阪神ダ1400のポラリスSなど。1800→1600、1600→1400の距離短縮がツボだ。

ヘニーヒューズ HENNY HUGHES

キングカメハメハ
KING KAMEHAMEHA

種牡馬ランク　2023年度／第13位　2022年度／第6位　2021年度／第6位

変則二冠を連続レコードで制覇。現代競馬の申し子

2001年生　鹿毛　2019年死亡

現役時代

中央8戦7勝。主な勝ち鞍、日本ダービー、NHKマイルC、神戸新聞杯、毎日杯。

"マツクニ・ローテ"と呼ばれる変則ローテーションがある。NHKマイルCからダービーへ。「頂点に立つ馬は2400Mでも1600Mでも結果を残さなければならない」という信念のもと、01年にはクロフネが、02年にはタニノギムレットがこの難関に挑んだ。しかし、どちらも両GIをぶっこ抜くまではいかず、松田国英調教師の描いた理想の絵図は未完のままだった。

ギムレットの2年後、キングカメハメハが現れる。新馬、エリカ賞を連勝するも、京成杯ではズブさを出して3着。この敗戦が松田国師に決断をさせる。「中山は合わない。皐月賞は回避する」。重馬場のすみれSと毎日杯を先行策で連勝。1戦ごとに反応速度が速くなり、馬が変わっていく。牙を研ぎ、時を待った。

2004年NHKマイルC。強かった。強すぎた。小雨混じりのなか、安藤勝己が安全策で外を回ったにもかかわらず、1分32秒5の超絶レースレコード。2歳王者コスモサンビームに5馬身差をつける圧勝だった。

反動が心配された中2週のダービーも独壇場となる。地方競馬の期待を一身に背負うコスモバルクや、皐月賞馬ダイワメジャーがハイペースを掛かり気味に追いかけるなか、中団で待機し、4角で早くも前をつかまえに行く。最後方から強襲したハーツクライを封じて、2分23秒3のダービーレコード。危なげなく変則二冠を達成し、松田国師の悲願成就。カメハメハ大王の玉座着任により、ついに理想の絵図は完成を見た。

秋は天皇賞へ進む予定が発表されたが、神戸新聞杯を制した後に屈腱炎が判明。3歳秋の頓挫はクロフネやタニノギムレットと同じ道であり、革命に伴う代償までは克服できなかった。

操縦性の良さでGI奪取！　叩き2戦目特注

内枠を利して上がり2ハロン勝負を制す！

ダート王や短距離王など母系の良さを引き出す

血統背景

父キングマンボは名牝ミエスクの仔で、仏2000ギニーなど英仏のマイルGIを3勝。代表産駒にエルコンドルパサー（ジャパンC、NHKマイルC）、アルカセット（ジャパンC）、キングズベスト（英2000ギニー。エイシンフラッシュとワークフォースの父）、スターキングマン（東京大賞典）、レモンドロップキッド（ベルモントS）など。

母マンファスは英国0勝。半兄ザデピュティ（サンタアニタ・ダービー）、半妹レースパイロット（フローラS2着）。5代母Aimeeはアグネスデジタルの4代母で、ブラッシンググルームの祖母。母系にはブレイクニーやミルリーフなど重厚なスタミナの血を持つ。

代表産駒

ドゥラメンテ（15ダービー）、レイデオロ（17ダービー）、ロードカナロア（12・13香港スプリント）、ローズキングダム（10ジャパンC）、ラブリーデイ（15天皇賞・秋）、アパパネ（10牝馬三冠）、レッツゴードンキ（15桜花賞）、チュウワウィザード（20チャンピオンズC）、ホッコータルマエ（13・14東京大賞典）、リオンディーズ（15朝日杯FS）、スタニングローズ（22秋華賞）。

産駒解説

近年は母の父としてGIを制圧する。ワグネリアン、ブラストワンピース、インディチャンプ、そしてデアリングタクトにソダシ。父ディープインパクトや父エピファネイアと、キンカメ牝馬の相性が良い。

父としても、牝馬三冠のアパパネ、牡馬二冠のドゥラメンテのほか、各部門のチャンピオンを輩出。短距離王者のロードカナロア、中距離王者のラブリーデイ、ダート王者のホッコータルマエ、2歳王者のローズキングダムなど、母系の良さを引き出す名種牡馬だ。

関係者コメント

「24年5歳世代が最後の産駒になります。寂しい限りですが、孫の代も種牡馬入りするなど、確実に父系を伸ばしています。最近ではブルードメアサイアーでもディープと首位の座を争い、24年はチェルヴィニア

キングマンボ Kingmambo 鹿 1990	ミスタープロスペクター Mr. Prospector	Raise a Native
		Gold Digger
	ミエスク Miesque	Nureyev
		Pasadoble (20)
*マンファス Manfath 黒鹿 1991	*ラストタイクーン Last Tycoon	*トライマイベスト
		Mill Princess
	パイロットバード Pilot Bird	Blakeney
		The Dancer (22-d)

Northern Dancer 4×4

種付け年度	種付け頭数	血統登録頭数	種付け料
2023年	—	—	—
2022年	—	—	—
2021年	—	—	—

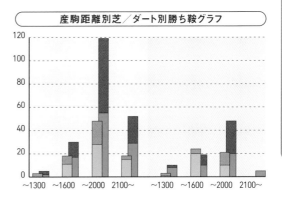

産駒距離別芝／ダート別勝ち鞍グラフ

がオークスを、23年はママコチャがスプリンターズS、ウシュバテソーロがドバイワールドCを制しました。繁殖牝馬によって長距離をこなしたり、短距離馬に出たり、ダート馬に出たり、万能性ではディープインパクトもかないません」（社台スタリオン、24年8月）

特注馬

シュトルーヴェ／「GIで足りず、GIIに戻って能力を見せるキンカメ」と見て、日経賞や目黒記念で。
キングズパレス／2着多数の詰めの甘い堅実派。人気を背負うことも多いから、2、3着付けを有効に。
メイプルリッジ／ダート長距離なら交流重賞を勝てそう。芝も中山芝2200に勝ち鞍あり、もしかして。

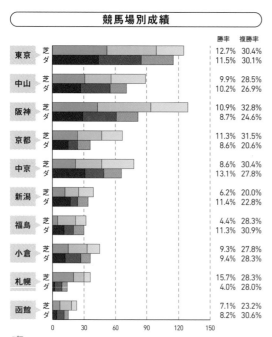

競馬場別成績

		勝率	複勝率
東京	芝	12.7%	30.4%
	ダ	11.5%	30.1%
中山	芝	9.9%	28.5%
	ダ	10.2%	26.9%
阪神	芝	10.9%	32.8%
	ダ	8.7%	24.6%
京都	芝	11.3%	31.5%
	ダ	8.6%	20.6%
中京	芝	8.6%	30.4%
	ダ	13.1%	27.8%
新潟	芝	6.2%	20.0%
	ダ	11.4%	22.8%
福島	芝	4.4%	28.3%
	ダ	11.3%	30.9%
小倉	芝	9.3%	27.8%
	ダ	9.4%	28.3%
札幌	芝	15.7%	28.3%
	ダ	4.0%	28.0%
函館	芝	7.1%	23.2%
	ダ	8.2%	30.6%

東京・京都・札幌で高勝率をマーク

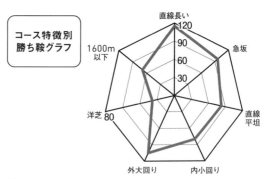

コース特徴別 勝ち鞍グラフ

直線の長いコースでスピード活きる

得意重賞		不得意重賞	
目黒記念	3-1-0-4	天皇賞(春)	0-0-0-7
新潟記念	2-2-0-5	札幌記念	0-0-0-7
チャンピオンズC	2-1-0-5	マーチS	0-0-0-7

芝マイル重賞は軒並み走れず

勝利数上位コース

	コース	着度数	勝率	複勝率
1位	中山ダ1800	21-24-13-139	10.7%	29.4%
2位	東京ダ2100	21-13-11-89	15.7%	33.6%
3位	東京ダ1600	16-19-10-118	9.8%	27.6%
4位	阪神ダ1800	16-17-10-116	10.1%	27.0%
5位	阪神芝2000	15-16-7-54	16.3%	41.3%

古馬中心の現在はダート上位

馬場状態別成績

		着度数	勝率	複勝率
芝	良	178-175-145-1238	10.3%	28.7%
	稍重	34-41-37-248	9.4%	31.1%
	重	12-17-8-103	8.6%	26.4%
	不良	7-7-2-30	15.2%	34.8%
ダ	良	112-112-82-805	10.1%	27.5%
	稍重	42-36-31-299	10.3%	26.7%
	重	21-21-14-164	9.5%	25.5%
	不良	17-4-7-97	13.6%	22.4%

芝・ダートの不良は要チェック

距離別成績

		着度数	勝率	複勝率
芝	~1200	11-16-4-128	6.9%	19.5%
	1400	11-7-14-95	8.7%	25.2%
	~1600	47-44-32-299	11.1%	29.1%
	~1800	42-48-48-311	9.4%	30.7%
	2000	71-77-63-422	11.2%	33.3%
	~2400	34-29-20-234	10.7%	26.2%
	2500~	15-19-11-130	8.6%	25.7%
ダ	~1300	10-12-9-161	5.2%	16.1%
	~1600	33-39-23-303	8.3%	23.9%
	~1900	115-97-80-726	11.3%	28.7%
	2000~	34-25-22-175	13.3%	31.6%

短距離以外は好走率安定

1番人気距離別成績

		着度数	勝率	複勝率
芝	~1200	3-3-0-7	23.1%	46.2%
	1400	7-1-2-7	41.2%	58.8%
	~1600	25-9-6-22	40.3%	64.5%
	~1800	13-14-6-20	24.5%	62.3%
	2000	28-17-16-28	31.5%	68.5%
	~2400	14-6-3-15	36.8%	60.5%
	2500~	4-3-1-7	26.7%	53.3%
ダ	~1300	4-2-1-5	33.3%	58.3%
	~1600	8-7-1-10	30.8%	61.5%
	~1900	44-20-15-38	37.6%	67.5%
	2000~	12-5-0-7	50.0%	70.8%

ダート中長距離はまだまだ信頼

騎手ベスト5（3番人気以内）			
	騎 手	着度数	勝率	複勝率
1位	C.ルメール	40-26-13-52	30.5%	60.3%
2位	川田将雅	34-23-14-38	31.2%	65.1%
3位	吉田隼人	13-6-5-14	34.2%	63.2%
4位	松山弘平	10-8-8-21	21.3%	55.3%
5位	戸崎圭太	9-12-4-24	18.4%	51.0%

🏇 トップ騎手の安定感は抜群

騎手ベスト5（4番人気以下）			
	騎 手	着度数	勝率	複勝率
1位	田辺裕信	7-2-3-41	13.2%	22.6%
2位	戸崎圭太	5-4-3-27	12.8%	30.8%
3位	菅原明良	5-4-1-25	14.3%	28.6%
4位	浜中俊	4-7-4-50	6.2%	23.1%
5位	藤岡佑介	4-5-6-53	5.9%	22.1%

🏇 トップ3は巻き返しを狙うに十分

クラス別成績					
	芝	着度数	勝率	ダ	着度数	勝率
新馬		17-17-17-106	10.8%		4-1-2-31	10.5%
未勝利		54-27-38-311	12.6%		47-35-31-239	13.4%
1勝		58-66-47-332	11.5%		58-61-46-472	9.1%
2勝		34-43-32-249	9.5%		34-30-24-262	9.7%
3勝		29-30-27-202	10.1%		23-18-18-173	9.9%
OPEN		16-16-6-111	10.7%		19-20-10-140	10.1%
GⅢ		14-27-11-124	8.0%		4-5-2-34	8.9%
GⅡ		8-13-13-104	5.8%		0-1-0-7	0%
GⅠ		1-1-1-80	1.2%		3-2-1-7	23.1%

🏇 ダートGⅠの勝率23.1%は圧巻

条件別勝利割合			
穴率	19.1%	平坦芝率	35.9%
芝道悪率	22.9%	晩成率	60.3%
ダ道悪率	41.7%	芝広いコース率	49.8%

🏇 ダート重賞実績からも晩成率は納得

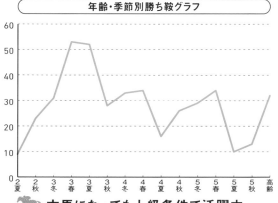

年齢・季節別勝ち鞍グラフ

🏇 古馬になっても上級条件で活躍中

※「春」＝3、4、5月。「夏」＝6、7、8月。
　「秋」＝9、10、11月。「冬」＝12、1、2月。高齢＝5歳12月以降。

勝 利 へ の ポ イ ン ト

**5番人気以下の勝利1位／東京ダート
7歳以上の重賞【2-13-2-75】**

　24年の5歳が最後の世代。24年はペプチドナイルが11番人気の人気薄でフェブラリーSを制し、シュトルーヴェが日経賞と目黒記念を連勝。近年はダートと、芝の中長距離重賞に良績が集まっている。

▶GⅡ戻りで実力発揮の古豪たち

　ボッケリーニやヒートオンビートのような、GⅠでは足りないけど、GⅡで相手が落ちればきっちり馬券に絡む中長距離馬は、年齢を重ねても堅実さは変わらず。上記データの通り「高齢馬の2着付け」はまだまだ使える。池江厩舎と友道厩舎のキンカメ産駒は特に長持ちするから年齢で見限らないこと。

▶GⅠは休み明け2戦目勝負

　短距離、中距離、ダートなど各カテゴリーの王者を輩出。学習能力が高く、使われる条件に合った走りを身につけていく。2歳から完成度が高く、新馬→特別を連勝する馬が多いた。休み明けのトライアル惨敗→2戦目に上昇するパターンあり。

▶自在性があるから展開に恵まれる

　内枠からロスなく立ち回るレースができるため、重賞は1枠と2枠に良績多数。レイデオロのダービーに象徴される操縦性の良さ、自在性が武器だ。

　ラブリーデイやアパパネなど、派手な強さを感じさせないまま、連勝を続ける馬が多いのも立ち回り上手の能力ゆえ。「展開や相手に恵まれた勝利だろう」と甘く見ると、何度も同じことをやられる。展開に恵まれるのは、レースが上手だからだ。

▶大穴ならダート牡馬の距離変化

　5歳以上に限定してデータを取ると、人気薄の大駆けが多いのは牡馬のダートだ。東京ダ2100への距離延長と、東京ダ1600への距離短縮が大穴のツボと書いておいたら、ペプチドナイルがまさにこれで激走した。あとは阪神ダ1400も差し馬の穴が多い。展開が向いてズドンと来るから、近走着順が悪くてもコンスタントに上位の上がりタイムを使っている馬をノーマークにしないこと。稍重ダートもいい。

ダイワメジャー
DAIWA MAJOR

種牡馬ランク　2023年度／第14位　2022年度／第11位　2021年度／第10位

SS系の短・マイル部門を牽引するスカーレット一族の真打ち

2001年生　栗毛　2023年引退

現役時代

　中央27戦9勝、UAE1戦0勝。主な勝ち鞍、皐月賞、天皇賞・秋、マイルチャンピオンシップ（2回）、安田記念、毎日王冠、読売マイラーズC、ダービー卿CT。ドバイデューティフリー3着、有馬記念3着。

　新馬戦の馬体重は546キロ。お腹が痛くなったらしく、パドックで座りこんでしまうアクシデントもあったが、筋肉質の逞しい馬体が目を引いた。2戦目のダート1800をぶっちぎり、スプリングSで3着すると、皐月賞の手綱はミルコ・デムーロに委ねられた。芝0勝の戦績から10番人気の低評価も、2番手につけるとコスモバルクの追撃を封じて1分58秒6で優勝。単勝3220円の波乱のクラシック・ホースが誕生した。

　ダービーはハイペースを追いかけて失速。その後、ノド鳴りで不振に陥る。手術を経て復帰した中山のダービー卿CTは完勝するが、マイルCSはハットトリックにハナ差の惜敗。5歳になってもマイラーズC1着、安田記念4着と、じれったい結果が続いた。

　スピードの持続勝負には強いが、切れ味の勝負では足りない——そんな評価を覆したのが新コンビの安藤勝己だった。老練な名手は前をつつく巧みな競馬でペースをコントロールし、上がりだけの勝負に持ち込ませない。毎日王冠、天皇賞・秋、マイルCSと怒涛の3連勝。GIタイトルを2つ追加し、有馬記念も3着に善戦した。この5歳秋の強さは圧巻だった。

　6歳初戦は海外遠征のドバイデューティフリー。こはアドマイヤムーンの差し脚に屈して3着どまりも、帰国後、安田記念を快勝して4つ目のGI制覇。秋の天皇賞は道悪もあって敗れたが、マイルCSはスーパーホーネットを抑えて連覇達成。ラストの有馬記念は安藤勝が妹ダイワスカーレットに騎乗したため、デムーロに乗り替わって3着。妹に一歩及ばなかった。

2歳から3歳前半のマイル路線おまかせ！
隙間オープンのリステッド競走で存在感！
芝の道悪の逃げ馬、ダート道悪の牝馬特注

血統背景

父サンデーサイレンス。母父ノーザンテーストとの配合馬はマイラーが多い。

母スカーレットブーケは京都牝馬S、中山牝馬Sなど重賞4勝。1991年の桜花賞4着、オークス5着。

半妹ダイワスカーレット（桜花賞、秋華賞、エリザベス女王杯、有馬記念）、全姉ダイワルージュ（新潟3歳S）、全兄スリリングサンデー（種牡馬）。近親にヴァーミリアン（ジャパンCダート）、キングスエンブレム（シリウスS）、サカラート（東海S）、ダイワファルコン（福島記念）など。

祖母はドミノ系×テディ系という異系の血統。

代表産駒

レーヌミノル（17桜花賞）、コパノリチャード（14高松宮記念）、カレンブラックヒル（12NHKマイルC）、メジャーエンブレム（16NHKマイルC）、アドマイヤマーズ（19NHKマイルC、19香港マイル）、レシステンシア（19阪神JF）、セリフォス（22マイルCS）、ブルドッグボス（19JBCスプリント）、アスコリピチェーノ（23阪神JF）、モントライゼ（20京王杯2歳S）。

産駒解説

サドラーズウェルズを持つ牝馬と抜群の相性で知られる。メジャーエンブレムは母父オペラハウス。アドマイヤマーズは母母父シングスピール。アマルフィコーストとシゲルピンクダイヤは母父ハイシャパラル。デュープロセスは母父ニューアプローチ。レシステンシアも母母父はサドラー系ポリグロットだ。

レッドゴッドとも相性が良い。セリフォスの母はレッドゴッドのクロスを持ち、メジャーエンブレムやコパノリチャードも母系にブラッシンググルーム（その父レッドゴッド）を持っている。

関係者コメント

「23年に12頭に種付けしたのを最後に、種牡馬引退しました。さすがに受胎率も落ちてきて、後継のアドマイヤマーズが入ってきたのでバトンタッチです。

ダイワメジャーの凄さは2歳デビューする数の多さ

*サンデーサイレンス Sunday Silence 青鹿 1986	ヘイロー Halo	Hail to Reason
		Cosmah
	ウィッシングウェル Wishing Well	Understanding
		Mountain Flower(3-e)
スカーレットブーケ 栗 1988	*ノーザンテースト Northern Taste	Northern Dancer
		Lady Victoria
	*スカーレットインク Scarlet Ink	Crimson Satan
		Consentida (4-d)

Almahmoud 4×5、Lady Angela 5・4（母方）、
Royal Charger 5×5

種付け年度	種付け頭数	血統登録頭数	種付け料
2023年	12頭	—	Private
2022年	34頭	21頭	Private
2021年	51頭	35頭	Private

産駒距離別芝／ダート別勝ち鞍グラフ

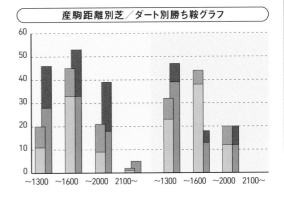

に表れています。トレセンに入厩さえすれば順調に時計を出し、最速でデビューできる。性格も従順です。母父のノーザンテーストの遺伝もあるのでしょう。充分な筋肉量を有した背腰は強靭で、息の長い種牡馬生活につながりました」（社台スタリオン、24年8月）

特注馬

アスコリピチェーノ／レシステンシアに似た配合で、東京や京都より、中山と阪神の重賞に向きそう。

ドンフランキー／馬体重607キロで重賞勝ち。一度距離を縮めると、延長は厳しい。距離短縮狙い。

アスクコナモンダ／母系はドイツの持久型で、高速マイルは3着止まりタイプ。道悪は大いにプラス。

ダイワメジャー DAIWA MAJOR

競馬場別成績

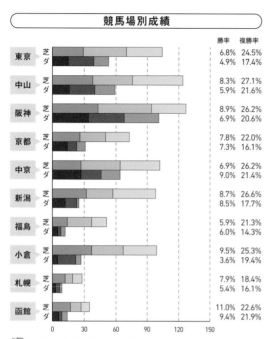

		勝率	複勝率
東京	芝	6.8%	24.5%
	ダ	4.9%	17.4%
中山	芝	8.3%	27.1%
	ダ	5.9%	21.6%
阪神	芝	8.9%	26.2%
	ダ	6.9%	20.6%
京都	芝	7.8%	22.0%
	ダ	7.3%	16.1%
中京	芝	6.9%	26.2%
	ダ	9.0%	21.4%
新潟	芝	8.7%	26.6%
	ダ	8.5%	17.7%
福島	芝	5.9%	21.3%
	ダ	6.0%	14.3%
小倉	芝	9.5%	25.3%
	ダ	3.6%	19.4%
札幌	芝	7.9%	18.4%
	ダ	5.4%	16.1%
函館	芝	11.0%	22.6%
	ダ	9.4%	21.9%

🐎 中山など前傾ラップになりやすい競馬場が良績

勝利数上位コース

	コース	着度数	勝率	複勝率
1位	小倉芝1200	31-19-24-202	11.2%	26.8%
2位	中山芝1600	16-16-23-142	8.1%	27.9%
3位	阪神芝1600	13-22-10-109	8.4%	29.2%
4位	東京芝1400	13-19-13-128	7.5%	26.0%
5位	函館芝1200	13-7-7-94	10.7%	22.3%

🐎 1位は小回り、平坦、前傾ラップ

距離別成績

		着度数	勝率	複勝率
芝	～1200	101-90-88-858	8.9%	24.5%
	1400	48-58-52-470	7.6%	25.2%
	～1600	69-70-79-583	8.6%	27.2%
	～1800	29-45-31-342	6.5%	23.5%
	2000	22-19-22-213	8.0%	22.8%
	～2400	5-3-6-53	7.5%	20.9%
	2500～	1-1-2-34	2.6%	10.5%
ダ	～1300	44-39-33-502	7.1%	18.8%
	～1600	43-41-29-474	7.3%	19.3%
	～1900	47-65-45-613	6.1%	20.4%
	2000～	3-3-3-58	4.5%	13.4%

🐎 芝1200mは牝馬、マイル以上牡馬の好走多い

コース特徴別
勝ち鞍グラフ

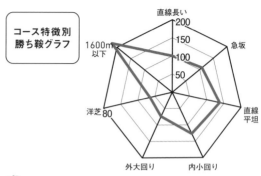

🐎 マイル以下の持続力勝負向き

得意重賞			不得意重賞	
新潟2歳S	2-1-0-2		葵S	0-0-0-6
阪神JF	2-0-0-2		ラジオNIKKEI賞	0-0-0-4
桜花賞	0-3-0-1		京都牝馬S	0-0-1-9

🐎 京都の重賞が低調

馬場状態別成績

		着度数	勝率	複勝率
芝	良	207-216-204-1957	8.0%	24.3%
	稍重	40-46-47-373	7.9%	26.3%
	重	25-22-23-164	10.7%	29.9%
	不良	3-2-6-59	4.3%	15.7%
ダ	良	84-91-67-1011	6.7%	19.3%
	稍重	29-33-30-328	6.9%	21.9%
	重	16-17-7-200	6.7%	16.7%
	不良	8-7-6-108	6.2%	16.3%

🐎 芝の不良は成績落ちる

1番人気距離別成績

		着度数	勝率	複勝率
芝	～1200	32-20-14-36	31.4%	64.7%
	1400	15-10-8-29	24.2%	53.2%
	～1600	26-21-13-19	32.9%	75.9%
	～1800	10-5-1-12	35.7%	57.1%
	2000	6-3-2-6	35.3%	64.7%
	～2400	2-1-1-2	33.3%	66.7%
	2500～	0-0-0-1	0%	0%
ダ	～1300	12-4-7-19	28.6%	54.8%
	～1600	12-3-4-15	35.3%	55.9%
	～1900	19-19-7-22	28.4%	67.2%
	2000～	1-1-0-4	16.7%	33.3%

🐎 人気なら中距離でも信用できる

ダイワメジャー DAIWA MAJOR

騎手ベスト5（3番人気以内）

	騎 手	着度数	勝率	複勝率
1位	C.ルメール	21-16-11-37	24.7%	56.5%
2位	川田将雅	18-20-5-23	27.3%	65.2%
3位	池添謙一	12-8-4-20	27.3%	54.5%
4位	横山武史	10-8-7-23	20.8%	52.1%
5位	三浦皇成	9-11-5-17	21.4%	59.5%

🐴 池添の連対率高い

騎手ベスト5（4番人気以下）

	騎 手	着度数	勝率	複勝率
1位	松山弘平	10-2-5-58	13.3%	22.7%
2位	北村友一	8-3-3-37	15.7%	27.5%
3位	和田竜二	7-9-9-77	6.9%	24.5%
4位	津村明秀	5-3-6-39	9.4%	26.4%
5位	西村淳也	5-2-5-57	7.2%	17.4%

🐴 松山、和田竜、津村が単複回収率100%超え

クラス別成績

	芝 着度数	勝率	ダ 着度数	勝率
新馬	29-28-41-205	9.6%	4-4-5-56	5.8%
未勝利	75-62-53-577	9.8%	53-57-35-619	6.9%
1勝	73-70-82-612	8.7%	51-50-39-500	8.0%
2勝	46-63-36-513	7.0%	19-26-21-288	5.4%
3勝	21-20-26-236	6.9%	5-7-4-108	4.0%
OPEN	17-17-18-181	7.3%	4-3-5-61	5.5%
GⅢ	5-10-13-134	3.1%	1-1-1-13	6.3%
GⅡ	5-6-8-57	6.6%	0-0-0-0	—
GⅠ	4-10-3-38	7.3%	0-0-0-2	0%

🐴 GⅢ突破ならGⅠ勝利も視野に

条件別勝利割合

穴率	25.2%	平坦芝率	50.2%
芝道悪率	24.7%	晩成率	49.8%
ダ道悪率	38.7%	芝広いコース率	38.5%

🐴 平坦芝率高め

年齢・季節別勝ち鞍グラフ

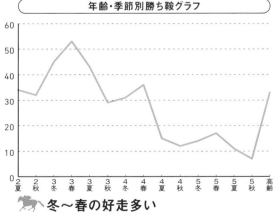

🐴 冬～春の好走多い

※「春」=3、4、5月。「夏」=6、7、8月。
「秋」=9、10、11月。「冬」=12、1、2月。高齢=5歳12月以降。

勝 利 へ の ポ イ ン ト

芝1600重賞【8-10-2-31】
芝1800以上の重賞【0-1-1-17】

24年はアスコリピチェーノが桜花賞とNHKマイルCで2着。ニュージーランドTでは別の馬がワンツーを決めた。古馬のセリフォスも健在で、芝1600の重賞では常に人気馬が上位を争う。複数の産駒がいたら内枠を優先するという安易な作戦もいい。

牝馬はレシステンシアのように最初はマイル路線を歩んだ馬が、3歳夏以降に短距離路線へ転じて成功する例も多数ある。牝馬の1600→1200は買い。

▶小回りと道悪の逃げ馬は特注

力感のある馬体で2歳から速さを見せ、2歳戦の強さは今もトップクラス。牡馬は芝1400から2000、牝馬は芝1200から1800を中心に活躍。小回りの先行押し切りや、内差しが得意。道悪の逃げ馬も良い。

▶マイル以下の2歳、3歳重賞得意

集計期間前も含めると、5回以上3着以内に入った重賞はNHKマイルC、新潟2歳S、阪急杯、NZT、デイリー杯、ダービー卿CT、京王杯2歳S、小倉2歳S。

好位につけてインで折り合う競馬ができるため、内枠を活かせる。条件級の先行馬は内枠で買い。

▶万馬券狙いは3着付けで！

穴を狙うより、人気馬を連軸にする買い方が合う。19年以降の重賞勝ちもほとんど4番人気以内で、人気薄の激走は3着に多い。重賞の軸にするなら上位人気を、穴を狙うなら3着のヒモに。

▶芝1600の人気馬を連軸に

マイルの1番人気は堅実で、阪神、京都、中京、中山、どこも連軸向き。急坂や短い直線をグイっと出る「阪神・中山型」と、長い直線を伸びる「京都・東京型」を見分けよう。前者は芝1200のGⅠでも穴をあけるが、直線が長いと2着や3着が増える。

▶ダートはリステッド向き

ダートのオープン級で走れるのは、牡馬のダ1200からダ1600。重賞よりリステッド向きの馬が多い。

牝馬は稍重や重の湿ったダートで浮上する馬や、ローカルの滞在競馬で持ち味を出す夏馬に注目。

ダイワメジャー — DAIWA MAJOR

シニスターミニスター
SINISTER MINISTER

種牡馬ランク　2023年度／第15位　2022年度／第21位　2021年度／第17位

日本におけるエーピーインディ系の草分け

2003年生　鹿毛　アメリカ産　2024年種付け料▷受胎確認後700万円

現役時代

北米で通算13戦2勝。主な勝ち鞍、ブルーグラスS（GI・9F）。

2歳の大晦日にデビューし、ここは5着に終わった。明けて3歳初戦のクレーミング競走で未勝利を脱すると、西海岸を拠点とするB・バファート厩舎へ移籍。サンタアニタ・ダービーのステップ戦、サンヴィセンテSGIIは中団から後退しての6着。続く準重賞のカリフォルニア・ダービーは逃げての2着。この後はケンタッキー州へ遠征。ケンタッキー・ダービーへ向け、同地区の最終ステップ戦、ブルーグラスSに出走。離れた4番人気ながら、ブルーグラスキャット、ファーストサムライらの重賞勝ち馬を相手にスタート良く飛び出すと、後続との差を一気に広げ、最後は2着ストームトレジャーに12馬身3／4差をつけて圧勝した。ブルーグラスキャットは4着。ファーストサムライは5着に敗れている。

史上2位となる15万7536人の入場者を集めた第132回ケンタッキー・ダービーは中心馬不在の大混戦。シニスターミニスターは単勝10.7倍の5番人気。結果は2番手追走も最終コーナーで失速、20頭立ての16着に敗れた。勝ったのは先行策から早めに先頭に立ったバーバロ。2着は人気を落としていたブルーグラスキャット。残りの二冠を回避し、秋に準重賞戦で復帰するも4着に敗れ、3歳シーズンを終えた。

4歳時は初戦から5戦目までクレーミング競走等に出走。2着が最高というひといきの成績。ケンタッキー・ダービー以来の重賞出走となった真夏のマイル戦、ロングエーカーズマイルHGIIIは後方から差を詰めただけの8着。この一戦を最後に現役引退。勝ち鞍の2勝はクレーミング競走とGI。しかもそのGIは大差の圧勝。日本では考えられない競走成績である。

🏇 **中距離ダートの人気馬は安定感抜群**

🏇 **3勝クラスとオープン特別を狙え**

🏇 **叩かれた高齢馬の一変を警戒**

血統背景

父オールドトリエステはカリフォルニアンS（GⅡ・9F）など重賞4勝。03年死亡。わずか3世代の産駒からシルヴァートレイン（BCスプリントGⅠ・6F）、ミニスターエリック（サンフェルナンドSGⅡ・8.5F）、マルターズヒート（フェアリーS）らを輩出。

母系は近親にプロスペクターズフラッグ（ディスカヴァリーHGⅢ）。母の父ザプライムミニスターはグッドウッドHGⅡなど北米で8戦5勝。

代表産駒

テーオーケインズ（21チャンピオンズC）、キングズソード（24帝王賞）、ミックファイア（23ジャパンダートダービー）、ヤマニンアンプリメ（19JBCレディスクラシック）、ドライスタウト（21全日本2歳優駿）、グランブリッジ（23エンプレス杯）。

産駒解説

初産駒デビュー以降、24年夏開催終了時点で、JRA重賞は6頭が計12勝。地方競馬でもキングズソードの帝王賞制覇など多数の勝ち馬を輩出。配合相手を問わずに活躍馬を送り出しているが、その中でも最も際立っているのがリボーを内包する牝馬。テーオーケインズは母父マンハッタンカフェ、ミックファイアは母父ブライアンズタイム、インカンテーションは母父マキアヴェリアンを経てリボーを取り入れている。キングズソードは祖母の父デインヒルがリボーを持つ。シニスターミニスター上級産駒の陰にリボー有りだ。

関係者コメント

「今年で21歳。種付け頭数は67頭と無理をさせないように抑えてきましたが、ありがたいことに種付け料を700万円に値上げしてもお申し込みが非常に多く、素晴らしい繁殖牝馬につけさせていただいております。今年の2歳馬も重賞でいい勝ち方をした産駒がいますし、後継種牡馬テーオーケインズも今年から種付けを開始し、キングズソードはGⅠを勝ってくれました。なんとかシニスターミニスターの血が繋がってくれたなとひと安心しています。一頭でも多く後継種牡馬を

オールドトリエステ 栗 1995	エーピーインディ A.P. Indy	Seattle Slew	
		Weekend Surprise	
	ラヴリアーリンダ Lovlier Linda	Vigors	
		Linda Summers	(14-c)
スウィートミニスター Sweet Minister 鹿 1997	ザプライムミニスター The Prime Minister	Deputy Minister	
		Stick to Beauty	
	スウィートブルー Sweet Blue	Hurry Up Blue	
		Sugar Gold	(4-m)

Hail to Reason 5・5（母方）

種付け年度	種付け頭数	血統登録頭数	種付け料
2023年	93頭	―	500／受
2022年	112頭	67頭	400／受・不生返
2021年	106頭	74頭	250／受・不生返

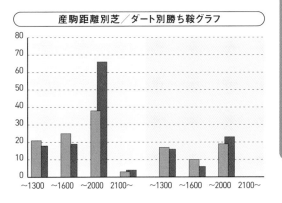

産駒距離別芝／ダート別勝ち鞍グラフ

残していきたいですね。

昨年は念願だったダート総合リーディングを獲ることができました。今年も2年連続のリーディング獲得を期待すると同時に、1年でも長く種付けができるように願っています」（アロースタッド、24年8月）

特注馬

キングズソード／左回りだと走らない説は本当っぽい。川崎や東京のGⅠに出てきたら、過信禁物。

ラインオブソウル／不安定なため、いつも人気はないが能力高い。520キロ未満に絞れた時に狙い目。

フルム／3着多数の堅実派に見えて、馬番3番以内の内枠に入るとオープンでは【0-0-0-6】と不振。

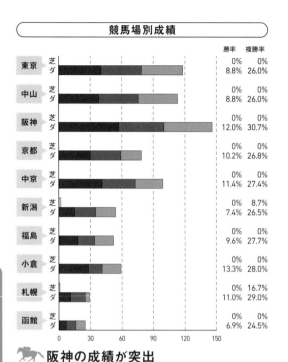

競馬場別成績

		勝率	複勝率
東京	芝	0%	0%
	ダ	8.8%	26.0%
中山	芝	0%	0%
	ダ	8.8%	26.0%
阪神	芝	0%	0%
	ダ	12.0%	30.7%
京都	芝	0%	0%
	ダ	10.2%	26.8%
中京	芝	0%	0%
	ダ	11.4%	27.4%
新潟	芝	0%	8.7%
	ダ	7.4%	26.5%
福島	芝	0%	0%
	ダ	9.6%	27.7%
小倉	芝	0%	0%
	ダ	13.3%	28.0%
札幌	芝	0%	16.7%
	ダ	11.0%	29.0%
函館	芝	0%	0%
	ダ	6.9%	24.5%

🏇 **阪神の成績が突出**

勝利数上位コース

	コース	着度数	勝率	複勝率
1位	阪神ダ1800	33-23-16-123	16.9%	36.9%
2位	東京ダ1400	24-20-22-137	11.8%	32.5%
3位	中山ダ1800	22-25-15-157	10.0%	28.3%
4位	福島ダ1700	18-13-14-83	14.1%	35.2%
5位	中京ダ1800	16-11-7-90	12.9%	27.4%

🏇 **急坂・中距離の阪神ダート1800mがトップ**

距離別成績

		着度数	勝率	複勝率
芝	～1200	0-0-3-43	0%	6.5%
	1400	0-0-0-7	0%	0%
	～1600	0-0-0-11	0%	0%
	～1800	0-0-0-8	0%	0%
	2000	0-0-0-4	0%	0%
	～2400	0-0-0-1	0%	0%
	2500～	0-0-0-0	—	—
ダ	～1300	72-67-60-625	8.7%	24.2%
	～1600	60-55-79-522	8.4%	27.1%
	～1900	146-123-94-856	12.0%	29.8%
	2000～	7-8-3-47	10.8%	27.7%

🏇 **1700～1900mで大活躍**

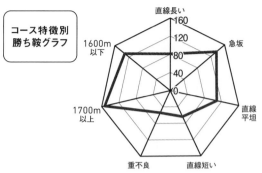

コース特徴別 勝ち鞍グラフ

🏇 **急坂&1700m以上が好走ポイント**

得意重賞	
アンタレスS	1-0-1-1
チャンピオンズC	1-0-0-4
みやこS	0-2-0-1

不得意重賞	
根岸S	0-0-0-5
フェブラリーS	0-0-0-4
エルムS	0-0-0-2

🏇 **中距離重賞で期待**

馬場状態別成績

		着度数	勝率	複勝率
芝	良	0-0-3-58	0%	4.9%
	稍重	0-0-0-9	0%	0%
	重	0-0-0-6	0%	0%
	不良	0-0-0-1	0%	0%
ダ	良	170-152-148-1268	9.8%	27.0%
	稍重	61-52-48-403	10.8%	28.5%
	重	35-34-25-240	10.5%	28.1%
	不良	19-15-15-139	10.1%	26.1%

🏇 **道悪でも数字は大きく変わらぬ安定感**

1番人気距離別成績

		着度数	勝率	複勝率
芝	～1200	0-0-0-0	—	—
	1400	0-0-0-0	—	—
	～1600	0-0-0-0	—	—
	～1800	0-0-0-0	—	—
	2000	0-0-0-0	—	—
	～2400	0-0-0-0	—	—
	2500～	0-0-0-0	—	—
ダ	～1300	24-10-7-17	41.4%	70.7%
	～1600	12-8-8-16	27.3%	63.6%
	～1900	53-22-9-24	49.1%	77.8%
	2000～	0-1-1-1	0%	66.7%

🏇 **人気馬は短距離でも安定**

シニスターミニスター SINISTER MINISTER

騎手ベスト5（3番人気以内）

	騎手	着度数	勝率	複勝率
1位	松山弘平	16-6-3-13	42.1%	65.8%
2位	武藤雅	9-3-0-8	45.0%	60.0%
3位	川田将雅	8-1-2-4	53.3%	73.3%
4位	戸崎圭太	7-3-3-14	25.9%	48.1%
5位	幸英明	6-4-3-8	28.6%	61.9%

松山が差をつけて1位に

騎手ベスト5（4番人気以下）

	騎手	着度数	勝率	複勝率
1位	丸山元気	5-2-3-9	26.3%	52.6%
2位	小沢大仁	5-1-5-35	10.9%	23.9%
3位	松若風馬	4-3-2-32	9.8%	22.0%
4位	北村宏司	4-3-0-17	16.7%	29.2%
5位	水口優也	4-1-9-24	10.5%	36.8%

丸山元気の複勝率50%超え

クラス別成績

	芝 着度数	勝率	ダ 着度数	勝率
新馬	0-0-2-11	0%	21-16-20-153	10.0%
未勝利	0-0-1-32	0%	109-96-81-679	11.3%
1勝	0-0-0-19	0%	83-80-80-696	8.8%
2勝	0-0-0-7	0%	37-31-31-267	10.1%
3勝	0-0-0-1	0%	17-13-12-114	10.9%
OPEN	0-0-0-2	0%	13-15-10-98	9.6%
GⅢ	0-0-0-2	0%	4-2-2-31	10.3%
GⅡ	0-0-0-0	—	0-0-0-3	0%
GⅠ	0-0-0-0	—	1-0-0-9	10.0%

中央だけでもGⅢでこの良績

条件別勝利割合

穴率	30.2%	平坦芝率	—
芝道悪率	—	晩成率	43.2%
ダ道悪率	40.4%	芝広いコース率	—

晩成率は今後も上昇見込み

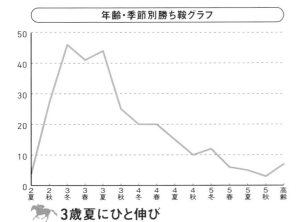

年齢・季節別勝ち鞍グラフ

3歳夏にひと伸び

※「春」＝3、4、5月。「夏」＝6、7、8月。
　「秋」＝9、10、11月。「冬」＝12、1、2月。高齢＝5歳12月以降。

勝利へのポイント

阪神ダ1800の1番人気【15-4-1-3】
中山ダ1800の1番人気【6-6-2-1】

　JBCクラシックを22年のテーオーケインズに続いて、23年はキングズソードが勝利。23年はミックファイアが無敗で南関東の三冠を達成した。中央競馬ではGⅢを10勝、GⅠはチャンピオンズCの1勝しかないが、中央だけ語ったら申し訳ない血統だ。

▶ダ1800とダ1700替わりで穴

　じわじわ強くなる晩成型で、勝利の98%がダート。馬券の効率が良い距離は、ダ1700、ダ1800、ダ1200。その間のダ1600は馬券的なうまみが下がる。

　勝率も回収率も高いコースは、小倉、阪神、中京、京都のダート。穴を生むのは、得意条件の微妙な違いだ。阪神と京都のダート替わりで着順が上下したり、ダ1800で止まっていた先行馬がダ1700で残ったり、スローで届かずに負けていた馬が速いペースに変わって差しが届く。ダ1400にこれがよくある。

　その他、左回りで末脚の威力が増す馬をたまに見かける。叩かれて良化した高齢馬の一変も怖い。

▶中距離ダートの1番人気を連軸に

　エーピーインディ系は全般に道悪ダートを得意にするなか、シニスターミニスター産駒はパワー十分で、良と稍重のダートの回収率が高い。重・不良も十分に好成績だが、複穴が増える。これらの馬場適性は各馬ごとに確かめること。気性のピリピリしたパイロ産駒に比べると、落ち着いた堅実型も多く、ダート中距離の1番人気は連軸として頼りになる。

▶休み明けの距離短縮は不吉なサイン

　1番人気を精査したところ、距離延長に安定感があり、距離短縮は不吉（シニスター）な信号だ。特に休み明けの距離短縮はよく沈んでいる。

▶準オープンのベテランが奮起

　3勝クラスとオープンの成績が優秀。重賞級は地方を回り始めてしまうから、この辺のクラスのベテラン大臣をつかまえよう。8歳の重賞好走もあり、丈夫な馬は高齢になっても衰えない。下から上がってきた若い馬の壁になり、ただし二番が利かない。

16

ジャスタウェイ
JUST A WAY

種牡馬ランク　2023年度／第16位　2022年度／第20位　2021年度／第16位

4歳秋に覚醒し国内外GIを圧勝! ハーツクライの優良後継

2009年生　鹿毛　2024年種付け料▷受胎確認後200万円(FR)／産駒誕生後300万円

現役時代

中央20戦5勝、UAE1戦1勝、フランス1戦0勝。主な勝ち鞍、ドバイデューティフリー（GI・芝1800M）、天皇賞・秋、安田記念、中山記念、アーリントンC。ジャパンC2着。

人気アニメ『銀魂』の脚本家である大和屋暁は、かつてハーツクライの一口馬主として、ドバイシーマクラシックの口取りにも参加。次は個人馬主としてハーツクライの子供を所有したいと思うようになったという。そして2010年のセレクトセールで1歳馬を1260万円で落札。その馬は『銀魂』に登場する謎のアイテムにあやかり、ジャスタウェイと命名された。

新潟で新馬を楽勝、新潟2歳Sは2着。3歳になるとアーリントンCに勝ち、NHKマイルCは6着。ダービーはディープブリランテの11着だった。

4歳でエプソムC、関屋記念、毎日王冠と連続2着

して、13年の天皇賞・秋へ駒を進める。かろうじて出走枠に滑り込んだ初GIレースだったが、福永祐一を鞍上に中団より後方に待機すると、直線一気に外から末脚を爆発させる。そう、ジャスタウェイとはもともと爆弾の名前なのだ。前を行くジェンティルドンナを並ぶ間もなくかわすと、あとは突き放す一方。4馬身の差をつけて、1分57秒5。まさに"覚醒"と呼ぶにふさわしい圧勝劇だった。

5歳になり、中山記念を勝って向かったのはドバイデューティフリー。父が世界を驚かせたのと同じ国際舞台だ。もはや覚醒したジャスタウェイに敵はいない。直線だけで6馬身以上の差をつける大楽勝でゴールへ飛び込み、馬主の大和屋は手に持っていたジャスタウェイ人形を高々と掲げてみせた。

その後、不良馬場の安田記念1着、凱旋門賞は不完全燃焼の8着。ジャパンC2着、有馬記念4着だった。

ハーツクライ+パワーとスピード!
2歳の中距離重賞を制する完成度
ダートの地方交流重賞でも活躍

血統背景

父ハーツクライは同馬の項を参照。05年の有馬記念でディープインパクトを負かし、06年ドバイシーマクラシックを4馬身4分の1差で優勝。同年の"キングジョージ"もハリケーンランの3着した。ほかに日本ダービー2着、ジャパンC2着。

母シビルは5戦0勝。祖母シャロンはCCAオークス（米GI・ダ10F）など、ダート重賞5勝のほか、GIの2着が3回。近親にトーヨーレインボー（中京記念）、フォーエバーモア（クイーンC）。

母の父ワイルドアゲインは1984年のBCクラシックを制した米国王者。トランセンドの父の父。

代表産駒

ダノンザキッド（20ホープフルS）、ヴェロックス（19皐月賞2着、ダービー3着、菊花賞3着）、アドマイヤジャスタ（20函館記念）、アウィルアウェイ（20シルクロードS）、マスターフェンサー（20名古屋GP、19ケンタッキー・ダービー6着、ベルモントS5着）、テオレーマ（21JBCレディスC）、ガストリック（22東スポ杯2歳S）。

産駒解説

父ハーツクライがダンジグ（ダンチヒ）を持つ牝馬と相性が良いように、ジャスタウェイも同じニックスが見られる。ダノンザキッドの母父はダンシリ、船橋の重賞を勝ったテオレーマの母父はシーザスターズ。ヴェロックスは祖母の父がグランドロッジ、マスターフェンサーは3代母の父がチーフズクラウンだ。

ハーツクライ父系はトモが緩くなりがちで、それが一瞬の反応の鈍さにつながるが、ダンジグの血が入ると後駆にパワーが加わり、弱点が補完される。

関係者コメント

「マスターフェンサーやテオレーマ、さらにヤマニンウルスが出て、最初からダートを狙っているような繁殖牝馬も来てくれるようになりました。まだ身体は若くて元気なので、芝でもダートでも大物を出せると思いますが、ダートの需要は増えていきそうです。ただ、馬体が大柄なので、脚元が少し心配な馬もいますし、

ハーツクライ 鹿 2001	* サンデーサイレンス Sunday Silence	Halo
		Wishing Well
	アイリッシュダンス	*トニービン
		*ビューパーダンス（6-a）
シビル 鹿 1999	ワイルドアゲイン Wild Again	Icecapade
		Bushel-n-Peck
	* シャロン Charon	Mo Exception
		Double Wiggle(2-n)

種付け年度	種付け頭数	血統登録頭数	種付け料
2023年	80頭	—	250／受・FR
2022年	67頭	43頭	200／受・FR
2021年	61頭	38頭	300／受・FR

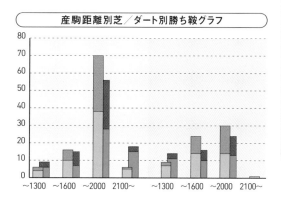

産駒距離別芝／ダート別勝ち鞍グラフ

ハーツクライの後継が増えたなかでチョイスしてもらう難しさはあるようです。自身の後継マスターフェンサーや芝で活躍したダノンザキッドも、種牡馬になっています。道悪も走りますね。馬券的に狙い目かもしれません」（ブリーダーズ・スタリオン、24年8月）

特注馬

ルージュエヴァイユ／昨年版の「東京芝1800ベストも距離こなせる」的中。24年もエリ女王杯で勝負。

ヤマニンウルス／5戦全勝のダート馬。母は間隔あけると走る短距離馬だった。休み明けで全力買い。

コレペティトール／冬の芝か、洋芝が得意。休み明けよりも、間隔詰めた2戦目に変わり身を見せる。

ジャスタウェイ JUST A WAY

競馬場別成績

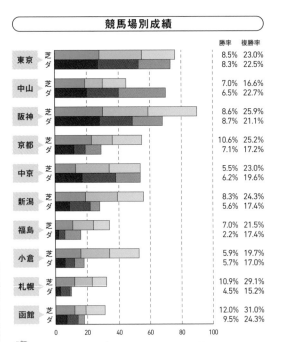

		勝率	複勝率
東京	芝	8.5%	23.0%
	ダ	8.3%	22.5%
中山	芝	7.0%	16.6%
	ダ	6.5%	22.7%
阪神	芝	8.6%	25.9%
	ダ	8.7%	21.1%
京都	芝	10.6%	25.2%
	ダ	7.1%	17.2%
中京	芝	5.5%	23.0%
	ダ	6.2%	19.6%
新潟	芝	8.3%	24.3%
	ダ	5.6%	17.4%
福島	芝	7.0%	21.5%
	ダ	2.2%	17.4%
小倉	芝	5.9%	19.7%
	ダ	5.7%	17.0%
札幌	芝	10.9%	29.1%
	ダ	4.5%	15.2%
函館	芝	12.0%	31.0%
	ダ	9.5%	24.3%

🐎 中山ではダートの勝ち鞍が芝を逆転

勝利数上位コース

	コース	着度数	勝率	複勝率
1位	阪神ダ1800	19-11-12-140	10.4%	23.1%
2位	東京ダ1600	17-16-12-116	10.6%	28.0%
3位	中山ダ1800	17-14-19-172	7.7%	22.5%
4位	東京芝1800	13-14-8-70	12.4%	33.3%
5位	阪神芝1800	9-7-4-54	12.2%	27.0%

🐎 トップ3はダートコース

距離別成績

		着度数	勝率	複勝率
芝	~1200	28-18-24-239	9.1%	22.7%
	1400	17-11-18-162	8.2%	22.1%
	~1600	24-22-24-350	5.7%	16.7%
	~1800	45-47-37-402	8.5%	24.3%
	2000	48-48-40-385	9.2%	26.1%
	~2400	12-13-23-154	5.9%	23.8%
	2500~	9-11-7-52	11.4%	34.2%
ダ	~1300	10-15-19-222	3.8%	16.5%
	~1600	30-31-23-331	7.2%	20.2%
	~1900	83-71-72-865	7.6%	20.7%
	2000~	8-14-8-99	6.2%	23.3%

🐎 芝は牝馬が短距離、牡馬は中距離指向

コース特徴別 勝ち鞍グラフ

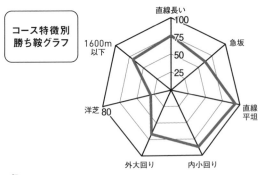

🐎 直線平坦巧者多数

得意重賞

東スポ杯2歳S	1-0-1-0
フィリーズレビュー	1-0-1-3
神戸新聞杯	0-1-1-0

不得意重賞

桜花賞	0-0-0-5
青葉賞	0-0-0-3
中山記念	0-0-0-3

🐎 若駒トライアルで強みを発揮

馬場状態別成績

		着度数	勝率	複勝率
芝	良	140-131-134-1302	8.2%	23.7%
	稍重	29-24-27-282	8.0%	22.1%
	重	12-10-8-124	7.8%	19.5%
	不良	2-5-4-36	4.3%	23.4%
ダ	良	82-77-82-923	7.0%	20.7%
	稍重	26-27-22-325	6.5%	18.8%
	重	16-12-7-174	7.7%	16.7%
	不良	7-15-11-95	5.5%	25.8%

🐎 重賞は8勝のうち、芝の良7勝

1番人気距離別成績

		着度数	勝率	複勝率
芝	~1200	9-3-4-10	34.6%	61.5%
	1400	3-1-4-7	20.0%	53.3%
	~1600	10-2-1-9	45.5%	59.1%
	~1800	20-8-2-16	43.5%	65.2%
	2000	20-9-6-17	38.5%	67.3%
	~2400	4-2-9-3	22.2%	83.3%
	2500~	4-2-2-2	40.0%	80.0%
ダ	~1300	4-1-0-7	33.3%	41.7%
	~1600	6-3-4-7	30.0%	65.0%
	~1900	33-13-6-24	43.4%	68.4%
	2000~	1-4-1-4	10.0%	60.0%

🐎 芝もダートも1800の勝率40%超え

ジャスタウェイ JUST A WAY

騎手ベスト5（3番人気以内）

	騎 手	着度数	勝率	複勝率
1位	川田将雅	22-18-16-25	27.2%	69.1%
2位	C.ルメール	15-11-2-24	28.8%	53.8%
3位	武豊	14-5-5-14	36.8%	63.2%
4位	吉田隼人	8-7-4-10	27.6%	65.5%
5位	横山武史	8-6-4-14	25.0%	56.3%

🐎 **勝ち切るのは武豊**

騎手ベスト5（4番人気以下）

	騎 手	着度数	勝率	複勝率
1位	西村淳也	7-6-3-55	9.9%	22.5%
2位	岩田康誠	6-2-5-45	10.3%	22.4%
3位	斎藤新	5-2-3-57	7.5%	14.9%
4位	鮫島克駿	4-7-5-44	6.7%	26.7%
5位	田辺裕信	4-6-6-43	6.8%	27.1%

🐎 **岩田康がランク内唯一の勝率ふた桁**

クラス別成績

	芝 着度数	勝率	ダ 着度数	勝率
新馬	24-20-23-220	8.4%	7-3-3-54	10.4%
未勝利	60-63-54-685	7.0%	64-69-70-771	6.6%
1勝	48-50-39-365	9.6%	41-32-36-448	7.4%
2勝	24-17-23-190	9.4%	14-19-10-180	6.3%
3勝	11-7-9-103	8.5%	5-5-1-41	9.6%
OPEN	8-5-6-52	11.3%	0-3-2-19	0%
GⅢ	5-3-7-61	6.6%	0-0-0-3	0%
GⅡ	2-2-6-35	4.4%	0-0-0-0	—
GⅠ	1-3-6-33	2.3%	0-0-0-1	0%

🐎 **ダートのオープン以上は勝ち鞍なし**

条件別勝利割合

穴率	25.5%	平坦芝率	50.8%
芝道悪率	23.5%	晩成率	38.2%
ダ道悪率	37.4%	芝広いコース率	43.2%

🐎 **産駒ごとの適性にバラつき大きい**

年齢・季節別勝ち鞍グラフ

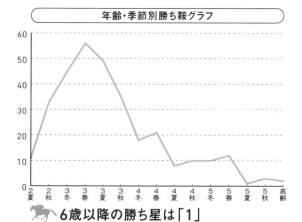

🐎 **6歳以降の勝ち星は「1」**

※「春」＝3、4、5月。「夏」＝6、7、8月。
「秋」＝9、10、11月。「冬」＝12、1、2月。高齢＝5歳12月以降。

勝利へのポイント

2歳の芝1800と芝2000の重賞【3-1-2-10】
リステッド／8勝、非リステッドのオープン／0勝

　24年はダートの大物候補ヤマニンウルスが台頭。牝馬ルージュエヴァイユの大阪杯3着も目を引いた。
▶**2歳の中距離重賞得意！**
　まず2歳の中距離重賞に強い。ダノンザキッドとガストリックが東スポ杯を制し、ホープフルSもダノンザキッド1着、アドマイヤジャスタ2着。しかし皐月賞やダービーの頃になると、大舞台向きの俊敏さが足りず、善戦止まりが増えていく。
　そこからダートへ転じたり、時計のかかる芝で浮上したり、マイルの流れでスピードの持続力を活かしたり。逆にスローの瞬発力勝負はいまひとつ。
▶**芝もダートも1800が得意**
　牡馬の勝利数上位は、芝2000、ダ1800、芝1800。牝馬の勝利数上位は、ダ1800、芝1800、芝1200。米国のダートGⅠで好勝負した牡馬マスターフェンサーや、短距離重賞を賑わせた牝馬アウィルアウェイを思い浮かべれば納得できる並びだろう。
▶**ダート馬は晩成充実の成長力**
　ハーツクライに米国ダート血統ワイルドアゲインを加えた結果、ハーツ産駒よりダート馬が増え、適性のわかりにくい一長一短タイプが多くなった。
　ハーツ産駒と似ているのは、芝2400以上の複勝率が高いことや、小回りの中山、福島、小倉は成績がダウンすること。違うのは、ダート勝利の割合が高く、芝1200を主戦場にする牝馬も多いこと、古馬になってしぼむ馬が目立つこと。とはいえ、3歳後半に勝率が上がるから、成長力がないわけではない。
　牝馬にもJBCレディスクラシックを制したテオレーマが出るなど、晩成充実型はダート馬に多い。
▶**2戦目の変わり身に気をつけろ**
　ダートは阪神のダ2000とダ1800、中京のダ1900が好成績。他ではデビュー2戦目、ダート2戦目、乗り替わり2戦目など、刺激を受けた2戦目を狙え。
　3歳のリステッド競走も稼ぎ場所で、すみれS、若葉Sなど、春の阪神はジャスト・ザ・ウェイ。

オルフェーヴル
ORFEVRE

種牡馬ランク　2023年度／第17位　2022年度／第10位　2021年度／第8位

凱旋門賞制覇にあと一歩と迫ったステイ×マックイーンの三冠馬

2008年生　栗毛　2024年種付け料▷受胎確認後350万円（FR）

現役時代

　国内17戦10勝、フランスで4戦2勝。主な勝ち鞍、皐月賞、ダービー、菊花賞、有馬記念（2回）、宝塚記念、スプリングS、神戸新聞杯、大阪杯、フォワ賞（2回）。凱旋門賞2着（2回）、ジャパンC2着。

　新馬勝ちの後、池添謙一を振り落とす気の悪さを見せ、京王杯2歳Sも鞍上とケンカして大敗。しばらく折り合い優先の時期が続き、スプリングSで2勝目をあげる。2011年3月の東日本大震災の影響で、皐月賞は東京開催。後方一気の型を磨いてきたオルフェーヴルにとって、長い直線は追い風となる。狭い隙間を突き抜けて1着。馬体を沈み込ませながら加速する迫力は、名馬誕生を予感させた。

　ダービーは不良馬場のなか、他馬と接触する場面もあったが、ウインバリアシオンを突き放して優勝。夏を越えると操縦性が高まり、菊花賞を圧勝して三冠達成。有馬記念でも古馬を一蹴して6連勝。

　ところが、4歳の阪神大賞典でやらかす。逸走して一旦止まりかけ、再びレースに復帰するも2着。天皇賞・春もリズムに乗れないまま11着に惨敗。

　フォワ賞1着をステップに向かった12年凱旋門賞。直線、またたく間に外から先頭に立つ。ほぼ優勝を手にしたかと思われたが、内へ斜行し、スミヨン騎手が追いづらくなったところへ地元の牝馬ソレミアが強襲。栄冠寸前でクビ差の負けをくらう。

　翌年もフォワ賞1着から同じローテを組んだが、重い馬場に伸びが見られず、トレヴに離された2着。池江師は「去年は凱旋門賞の扉を寸前で閉められたが、今年は扉に手をかけることもできなかった」と完敗を認めた。引退戦の5歳有馬記念は、2着に8馬身差の独走劇場。大震災の年の三冠馬は、波乱万丈の競走生活を、盤石の安心感で締めくくった。

- 長距離ベストも1400以下の活躍見逃せず
- 繊細なメンタル。若駒の1番人気は不安定
- 気性成長の古馬はためて差して大仕事！

血統背景

父ステイゴールドは同馬の項を参照。

母オリエンタルアートは中央3勝。全兄ドリームジャーニー（宝塚記念、有馬記念、朝日杯FS）、全弟リヤンドファミユ（若駒S）。ノーザンテースト4×3のクロスを持つ。

母父メジロマックイーンは91年、92年の天皇賞・春連覇、90年菊花賞優勝の名ステイヤー。

本馬の誕生にあたっては、当初は母にディープインパクトが交配されるも不受胎が続き、ステイゴールドに変更されたというエピソードがある。

代表産駒

エポカドーロ（18皐月賞）、ラッキーライラック（20大阪杯、19・20エリザベス女王杯）、マルシュロレーヌ（21BCディスタフ）、ウシュバテソーロ（22東京大賞典、23ドバイWC）、オーソリティ（20・21AR共和国杯）、オセアグレイト（20ステイヤーズS）、シルヴァーソニック（22ステイヤーズS）、ショウナンナデシコ（22かしわ記念）。

産駒解説

エポカドーロ、ラッキーライラック、バイオスパークと、母父フォーティナイナー系が共通。エポカドーロとサラスは、母系にシアトルスルーを持つのが共通。ウシュバテソーロも祖母シアトルスルー系だ。

母父シンボリクリスエスとの配合では、オーソリティやエスポワールら持久力のあるタイプが出る。

関係者コメント

「ドバイワールドCの優勝も、ブリーダーズCディスタフの優勝も大偉業です。ここにきてダート種牡馬みたいになってますが、『凱旋門賞をオルフェーヴルの仔で』と狙っている人もいますし、フランケル牝馬に付けるなど明らかに外国を狙った配合も見られます。ダービー馬の仔がこんなにいろいろ走るのは例がない。

精神面の強さと、初めての競馬場に強いという長所が、海外での好成績につながってるようです。経験のない環境で周りを観察して集中し、その興奮状態をいい方向へ出せる。逆に2回目や3回目はなめてかかっ

ステイゴールド 黒鹿 1994	*サンデーサイレンス Sunday Silence	Halo
		Wishing Well
	ゴールデンサッシュ	ディクタス
		ダイナサッシュ　（1-t）
オリエンタルアート 栗 1997	メジロマックイーン	メジロティターン
		メジロオーロラ
	エレクトロアート	*ノーザンテースト
		*グランマスティーヴンス（8-c）

ノーザンテースト 4×3

種付け年度	種付け頭数	血統登録頭数	種付け料
2023年	172頭	―	350／受・FR
2022年	129頭	76頭	350／受・FR
2021年	157頭	96頭	350／受・FR

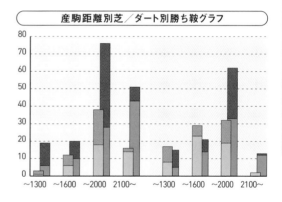

産駒距離別芝／ダート別勝ち鞍グラフ

たり、一度苦しい思いをすると、ここはもう早く終わりたいって、やる気を出さなかったりもする。骨格が欲しいので大型馬に出るような配合がいい。ストームキャットやフレンチデビュイとのニックスもわかってきました」（社台スタリオン、24年8月）

特注馬

ライラック／毎年、秋競馬で1度だけ馬券になる。府中牝馬Sか、エリ女王杯か。外枠、道悪プラス。

クリノプレミアム／24年は不利を受けたり、展開不向きが続く。中山牝馬Sか福島牝馬Sでもう一度。

マコトヴェリーキー／母は6歳で重賞連勝した晩成血統だった。冬の長距離戦で開花する可能性あり。

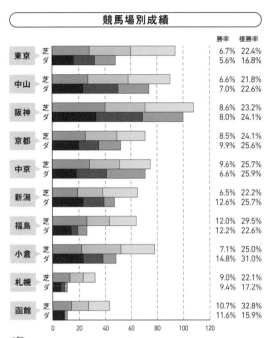

競馬場別成績

		勝率	複勝率
東京	芝	6.7%	22.4%
	ダ	5.6%	16.8%
中山	芝	6.6%	21.8%
	ダ	7.0%	22.6%
阪神	芝	8.6%	23.2%
	ダ	8.0%	24.1%
京都	芝	8.5%	24.1%
	ダ	9.9%	25.6%
中京	芝	9.6%	25.7%
	ダ	6.6%	25.9%
新潟	芝	6.5%	22.2%
	ダ	12.6%	25.7%
福島	芝	12.0%	29.5%
	ダ	12.2%	22.6%
小倉	芝	7.1%	25.0%
	ダ	14.8%	31.0%
札幌	芝	9.0%	22.1%
	ダ	9.4%	17.2%
函館	芝	10.7%	32.8%
	ダ	11.6%	15.9%

函館芝、小倉ダの複勝率が30％超え

勝利数上位コース

	コース	着度数	勝率	複勝率
1位	阪神ダ1800	16-23-13-145	8.1%	26.4%
2位	新潟ダ1800	16-13-7-93	12.4%	27.9%
3位	小倉ダ1700	16-11-7-83	13.7%	29.1%
4位	中山ダ1800	14-19-19-169	6.3%	23.5%
5位	福島ダ1700	12-4-5-69	13.3%	23.3%

トップ5はすべてダート中距離

距離別成績

		着度数	勝率	複勝率
芝	～1200	20-24-27-275	5.8%	20.5%
	1400	22-18-12-194	8.9%	21.1%
	～1600	31-32-37-401	6.2%	20.0%
	～1800	44-37-46-430	7.9%	22.8%
	2000	54-69-69-563	7.2%	25.4%
	～2400	39-30-28-232	11.9%	29.5%
	2500～	32-20-29-166	13.0%	32.8%
ダ	～1300	34-24-26-281	9.3%	23.0%
	～1600	29-23-23-327	7.2%	18.7%
	～1900	104-98-85-853	9.1%	25.2%
	2000～	17-12-13-143	9.2%	22.7%

距離が延びるごとに成績上昇

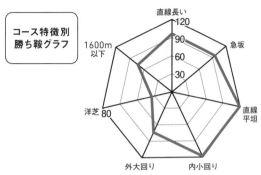

コース特徴別 勝ち鞍グラフ

小回り巧者多く、切れより持続力

得意重賞 / 不得意重賞

得意重賞		不得意重賞	
ステイヤーズS	3-2-1-6	京都大賞典	0-0-0-8
エリザベス女王杯	2-1-0-3	菊花賞	0-0-0-5
ダイヤモンドS	1-2-1-4	天皇賞（春）	0-0-1-12

長距離でも京都は不振

馬場状態別成績

		着度数	勝率	複勝率
芝	良	187-156-189-1717	8.3%	23.7%
	稍重	29-44-37-347	6.3%	24.1%
	重	18-23-16-144	9.0%	28.4%
	不良	8-7-6-53	10.8%	28.4%
ダ	良	99-105-85-955	8.0%	23.2%
	稍重	51-31-27-324	11.8%	25.2%
	重	19-8-19-213	7.3%	17.8%
	不良	15-13-16-112	9.6%	28.2%

芝は渋るごとに成績が上昇

1番人気距離別成績

		着度数	勝率	複勝率
芝	～1200	2-4-2-8	12.5%	50.0%
	1400	7-1-3-7	38.9%	61.1%
	～1600	12-5-9-16	28.6%	61.9%
	～1800	19-9-5-17	38.0%	66.0%
	2000	16-13-7-17	30.2%	67.9%
	～2400	17-10-3-9	43.6%	76.9%
	2500～	12-3-4-7	46.2%	73.1%
ダ	～1300	8-3-4-10	32.0%	60.0%
	～1600	10-7-0-14	32.3%	54.8%
	～1900	31-22-14-44	27.9%	60.4%
	2000～	6-3-3-5	35.3%	70.6%

やはり長距離の信頼度は高い

騎手ベスト5（3番人気以内）			
	騎 手	着度数	勝率	複勝率
1位	川田将雅	22-12-15-32	27.2%	60.5%
2位	C.ルメール	17-15-8-33	23.3%	54.8%
3位	M.デムーロ	14-6-5-16	34.1%	61.0%
4位	横山武史	14-5-4-21	31.8%	52.3%
5位	西村淳也	11-7-5-16	28.2%	59.0%

🏇 **折り合い上手の騎手が多い**

騎手ベスト5（4番人気以下）			
	騎 手	着度数	勝率	複勝率
1位	岩田望来	7-6-5-46	10.9%	28.1%
2位	鮫島克駿	5-6-7-58	6.6%	23.7%
3位	斎藤新	5-5-6-66	6.1%	19.5%
4位	国分恭介	5-2-4-31	11.9%	26.2%
5位	丹内祐次	5-1-4-49	8.5%	16.9%

🏇 **岩田望の上手さ光る**

クラス別成績				
芝	着度数	勝率	ダ 着度数	勝率
新馬	18-12-28-243	6.0%	3-3-8-54	4.4%
未勝利	67-69-83-786	6.7%	69-57-49-556	9.4%
1勝	67-65-54-515	9.6%	59-43-46-547	8.5%
2勝	42-38-43-294	10.1%	25-33-27-248	7.5%
3勝	18-11-15-113	11.5%	11-12-9-116	7.4%
OPEN	10-8-5-74	10.3%	15-7-6-59	17.2%
GⅢ	10-15-10-96	7.6%	2-2-2-20	7.7%
GⅡ	7-10-8-82	6.5%	0-0-0-1	0%
GⅠ	3-2-2-58	4.6%	0-0-0-3	0%

🏇 **重賞の勝率は悪くない**

条件別勝利割合			
穴率	28.4%	平坦芝率	49.2%
芝道悪率	22.7%	晩成率	53.3%
ダ道悪率	46.2%	芝広いコース率	40.1%

🏇 **晩成率が顕著に上昇**

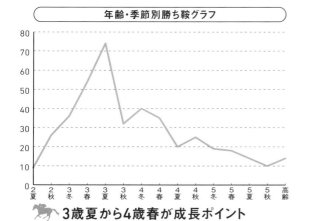

年齢・季節別勝ち鞍グラフ

🏇 **3歳夏から4歳春が成長ポイント**

※「春」＝3、4、5月。「夏」＝6、7、8月。
「秋」＝9、10、11月。「冬」＝12、1、2月。高齢＝5歳12月以降。

勝 利 へ の ポ イ ン ト

重賞22勝のうち、前走1着【2-7-3-64】
同上、前走6着以下【9-14-9-114】

　マルシュロレーヌのBC制覇にドギモを抜かれ、ウシュバテソーロのドバイ制覇には、誇らしい感情が湧き上がった。連覇はかなわずも、海外遠征に強いステイゴールドの血と、オルフェーヴルの振り幅の魅力。予測不能なびっくり箱種牡馬だ。国内では種牡馬ランクを落としたが、また浮上するだろう。

▶11月と12月のシーズン血統

　ステイヤーズSを3勝、エリザベス女王杯、アルゼンチン共和国杯、チャレンジCを各2勝。これ全部、11月か12月の重賞だ。ダイヤモンドSを含めて長距離重賞に無類の強さを発揮することと、涼しい季節に調子を上げるシーズン適性が、この成績につながっている。12月はマイルのターコイズSも走る。

▶前走大敗から巻き返して激走！

　産駒は多様。折り合いに課題がなければ抜群の持久力を持つ一方、制御が難しく、短距離を突っ走って能力を活かす馬もいる。ダート適性も母系だけでは測りにくい。重賞の好走は、距離延長・短縮、騎手の乗り替わり……など、変化があったほうが走る。飽きっぽい性格で、同じ距離や同じ騎手が続くと芳しくない。馬の気持ちになって考えよう。重賞22勝中、前走6着以下からの巻き返しが9勝ある。

▶人気馬を買うなら小回りの芝

　芝で1番人気の複勝率が高いのは、函館、福島、中山の小回りコース。ダートは1700に穴が多い。

　揉まれると走る気をなくす馬は外枠に向き、馬群を壁にしたほうが折り合う馬は内枠に向く。外しか回せない差し馬は少頭数に向く。芝の重・不良は得意な部類で、勝率や複勝率が上がる。

▶成長すると距離適性が拡がる

　繊細な気性ゆえ、新馬の1番人気があっけなく沈む例も多く、評判馬に2歳から飛びつくのは危険。ラッキーライラックが古馬になって適性距離を拡げたように、気性の成長した馬は安定感が増し、人気に応える。苦手だったコースや距離や枠をこなす。

オルフェーヴル ORFEVRE

リオンディーズ
LEONTES

種牡馬ランク　2023年度／第18位　2022年度／第19位　2021年度／第20位

朝日杯FSを豪脚で制した名牝シーザリオの6番仔

2013年生　黒鹿毛　2024年種付け料 ▷ 受胎確認後400万円（FR）

現役時代

　中央5戦2勝。主な勝ち鞍、朝日杯FS。

　2005年のオークスとアメリカンオークスを制したシーザリオの6番仔として、母と同じ角居厩舎からデビュー。半兄エピファネイア、キャロットファームの募集価格は総額1億2000万円の評判馬だった。

　11月の京都芝2000の新馬を上がり33秒4で勝ち上がり、2戦目にGIの朝日杯FSへ駒を進める異例のローテーション。絶好調のミルコ・デムーロを鞍上に2番人気の支持を集めるが、マイルの忙しい流れについていけず、最後方16番手の追走。しかし、4角で悠々と外を回し、直線は大外に出すと、弾けるように伸びる。先に抜けた武豊のエアスピネルをあっという間に追い詰めて捕まえ、先頭でゴールイン。わずかキャリア2戦でのGI戴冠となった。2着エアスピネルの母エアメサイアは、現役時代にオークスでシーザリオの2

着に敗れた因縁もある。ミルコは勝利インタビューで「この馬はすごいパワーある。賢くて跳びが大きいです」と、上達した日本語で讃えた。

　3歳初戦の弥生賞は先行策から抜け出すも、後方から差したマカヒキのクビ差2着に敗れる。

　16年皐月賞は、リオンディーズ、サトノダイヤモンド、マカヒキで3強を形成。8枠16番を引き、強風の中、ミルコの手綱さばきが注目されたが、スタートから2番手につけ、向こう正面では折り合いを欠き気味に先頭に立つ展開。直線は逃げ込みを図るも、追い出すと苦しがって外にヨレ、エアスピネルの進路を妨害。そのロスの間にディーマジェスティが後方の外から突き抜け、本馬は4位入線の5着降着となった。

　続く日本ダービーは4番人気。スタート直後に折り合いを欠いて口を割り、15番手待機の苦しい位置取りになる。最後はよく伸びたが5着までだった。

🏇 日高の馬を走らせるエピファネイアの弟

🏇 牝馬はキレキレ、牡馬はジリ脚パワー型

🏇 3歳夏を越えて一気上昇に注目!

血統背景

父キングカメハメハは同馬の項を参照。

母シーザリオは05年のオークス、アメリカンオークス(米GI・芝10F)の勝ち馬で、桜花賞はラインクラフトの2着。米オークスの「ジャパニーズ・スーパースター、シーザリオ!」の実況で知られる。

半兄エピファネイア(菊花賞、ジャパンC)、半弟サートゥルナーリア(皐月賞、ホープフルS)、近親オーソリティ(青葉賞)。祖母キロフプリミエールはアメリカのGIIIラトガーズHの勝ち馬。

代表産駒

テーオーロイヤル(24天皇賞・春、24阪神大賞典、22・24ダイヤモンドS)、リプレーザ(21兵庫ChS・GIIダ1870M)、アナザーリリック(22福島牝馬S)、ピンクカメハメハ(21サウジダービー・OPEN ダ1600M)、インダストリア(23ダービー卿CT)、オタルエバー(22ファルコンS3着)、ジャスティンロック(21京都2歳S)、ストーリア(23中山牝馬S2着)。

産駒解説

リボーと相性が良い。テーオーロイヤル、リプレーザ、ディオはいずれも母の父マンハッタンカフェ(リボー持ち)。インダストリアは祖母の父アレミロード。サンライズホークの母の父ブライアンズタイムもリボー持ちで、京都2歳Sを勝ったジャスティンロック(母父アッミラーレ)は母がリボーのクロスを持つ。

そのほか、サウジダービーを勝ったピンクカメハメハはスイープトウショウの半弟。ジャスティンロックの祖母はホクトベガの半妹。なつかしい日高の牝系から活躍馬が出ている。

関係者コメント

「テーオーロイヤルがGIを勝ってくれました。当スタリオンの柱と言ってもいい存在です。

気性が激しい燃えやすい仔が多いので、まさか産駒が春の天皇賞を勝つとは思わなかったけど、長距離を勝ったり、マイルで強かったり、ダートの交流重賞を勝ったり、万能型のキングカメハメハの影響が大きい

		キングマンボ Kingmambo	Mr. Prospector
キングカメハメハ 鹿 2001			Miesque
		*マンファス Manfath	*ラストタイクーン
			Pilot Bird (22-d)
シーザリオ 青 2002		スペシャルウィーク	*サンデーサイレンス
			キャンペンガール
		*キロフプリミエール Kirov Premiere	Sadler's Wells
			Querida (16-a)

Northern Dancer 5・5×4、Special 5×5

種付け年度	種付け頭数	血統登録頭数	種付け料
2023年	78頭	—	400／受・FR
2022年	143頭	104頭	400／受・FR
2021年	149頭	92頭	300／受・FR

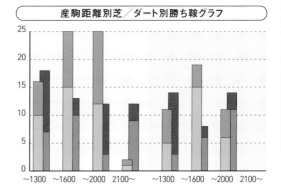

産駒距離別芝／ダート別勝ち鞍グラフ

のでしょう。

前向きな気性が、闘争心としていい方向に出ていますね。種馬はそういう激しい面もないと走らないですし、ツボにハマったときは本当に強い勝ち方をします」(ブリーダーズ・スタリオン、24年8月)

特注馬

ロジリオン／東京得意はわかるが、まだ右回りや急坂コースは未経験。芝1400だけ買う手もありそう。

スミ／休み明けから○×○とか、×○とか、休養後の数戦で買いと消しを使い分ける。牝馬戦に合う。

アクションプラン／中山ダ1800ベストも、時計の速い東京ダ1600に適応してみせた。能力は重賞級。

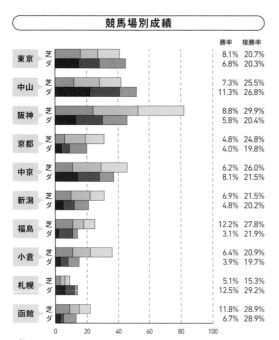

競馬場別成績

	勝率	複勝率
東京 芝	8.1%	20.7%
東京 ダ	6.8%	20.3%
中山 芝	7.3%	25.5%
中山 ダ	11.3%	26.8%
阪神 芝	8.8%	29.9%
阪神 ダ	5.8%	20.4%
京都 芝	4.8%	24.8%
京都 ダ	4.0%	19.8%
中京 芝	6.2%	26.0%
中京 ダ	8.1%	21.5%
新潟 芝	6.9%	21.5%
新潟 ダ	4.8%	20.2%
福島 芝	12.2%	27.8%
福島 ダ	3.1%	21.9%
小倉 芝	6.4%	20.9%
小倉 ダ	3.9%	19.7%
札幌 芝	5.1%	15.3%
札幌 ダ	12.5%	29.2%
函館 芝	11.8%	28.9%
函館 ダ	6.7%	28.9%

🐎 **東京・中山はダートが芝を逆転**

勝利数上位コース

	コース	着度数	勝率	複勝率
1位	中山ダ1200	14-8-6-71	14.1%	28.3%
2位	中山芝1600	9-8-4-49	12.9%	30.0%
3位	阪神芝1600	8-11-11-74	7.7%	28.8%
4位	中山ダ1800	8-10-5-70	8.6%	24.7%
5位	東京芝1400	7-5-4-39	12.7%	29.1%

🐎 **マイル前後が主戦場か**

距離別成績

		着度数	勝率	複勝率
芝	～1200	25-30-37-261	7.1%	26.1%
	1400	16-15-20-160	7.6%	24.2%
	～1600	30-42-35-298	7.4%	26.4%
	～1800	22-22-16-175	9.4%	25.5%
	2000	10-10-15-155	5.3%	18.4%
	～2400	4-4-1-49	6.9%	15.5%
	2500～	6-3-2-17	21.4%	39.3%
ダ	～1300	34-32-27-266	9.5%	25.9%
	～1600	19-22-22-265	5.8%	19.2%
	～1900	30-38-42-416	5.7%	20.9%
	2000～	4-5-2-27	10.5%	28.9%

🐎 **2500m以上の良績はテーオーロイヤル**

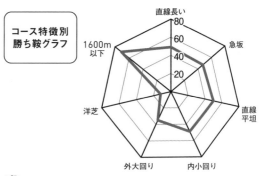

コース特徴別 勝ち鞍グラフ

🐎 **内回りコース向き産駒多い**

得意重賞		不得意重賞	
ダイヤモンドS	2-0-0-0	ユニコーンS	0-0-0-3
京都2歳S	1-0-0-0	アルゼンチン共和国杯	0-0-0-2
福島牝馬S	1-0-0-1	チューリップ賞	0-0-0-2

🐎 **牝馬は芝1800の牝馬重賞に良績**

馬場状態別成績

		着度数	勝率	複勝率
芝	良	87-97-85-857	7.7%	23.9%
	稍重	16-22-29-180	6.5%	27.1%
	重	8-6-10-61	9.4%	28.2%
	不良	2-1-2-17	9.1%	22.7%
ダ	良	54-60-59-610	6.9%	22.1%
	稍重	18-21-18-201	7.0%	22.1%
	重	7-9-9-98	5.7%	20.3%
	不良	8-7-7-65	9.2%	25.3%

🐎 **芝・ダートとも時計のかかる馬場で上昇**

1番人気距離別成績

		着度数	勝率	複勝率
芝	～1200	6-6-6-5	26.1%	78.3%
	1400	8-4-0-11	34.8%	52.2%
	～1600	12-10-4-9	34.3%	74.3%
	～1800	11-3-1-5	55.0%	75.0%
	2000	4-2-2-5	30.8%	61.5%
	～2400	2-1-0-2	40.0%	60.0%
	2500～	2-0-1-1	50.0%	75.0%
ダ	～1300	8-8-2-12	26.7%	60.0%
	～1600	11-7-1-10	37.9%	65.5%
	～1900	13-9-4-16	31.0%	61.9%
	2000～	0-2-1-0	0%	100%

🐎 **芝1800mはかなり優秀**

騎手ベスト5（3番人気以内）

	騎手	着度数	勝率	複勝率
1位	戸崎圭太	11-5-4-12	34.4%	62.5%
2位	池添謙一	8-4-6-14	25.0%	56.3%
3位	横山武史	8-3-4-11	30.8%	57.7%
4位	菱田裕二	8-1-2-2	61.5%	84.6%
5位	川田将雅	7-1-2-12	31.8%	45.5%

🏇 **菱田の単回率が抜けて200%超え**

騎手ベスト5（4番人気以下）

	騎手	着度数	勝率	複勝率
1位	幸英明	4-1-8-55	5.9%	19.1%
2位	松山弘平	3-5-1-27	8.3%	25.0%
3位	小林脩斗	3-1-0-21	12.0%	16.0%
4位	戸崎圭太	3-0-1-19	13.0%	17.4%
5位	菅原明良	2-1-4-17	8.3%	29.2%

🏇 **幸の4勝は別馬によるもの**

クラス別成績

	芝 着度数	勝率	ダ 着度数	勝率
新馬	17-21-25-157	7.7%	5-6-9-62	6.1%
未勝利	37-52-45-469	6.1%	38-53-43-529	5.7%
1勝	24-26-24-243	7.6%	29-27-27-222	9.5%
2勝	15-15-14-66	13.6%	12-10-10-101	9.0%
3勝	7-7-10-87	6.3%	3-1-2-43	6.1%
OPEN	6-2-4-31	14.0%	0-0-2-13	0%
GⅢ	5-1-2-35	11.6%	0-0-0-4	0%
GⅡ	1-2-0-15	5.6%	0-0-0-0	—
GⅠ	1-0-2-12	6.7%	0-0-0-0	—

🏇 **芝OP、GⅢの勝率注目**

条件別勝利割合

穴率	21.5%	平坦芝率	44.2%
芝道悪率	23.0%	晩成率	37.0%
ダ道悪率	37.9%	芝広いコース率	44.2%

🏇 **芝平坦率が上昇**

年齢・季節別勝ち鞍グラフ

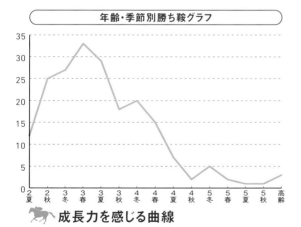

🏇 **成長力を感じる曲線**

※「春」＝3、4、5月。「夏」＝6、7、8月。
「秋」＝9、10、11月。「冬」＝12、1、2月。高齢＝5歳12月以降。

勝利へのポイント

重賞の3歳馬【0-0-2-34】
重賞の4歳馬【3-1-1-14】

　テーオーロイヤルが24年天皇賞・春を優勝。待望のGIホースが出た。同年のアイビスSDに3頭出走したのに、長距離の王者誕生という幅の広さ。

▶実績ある競馬場に絞って買う
　勝ち鞍が多い距離は、牡馬は芝1600、芝1200、ダ1800。牝馬は芝1800、ダ1200、芝1400。なんだこの見たことない並びは。血統的なスタミナは内包しているが、厩舎サイドの使い方によって短距離馬にも長距離馬にもなる。ダートは交流GⅡ勝ちがある。
　得意コースの明確な馬が多い。テーオーロイヤルは阪神4勝。インダストリアは中山マイル3勝。アナザーリリックやストーリアは新潟得意など。気性の難しさがあり、ハマれば突き抜けるタイプだから、得意競馬場や得意距離にこだわって買うこと。

▶メンタル成長で連勝街道！
　3歳馬の重賞不振が目につく。まったく走らないのではなく、チューリップ賞4着、青葉賞4着など、3歳の時点では未完成感があり、身が入るのは夏を越えてから、あるいは古馬になってからだ。精神面が成長すると軌道に乗り、急上昇。テーオーロイヤルは4連勝、ストーリアは3連勝した。スイッチが入れば続けて狙える。「連勝血統」だ。

▶好走レンジの狭い人気薄激走型
　牡馬はスプリンターからステイヤー、ダート馬まで広くバラつき、ムラな傾向。牝馬は鋭い決め手を使うマイラーが中心。芝1400専用、芝1800専用など、脚の使い方の難しさがあり、展開や馬場が向くと激走する。人気を背負った時より、凡走後に人気を落とした時が、狙うタイミングとして正解だ。

▶穴をあけた馬はまた同じ条件で穴
　「ダートを挟んだ後の芝戻り」や「芝を挟んだ後のダート戻り」というローテが効く。人気薄で馬券に絡んだ馬はまた穴をあけるから、次の激走に備えよう。前残り馬場の逃げ馬、外伸び馬場の差し馬は、また条件が向けば走るから向くまで待とう。

19

ゴールドシップ
GOLD SHIP

種牡馬ランク　2023年度／第19位　2022年度／第23位　2021年度／第18位

GI6勝。ステイゴールド×メジロマックイーンの個性派ステイヤー

2009年生　芦毛　2024年種付け料▷受胎確認後250万円（FR）

現役時代

中央27戦13勝、フランス1戦0勝。主な勝ち鞍、皐月賞、菊花賞、有馬記念、宝塚記念（2回）、天皇賞・春、阪神大賞典（3回）、神戸新聞杯など。

パドックで他馬を威嚇したり、ゲートで隣の馬にケンカを売って出遅れたり、ライオンのような声で吠えたりと、豪放なエピソード満載の芦毛の番長ホース。舌をベロベロと回す仕草も人気を集めた。

札幌2歳S2着、ラジオNIKKEI杯2歳Sから、共同通信杯1着。5戦3勝で向かった12年皐月賞は、内田博幸を背に最後方18番手から進出。ガラリと空いた稍重のインコースをショートカットして快勝。鞍上の思い切ったコース取りと、道悪の上手さが目立った。

しかしダービーは中団後方で待ちすぎ、上がり33秒8の末脚で追い込むも5着止まり。高速馬場のスローの上がり勝負では、モロさのあるところを露呈した。

完成の秋。後方からのロングスパートが型になり、神戸新聞杯を楽勝。単勝1.4倍の一本かぶりになった菊花賞は17-17-4-2という、坂の登りからの破天荒な仕掛け。ダービー馬ディープブリランテもいない相手では勝負にならず、スタミナお化けの二冠達成となった。さらに続く有馬記念でルーラーシップらの古馬を一蹴すると、翌年の阪神大賞典まで4連勝。

長距離路線に敵なしと思われたが、単勝1.3倍の天皇賞・春はマクリ不発の5着。宝塚記念は初対決の三冠牝馬ジェンティルドンナに快勝するも、ジャパンCは15着大敗。オルフェーヴルに挑んだ有馬記念は離された3着。レースごとに気難しさが目立っていく。

5歳時は横山典弘が主戦。宝塚記念を連覇して、凱旋門賞へ遠征するも、トレヴの14着。6歳で阪神大賞典3連覇の後、春の天皇賞で横山典の芸術的な二段噴射が決まったのが、最後の勝ち鞍になった。

叩いて良くなるスタミナ番長！
牝馬は切れ味あるも牡馬は入着多数
道悪とローカル平坦コースが得意

血統背景

父ステイゴールドは同馬の項を参照。

母ポイントフラッグは01年のチューリップ賞2着、桜花賞13着、オークス11着。半姉の仔ダイメイコリーダは20年のジャパンダートダービー2着。

父ステイゴールド×母父メジロマックイーンの配合は、オルフェーヴルやドリームジャーニーと同じ。高確率で名馬が誕生して「黄金配合」と呼ばれた。

代表産駒

ユーバーレーベン（21オークス）、ウインキートス（21目黒記念）、ブラックホール（19札幌2歳S）、ウインマイティー（22マーメイドS）、ゴールデンハインド（23フローラS）、メイショウタバル（24毎日杯）、マカオンドール（22阪神大賞典2着）。

産駒解説

母父ロージズインメイとの組み合わせはニックスだ。オークス馬ユーバーレーベンを筆頭に、ウインピクシス、マイネルソラス、スウィートブルームなど勝ち上がり率が高い。ロージズインメイと同じデヴィルズバッグ系のタイキシャトルを母父に持つ馬も、ヴェローチェオロが出ている。

ブライアンズタイムとも相性がいい。ユーバーレーベンの祖母の父、エドノフェリーチェやクロノメーターの母の父がブライアンズタイムだ。

牝馬に活躍馬が多い特徴もある。

関係者コメント

「中山大障害に優勝し、JRA賞最優秀障害馬を受賞したマイネルグロン、後続に6馬身差をつけて毎日杯を快勝したメイショウタバル、GI馬を含む古馬を相手にクイーンSを勝利したコガネノソラが、重賞ウイナーに加わりました。初年度から5世代連続して春のクラシックレースへ産駒を出走させている実績をはじめ、芝の中長距離戦線を得意とする産駒を高いレベルで送り出していることが顕著であると思います。

母父ロージズインメイに限らず、アメリカ血統の母と相性が良いように感じています。フローラSを勝っ

ステイゴールド 黒鹿 1994	*サンデーサイレンス Sunday Silence	Halo
		Wishing Well
	ゴールデンサッシュ	*ディクタス
		ダイナサッシュ （1-t）
ポイントフラッグ 芦 1998	メジロマックイーン	メジロティターン
		メジロオーロラ
	パストラリズム	*プルラリズム
		トクノエイティー （16-h）

Northern Dancer 5×5、Princely Gift 5×5

種付け年度	種付け頭数	血統登録頭数	種付け料
2023年	107頭	—	200／受・FR
2022年	96頭	69頭	200／受・FR
2021年	106頭	68頭	200／受・FR

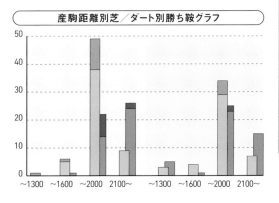
産駒距離別芝／ダート別勝ち鞍グラフ

たゴールデンハインドやウインマイティー、ウインキートスも、母はアメリカ系です。筋肉に力強さがあって地面を蹴る力が強い血統は、ゴールドシップの身体の柔らかさとマッチして、持ち味を引き出してくれています」（ビッグレッドファーム、24年8月）

特注馬

メイショウタバル／母系にダンスインザダークを持ち、長距離走る……と思わせてチャレンジCで狙う。

マイネルメモリー／上がり33秒台の鋭い末脚を使う希少な牡馬。小倉得意、暖かい時期に調子を上げる。

メイショウブレゲ／万葉S勝ちは54キロ、条件戦の連勝は52キロ。直線に坂のないコースの軽ハンデで。

ゴールドシップ GOLD SHIP

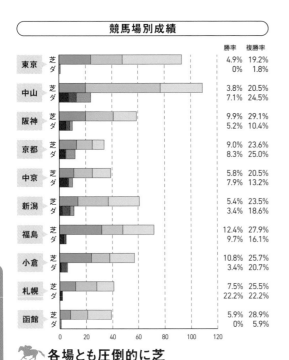

競馬場別成績

		勝率	複勝率
東京	芝	4.9%	19.2%
	ダ	0%	1.8%
中山	芝	3.8%	20.5%
	ダ	7.1%	24.5%
阪神	芝	9.9%	29.1%
	ダ	5.2%	10.4%
京都	芝	9.0%	23.6%
	ダ	8.3%	25.0%
中京	芝	5.8%	20.5%
	ダ	7.9%	13.2%
新潟	芝	5.4%	23.5%
	ダ	3.4%	18.6%
福島	芝	12.4%	27.9%
	ダ	9.7%	16.1%
小倉	芝	10.8%	25.7%
	ダ	3.4%	20.7%
札幌	芝	7.5%	25.5%
	ダ	22.2%	22.2%
函館	芝	5.9%	28.9%
	ダ	0%	5.9%

🐎 各場とも圧倒的に芝

勝利数上位コース

	コース	着度数	勝率	複勝率
1位	福島芝1800	14-4-9-65	15.2%	29.3%
2位	福島芝2600	9-5-12-40	13.6%	39.4%
3位	東京2000	8-7-18-92	6.4%	26.4%
4位	小倉芝2000	8-7-9-70	8.5%	25.5%
5位	福島芝2000	8-6-1-66	9.9%	18.5%

🐎 ローカル中長距離が中心

距離別成績

		着度数	勝率	複勝率
芝	～1200	8-8-11-73	8.0%	27.0%
	1400	1-7-4-41	1.9%	22.6%
	～1600	10-20-19-196	4.1%	20.0%
	～1800	46-45-61-468	7.4%	24.5%
	2000	58-69-57-681	6.7%	21.3%
	～2400	27-39-36-326	6.3%	23.8%
	2500～	28-22-28-200	10.1%	28.1%
ダ	～1300	1-0-2-29	3.1%	9.4%
	～1600	1-0-0-68	1.4%	1.4%
	～1900	24-22-25-311	6.3%	18.6%
	2000～	4-1-2-29	11.1%	19.4%

🐎 芝2500m以上で勝率はね上げ

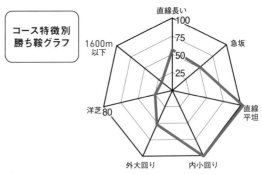

コース特徴別 勝ち鞍グラフ

🐎 平坦内回り巧者が多い

得意重賞		不得意重賞	
札幌2歳S	1-2-0-5	阪神大賞典	0-0-0-4
マーメイドS	1-1-0-1	札幌記念	0-0-0-4
オークス	1-0-1-3	紫苑S	0-0-0-4

🐎 得意重賞を別のゴルシ産駒が走る傾向

馬場状態別成績

		着度数	勝率	複勝率
芝	良	125-149-158-1471	6.6%	22.7%
	稍重	38-40-35-340	8.4%	24.9%
	重	12-14-15-127	7.1%	24.4%
	不良	3-7-8-47	4.6%	27.7%
ダ	良	20-14-21-256	6.4%	17.7%
	稍重	6-6-0-90	5.9%	11.8%
	重	1-2-4-58	1.5%	10.8%
	不良	3-1-4-33	7.3%	19.5%

🐎 重賞は良4勝、稍重1勝、重1勝

1番人気距離別成績

		着度数	勝率	複勝率
芝	～1200	2-0-1-5	25.0%	37.5%
	1400	1-2-1-0	25.0%	100%
	～1600	7-5-0-3	46.7%	80.0%
	～1800	8-12-7-6	24.2%	81.8%
	2000	20-14-7-11	38.5%	78.8%
	～2400	8-3-3-11	32.0%	56.0%
	2500～	10-2-4-9	40.0%	64.0%
ダ	～1300	0-0-0-1	0%	0%
	～1600	0-0-0-2	0%	0%
	～1900	6-3-1-7	35.3%	58.8%
	2000～	0-0-1-0	0%	100%

🐎 人気馬はマイル前後から信頼

ゴールドシップ GOLD SHIP

騎手ベスト5（3番人気以内）

	騎手	着度数	勝率	複勝率
1位	丹内祐次	22-14-12-35	26.5%	57.8%
2位	横山武史	12-7-6-13	31.6%	65.8%
3位	川田将雅	8-5-1-4	44.4%	77.8%
4位	M.デムーロ	7-11-9-12	17.9%	69.2%
5位	戸崎圭太	6-5-2-9	27.3%	59.1%

🏇 マイネル主戦・丹内がトップ

クラス別成績

	芝 着度数	勝率	ダ 着度数	勝率
新馬	16-19-26-212	5.9%	0-1-1-25	0%
未勝利	75-99-82-802	7.1%	19-16-15-216	7.1%
1勝	46-51-65-551	6.5%	8-6-12-134	5.0%
2勝	24-21-16-173	10.3%	2-0-1-44	4.3%
3勝	6-9-10-104	4.7%	1-0-0-6	14.3%
OPEN	5-5-5-41	8.9%	0-0-0-9	0%
GⅢ	3-4-4-36	6.4%	0-0-0-2	0%
GⅡ	2-2-6-35	4.4%	0-0-0-1	0%
GⅠ	1-0-2-31	2.9%	0-0-0-0	—

🏇 3勝クラスの壁を越えられるか

条件別勝利割合

穴率	25.0%	平坦芝率	57.9%
芝道悪率	29.8%	晩成率	33.7%
ダ道悪率	33.3%	芝広いコース率	32.6%

🏇 平坦芝率は激高

年齢・季節別勝ち鞍グラフ

🏇 5歳以降の好走微増中

※「春」＝3、4、5月。「夏」＝6、7、8月。
　「秋」＝9、10、11月。「冬」＝12、1、2月。高齢＝5歳12月以降。

騎手ベスト5（4番人気以下）

	騎手	着度数	勝率	複勝率
1位	丹内祐次	8-16-22-191	3.4%	19.4%
2位	柴田大知	6-10-7-185	2.9%	11.1%
3位	石川裕紀人	3-4-6-47	5.0%	21.7%
4位	和田竜二	3-4-4-54	4.6%	16.9%
5位	松岡正海	3-1-7-35	6.5%	23.9%

🏇 人気薄でも丹内

勝利へのポイント

芝2600／21勝、複勝率30%
牡馬のGⅠとGⅡ【0-0-1-34】

　24年はメイショウタバルが重の毎日杯を逃げ切り、コガネノソラが稍重のクイーンSを差し切り。道悪のうまさが目立った。クイーンSは2年連続の産駒連対で、札幌2歳Sも2年連続連対があるから、札幌芝1800の重賞は【2-3-0-6】と、とんでもない。

▶芝2600に強いスタミナ番長

　勝ち鞍の多い距離は、牡馬が芝2000、芝1800、芝2600。牝馬は芝2000、芝1800、芝2600。おお、同じだ。しかも2600mというレア距離がどっちも上位に入っている。福島と小倉の芝2600は特に稼ぎ場所。いつ菊花賞馬が出ても不思議のない資質は秘める。

▶叩き3戦目の変わり身を狙え

　「叩いて良くなるゴールドシップ。休み明け不振」は大事な傾向。重賞でもユーバーレーベンやゴールデンハインド、ウインマイティーらが叩き3戦目に一変して激走した。もちろん全馬が休み明け不振ではないし、3戦目に必ず変わるわけではない。

▶牝馬は切れ味、牡馬はジリ脚

　女馬は重賞5勝をあげ、オークスの1着と3着あり。男馬は重賞2勝で、GⅠとGⅡの連対なし。牝馬は切れ味があるのに対して、牡馬はジリ脚の弱点を抱えている。牡牝の違いは条件戦にも見られ、牡馬は東京芝の3着が多かったり、中山芝は2着が多かったりして、勝率が高いのはローカルの福島や小倉。

　牝馬も決め手の甘い馬はいるが、牡馬のような反応の鈍さは感じない。福島と小倉に強いのは坂がないことも関係ありそう。平坦巧者を探せ。

▶積極型のジョッキーで勝負

　ローカルに強いマイネルやウインの馬が多いため、7月と8月の成績が優秀で、夏は狙いの季節。平坦コースや洋芝が多い影響もあるだろう。

　和田や丹内など積極型の騎手に合い、末脚をためすぎる騎手だと持ち味を活かせない。道悪は得意。

　ダートは30勝のうち、ダ1700以上が28勝。本質的に得意ではなく、忙しい距離はさっぱり。

ゴールドシップ GOLD SHIP

シルバーステート

SILVER STATE

種牡馬ランク　2023年度／第20位　2022年度／第27位　2021年度／第58位

騎手、調教師が今も絶賛する未完の大器

2013年生　青鹿毛　2024年種付け料▷受胎確認後500万円（FR）

現役時代

中央5戦4勝。主な勝ち鞍、垂水S、オーストラリアT。重賞勝ちはなし。

2歳7月の中京芝1600でデビュー。のちにヴィクトリアマイルを勝つアドマイヤリードの2着に敗れるが、2戦目の未勝利戦・中京芝1600をレコード勝ち。鞍上は福永祐一。管理したのは藤原英昭調教師。

10月の京都芝2000の紫菊賞では、単勝1.1倍の断然人気に応えて、3番手から上がり32秒7の末脚を繰り出して完勝。ムチひとつ使わず、持ったままで翌年のクラシックに名乗りを上げた。

しかし、予定していた共同通信杯の前に左前脚の屈腱炎を発症。長い長い休養期間に入る。

1年7ヵ月のブランクを経て、復帰戦は4歳5月のオーストラリアT（京都芝1800）。ここもスローペースからあっさりと逃げ切り、3勝目。

続く1600万条件の垂水S（阪神芝1800）は、エテルナミノル、タツゴウゲキなど、後に重賞を勝つことになる馬が揃った好メンバー。それでもシルバーステートの一強は変わらなかった。単勝1.6倍に応えてスタートから先手を取ると、ペースを落とすことなく11秒台のラップを刻み、上がり33秒5でまとめて楽々と逃げ切り。またしてもムチなし。1分44秒5の勝ちタイムはタイレコードで、少しでも追っていればレコード更新の走りだった。

その後、再び屈腱炎を発症。復帰はかなわず、底を見せないまま、5戦4勝で引退となった。

全戦で手綱をとった福永は、ワグネリアンやコントレイルでダービーを勝った後も「シルバーステートは別格だった。エンジンが規格外だった」と発言しており、このエピソードが伝説めいた“シルバーステート最強説”を作り出している。

🏇 芝1600と芝2000の根幹距離得意

🏇 小回りの内枠を活かす競馬上手

🏇 2、3歳は人気馬信頼、古馬は穴で狙う

血統背景

父ディープインパクトは同馬の項を参照。

母シルヴァースカヤは仏GIIIロワイヨモン賞とミネルヴ賞の勝ち馬。バゴが勝った2004年の凱旋門賞で8着。半兄にSeville（豪GIザメトロポリタン）。

母の半姉デインスカヤはGIIアスタルテ賞。その仔シックスセンス（京都記念）はディープインパクトの皐月賞で2着、ダービーで3着。

代表産駒

エエヤン（23ニュージーランドT）、ウォーターナビレラ（21ファンタジーS）、セイウンハーデス（23七夕賞）、リカンカブール（24中山金杯）、ショウナンバシット（23若葉S）、ロン（21野路菊S）、コムストックロード（22葵S2着）。

産駒解説

種付け価格の推移、18年は80万円、19年は100万円、20年は120万円、21年は150万円、22、23年は600万円。

23年の皐月賞に3頭出走して、メタルスピードが4着、ショウナンバシットが5着。NHKマイルCにも3頭出走、ダービーには2頭が出走した。これは種付け料100万円だった世代だから、価値がわかる。

セイウンハーデスはサンデーサイレンスの3×3。他にもシルヴァーデューク、リトスなどがこのクロスを持つ。が、成功と呼べるかどうかは微妙なレベル。母父キングヘイローと、母父ロックオブジブラルタルから複数の活躍馬が出ていることにも注目。

関係者コメント

「24年の2歳世代は、セレクトセールで3億1000万円で落札されたジャスティンパレスの半弟（キングノジョー）がいます。25年の2歳世代は種付け料が上がり、繁殖牝馬のレベルも上がった年で、ドウデュースの半妹や、ショウナンパンドラの半妹、ブラストワンピースの半弟、母アエロリットなど、GI級の馬に付けていただいた産駒が並び、楽しみです。今年もリカンカブールが中山金杯を勝つなど活躍していますが、『次はGI馬を』という期待があります。

ディープインパクト 鹿 2002	* サンデーサイレンス Sunday Silence	Halo
		Wishing Well
	* ウインドインハーヘア Wind in Her Hair	Alzao
		Burghclere (2-f)
* シルヴァースカヤ Silverskaya 黒鹿 2001	シルヴァーホーク Silver Hawk	Roberto
		Gris Vitesse
	ブブスカイア Boubskaia	Niniski
		Frenetique (16-g)

Hail to Reason 4×4、Northern Dancer 5×5

種付け年度	種付け頭数	血統登録頭数	種付け料
2023年	139頭	—	600／受・FR
2022年	200頭	133頭	600／受・FR
2021年	138頭	81頭	150／受・FR

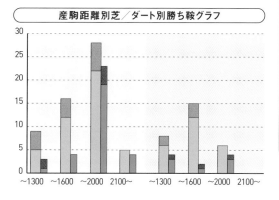

産駒距離別芝／ダート別勝ち鞍グラフ

馬体はディープインパクト産駒にしては大きいほうで、芝向きのきれいな馬体をしています。気性の良さがあり、後ろから一気という馬より、先行してセンスのある競馬をしてくれる馬が多いですよね」（優駿スタリオン、24年8月）

特注馬

エエヤン／昨年版でダービー卿CTを推奨。8番人気2着だった。中山マイルだけ買えば、ええやん。

ショウナンバシット／皐月賞5着馬が長く不振の後、札幌芝2600で復活。上がり35秒かかるレース向き。

バトルボーン／母父ジャングルポケットで東京芝2400のオープン勝ち。ジャンポケ産駒として扱おう。

競馬場別成績

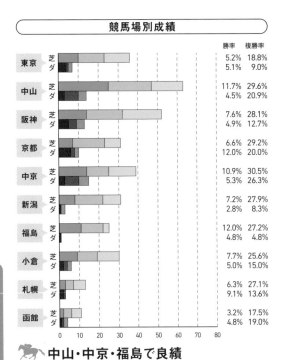

		勝率	複勝率
東京	芝	5.2%	18.8%
	ダ	5.1%	9.0%
中山	芝	11.7%	29.6%
	ダ	4.5%	20.9%
阪神	芝	7.6%	28.1%
	ダ	4.9%	12.7%
京都	芝	6.6%	29.2%
	ダ	12.0%	20.0%
中京	芝	10.9%	30.5%
	ダ	5.3%	26.3%
新潟	芝	7.2%	27.9%
	ダ	2.8%	8.3%
福島	芝	12.0%	27.2%
	ダ	4.8%	4.8%
小倉	芝	7.7%	25.6%
	ダ	5.0%	15.0%
札幌	芝	6.3%	27.1%
	ダ	9.1%	13.6%
函館	芝	3.2%	17.5%
	ダ	4.8%	19.0%

中山・中京・福島で良績

勝利数上位コース

	コース	着度数	勝率	複勝率
1位	中山芝1600	13-11-11-56	14.3%	38.5%
2位	中京芝2000	7-1-8-25	17.1%	39.0%
3位	阪神芝2000	6-5-5-29	13.3%	35.6%
4位	小倉芝2000	6-3-2-20	19.4%	35.5%
5位	福島芝1800	6-3-0-12	28.6%	42.9%

中山マイルトップが象徴的

距離別成績

		着度数	勝率	複勝率
芝	～1200	15-14-13-181	6.7%	18.8%
	1400	8-10-14-107	5.8%	23.0%
	～1600	21-30-26-220	7.1%	25.9%
	～1800	17-20-22-165	7.6%	26.3%
	2000	33-30-21-179	12.5%	31.9%
	～2400	8-14-7-60	9.0%	32.6%
	2500～	1-5-2-12	5.0%	40.0%
ダ	～1300	9-7-12-142	5.3%	16.5%
	～1600	8-3-2-104	6.8%	11.1%
	～1900	11-15-9-155	5.8%	18.4%
	2000～	0-0-0-17	0%	0%

芝1600～2000mが主戦場

コース特徴別 勝ち鞍グラフ

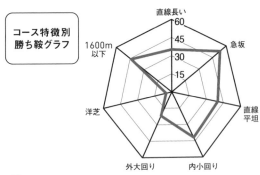

直線短い急坂＝中山巧者

得意重賞	
中山金杯	1-0-0-0
ニュージーランドT	1-0-0-1
七夕賞	1-0-0-2

不得意重賞	
NHKマイルC	0-0-0-3
函館2歳S	0-0-0-2
マイラーズC	0-0-0-2

皐月賞【0-0-0-3】もふた桁人気で2頭掲示板

馬場状態別成績

		着度数	勝率	複勝率
芝	良	81-89-82-687	8.6%	26.8%
	稍重	14-23-15-155	6.8%	25.1%
	重	7-9-7-70	7.5%	24.7%
	不良	1-2-1-12	6.3%	25.0%
ダ	良	19-15-15-263	6.1%	15.7%
	稍重	6-5-2-71	7.1%	15.5%
	重	2-3-3-56	3.1%	12.5%
	不良	1-2-3-28	2.9%	17.6%

時計がかかる馬場も苦にせず

1番人気距離別成績

		着度数	勝率	複勝率
芝	～1200	4-1-1-4	40.0%	60.0%
	1400	3-2-0-7	25.0%	41.7%
	～1600	4-7-2-4	23.5%	76.5%
	～1800	7-6-4-8	28.0%	68.0%
	2000	10-6-2-13	32.3%	58.1%
	～2400	4-4-1-2	36.4%	81.8%
	2500～	0-3-1-0	0%	100%
ダ	～1300	3-2-0-4	33.3%	55.6%
	～1600	2-1-0-0	66.7%	100%
	～1900	3-0-0-5	37.5%	37.5%
	2000～	0-0-0-0	―	―

芝1600～1800mの信頼度が高い

騎手ベスト5（3番人気以内）

	騎手	着度数	勝率	複勝率
1位	M.デムーロ	6-1-2-8	35.3%	52.9%
2位	C.ルメール	5-5-1-3	35.7%	78.6%
3位	武豊	5-4-3-12	20.8%	50.0%
4位	坂井瑠星	4-4-0-4	33.3%	66.7%
5位	川田将雅	4-3-0-6	30.8%	53.8%

🐎 カタカナ騎手のワンツー

騎手ベスト5（4番人気以下）

	騎手	着度数	勝率	複勝率
1位	吉田隼人	3-1-1-14	15.8%	26.3%
2位	幸英明	2-2-5-29	5.3%	23.7%
3位	杉原誠人	2-2-1-11	12.5%	31.3%
4位	石川裕紀人	2-1-1-13	11.8%	23.5%
5位	田辺裕信	2-1-1-13	11.8%	23.5%

🐎 6番人気までが狙い目

クラス別成績

	芝 着度数	勝率	ダ 着度数	勝率
新馬	14-18-22-139	7.3%	7-2-2-19	23.3%
未勝利	44-53-41-415	8.0%	14-18-17-281	4.2%
1勝	25-26-26-183	9.6%	5-5-4-97	4.5%
2勝	6-11-7-73	6.2%	2-0-0-13	13.3%
3勝	5-0-1-5	45.5%	0-0-0-7	0%
OPEN	5-7-4-40	8.9%	0-0-0-1	0%
GⅢ	3-6-2-29	7.5%	0-0-0-0	—
GⅡ	1-1-1-21	4.2%	0-0-0-0	—
GⅠ	0-1-1-19	0%	0-0-0-0	—

🐎 GⅢ9連対のうち5連対はハンデ戦

条件別勝利割合

穴率	22.1%	平坦芝率	38.8%
芝道悪率	21.4%	晩成率	24.4%
ダ道悪率	32.1%	芝広いコース率	36.9%

🐎 穴率は低く、1・2人気が勝ち鞍の約2/3

年齢・季節別勝ち鞍グラフ

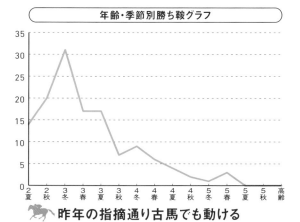

🐎 昨年の指摘通り古馬でも動ける

※「春」＝3、4、5月。「夏」＝6、7、8月。
　「秋」＝9、10、11月。「冬」＝12、1、2月。高齢＝5歳12月以降。

勝利へのポイント

芝の勝率上位枠／3枠、2枠、1枠
東京芝の重賞【0-1-1-17】

　1年目産駒から桜花賞2着のウォーターナビレラと、七夕賞1着のセイウンハーデス。2年目産駒は皐月賞に3頭が駒を進め、メタルスピード4着、ショウナンバシット5着。24年は東西の金杯で連対馬を出した。芝1600から芝2000で、好位差しが得意の型だ。

▶短い直線コースを勝ち切る

　勝ち鞍の多い距離は、牡馬が芝2000、芝1800、芝1600。牝馬は芝1600、芝1200、芝2000。

　それより競馬場成績に偏りがある。芝の勝率が高いのは、福島、中山、中京。低いのは、函館、東京、京都。直線の短いコースが優秀で、長いコースはいまひとつ。中山芝1600で強い勝ち方をしたエエヤンが東京のNHKマイルCで伸びなかったり、同様の例がいくつもある。先行策から王道の競馬をする馬が多いため、直線が長いと末脚が甘くなるだけかもしれず、差し馬なら東京や京都も走るだろう。牝馬のラヴァンダは東京重賞のフローラSで2着した。各馬の成績は、直線の長短に注目して観察しよう。

▶内枠買い、連勝に乗れ

　好位差しができるため、内枠の成績が良い。芝の勝率の上位は、3枠、2枠、1枠。この3つの枠が抜けている。重賞の連対も3枠と2枠が多い。

　連勝の多さも特徴だ。バトルボーンは4連勝、テーオーソラネルは3連勝した。好調馬に乗ろう。

▶人気薄は根幹距離を狙え

　5番人気以下だけ見ると、芝2000と芝1600が好成績で、芝1800と芝1400は落ちるから、根幹距離向き。競馬場ではやはり中山芝の穴が断然多い。

▶古馬になるとムラ駆け!?

　昨年版には「全般に人気通りに走る血統で、1番人気の信頼度は高いほう」と書いたが、2歳から3歳は堅実な馬が多いのに対して、古馬になると急に穴っぽくなり、人気馬の信頼度も低くなった。得意条件では走れても、少し距離が変わったり、得意コース以外だと融通が利かない感じ。

21

ミッキーアイル
MIKKI ISLE

種牡馬ランク　2023年度／第21位　2022年度／第18位　2021年度／第26位

マイルのみならず1200もこなしたスピード型のディープ後継種牡馬

2011年生　鹿毛　2024年種付け料▷受胎確認後150万円（FR）

現役時代

　中央19戦8勝、香港1戦0勝。主な勝ち鞍、NHKマイルC、マイルCS、スワンS、シンザン記念、アーリントンC、阪急杯。

　デビュー2戦目の京都芝1600を、1分32秒3の2歳レコードで逃げ切り。続くひいらぎ賞も、翌日の朝日杯FSを大きく上回るタイムで逃げ切り。

　シンザン記念とアーリントンCも天賦の速さで逃げ切ると、単勝1.9倍のNHKマイルCは前半46秒6－後半46秒6という、精密機械のようなラップでホウライアキコを振り切り、猛追したタガノブルグを封じて1分33秒2。最後は一杯いっぱいになりながらも、5連勝でGⅠ制覇した。鞍上は浜中俊、音無厩舎。

　3歳で出走した安田記念は、不良馬場にスタミナ切れを起こしたのか、16着。秋はスワンSを逃げ切り、マイルCSで1番人気になるも8枠を引いてハナを切れ

ず、失速して大敗。気難しさを覗かせた。この敗戦をきっかけに、しばらく勝てない期間が続き、4歳の香港スプリントも7着まで。

　松山弘平に手替わりした5歳の阪急杯で久々に逃げ切りの勝利をあげると、高松宮記念はビッグアーサーの2着、スプリンターズSはレッドファルクスの2着と、復調を示す。

　16年のマイルCSは浜中に戻り、サトノアラジン、イスラボニータに続く3番人気。8枠16番からロケットスタートでハナを切り、前半57秒5のハイペースを刻む。そのまま最後の直線、ムーア騎乗のネオリアリズムと叩き合いになると、右ムチの連打に斜行してしまい、ネオリアリズムが外に弾かれ、後続の多数の馬の進路が狭くなる。審議の結果、浜中は実効8日間の騎乗停止となったが、ミッキーアイルの1着は変わらず、マイル王に復権した。

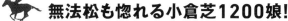

POINT
- 仕上がりの早さとスプリント能力
- 無法松も惚れる小倉芝1200娘!
- 枠順や輸送の有無が馬券のカギ

血統背景

　父ディープインパクトは同馬の項を参照。

　母スターアイルはダ1000を2勝。半弟タイセイスターリー（シンザン記念2着）。

　近親アエロリット（NHKマイルC）とは祖母が同じ。ラッキーライラック（阪神JF、エリザベス女王杯）とは3代母が同じ。3代母ステラマドリッドは米国GI4勝の名牝（エイコーンSなど）。

代表産駒

　メイケイエール（20小倉2歳S、20ファンタジーS、21チューリップ賞、22シルクロードS、22京王杯SC、22セントウルS）、ナムラクレア（21小倉2歳S、22函館スプリントS、23シルクロードS、23キーンランドC）、ララクリスティーヌ（23京都牝馬S）、ウィリアムバローズ（24東海S）、ピンハイ（22チューリップ賞2着）、スリーパーダ（21小倉2歳S2着）、ミニーアイル（21フィリーズR3着）、デュアリスト（22天王山S）。

産駒解説

　メイケイエールはデインヒル4×4とサンデー3×4のクロスを持ち、ピンハイはヌレイエフ4×4とサンデー3×4のクロスを持つ。母父キングカメハメハや、母父ジャングルポケットも好成績なので、ヌレイエフのクロスは効果があるのかもしれない。

　他に目立つのは、母系にロベルトを持つ馬。ララクリスティーヌ、ウィリアムバローズ、ナムラクレア（祖母の父クリスエス）などが当てはまる。

　全般にフレンチデピュティ、ストームキャット、フォーティナイナーなど、パワフルなアメリカ型のスピード血統の母との配合がよく走っている。

関係者コメント

「社台スタリオンから移動して、今年からうちで供用されています。

　メイケイエールのような個性的な産駒もいますが、ミッキーアイル自身はそれらの現役馬のイメージほどきつい馬ではないです。スイッチが入れば気性の難しさを見せることもありますが、ディープインパクト産

ディープインパクト 鹿 2002	＊サンデーサイレンス Sunday Silence	Halo
		Wishing Well
	＊ウインドインハーヘア Wind in Her Hair	Alzao
		Burghclere (2-f)
＊スターアイル Star Isle 鹿 2004	＊ロックオブジブラルタル Rock of Gibraltar	＊デインヒル
		Offshore Boom
	＊アイルドフランス Isle de France	Nureyev
		＊ステラマドリッド (6-a)

Northern Dancer 5×5・5・4

種付け年度	種付け頭数	血統登録頭数	種付け料
2023年	102頭	—	250／受・FR
2022年	136頭	75頭	250／受・FR
2021年	155頭	91頭	250／受・FR

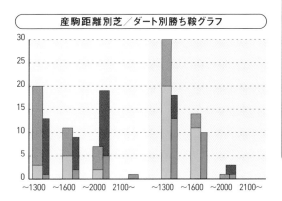

産駒距離別芝／ダート別勝ち鞍グラフ

駒らしい柔らかさを持ち、産駒は芝でもダートでもスピードがあって、コンスタントに活躍してくれています。牝馬のほうが芝1200や芝1400で走る馬が多く、ダート馬は牡馬に多いですね」（優駿スタリオン、24年8月）

特注馬

ウィリアムバローズ／中山ダ1800は【4-3-0-0】。馬場に関係なく崩れたことがない。黙って買おう。

ピンハイ／唯一、芝の中距離重賞に好走実績を持つ牝馬。3年連続で10月に馬券になっている。秋馬?

ライツフォル／ダートの道悪【3-2-0-0】、ダートの良【1-0-0-2】。外から被されない枠がいい。

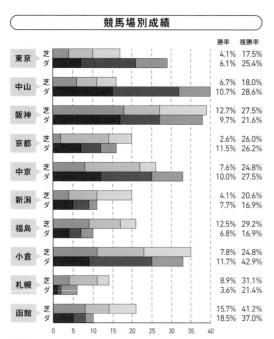

競馬場別成績

		勝率	複勝率
東京	芝	4.1%	17.5%
	ダ	6.1%	25.4%
中山	芝	6.7%	18.0%
	ダ	10.7%	28.6%
阪神	芝	12.7%	27.5%
	ダ	9.7%	21.6%
京都	芝	2.6%	26.0%
	ダ	11.5%	26.2%
中京	芝	7.6%	24.8%
	ダ	10.0%	27.5%
新潟	芝	4.1%	20.6%
	ダ	7.7%	16.9%
福島	芝	12.5%	29.2%
	ダ	6.8%	16.9%
小倉	芝	7.8%	24.8%
	ダ	11.7%	42.9%
札幌	芝	8.9%	31.1%
	ダ	3.6%	21.4%
函館	芝	15.7%	41.2%
	ダ	18.5%	37.0%

ダートが芝を上回る競馬場も

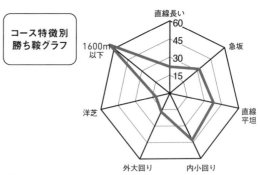

コース特徴別 勝ち鞍グラフ

芝はマイル以下に特化

得意重賞

シルクロードS	2-0-0-0
小倉2歳S	2-1-0-1
ファンタジーS	1-1-0-2

不得意重賞

ヴィクトリアM	0-0-0-2
カペラS	0-0-0-2
葵S	0-0-0-2

得意コースの好走はすべて牝馬

勝利数上位コース

	コース	着度数	勝率	複勝率
1位	阪神ダ1200	11-4-5-67	12.6%	23.0%
2位	小倉芝1200	10-9-11-90	8.3%	25.0%
3位	中山ダ1200	8-10-3-81	7.8%	20.6%
4位	小倉ダ1000	7-11-4-26	14.6%	45.8%
5位	中山ダ1800	7-7-5-19	18.4%	50.0%

中山ダ1800が中距離からランクイン

馬場状態別成績

		着度数	勝率	複勝率
芝	良	59-65-54-511	8.6%	25.8%
	稍重	9-9-10-119	6.1%	19.0%
	重	5-9-4-50	7.4%	26.5%
	不良	1-3-1-7	8.3%	41.7%
ダ	良	46-49-35-389	8.9%	25.0%
	稍重	16-16-16-130	9.0%	27.0%
	重	12-11-5-73	11.9%	27.7%
	不良	8-10-2-49	11.6%	29.0%

ダートの重・不良で上昇

距離別成績

		着度数	勝率	複勝率
芝	～1200	37-40-33-316	8.7%	25.8%
	1400	14-19-12-121	8.4%	27.1%
	～1600	14-10-17-139	7.8%	22.8%
	～1800	7-10-4-61	8.5%	25.6%
	2000	1-7-3-38	2.0%	22.4%
	～2400	0-0-0-12	0%	0%
	2500～	1-0-0-0	100%	100%
ダ	～1300	44-39-25-354	9.5%	23.4%
	～1600	16-21-14-151	7.9%	25.2%
	～1900	21-26-19-135	10.4%	32.8%
	2000～	1-0-0-1	50.0%	50.0%

牡馬はダート中距離も稼ぎ場所

1番人気距離別成績

		着度数	勝率	複勝率
芝	～1200	14-6-5-22	29.8%	53.2%
	1400	7-7-1-5	35.0%	75.0%
	～1600	3-0-0-7	30.0%	30.0%
	～1800	1-0-0-4	20.0%	20.0%
	2000	0-1-0-2	0%	33.3%
	～2400	0-0-0-0	—	—
	2500～	0-0-0-0	—	—
ダ	～1300	15-6-4-22	31.9%	53.2%
	～1600	8-1-4-4	47.1%	76.5%
	～1900	10-9-3-9	32.3%	71.0%
	2000～	1-0-0-0	100%	100%

ダート1400～1600mで勝負

ミッキーアイル MIKKI ISLE

騎手ベスト5（3番人気以内）

	騎手	着度数	勝率	複勝率
1位	武豊	12-5-3-7	44.4%	74.1%
2位	戸崎圭太	8-7-5-12	25.0%	62.5%
3位	松山弘平	7-5-2-10	29.2%	58.3%
4位	菅原明良	7-1-1-9	38.9%	50.0%
5位	浜中俊	6-8-6-6	23.1%	76.9%

折り合える武豊がトップ

騎手ベスト5（4番人気以下）

	騎手	着度数	勝率	複勝率
1位	角田大和	2-2-0-25	6.9%	13.8%
2位	佐々木大輔	2-2-0-6	20.0%	40.0%
3位	高倉稜	2-1-3-11	11.8%	35.3%
4位	永島まなみ	2-1-1-20	8.3%	16.7%
5位	坂井瑠星	2-1-1-15	10.5%	21.1%

佐々木が大健闘

クラス別成績

	芝 着度数	勝率	ダ 着度数	勝率
新馬	8-15-12-124	5.0%	2-6-3-41	3.8%
未勝利	21-36-27-329	5.1%	40-29-24-291	10.4%
1勝	18-11-11-104	12.5%	24-32-20-177	9.5%
2勝	8-7-7-41	12.7%	6-12-6-97	5.0%
3勝	6-3-0-23	18.8%	3-3-2-20	10.7%
OPEN	2-5-7-19	6.1%	6-3-2-12	26.1%
GⅢ	8-3-2-24	21.6%	0-1-1-3	0%
GⅡ	3-4-1-6	21.4%	1-0-0-0	100%
GⅠ	0-2-2-17	0%	0-0-0-0	—

GⅠにはあと一歩届かぬ現状

条件別勝利割合

穴率	16.0%	平坦芝率	51.4%
芝道悪率	20.3%	晩成率	39.1%
ダ道悪率	43.9%	芝広いコース率	31.1%

穴率低く、人気馬が好走

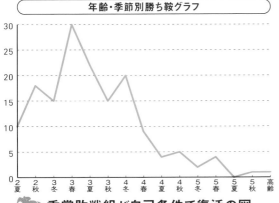

年齢・季節別勝ち鞍グラフ

重賞敗戦組が自己条件で復活の図

※「春」=3、4、5月。「夏」=6、7、8月。
「秋」=9、10、11月。「冬」=12、1、2月。高齢=5歳12月以降。

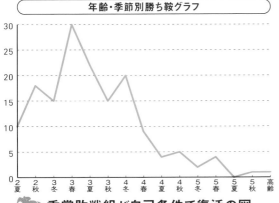 （※右側縦書き）ミッキーアイル MIKKI ISLE

勝利へのポイント

中京芝の重賞【3-2-1-5】
中山芝の重賞【0-0-1-9】

　毎年スプリンターズSの結果を知らない状態でこれを書いているため、ナムラクレアやメイケイエールがデータを覆しているのではないかと、心配で気を使う。中山の芝重賞は連対ゼロ。オープン勝ちもない。「ダンジグの影響を受けた快速型の牝馬は気性が繊細で、長距離輸送に弱い」という説を有力視しているが、中山のコース形状も理由にあるのか。そもそもなぜ関西厩舎しか快速馬が出ないのか。

▶快速牝馬が桜花賞路線で進撃

　軽くアクセルを踏むだけでびゅーんと行ってしまい、軽くブレーキをかけると走る気をなくす。メイケイエールに代表される〝敏感すぎるスピード〟と、イレ込み、乗り難しい気性が特徴。ディープ系ではなく、母父のダンジグ系と思ったほうがいい。

　小倉2歳Sを2勝、シルクロードSを2勝、ファンタジーSとチューリップ賞は2連対、フィリーズレビューは3着内2回。桜花賞へ向かう路線で牝馬が活躍し、賞金上位はすべて関西馬。中京重賞も特注。

▶牝馬は芝1200、牡馬はダート

　男馬と女馬で勝ち鞍の多いコースが全然違う。

　牡馬はダ1200、ダ1400、ダ1800。重賞連対もダート。牝馬は芝1200、芝1600、芝1400。重賞も芝。

　目立ちすぎる快速牝馬の一方で、牡馬はダート馬が中心だ。代表産駒ウィリアムバローズはダ1800を得意にする中距離馬。気性の落ち着いた堅実型もたくさんいて、牡馬の芝1200は3着止まりが多い。

▶関東への遠征が不振？

　芝もダートも成績がいいのは、阪神、小倉、函館。理由は考えずにいこう。ミッキーアイル産駒は、理屈より感覚で付き合うこと。関西馬が関東へ遠征するとイレ込みを見せ、人気を裏切る例が目につく。パドックでの落ち着きや発汗を観察したい。

　枠順も注意したい。包まれるのが嫌いな馬は外枠が良いし、内の馬群で折り合える馬は内枠が良い。

　芝の道悪はマイナス。ダートは重不良で上がる。

スクリーンヒーロー
SCREEN HERO

種牡馬ランク　2023年度／第22位　2022年度／第14位　2021年度／第13位

グラスワンダー初のGIホース。スーパー・ホースが続出

2004年生　栗毛　2023年引退

現役時代

中央23戦5勝。主な勝ち鞍、ジャパンC、アルゼンチン共和国杯。天皇賞・秋2着。

初勝利はダ1800、2勝目もダ1800と、最初は出世コースから外れていた。3歳夏のラジオNIKKEI賞で2着、セントライト記念で3着するものの、菊花賞を前に不安発生。定年間近の矢野進調教師にとっては最後のクラシックのチャンス、無理すれば出走も可能だったが、モデルスポート一族の成長力を知る師は将来を見越して自重。引き継ぐ鹿戸雄一調教師にスクリーンヒーローの未来を託した。

1年近い休養を経て4歳夏にカムバック。札幌日経オープン2着で長距離適性を示し、格上挑戦のアルゼンチン共和国杯をハンデ53キロで快勝する。

続くジャパンCは単勝41倍の伏兵扱い。ダービー馬ディープスカイ、女傑ウオッカ、凱旋門賞帰りのメ

イショウサムソンらが顔を揃える豪華キャストを相手に、堂々の立ち回りを演じる。道中は5番手で折り合い、直線は先に抜け出したマツリダゴッホとウオッカを追い詰め、外からかわす。その外からディープスカイが迫るが、凌ぎ切って1着のゴールイン。主演映画が完成した。ひと月半前に準オープンで負けていた馬が、一足飛びにGIホースへ。ある者は「デムーロ恐るべし！」と騎手の腕に舌を巻き、父グラスワンダーを愛した者は、栗毛の馬体に父の果たせなかった勝利を重ね、血統好きのオヤジは、祖母ダイナアクトレスが世界の強豪を追い詰めた87年ジャパンCを思い起こした。

翌5歳は阪神大賞典で59キロを背負って重馬場の消耗戦を走った反動が大きく、不振が続く。しかし人気が落ちた天皇賞・秋で、1分57秒台の高速決着に対応して7番人気2着と好走。カンパニーには敗れたが、ジャパンCの一発屋でなかったことを証明した。

🐎 **大舞台で底力発揮するGI血統!**

🐎 **切れるマイラーか、芝2000〜2500型か**

🐎 **成長力抜群、古馬の上昇に乗れ!**

血統背景

父グラスワンダーは98年、99年の有馬記念を連覇。ほかに宝塚記念、朝日杯3歳SとGIを4勝。代表産駒にアーネストリー（宝塚記念）、セイウンワンダー（朝日杯FS）、サクラメガワンダー（金鯱賞）など。

母ランニングヒロインは2戦0勝。

祖母ダイナアクトレスは毎日王冠など重賞5勝、ジャパンC3着、安田記念2着。その子孫にステージチャンプ（日経賞）、プライムステージ（札幌3歳S）、アブソリュート（東京新聞杯）、マルカラスカル（中山大障害）。3代母モデルスポートは牝馬東京タイムズ杯など1978年の最優秀4歳牝馬。

代表産駒

モーリス（15香港マイル）、ゴールドアクター（15有馬記念）、ウインマリリン（22香港ヴァーズ）、グァンチャーレ（15シンザン記念）、ジェネラーレウーノ（18セントライト記念）、クールキャット（21フローラS）、ウインカーネリアン（22関屋記念）、アートハウス（22ローズS）、ウイングレイテスト（23スワンS）、クリノガウディー（18朝日杯FS2着）。

産駒解説

獲得賞金上位に、母父ディアブロのクリノガウディーとグァンチャーレが入り、母父ロージズインメイのマイネルウィルトスとマイネルジェロディもいる。どれもデヴィルズバッグ系との配合で、ニックスと思われる。グラスワンダーの4代母とデヴィルズバッグの3代母が同じなので、この効果だろう。

他も代表産駒の母父はキョウワアリシバ（ゴールドアクター）、フサイチペガサス（ウインマリリン）、エイシンサンディ（ウインオスカー）など、壮観。

近況

2023年に種牡馬を引退し、現在は功労馬として社台ファームで繋養中。ウインカーネリアンが7歳で東京新聞杯を2着に好走するなど、産駒は息の長い活躍を見せている。以下は2022年の関係者コメントです。

「後継種牡馬のモーリスとゴールドアクターも活躍

		シルヴァーホーク Silver Hawk	Roberto
*グラスワンダー 栗 1995			Gris Vitesse
		アメリフローラ Ameriflora	Danzig
			Graceful Touch (12-c)
ランニングヒロイン 鹿 1993		*サンデーサイレンス Sunday Silence	Halo
			Wishing Well
		ダイナアクトレス	*ノーザンテースト
			モデルスポート (1-s)

Hail to Reason 4×4、Northern Dancer 4×4

種付け年度	種付け頭数	血統登録頭数	種付け料
2023年	46頭	—	Private
2022年	74頭	16頭	Private
2021年	99頭	23頭	Private

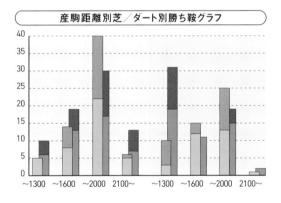

産駒距離別芝／ダート別勝ち鞍グラフ

してくれています。22年の夏もウインカーネリアンが関屋記念1着、マイネルウィルトスが函館記念2着、ウインマリリンが札幌記念3着と古馬重賞戦線で活躍しているように成長力もありますから、この先も期待は大きいです」（レックススタッド、22年9月）

特注馬

ウイングレイテスト／母父サクラユタカオーで直線に坂のないコースがいい。京都のスワンSで狙う。

ピースオブエイト／前半1000m59秒から60秒で逃げると粘り強い。道悪の重賞とオープン【2-0-0-0】。

マイネルクリソーラ／洋芝と冬の芝に強い。秋の高速馬場で負けても見限らず、冬に見直すこと。

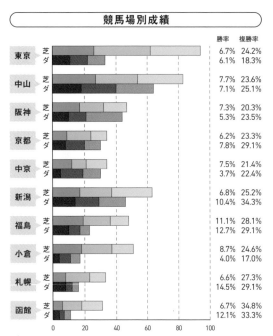

競馬場別成績

		勝率	複勝率
東京	芝	6.7%	24.2%
	ダ	6.1%	18.3%
中山	芝	7.7%	23.6%
	ダ	7.1%	25.1%
阪神	芝	7.3%	20.3%
	ダ	5.3%	23.5%
京都	芝	6.2%	23.3%
	ダ	7.8%	29.1%
中京	芝	7.5%	21.4%
	ダ	3.7%	22.4%
新潟	芝	6.8%	25.2%
	ダ	10.4%	34.3%
福島	芝	11.1%	28.1%
	ダ	12.7%	29.1%
小倉	芝	8.7%	24.6%
	ダ	4.0%	17.0%
札幌	芝	6.6%	27.3%
	ダ	14.5%	29.1%
函館	芝	6.7%	34.8%
	ダ	12.1%	33.3%

函館芝の複勝率が抜きん出る

勝利数上位コース

	コース	着度数	勝率	複勝率
1位	中山ダ1800	15-13-17-110	9.7%	29.0%
2位	小倉芝1200	9-10-6-75	9.0%	25.0%
3位	中山芝2000	9-7-2-67	10.6%	21.2%
4位	東京芝1600	8-16-16-83	6.5%	32.5%
5位	東京芝1400	8-7-3-77	8.4%	18.9%

上位は芝もトップは中山ダート1800m

距離別成績

		着度数	勝率	複勝率
芝	～1200	33-27-35-312	8.1%	23.3%
	1400	18-18-19-196	7.2%	21.9%
	～1600	26-56-38-322	5.9%	27.1%
	～1800	25-32-38-277	6.7%	25.5%
	2000	42-35-30-356	9.1%	23.1%
	～2400	12-8-10-99	9.3%	23.3%
	2500～	3-9-4-35	5.9%	31.4%
ダ	～1300	23-34-28-279	6.3%	23.4%
	～1600	15-27-30-216	5.2%	25.0%
	～1900	46-43-51-405	8.4%	25.7%
	2000～	8-2-7-46	12.7%	27.0%

芝2000～2400と、ダート長距離で勝率上げ

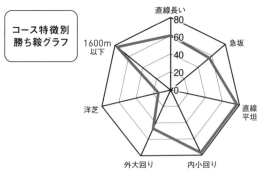

コース特徴別
勝ち鞍グラフ

平坦小回り巧者

得意重賞	
フローラS	2-0-0-3
東京新聞杯	1-1-1-2
アルゼンチン共和国杯	0-2-1-1

不得意重賞	
AJCC	0-0-0-4
秋華賞	0-0-0-4
フラワーC	0-0-0-3

マイル重賞は2着多く、2000mは1着多い

馬場状態別成績

		着度数	勝率	複勝率
芝	良	114-139-135-1209	7.1%	24.3%
	稍重	25-31-24-250	7.6%	24.2%
	重	13-14-13-113	8.5%	26.1%
	不良	7-1-2-25	20.0%	28.6%
ダ	良	52-59-71-564	7.0%	24.4%
	稍重	19-23-25-190	7.4%	26.1%
	重	11-14-13-120	7.0%	24.1%
	不良	10-10-7-72	10.1%	27.3%

力のいる馬場を苦にせず

1番人気距離別成績

		着度数	勝率	複勝率
芝	～1200	9-7-9-15	22.5%	62.5%
	1400	6-2-4-3	40.0%	80.0%
	～1600	6-8-7-8	20.7%	72.4%
	～1800	6-7-2-14	20.7%	51.7%
	2000	16-6-2-10	47.1%	70.6%
	～2400	5-3-0-3	45.5%	72.7%
	2500～	1-2-0-2	20.0%	60.0%
ダ	～1300	11-6-5-17	28.2%	56.4%
	～1600	6-5-5-10	22.2%	63.0%
	～1900	12-3-9-15	30.8%	61.5%
	2000～	3-1-1-5	30.0%	50.0%

芝中距離の信頼度が高い

騎手ベスト5（3番人気以内）

	騎 手	着度数	勝率	複勝率
1位	丹内祐次	13-12-9-20	24.1%	63.0%
2位	三浦皇成	11-6-5-13	31.4%	62.9%
3位	西村淳也	9-5-0-10	37.5%	58.3%
4位	横山武史	8-6-9-24	17.0%	48.9%
5位	川田将雅	7-10-6-15	18.4%	60.5%

マイネル主戦・丹内がトップ

騎手ベスト5（4番人気以下）

	騎 手	着度数	勝率	複勝率
1位	丹内祐次	12-10-15-159	6.1%	18.9%
2位	柴田大知	5-5-7-122	3.6%	12.2%
3位	横山武史	5-5-3-35	10.4%	27.1%
4位	和田竜二	5-4-1-46	8.9%	17.9%
5位	石川裕紀人	4-6-5-48	6.3%	23.8%

人気薄も丹内

クラス別成績

	芝 着度数	勝率	ダ 着度数	勝率
新馬	13-12-13-158	6.6%	2-4-5-36	4.3%
未勝利	43-67-56-550	6.0%	48-37-39-354	10.0%
1勝	47-43-45-328	10.2%	30-40-53-327	6.7%
2勝	26-22-21-207	9.4%	8-12-12-142	4.6%
3勝	8-17-14-150	4.2%	3-11-5-48	4.5%
OPEN	11-5-13-62	12.1%	1-2-2-38	2.3%
GⅢ	5-9-3-54	7.0%	0-0-0-1	0%
GⅡ	6-6-9-51	8.3%	0-0-0-0	—
GⅠ	0-4-0-37	0%	0-0-0-0	—

芝は重賞でも堅実に好走

条件別勝利割合

穴率	26.3%	平坦芝率	48.4%
芝道悪率	28.3%	晩成率	44.2%
ダ道悪率	43.5%	芝広いコース率	39.6%

晩成率高く、成長力に期待

年齢・季節別勝ち鞍グラフ

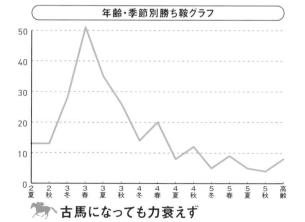

古馬になっても力衰えず

※「春」＝3、4、5月。「夏」＝6、7、8月。
　「秋」＝9、10、11月。「冬」＝12、1、2月。高齢＝5歳12月以降。

勝 利 へ の ポ イ ン ト

GⅡ【6-6-9-51】、GⅠ【0-4-0-37】
GⅠとGⅡの16連対、芝2000以上／13回

　24年の前半だけで、重賞の3着以内に来た7歳以上の馬が3頭いる。ウインカーネリアン、マイネルウィルトス、ウイングレイテスト。高齢になっても衰えない長持ち丈夫はステイゴールド級だ。

▶1600型か2500型か

　急成長してGⅠ馬になったモーリスとゴールドアクターが代表産駒。ウインカーネリアンがマイルで3連勝して上昇したのはモーリスを思わせ、神戸新聞杯3着だったボルドグフーシュが、相手強化された菊花賞や有馬記念で2着にきたのはのゴールドアクターを思わせた。1600型と2500型がいる。

▶持続力勝負向き、大舞台激走あり

　複数の産駒が勝っているのは、オールカマー、日経賞、毎日杯、フローラS。他に有馬記念、セントライト記念、札幌記念も複数実績重賞だ。瞬発力の勝負よりは、持続力の勝負で持ち味を発揮する。

　短距離は得意と言えないが、クリノガウディーの高松宮記念1位入線あり。ハマれば大舞台で暴れる。

▶牝馬は輸送注目？

　気性の勝ったマイラーは速い流れで能力を引き出され、穴も多い。中長距離型は鋭さに限界のある馬もいて、中山や洋芝が得意。上がり35秒台の脚しか使えない馬は、そのタイムで間に合うコースや馬場で買おう。勝率が高いのは中山と阪神と札幌の芝。

　牝馬は長距離輸送に弱いという傾向があり、牝馬の重賞好走は地元競馬に多い。関西馬アートハウスも関東ではイレ込みがきつく、好走できなかった。関東馬ウインマリリンは4歳まで関西で好走できなかったが、気性が成長して香港GⅠを制した。

　ゆったりローテに向き、休み明けはよく走る。

▶ダートはローカル小回り狙い

　ダートは穴の割合が高く、距離延長・距離短縮が効く。新潟、福島、函館のダートは優秀だ。上級クラスの穴なら、3勝クラスの古馬に注目しよう。

　芝の道悪は不良馬場だけやけに成績が良い。

23

イスラボニータ
ISLA BONITA

種牡馬ランク　2023年度／第23位　2022年度／第29位　2021年度／第75位

フジキセキ産駒最後の、そして最強の後継者

2011年生　黒鹿毛　2024年種付け料▷受胎確認後200万円（FR）

現役時代

中央25戦8勝。主な勝ち鞍、皐月賞、セントライト記念、マイラーズC、阪神C、共同通信杯、東京スポーツ杯2歳S。ダービー2着、マイルCS2着。

名種牡馬だったフジキセキ。しかし、産駒は長い間クラシックを勝てずにいた。2011年生まれのラストクロップの中に、最強で最後の後継者がいた。

蛯名正義を鞍上に東京芝1600の新馬を完勝。新潟2歳Sは出遅れ、ハープスターの2着に追い込む。いちょうSから連勝が始まり、東スポ杯2歳Sをレコード勝ち、休養後の共同通信杯も好位から差して3連勝。1戦ごとに走りが上手になり、安定感が増す。

14年皐月賞はトゥザワールドに次ぐ2番人気。白い帽子の2番から好スタートを切ると、内で折り合いつつ、中団の外へ持ち出す巧みな位置取り。4角では大外に進路を取り、トゥザワールドに弾かれる場面もあ

ったが、ひるまず、一気に抜け出して1馬身1／4の差をつけてクラシックタイトルを戴冠した。

ダービーは単勝2.7倍の1番人気。血統的な距離不安もささやかれるなか、3番手に折り合う。直線に向いても蛯名の手綱は動かず、持ったまま。外からワンアンドオンリーが並びかけ、加速開始。2頭の一騎打ち。蛯名と横山典弘、ふたりの名騎手の叩き合いはワンアンドオンリーに軍配が上がった。

秋はセントライト記念を制し、古馬相手の天皇賞・秋でスピルバーグの3着。その後は勝てない時期が続き、4歳のマイルCS3着、5歳のマイルCS2着など。この間に父フジキセキ死亡のニュースもあり、種牡馬入りを待望されたが、陣営は6歳を迎えても現役にこだわった。そして6歳のマイラーズCで久々の勝利。安田記念とマイルCSは敗れて大願ならずも、阪神Cをレコード勝ち。重賞6勝目で最後を飾った。

POINT

🏇 ローカル重賞で活躍の平坦巧者

🏇 内枠を活かす立ち回り上手!

🏇 ダートの人気馬は芝より堅実

血統背景

父フジキセキは4戦無敗、朝日杯3歳Sと弥生賞の勝ち馬。サンデーサイレンスの初年度産駒で種牡馬としても大成功し、後継にキンシャサノキセキなど。

母イスラコジーンは米国2勝。芝8.5FのGⅡミセズリヴィアS2着。シーザリオが勝った2005年アメリカンオークスで逃げた馬。

母の父コジーンは85年BCマイル優勝のグレイソヴリン系。日本でもアドマイヤコジーン（安田記念）やローブデコルテ（オークス）の父で知られる。

代表産駒

ヤマニンサルバム（23中日新聞杯、24新潟大賞典）、コスタボニータ（24福島牝馬S）、プルパレイ（22ファルコンS）、トゥードジボン（24関屋記念）、バトルクライ（23すばるS）。

産駒解説

23年は重賞1勝だったが、24年は8月終了時点でコスタボニータの福島牝馬Sと、ヤマニンサルバムの新潟大賞典と、トゥードジボンの関屋記念で重賞3勝。24年関屋記念の日には、中京の小倉記念と、札幌のUHB賞と、3場のメインで産駒が連対する「祭」だった。ローカルや平坦の重賞に強い。

コスタボニータの母の父ケンドールと、ヤマニンサルバムの祖母の父トニービンはどちらもゼダーン系。グレイソヴリンがクロスするニックスだ。

他では母の父デピュティミニスター系との配合も相性が良く、アルーリングビュー、フラッパールックなどが出ている。

関係者コメント

「産駒はまだGⅠには届きませんが、GⅢを5つも勝って、なかでも平坦な馬場で頑張っています。新潟の芝1600で2歳レコードを出した馬もいますし、フジキセキの後継らしく、芝ダートを問わずに走ってくれます。フジキセキ自体に根強い人気があり、お手頃な種付け価格でしっかり勝ち上がり、馬主さんを儲けさせてくれる、そんな種牡馬だと思います。

フジキセキ 青鹿 1992	＊サンデーサイレンス Sunday Silence	Halo
		Wishing Well
	＊ミルレーサー Millracer	Le Fabuleux
		Marston's Mill(22-d)
＊イスラコジーン Isla Cozzene 鹿 2002	コジーン Cozzene	Caro
		Ride the Trails
	イスラムヘレス Isla Mujeres	Crafty Prospector
		Lido Isle (4-n)

In Reality 4×5

種付け年度	種付け頭数	血統登録頭数	種付け料
2023年	140頭	—	150／受・FR
2022年	175頭	107頭	150／受・FR
2021年	159頭	111頭	150／受・FR

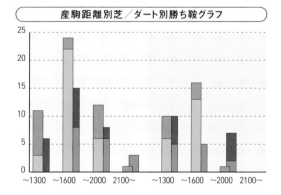

産駒距離別芝／ダート別勝ち鞍グラフ

イスラボニータ自身は中型サイズながら、大跳びの走りは産駒にも伝えられたようで、現役時の父を彷彿とさせるように肩の出が良い走りをします。それが豊かなスピード能力の源になっているのでしょう」（社台スタリオン、24年8月）

特注馬

ヤマニンサルバム／昨年「中京のオープンで狙う」と書いたら重賞2勝。失礼しました。毎日王冠合う。

トゥードジボン／高速の芝向きで、馬場が渋るとさっぱり。阪神や京都の開催後半は、扱いを慎重に。

プルパレイ／内枠に入ると器用に立ち回るスプリンター。馬番6番以内で1分8秒台のオープンなら出番。

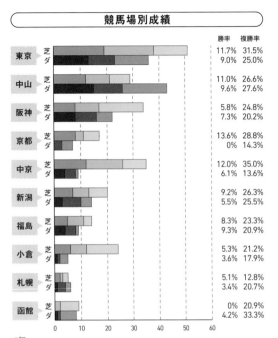

競馬場別成績

		勝率	複勝率
東京	芝	11.7%	31.5%
	ダ	9.0%	25.0%
中山	芝	11.0%	26.6%
	ダ	9.6%	27.6%
阪神	芝	5.8%	24.8%
	ダ	7.3%	20.2%
京都	芝	13.6%	28.8%
	ダ	0%	14.3%
中京	芝	12.0%	35.0%
	ダ	6.1%	13.6%
新潟	芝	9.2%	26.3%
	ダ	5.5%	25.5%
福島	芝	8.3%	23.3%
	ダ	9.3%	20.9%
小倉	芝	5.3%	21.2%
	ダ	3.6%	17.9%
札幌	芝	5.1%	12.8%
	ダ	3.4%	20.7%
函館	芝	0%	20.9%
	ダ	4.2%	33.3%

🐎 東京、中京芝の好走率高い

勝利数上位コース

	コース	着度数	勝率	複勝率
1位	東京芝1400	9-7-3-36	16.4%	34.5%
2位	中山ダ1200	8-6-11-59	9.5%	29.8%
3位	中山芝1600	8-6-1-44	13.6%	25.4%
4位	中山ダ1800	7-5-6-52	10.0%	25.7%
5位	東京芝1600	6-10-4-45	9.2%	30.8%

🐎 父フジキセキも東京芝1400m得意だった

距離別成績

		着度数	勝率	複勝率
芝	～1200	14-14-24-199	5.6%	20.7%
	1400	16-12-19-106	10.5%	30.7%
	～1600	32-33-19-191	11.6%	30.5%
	～1800	8-10-11-89	6.8%	24.6%
	2000	6-4-10-58	7.7%	25.6%
	～2400	3-1-1-16	14.3%	23.8%
	2500～	0-1-0-1	0%	50.0%
ダ	～1300	23-20-27-207	8.3%	25.3%
	～1600	12-12-15-147	6.5%	21.0%
	～1900	14-17-13-181	6.2%	19.6%
	2000～	1-3-2-9	6.7%	40.0%

🐎 芝は1400～1600mで信頼

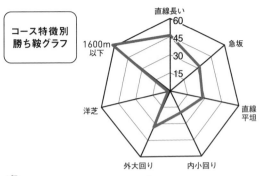

コース特徴別
勝ち鞍グラフ

🐎 洋芝では勝ち切れず

得意重賞		不得意重賞	
福島牝馬S	1-0-0-0	小倉2歳S	0-0-0-1
ファルコンS	1-0-0-1	中山牝馬S	0-0-0-1
新潟大賞典	1-0-0-1	マイラーズC	0-0-0-1

🐎 重賞勝利はすべてローカルのGⅢ

馬場状態別成績

		着度数	勝率	複勝率
芝	良	59-60-69-509	8.5%	27.0%
	稍重	9-10-9-92	7.5%	23.3%
	重	8-4-6-49	11.9%	26.9%
	不良	3-1-0-10	21.4%	28.6%
ダ	良	36-37-34-366	7.6%	22.6%
	稍重	10-6-13-91	8.3%	24.2%
	重	3-3-8-51	4.6%	21.5%
	不良	1-6-2-36	2.2%	20.0%

🐎 芝は馬場が悪くなるごとに成績上昇

1番人気距離別成績

		着度数	勝率	複勝率
芝	～1200	5-2-2-7	31.3%	56.3%
	1400	5-2-5-1	38.5%	92.3%
	～1600	9-7-1-10	33.3%	63.0%
	～1800	2-2-2-1	28.6%	85.7%
	2000	2-1-2-0	40.0%	100%
	～2400	2-0-1-0	66.7%	100%
	2500～	0-0-0-0	—	—
ダ	～1300	11-6-2-9	39.3%	67.9%
	～1600	6-4-0-5	40.0%	66.7%
	～1900	8-5-3-10	30.8%	61.5%
	2000～	0-0-0-0	—	—

🐎 数は少ないが芝1800以上の人気馬安定

騎手ベスト5（3番人気以内）			
	騎　手	着度数	勝率	複勝率
1位	戸崎圭太	8-7-2-10	29.6%	63.0%
2位	川田将雅	7-2-0-1	70.0%	90.0%
3位	M.デムーロ	6-3-2-6	35.3%	64.7%
4位	松山弘平	6-3-2-5	37.5%	68.8%
5位	C.ルメール	6-2-1-8	35.3%	52.9%

🏇 **戸崎は7頭で8勝**

騎手ベスト5（4番人気以下）			
	騎　手	着度数	勝率	複勝率
1位	戸崎圭太	3-1-5-6	20.0%	60.0%
2位	松岡正海	3-1-4-17	12.0%	32.0%
3位	三浦皇成	3-1-0-16	15.0%	20.0%
4位	松山弘平	2-1-2-13	11.1%	27.8%
5位	菊沢一樹	2-0-3-26	6.5%	16.1%

🏇 **戸崎、人気薄でも複勝率60%**

クラス別成績					
	芝 着度数	勝率	ダ 着度数	勝率
新馬	14-14-19-109	9.0%	3-4-2-36	6.7%
未勝利	24-31-36-299	6.2%	23-33-27-314	5.8%
1勝	18-10-10-122	11.3%	15-11-20-136	8.2%
2勝	12-10-10-43	16.0%	5-2-2-32	12.2%
3勝	4-5-2-31	9.5%	2-1-2-17	9.1%
OPEN	3-4-2-21	10.0%	2-1-2-8	15.4%
GⅢ	4-1-3-21	13.8%	0-0-2-1	0%
GⅡ	0-0-2-10	0%	0-0-0-0	—
GⅠ	0-0-0-4	0%	0-0-0-0	—

🏇 **大物期待より条件戦でコツコツタイプ**

条件別勝利割合			
穴率	20.2%	平坦芝率	35.4%
芝道悪率	25.3%	晩成率	33.3%
ダ道悪率	28.0%	芝広いコース率	58.2%

🏇 **満遍なく平均の印象**

年齢・季節別勝ち鞍グラフ

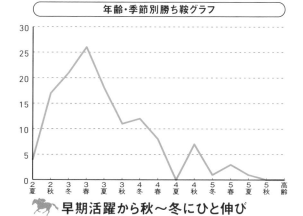

🏇 **早期活躍から秋～冬にひと伸び**

※「春」＝3、4、5月。「夏」＝6、7、8月。
　「秋」＝9、10、11月。「冬」＝12、1、2月。高齢＝5歳12月以降。

勝 利 へ の ポイント

ローカル重賞【4-0-2-12】
中央4場重賞【0-1-5-24】

　24年はコスタボニータの福島牝馬S、ヤマニンサルバムの新潟大賞典、トゥードジボンの関屋記念とローカルの重賞で大活躍。24年8月まで集計に含めた重賞5勝は、全部ローカルのGⅢだ。関屋記念の日は「新潟、中京、札幌、3場のメインレースで連対」という快挙も達成。すべて先行策だった。

▶**ローカル、タイムの速い芝向き！**
　中央重賞でも京成杯2着やスプリングS3着などがあるから、坂コースでも走れるが、中央だと3着が目につく。2歳から3歳前半はクラシックに乗りかけ、その後、古馬になって地道に出世する。タイムの速い馬場に強いことも、ローカルが得意な要因だ。

▶**立ち回り上手で内枠を活かす**
　勝ち鞍の多い距離は、牡馬が芝1600、芝1400、ダ1800。牝馬は芝1600、芝1200、ダ1200。
　フジキセキ後継らしい芝ダート兼用のスピードと、好位の内でロスなく立ち回る器用さを持ち、派手な勝ち方をしない割に、コツコツと上のクラスへ上がっていく。「内の先行馬に有利な展開だった」と甘く見ていると、上のクラスでも同じことをやられる。
　芝の複勝率が高い枠を並べると、3枠、2枠、1枠。外枠に入っても、関屋記念のトゥードジボンのように先手を取れば、実質「内の馬」だ。

▶**芝1200の快速馬は少なめ？**
　同父系キンシャサノキセキと違うのは、中距離馬も多く、芝1200の快速馬は少なめなこと。長距離の勝ち鞍もあるから安易に距離で軽視しないように。

▶**ダートも1400のオープン勝ち**
　ダートでも、ユニコーンS3着や根岸S3着のバトルクライなどが出て、適性は十分。中山、東京、阪神の順に勝利が多い。人気馬はダートのほうが堅実で、信頼できるのは中枠の先行馬。内枠に差し馬が入るといまいち。前走同じクラスで4着以内に来た馬を素直に狙おう。芝もダートも、下級条件では中1週や中2週の間隔を詰めたローテで穴になる。

イスラボニータ ISLA BONITA

リアルスティール
REAL STEEL

種牡馬ランク　2023年度／第24位　2022年度／第72位

三冠惜敗もドバイで戴冠！「ドバイ名人」の先駆け

2012年生　鹿毛　2024年種付け料▷受胎確認後300万円（FR）

現役時代

中央15戦3勝、UAE2戦1勝。主な勝ち鞍、ドバイターフ（GI・芝1800M）、毎日王冠、共同通信杯。皐月賞2着、菊花賞2着、天皇賞・秋2着。

サンデーレーシングの募集価格は総額8000万円。ミエスク、キングマンボら世界的な名ファミリーのディープインパクト産駒として、期待を背負った。

福永祐一を主戦に、新馬、共同通信杯を連勝。スプリングSはキタサンブラックを捕まえられず2着。2番人気の皐月賞は好位から抜け出し、勝ったかと思われたところを、同馬主のドゥラメンテに後方強襲されて2着。ダービーは後方からの差しを試みるも伸び切れず、またもドゥラメンテの4着に敗れる。

安定感はあっても突き抜けない弱点は、秋になっても続き、神戸新聞杯2着から向かった菊花賞は、キタサンブラックのクビ差2着。福永の巧みなエスコート

で距離不安は克服したが、前に1頭いた。

4歳になると陣営は中距離路線を選択。中山記念3着の後、芝1800のドバイターフに照準を定めた。のちに「ドバイ名人」と呼ばれることになる矢作調教師の慧眼だった。鞍上も世界のライアン・ムーアにスイッチされ、16年3月26日のメイダン競馬場で1着ゴールイン。先行策からムーアの右ムチに叩かれると弾けるように伸び、あっというまに抜け出した。矢作調教師は「ダービーを勝ったよりうれしい」と、涙声で喜びを表現した。ちなみに次のレース、ドバイシーマクラシックはドゥラメンテが2着した。

この後、天皇賞・秋はデムーロでモーリスの2着。ジャパンCは再びムーアとコンビを組んだが5着。

5歳は毎日王冠1着。6歳で再びドバイへ飛び、バルザローナ騎手で臨んだドバイターフは、ヴィブロス、ディアドラらと大激戦の末、3着同着だった。

ダートの大物が世界を制す!?

1800のリアルスティール

詰まったローテの勝利多数

血統背景

父ディープインパクトは同馬の項を参照。

母ラヴズオンリーミーは不出走。

全妹ラヴズオンリーユー（オークス、BCフィリー＆メアターフ、香港Cなど）、全弟プロディガルサン（東スポ杯2歳S2着）、半姉の仔テルツェット（クイーンS連覇）。母の半姉ランプルスティルツキンは全欧2歳チャンピオンでGIを2勝。

3代母ミエスクはブリーダーズカップ・マイル連覇などGIを10勝の名牝、キングマンボの母。祖母モネヴァッシアはキングマンボの全妹にあたる。

代表産駒

レーベンスティール（23セントライト記念、24エプソムC）、オールパルフェ（22デイリー杯2歳S）、チカッパ（24昇竜S）、トーホウガレオン（23シンザン記念3着）。

産駒解説

レーベンスティールは母父トウカイテイオー。帝王ファンの期待も背負う期待の星だ。上がり33秒台の切れ味は、ディープインパクト直系の血を感じる。

ほかの活躍馬は、米国血統の母との配合に多い。フォーエバーヤングは母父エーピーインディ系で、ミスタープロスペクターが何本も入る配合。ドナベティも母父エーピーインディ系で、同様にミスプロが何本も入る。これらの母が米国血統の馬は、ダート馬に出たり、短距離馬に出る傾向がある。

関係者コメント

「社台スタリオンから移動して今年からうちで供用されています。24年の種付けはうちでトップの188頭。ミエスクの牝系で生産者の人気は高いです。

芝のレーベンスティールと、ダートのフォーエバーヤング、GIを獲れそうな馬が芝とダートで1頭ずつついて楽しみです。ディープの仔なので最初は芝向きかなと見ていましたが、配合によってはダートに強い馬も出てきますね。距離的にはあまり長い距離よりも、1800とか2000とか、そのくらいが合うと思います。

リアルスティール自身は少々、気が荒い。誰でも触

ディープインパクト 鹿 2002	* サンデーサイレンス Sunday Silence	Halo
		Wishing Well
	* ウインドインハーヘア Wind in Her Hair	Alzao
		Burghclere (2-f)
* ラヴズオンリーミー Loves Only Me 鹿 2006	ストームキャット Storm Cat	Storm Bird
		Terlingua
	モネヴァッシア Monevassia	Mr. Prospector
		Miesque (20)

Northern Dancer 5×4・5

種付け年度	種付け頭数	血統登録頭数	種付け料
2023年	118頭	—	300／受・FR
2022年	151頭	101頭	300／受・FR
2021年	173頭	122頭	250／受・FR

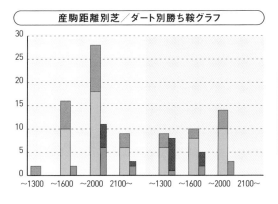

産駒距離別芝／ダート別勝ち鞍グラフ

れるというタイプではなく、扱うのにちょっと緊張感のいる馬です。うちに来たばかりの頃は、環境に慣れずに大変でした。でも、賢い馬ですし、種付けに関しては前向きで扱いやすいです」（ブリーダーズ・スタリオン、24年8月）

特注馬

レーベンスティール／天皇賞・秋有力の見方が主流だろうが、有馬記念で見たい。母父テイオーだから。

アンリーロード／4着が多く、1番人気でたびたび馬券を外す。末脚が一瞬のため、牡馬混合戦は危険。

アグラシアド／母父サドラー系で良馬場では3着多数。不良のミモザ賞を快勝するなど、春の中山が得意。

競馬場別成績

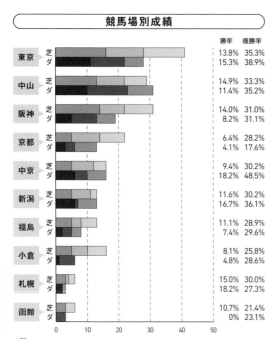

		勝率	複勝率
東京	芝	13.8%	35.3%
	ダ	15.3%	38.9%
中山	芝	14.9%	33.3%
	ダ	11.4%	35.2%
阪神	芝	14.0%	31.0%
	ダ	8.2%	31.1%
京都	芝	6.4%	28.2%
	ダ	4.1%	17.6%
中京	芝	9.4%	30.2%
	ダ	18.2%	48.5%
新潟	芝	11.6%	30.2%
	ダ	16.7%	36.1%
福島	芝	11.1%	28.9%
	ダ	7.4%	29.6%
小倉	芝	8.1%	25.8%
	ダ	4.8%	28.6%
札幌	芝	15.0%	30.0%
	ダ	18.2%	27.3%
函館	芝	10.7%	21.4%
	ダ	0%	23.1%

3着以内回数は東京芝がダントツ

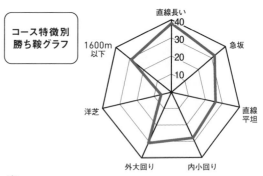

コース特徴別
勝ち鞍グラフ

（レーダーチャート：直線長い、急坂、直線平坦、内小回り、外大回り、洋芝、1600m以下）

直線長い急坂コースで浮上

得意重賞					
セントライト記念	1-0-0-0
エプソムC	1-0-0-0
デイリー杯2歳S	1-0-0-1

不得意重賞					
NHKマイルC	0-0-0-2
フィリーズレビュー	0-0-0-2
—	—

阪神芝1600重賞は2連対

勝利数上位コース

	コース	着度数	勝率	複勝率
1位	中山ダ1200	5-7-4-22	13.2%	42.1%
2位	中山ダ1800	5-6-4-34	10.2%	30.6%
3位	東京ダ1400	5-4-5-26	12.5%	35.0%
4位	東京芝1800	5-3-6-26	12.5%	35.0%
5位	阪神芝1800	5-1-1-18	20.0%	28.0%

トップ3はダートも、やや勝ち切れない印象

馬場状態別成績

		着度数	勝率	複勝率
芝	良	64-45-47-339	12.9%	31.5%
	稍重	3-9-7-60	3.8%	24.1%
	重	4-3-4-33	9.1%	25.0%
	不良	3-3-1-7	21.4%	50.0%
ダ	良	34-30-27-200	11.7%	31.3%
	稍重	5-13-6-54	6.4%	30.8%
	重	6-5-2-28	14.6%	31.7%
	不良	1-3-8-14	3.8%	46.2%

芝は力のいる馬場が得意

距離別成績

		着度数	勝率	複勝率
芝	～1200	7-4-8-60	8.9%	24.1%
	1400	7-10-5-41	11.1%	34.9%
	～1600	15-11-10-94	11.5%	27.7%
	～1800	23-19-14-103	14.5%	35.2%
	2000	14-12-16-94	10.3%	30.9%
	～2400	7-4-6-38	12.7%	30.9%
	2500～	1-0-0-9	10.0%	10.0%
ダ	～1300	12-15-12-56	12.6%	41.1%
	～1600	11-12-13-67	10.7%	35.0%
	～1900	18-18-18-162	8.3%	25.0%
	2000～	5-6-0-11	22.7%	50.0%

自身同様ワンターンの芝1800mで良績

1番人気距離別成績

		着度数	勝率	複勝率
芝	～1200	2-1-4-1	25.0%	87.5%
	1400	2-3-0-0	40.0%	100%
	～1600	4-0-1-6	36.4%	45.5%
	～1800	11-5-2-8	42.3%	69.2%
	2000	3-1-5-14	13.0%	39.1%
	～2400	1-0-0-2	33.3%	33.3%
	2500～	1-0-0-0	100%	100%
ダ	～1300	5-6-3-2	31.3%	87.5%
	～1600	4-2-1-4	36.4%	63.6%
	～1900	8-3-2-6	42.1%	68.4%
	2000～	2-1-0-0	66.7%	100%

2000m以上は人気でも信頼度低め

騎手ベスト5（3番人気以内）

	騎手	着度数	勝率	複勝率
1位	C.ルメール	17-4-4-8	51.5%	75.8%
2位	坂井瑠星	7-4-1-4	43.8%	75.0%
3位	横山武史	5-2-2-5	35.7%	64.3%
4位	津村明秀	4-3-2-6	26.7%	60.0%
5位	川田将雅	3-1-4-3	27.3%	72.7%

🏇 **ルメール突出＝ノーザンファーム生産馬**

騎手ベスト5（4番人気以下）

	騎手	着度数	勝率	複勝率
1位	小沢大仁	2-2-0-12	12.5%	25.0%
2位	西村淳也	2-1-4-4	18.2%	63.6%
3位	三浦皇成	2-1-0-5	25.0%	37.5%
4位	角田大和	2-0-2-9	15.4%	30.8%
5位	伊藤工真	2-0-0-7	22.2%	22.2%

🏇 **人気薄の好走はほぼ未勝利戦**

クラス別成績

	芝 着度数	勝率	ダ 着度数	勝率
新馬	15-17-13-74	12.6%	2-0-3-18	8.7%
未勝利	34-21-18-205	12.2%	24-32-20-170	9.8%
1勝	17-17-18-97	11.4%	16-14-17-70	13.7%
2勝	4-2-4-19	13.8%	3-5-3-30	7.3%
3勝	0-0-1-4	0%	0-0-0-3	0%
OPEN	1-1-2-11	6.7%	1-0-0-3	25.0%
GⅢ	1-2-1-11	6.3%	0-0-0-2	0%
GⅡ	2-0-1-12	13.3%	0-0-0-0	—
GⅠ	0-0-0-6	0%	0-0-0-0	—

🏇 **一部の上級馬が重賞でも活躍**

条件別勝利割合

穴率	20.0%	平坦芝率	35.1%
芝道悪率	13.5%	晩成率	17.5%
ダ道悪率	26.1%	芝広いコース率	51.4%

🏇 **穴率低く、特にダートは人気馬が走りやすい**

年齢・季節別勝ち鞍グラフ

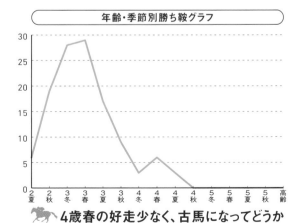

🏇 **4歳春の好走少なく、古馬になってどうか**

※「春」＝3、4、5月。「夏」＝6、7、8月。
「秋」＝9、10、11月。「冬」＝12、1、2月。高齢＝5歳12月以降。

勝利へのポイント

芝1800／23勝、ダ1800／14勝 中京ダート／複勝率49%

2年目産駒フォーエバーヤングは海外のダート重賞を連勝して、ケンタッキーダービーもあわやの3着。秋には世界最高峰のダートレースを狙う。

1年目産駒のレーベンスティールは芝重賞を2勝。順調に成長して、24年秋はGI獲りに挑む。

リアルスティールの全妹ラヴズオンリーユーがBCフィリー＆メアターフを勝ったように、ミエスクの血を持つ馬はBCに強いはずだから、フォーエバーヤングがBCクラシックを制しても不思議はない。

▶**芝もダートも1800得意**

勝ち鞍の多い距離は、牡馬が芝1800、芝2000、ダ1800。牝馬は芝1800、芝1600、ダ1200。芝もダートも1800の勝利数が多く、現役時代同様「1800mのリアルスティール」は覚えやすい格言になる。

▶**中京ダートの馬券率抜群！**

芝の競馬場成績に偏りなく、出走数の多い順番通りに東京、阪神、中山の勝利が多い。しかしダートに目を移すと、中京の成績が恐ろしく良い。まだデータ数が多くないとはいえ、チカッパの昇竜S勝ちもあり、内容は濃い。中京ダートに注目。

▶**人気馬が危ない芝1600**

1番人気の成績は芝とダートで大違い。

芝は勝率31%、複勝率60%しかないのに対して、ダートは勝率39%、複勝率75%。人気馬を買うならダートに安定感あり。優秀なのはダ1200、良くないのは芝1600。基本的に1800の得意な血統は、芝のマイルを走らせると、人気馬があてにならない。

▶**中1週と中2週のローテで荒稼ぎ**

興味深い傾向として、中1週と中2週のローテの勝率や回収率が高い。連闘も含めて、中2週以内の詰まったローテで41勝という大量の勝ち星をあげている。中距離血統でこの比率は特別だ。

芝の道悪は稍重と重で数字がダウンするが、不良の大寒桜賞でワンツー。判断は尚早も、苦手ではない。ダートの道悪も大きな傾向は見られない。

リアルスティール REAL STEEL

25

サトノクラウン
SATONO CROWN

種牡馬ランク　2023年度／第25位　2022年度／第87位

稀重以下で国内重賞【4-1-0-2】。渋った馬場で無類の強さ

2012年生　黒鹿毛　2024年種付け料▷受胎確認後200万円 (FR)

現役時代

中央17戦6勝、香港とUAE3戦1勝。主な勝ち鞍、香港ヴァーズ、宝塚記念、弥生賞、京都記念（2回）、東スポ杯2歳S。天皇賞・秋2着、日本ダービー3着。

重賞6勝のジョッキーの名前を並べると、豪華だ。ライアン・ムーアに始まり、福永祐一、ミルコ・デムーロ（3勝）、香港ではジョアン・モレイラ。ほかに皐月賞とダービーはルメールとコンビを組んだ。堀宣行厩舎ならではのラインアップだ。

新馬から東スポ杯、弥生賞と3連勝。しかし、1番人気に支持された皐月賞は伸びずに6着。ダービーも直線一気でドゥラメンテの3着まで。血統的にサンデーサイレンスの血を持たないという特徴があり、それがクラシックで足りない理由とも言われた。

4歳になると、重の京都記念を楽勝して道悪上手な長所を見せるも、高速馬場ではスピード不足なの

か、切れ味不足なのか。天皇賞・秋で14着と大敗した次走は、12月の香港ヴァーズ（GI・芝2400）へ向かった。春に続く2度目の香港遠征で、名手モレイラが馬群の狭い隙間を抜け出して、欧州の一流馬ハイランドリール以下に快勝。香港のGI馬を多数輩出している父マルジュの馬場適性も活きた。

5歳で京都記念を連覇すると、17年の宝塚記念は待望の道悪決戦。逃げるシュヴァルグラン、2番手シャケトラ、3番手キタサンブラックという錚々たる相手に、道中、ペースが落ち着きかけたところでデムーロが動いて前をつつき、レースを動かす。これで再びペースアップした先行勢は最後に苦しくなり、サトノクラウンが稀重馬場を悠々と抜け出した。

次走、不良馬場になった天皇賞・秋は、キタサンブラックと激戦のクビ差2着。借りを返されたが、時計のかかる馬場ならトップホースだった。

POINT

- 1年目産駒からダービー馬誕生！
- 芝もダートも長距離走るスタミナ
- 2歳新馬戦で大穴がたびたび炸裂

血統背景

　父マルジュはセントジェイムズパレスS（英GI・芝8F）、英ダービー2着。代表産駒にマルバイユ（アスタルテ賞。桜花賞馬マルセリーナの母）、シルシラ（仏オークス）、ヴィヴァパタカ（Qエリザベス2世C）、インディジェナス（ジャパンC2着）。

　母ジョコンダIIはアイルランドのリステッド勝ち。全姉ライトニングパールはチヴァリーパークS（GI・芝6F）、半妹ポンデザール（ステイヤーズS3着）。近親ファストアプローチ（札幌2歳S2着）。

代表産駒

　タスティエーラ（23日本ダービー、23弥生賞）、トーセンローリエ（23アネモネS）、ウヴァロヴァイト（23年スイートピーS）。

産駒解説

　サンデーサイレンスの血を持たないため、活躍馬の大半はサンデー系の母との間に生まれている。

　キングカメハメハを持つ母に配合すればラストタイクーンのクロスができるが、これは現状あまり成功していない。それより母系の奥にノーザンテーストを持つ活躍馬が目立ち、タスティエーラも、トーセンローリエも、ウヴァロヴァイトも当てはまる。一口クラブの狙い目は「サンデーとノーザンテーストを持つ母」との仔だ。

関係者コメント

　「1年目からダービー馬のタスティエーラが出て、うれしかったですね。最初は種付け頭数で苦戦するかなと思って、種付け料を安く100万円に設定したんですけど、たくさん頭数が付いてくれて、しかも現役時代に管理していた堀先生の厩舎の馬でダービーを取ったのは感慨深いです。

　ただ、今年200万円に値上げしたこともあり、ダービー馬が出た割に種付けの人気は伸びていません。活躍馬の数がまだまだです。サトノクラウンの父系はアベレージヒッターなので、産駒もそうなるかと思っていたら、逆に超大物が出て、アベレージはまだそれほど高くない。配合や使い方を工夫して、勝ち上がり率をもっと上げたいです。血統的にはサンデーが入ってないのが売り。ヨーロッパの種馬っぽい体型をしているので重い馬場にも適応すると思います」（社台スタリオン、24年8月）

マルジュ Marju 黒鹿 1988	＊ラストタイクーン Last Tycoon	＊トライマイベスト Try My Best
		Mill Princess
	フレイムオブタラ Flame of Tara	＊アーテイアス Arteius
		Welsh Flame (2-f)
＊ジョコンダII Jioconda 鹿 2003	ロッシーニ Rossini	Miswaki
		Touch of Greatness
	ラジョコンド La Joconde	Vettori
		Lust (20-c)

Northern Dancer 4×5、Mr. Prospector 4×5（母方）
Buckpasser 5×5、Sir Ivor 5×5（母方）

種付け年度	種付け頭数	血統登録頭数	種付け料
2023年	163頭	―	150／受・FR
2022年	78頭	49頭	100／受・FR
2021年	93頭	63頭	150／受・FR

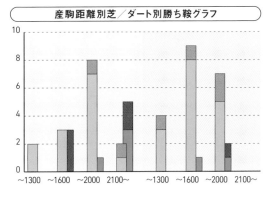

産駒距離別芝／ダート別勝ち鞍グラフ

特注馬

タスティエーラ／父の勝利した宝塚記念がもっとも向くレースのはず。25年はぜひ宝塚記念出走を。

サトノクローク／暮れの中山芝2500のグッドラックHあたりに向きそうな馬。冬競馬は合うはず。

トーセンローリエ／母は牡馬相手に芝2200を勝った馬。スタミナ十分の母系で芝1200はもったいない。

サトノクラウン SATONO CROWN

133

競馬場別成績

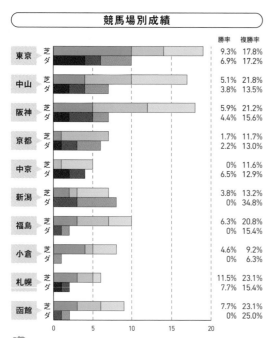

		勝率	複勝率
東京	芝	9.3%	17.8%
	ダ	6.9%	17.2%
中山	芝	5.1%	21.8%
	ダ	3.8%	13.5%
阪神	芝	5.9%	21.2%
	ダ	4.4%	15.6%
京都	芝	1.7%	11.7%
	ダ	2.2%	13.0%
中京	芝	0%	11.6%
	ダ	6.5%	12.9%
新潟	芝	3.8%	13.2%
	ダ	0%	34.8%
福島	芝	6.3%	20.8%
	ダ	0%	15.4%
小倉	芝	4.6%	9.2%
	ダ	0%	6.3%
札幌	芝	11.5%	23.1%
	ダ	7.7%	15.4%
函館	芝	7.7%	23.1%
	ダ	0%	25.0%

福島芝と函館芝の馬券回数多い

勝利数上位コース

	コース	着度数	勝率	複勝率
1位	東京芝1800	4-1-0-28	12.1%	15.2%
2位	阪神芝2000	3-2-1-17	13.0%	26.1%
3位	東京芝1400	3-2-0-15	15.0%	25.0%
4位	東京ダ2100	3-1-2-8	21.4%	42.9%
5位	函館芝1200	3-1-0-8	25.0%	33.3%

東京ダート2100mの複勝率の高さが気になる

距離別成績

		着度数	勝率	複勝率
芝	~1200	5-4-3-69	6.2%	14.8%
	1400	4-6-1-42	7.5%	20.8%
	~1600	8-4-9-109	6.2%	16.2%
	~1800	6-10-8-129	3.9%	15.7%
	2000	8-6-9-130	5.2%	15.0%
	~2400	2-3-3-27	5.7%	22.9%
	2500~	2-2-3-14	9.5%	33.3%
ダ	~1300	1-0-1-38	2.5%	5.0%
	~1600	4-6-3-61	5.4%	17.6%
	~1900	4-10-13-141	2.4%	16.1%
	2000~	3-1-3-16	13.0%	30.4%

芝2500以上の良績に注目

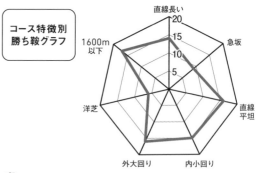

直線の急坂の有無がチェックポイント

得意重賞		不得意重賞	
弥生賞	1-0-0-0	函館2歳S	0-0-0-1
ダービー	1-0-0-0	—	—
—	—	—	—

ダービー馬出現もそのほかの好走なし

馬場状態別成績

		着度数	勝率	複勝率
芝	良	28-30-29-409	5.6%	17.5%
	稍重	6-2-5-72	7.1%	15.3%
	重	1-2-2-31	2.8%	13.9%
	不良	0-1-0-8	0%	11.1%
ダ	良	6-10-12-155	3.3%	15.3%
	稍重	3-1-3-47	5.6%	13.0%
	重	2-5-2-31	5.0%	22.5%
	不良	1-1-3-23	3.6%	17.9%

父の印象ほど道悪で走れず

1番人気距離別成績

		着度数	勝率	複勝率
芝	~1200	1-0-0-0	100%	100%
	1400	3-2-0-0	60.0%	100%
	~1600	4-0-0-0	100%	100%
	~1800	2-3-1-3	22.2%	66.7%
	2000	1-1-1-6	11.1%	33.3%
	~2400	0-0-2-0	0%	100%
	2500~	0-0-0-1	0%	0%
ダ	~1300	0-0-0-0	—	—
	~1600	3-1-0-0	75.0%	100%
	~1900	2-3-1-4	20.0%	60.0%
	2000~	0-0-1-0	0%	100%

芝もダートも1800mで勝ち切れず

騎手ベスト5（3番人気以内）

	騎　手	着度数	勝率	複勝率
1位	菅原明良	2-2-1-2	28.6%	71.4%
2位	横山武史	2-2-1-2	28.6%	71.4%
3位	C.ルメール	2-1-0-3	33.3%	50.0%
4位	横山和生	2-0-0-0	100%	100%
5位	田辺裕信	1-3-0-2	16.7%	66.7%

🐎 **複勝率は平均だが、勝率が低め**

騎手ベスト5（4番人気以下）

	騎　手	着度数	勝率	複勝率
1位	大野拓弥	3-1-2-11	17.6%	35.3%
2位	斎藤新	2-0-1-7	20.0%	30.0%
3位	小林凌大	2-0-0-5	28.6%	28.6%
4位	鮫島克駿	1-2-1-11	6.7%	26.7%
5位	田口貫太	1-0-2-14	5.9%	17.6%

🐎 **人気薄は新馬が良績**

クラス別成績

	芝 着度数	勝率	ダ 着度数	勝率
新馬	12-9-7-83	10.8%	1-0-1-18	5.0%
未勝利	12-15-13-293	3.6%	7-11-13-200	3.0%
1勝	6-6-15-103	4.6%	2-6-6-32	4.3%
2勝	1-1-0-5	14.3%	2-0-0-0	100%
3勝	0-1-1-2	0%	0-0-0-6	0%
OPEN	2-1-0-12	13.3%	0-0-0-0	―
GⅢ	0-0-0-13	0%	0-0-0-0	―
GⅡ	1-0-0-3	25.0%	0-0-0-0	―
GⅠ	1-2-0-6	11.1%	0-0-0-0	―

🐎 **新馬の成績は優秀**

条件別勝利割合

穴率	23.4%	平坦芝率	45.7%
芝道悪率	20.0%	晩成率	19.1%
ダ道悪率	50.0%	芝広いコース率	42.9%

🐎 **小回り平坦向きになっていく数字**

年齢・季節別勝ち鞍グラフ

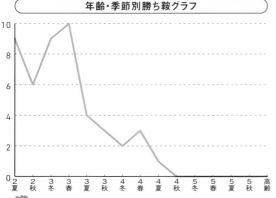

🐎 **勝ち上がるのに時間を要する産駒が多い**

※「春」＝3、4、5月。「夏」＝6、7、8月。
　「秋」＝9、10、11月。「冬」＝12、1、2月。高齢＝5歳12月以降。

勝 利 へ の ポ イ ン ト

東京芝／10勝、中京芝【0-1-4-38】ダ2100／3勝、ダ1200／1勝

　初年度産駒タスティエーラが、皐月賞2着、ダービー1着、菊花賞2着と、三冠を上位完走。道悪や小回りが得意だったサトノクラウン自身の戦歴から、中山芝2000に合うのは納得できるが、東京芝2400の快勝と、京都芝3000の連対には驚かされた。

　ただし、2年目産駒は現時点で不振。デイジー賞を逃げ切ったイゾラフェリーチェが出世頭か。

▶**東京芝が得意、中京芝は不振**

「サンデーを持たない種牡馬だから、東京は切れ味が足りないかも？」というデビュー前の推測に反して、産駒の勝ち鞍が一番多いのは東京の芝だ。

　芝は東京10勝、阪神5勝、中山4勝だから、差は大きい。なぜか中京芝が上記のように大不振で、おそらくたまたまだとは思うが、紹介しておこう。

▶**長距離向きのスタミナ型**

　牡馬は1800から2600m、牝馬は1400から2000mが活躍距離。特に好走率が高いのは芝2400で、タスティエーラのほかにも阪神や京都の芝2400で上位に来た馬が複数いる。芝2600の成績もいいし、芝1200はあまり勝ってないし、どうやらステイヤー血統と見たほうがしっくりくる。

　ダートも出走数30回のダ1200で1勝しかしておらず、逆に出走数14回のダ2100は3勝。ステイヤー血統で間違いない。長距離得意を頭に入れよう。

▶**牝馬はクラシック前哨戦も**

　牝馬はアネモネSを勝ったトーセンローリエと、スイートピーSを勝ったウヴァロヴァイトが出ている。3歳春のクラシック前哨戦は注目だ。

　ダートは下級条件の勝ち鞍が中心で、3勝クラスにちらほら勝ち始めたところ。3着と4着が多いので、ダートの人気馬はじれったい。東京ダートがいい。

▶**新馬戦の大穴をマーク**

　穴は新馬戦に多く、デビューから侮られがち。2歳夏から、10番人気や11番人気の馬が鮮やかに勝ってしまうので、おそらく調教で動かないのだろう。

サトノクラウン SATONO CROWN

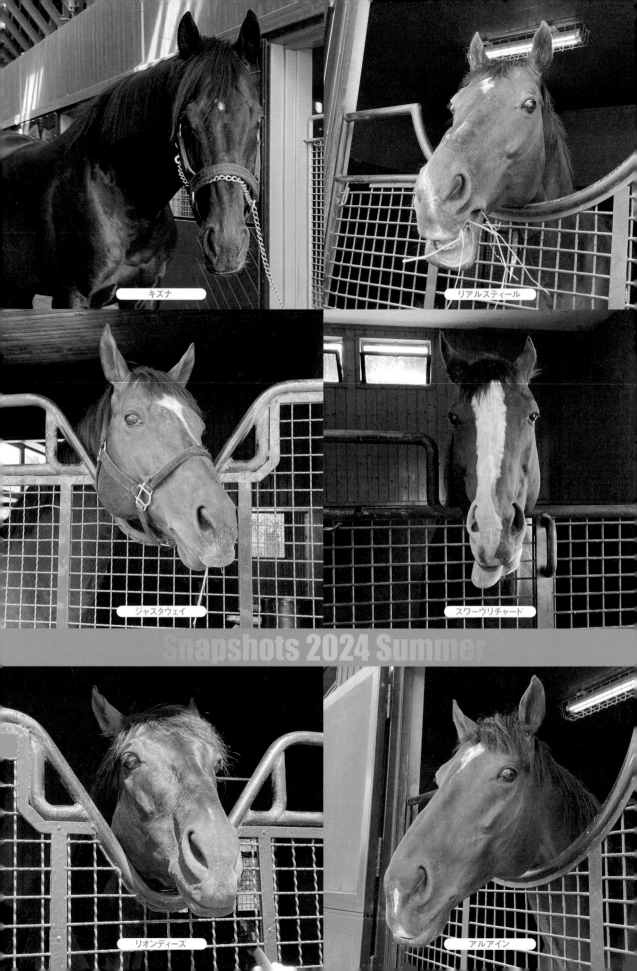

キズナ

リアルスティール

ジャスタウェイ

スワーヴリチャード

Snapshots 2024 Summer

リオンディーズ

アルアイン

注目の
有力種牡馬

マジェスティックウォリアー
MAJESTIC WARRIOR

いよいよGI制覇なるか!?
エーピーインディ系の中距離型

2005年生　鹿毛　アメリカ産
2024年種付料▶受胎確認後180万円(FR)

マジェスティックウォリアー MAJESTIC WARRIOR

現役時代

　北米で通算7戦2勝。主な勝ち鞍、ホープフルS(GI・7F)。
2歳8月のデビュー戦を勝利。サラトガ夏開催の2歳チャンピオン決定戦ホープフルSはゴール前で抜け出し、1番人気レディズイメージに2馬身1/4差をつけ、4頭立て3番人気の評価を覆す快勝だった。続く東海岸の重要2歳戦シャンペンSGIは中団のまま6着に敗れ、2歳時は3戦2勝の成績で終えた。3歳時はケンタッキー・ダービー路線を歩むも、ルイジアナ・ダービーGIIがパイロの7着、フロリダ・ダービーが二冠馬となるビッグブラウンの6着。この後は裏街道路線に向かい、名ばかりのダービートライアルSが4着。ベルモントS当日のウッディスティーヴンスSGIIも4着に終わり、エーピーインディ系が得意とする夏を待たずに、この一戦を最後に現役を退いた。

血統背景

　父エーピーインディ。種牡馬としても種牡馬の父としても優れ、北米と日本で一大父系を築いている。
　母ドリームシュプリームはバレリーナH、テストSのサラトガ夏開催のGI2勝含め重賞6勝。祖母スピニングラウンドはバレリーナSGIなど重賞4勝。

代表産駒

　ラムジェット (東京ダービー、ユニコーンS)、ライトウォーリア (川崎記念)、ベストウォーリア (同馬の項参照)、プロミストウォリア (東海S)、スマッシャー (ユニコーンS)、サンライズホープ (シリウスS)。

特注馬

ラムジェット／道悪ダートは3戦全勝。逆らうなら良馬場か。祖母ラヴェリータは川崎と大井の交流重賞で大活躍。
ダイシンピスケス／6歳で急上昇して連勝。外枠から先行すると強いが、内枠で被されると過信禁物。
アルファマム／全6勝が左回りの後方強襲型。京都や阪神ダートで届かずの後、東京や中京ダートのハイペース狙い。

ダート中距離型。GⅢおまかせ

牡馬は阪神と中京のダ1800特注

牝馬はダ1700と湿ったダート浮上

エーピーインディ A.P. Indy 黒鹿　1989	シアトルスルー Seattle Slew	Bold Reasoning
		My Charmer
	ウィークエンドサプライズ Weekend Surprise	Secretariat
		Lassie Dear　(3-l)
ドリームシュプリーム Dream Supreme 黒鹿　1997	シーキングザゴールド Seeking the Gold	Mr. Prospector
		Con Game
	スピニングラウンド Spinning Round	Dixieland Band
		Take Heart　(7-f)

Secretariat 3×4、Bold Ruler 5・4×5、Buckpasser 4×4

マジェスティックウォリアー産駒完全データ

●最適コース
牡／阪神ダ1800、阪神ダ2000
牝／札幌ダ1700、新潟ダ1200

●距離別・道悪

芝10~12	4-4-6-83	ダ10~13	28-25-24-313
芝14~16	6-6-7-133	ダ14~16	42-39-44-447
芝17~20	6-1-14-127	ダ17~19	99-89-87-785
芝21~	0-0-0-16	ダ20~	10-13-8-70
芝道悪	5-1-6-86	ダ道悪	79-60-63-583

●人気別回収率

1人気	単85%・複82%	66-34-21-74
2~4人気	単79%・複71%	77-63-71-343
5人気~	単78%・複72%	52-80-98-1557

●条件別・勝利割合

穴率	26.7%	平坦芝率	37.5%
芝道悪率	31.3%	晩成率	38.5%
ダ道悪率	44.1%	芝広いコース率	56.3%

●コース別成績

東京	芝／3-1-3-46	ダ／22-18-20-251
中山	芝／1-0-1-39	ダ／17-13-16-189
京都	芝／0-3-2-33	ダ／28-21-13-191
阪神	芝／4-1-5-49	ダ／45-47-42-332
ローカル	芝／8-6-16-192	ダ／67-67-72-652

勝利へのポイント

牝馬の勝率、ダ1700/12%、ダ1800/5%

　24年にラムジェットがユニコーンSと東京ダービーを優勝。大物が出た。GIでも要注意だ。
　重賞勝ちはダート1600から2000に集中。芝の勝ち鞍は1割未満。ダートのどの競馬場、どの距離に合うのかを出し入れしよう。牡馬はダ1800の勝ち星がダントツで、ダ2100やダ2400の長距離も良績あり。阪神と中京のダ1800は回収率が高い。牝馬はダ1700とダ1400が勝ち距離のトップ2で、ダ1800はだいぶ数字が落ちる。牝馬のダ1800→ダ1700替わり、ダ1600→ダ1700替わりは馬券的に狙い目。ローカルの平坦コースや、滞在競馬で変わり身を見せる。
　エーピーインディ系らしく湿ったダート向きの馬も多く、小柄な牝馬は稍重と重のダート特注。

27

ホッコータルマエ
HOKKO TARUMAE

日本競馬初のGI10勝を果たした
キンカメ産駒の最強ダート馬

2009年生　鹿毛
2024年種付け料▷受胎確認後300万円（FR）

現役時代

中央、地方交流で36戦17勝、UAE3戦0勝。主な勝ち鞍、チャンピオンズC、JBCクラシック、東京大賞典（2回）、帝王賞（2回）、川崎記念（3回）、かしわ記念。ダートGIを10勝、重賞を14勝。

まず5歳、6歳、7歳と3度のドバイワールドC出走の敢闘を讃えよう。1度目の14年は最下位に敗れ、レース後にストレス性の腸炎を発症。15年は「内を走るカメラを気にして、顔は横向きながら走り」5着に善戦した。

国内では無敵を誇り、ダートの中長距離GIを計10勝という偉業だけでも本馬を語るに十分。上記の重賞のほかにも、5歳のフェブラリーS2着。ジャパンCダートでも3着2回。39戦中34戦で幸英明が手綱をとった。

名勝負と謳われるのが3連覇を達成した16年の川崎記念。前走の東京大賞典で敗れたサウンドトゥルーと人気を分け合い、直線は2頭の一騎打ち。頭差で内のホッコータルマエが凌いだ。

血統背景

父キングカメハメハは同馬の項を参照。後継種牡馬となったダートのGIホースは他にベルシャザール、ハタノヴァンクール、タイセイレジェンドなど。

母マダムチェロキーは中央4勝。母の父チェロキーランはブラッシンググルームの父系で、北米のダート重賞を5勝。

代表産駒

レディバグ（栗東S）、ギャルダル（東京ダービー2着）、ブリッツファング（兵庫ChS、ジャパンDダービー3着）。

特注馬

メイショウフンジン／休み明けは馬券になる確率が高く、使い詰めると良くない。距離は2000以上、軽ハンデも狙い。
ブライアンセンス／モレイラ騎乗で2戦2勝。その他の騎手は3着多数。乗り難しさがあり、京都ダート良馬場ベスト。
ディープリボーン／中京ダート得意、外枠良し、稍重や重のダートもいい。阪神や京都の良馬場は要考慮。

ダートの2000m以上は高確率！
パワーとスタミナは交流重賞向き
軸なら先行馬、穴なら差し馬

キングカメハメハ 鹿　2001	キングマンボ Kingmambo	Mr. Prospector
		Miesque
	*マンファス Manfath	*ラストタイクーン
		Pilot Bird　（22-d）
マダムチェロキー 鹿　2001	チェロキーラン Cherokee Run	Runaway Groom
		Cherokee Dame
	*アンフォイルド Unfoiled	Unbridled
		Bold Foil　（9-e）

Mr. Prospector 3×5、Northern Dancer 5・5（父方）

ホッコータルマエ産駒完全データ

●最適コース
牡／阪神ダ2000、中山ダ1800
牝／中京ダ1400、阪神ダ1400

●距離別・道悪
芝10〜12	1-2-0-31	ダ10〜13	16-26-27-259
芝14〜16	0-2-4-26	ダ14〜16	28-23-28-282
芝17〜20	0-0-0-27	ダ17〜19	89-80-74-753
芝21〜	1-1-0-7	ダ20〜	15-13-14-92
芝道悪	1-3-4-30	ダ道悪	56-53-51-492

●人気別回収率
1人気	単76%・複82%	46-21-14-47
2〜4人気	単80%・複82%	66-67-61-255
5人気〜	単85%・複74%	38-59-72-1175

●条件別・勝利割合
穴率	25.3%	平坦芝率	50.0%
芝道悪率	50.0%	晩成率	30.7%
ダ道悪率	37.8%	芝広いコース率	— %

●コース別成績
東京	芝／0-0-3-14	ダ／25-20-28-254
中山	芝／1-2-0-12	ダ／26-24-20-231
京都	芝／0-0-0-7	ダ／8-10-10-131
阪神	芝／0-0-0-9	ダ／31-25-25-261
ローカル	芝／1-3-1-49	ダ／58-63-60-509

勝利へのポイント

ダート重賞【0-0-2-13】、オープン／6勝

芝は2勝だけ。ダ2000以上で15勝をあげており、ダート長距離の強さが目立つ。なかでも阪神ダ2000は複勝率40%のスイートスポットで、メイショウフンジンは仁川Sを勝利。東京ダ2100も走るが、切れ味のない馬が人気になると危ない。

牝馬はダ1400やダ1600が好調で牡馬よりムラ。大駆けが多いのは阪神と中京のダ1400。24年のコーラルSを勝ったレディバグのように、距離短縮で展開がハマる。牡馬も含めて全般に、後方一気型より、小回りコースの先行型に安定感があり、交流重賞3勝に対して、JRA重賞はまだ連対なし。人気で買うなら先行馬、穴を狙うなら差し馬だ。あとは脚抜きのいい馬場の得意なタイプと、時計のかかる馬場の得意なタイプを見分けること。

28

キンシャサノキセキ

KINSHASA NO KISEKI

スプリンター王国南半球産
逆輸入のフジキセキ後継

2003年生　鹿毛　オーストラリア産　2022年引退

POINT

ダートのリステッドで古馬が大活躍！
2歳の短距離戦をにぎわせる早熟スピード
伸び悩み→ダートかローカル芝で復活

フジキセキ 青鹿　1992	*サンデーサイレンス Sunday Silence	Halo
		Wishing Well
	*ミルレーサー Millracer	Le Fabuleux
		Marston's Mill　(22-d)
*ケルトシャーン Keltshaan 鹿　1994	プレザントコロニー Pleasant Colony	His Majesty
		Sun Colony
	フェザーヒル Featherhill	Lyphard
		Lady Berry　　(14)

現役時代

　中央31戦12勝。主な勝ち鞍、高松宮記念2回、阪神C2回、スワンS、オーシャンS、函館スプリントS。スプリンターズS2着2回。

　オーストラリア生まれで、誕生日は9月。遅生まれのハンデがありながら、NHKマイルCでロジックの3着に入る。5歳の高松宮記念は岩田康誠を迎え、直線で先頭に躍り出るもファイングレインの2着惜敗。函館スプリントSで重賞初勝利をあげると、スプリンターズSはスリープレスナイトの2着に食い込む。

　本物になったのはこの後だ。6歳秋のスワンSから、阪神C、オーシャンSと3連勝。7歳の高松宮記念は四位洋文を背に中団で折り合い、外から強襲するビービーガルダンとエーシンフォワード、内から迫るサンカルロらを抑え、大接戦をハナ差でしのぎ切った。

　7歳の阪神Cで連覇を果たすと、8歳の高松宮記念もリスポリを鞍上に連覇達成。息が長かった。

血統背景

　父フジキセキは4戦4勝、朝日杯3歳S、弥生賞の勝ち馬。本馬はオーストラリアでシャトル供用された年の産駒。

　母ケルトシャーンは不出走。近親にアブソルートリー（ATCオークス）。種牡馬グルームダンサー（リュパン賞）。

代表産駒

　ガロアクリーク（スプリングS）、ルフトシュトローム（ニュージーランドT）、シュウジ（阪神C）、モンドキャンノ（京王杯2歳S）、カシアス（函館2歳S）、ベルーガ（ファンタジーS）。

特注馬

ハチメンロッピ／展開次第で届いたり、届かなかったりの穴馬。脚抜きがいいと前が止まらないから、良馬場向き。

ファーンヒル／休み明けで走れないことはないが、2戦目に着順を上げることが多い。重のダ1200ベスト。

ペアポルックス／最後の芝のオープン馬かもしれない。テンは速く、急坂のないコースの前残り馬場に合う。

キンシャサノキセキ産駒完全データ

●最適コース

牡／中山ダ1200、阪神ダ1200

牝／新潟ダ1200、函館芝1200

●距離別・道悪

芝10～12	48-70-66-703	ダ10～13	90-103-115-880
芝14～16	22-38-50-521	ダ14～16	59-70-59-650
芝17～20	7-12-15-162	ダ17～19	44-64-67-646
芝21～	0-0-2-28	ダ20～	2-6-4-47
芝道悪	18-19-36-349	ダ道悪	69-91-93-869

●人気別回収率

1人気	単68%・複83%	89-70-43-127
2～4人気	単56%・複76%	109-148-165-592
5人気～	単55%・複74%	74-145-170-2918

●条件別・勝利割合

穴率	27.2%	平坦芝率	57.1%
芝道悪率	23.4%	晩成率	47.1%
ダ道悪率	35.4%	芝広いコース率	28.6%

●コース別成績

東京	芝/8-13-14-170	ダ/28-35-28-348
中山	芝/10-12-14-162	ダ/33-33-51-359
京都	芝/8-9-14-117	ダ/20-21-26-228
阪神	芝/5-17-19-196	ダ/34-49-52-377
ローカル	芝/46-69-72-769	ダ/80-105-88-911

勝利へのポイント

ダートのオープン／34連対中、6歳以上／16回

　22年の種付けを最後に種牡馬引退。それでもまだ24年の葵Sでペアポルックスが2着するなど、2歳から短距離で走るスピードと、ダートのオープン馬が6歳、7歳まで走る丈夫さを併せ持つ。

　新潟ダ1200のNST賞で5年連続3着以内、東京ダ1600のオアシスSで3年連続連対、京都ダ1200の天王山Sで1着から3着まで独占など、得意レースが多数。2歳から3歳は芝1200と芝1400で走り、古馬の主戦場はダ1200とダ1400へ活躍場所がシフトする特徴もある。芝馬が、ダートに新境地を見出すか、ローカルの芝で復活するか。穴は多い。先行有利のスローで不発だった差し馬や、前崩れのハイペースで沈んだ先行馬が、展開の違いで一変する。「1400血統」だ。

29

ブラックタイド

BLACK TIDE

ディープインパクトの全兄
キタサン〜イクイノックス登場で大父系へ

2001年生　黒鹿毛
2024年種付け料▷PRIVATE

現役時代

中央22戦3勝。主な勝ち鞍、スプリングS。

ディープインパクトのひとつ年上の全兄で、池江泰寿調教師、金子真人オーナーも同じ。01年セレクトセールでついた価格はディープより高い9700万円。

阪神芝2000の新馬を楽勝。ラジオたんぱ杯2歳Sは単勝1.4倍の断然人気を集めるも、コスモバルクの4着。年が明けると若駒Sを制し、きさらぎ賞は単勝1.5倍で2着。切れる脚がなく、突き抜けそうで突き抜けない。

スプリングSでは横山典弘に乗り替わり、最後方待機の作戦をとると、中山の直線を一気に弾けて優勝。15頭ぶっこ抜きのド派手な勝ち方を決めた。

5戦3勝で進んだ04年皐月賞は、武豊の手綱に戻り、コスモバルクに次ぐ2番人気だったが、スタートで出遅れ、後方待機のままダイワメジャーから離された16着に大敗。レース後に屈腱炎が判明した。

血統背景

父サンデーサイレンスは同馬の項を参照。

母ウインドインハーヘアはアラルポカル（独GI・芝2400M）1着、英オークス2着、ヨークシャー・オークス3着。

全弟ディープインパクト、近親にレイデオロ（ダービー）、ウインクリューガー（NHKマイルC）。3代母ハイクレアはエリザベス女王の持ち馬で英1000ギニー、仏オークスに優勝。

代表産駒

キタサンブラック（同馬の項を参照）、テイエムイナズマ（デイリー杯2歳S）、フェーングロッテン（ラジオNIKKEI賞）。

特注馬

カムニャック／3代母ダンスパートナーで、サンデー2×4。大物まちがいないが、芝1600は過信禁物。
エコロヴァルツ／3歳前半は展開や馬場の合わないレースが続いた。直線の短い芝2000重賞が合うのでは。
ブラックアーメット／福島ダ1700だけ走る馬。とわかっていても他コースで凡走が続くから人気にならない。

POINT

人気再燃でクラシック候補も!?
牡馬は阪神と中山のダート堅実
牝馬は芝短距離の穴を警戒

*サンデーサイレンス Sunday Silence 青鹿　1986	ヘイロー Halo	Hail to Reason
		Cosmah
	ウィッシングウェル Wishing Well	Understanding
		Mountain Flower (3-e)
*ウインドインハーヘア Wind in Her Hair 鹿　1991	アルザオ Alzao	Lyphard
		Lady Rebecca
	バーグクレア Burghclere	Busted
		Highclere　　(2-f)

ブラックタイド産駒完全データ

●最適コース
牡／阪神ダ2000、新潟ダ1800
牝／函館ダ1700、福島芝1800

●距離別・道悪

芝10〜12	17-21-28-306	ダ10〜13	13-12-20-205
芝14〜16	14-21-26-392	ダ14〜16	16-15-25-244
芝17〜20	49-51-57-660	ダ17〜19	62-51-54-615
芝21〜	6-18-21-169	ダ20〜	10-15-5-80
芝道悪	26-28-31-370	ダ道悪	39-37-44-460

●人気別回収率

1人気	単84%・複85%	58-30-23-57
2〜4人気	単79%・複80%	84-87-82-343
5人気〜	単47%・複61%	45-87-131-2271

●条件別・勝利割合

穴率	24.1%	平坦芝率	57.0%
芝道悪率	30.2%	晩成率	41.7%
ダ道悪率	38.6%	芝広いコース率	31.4%

●コース別成績

東京	芝／7-8-13-175	ダ／10-19-15-184
中山	芝／7-15-17-187	ダ／16-14-19-208
京都	芝／5-10-10-145	ダ／11-7-15-107
阪神	芝／17-23-30-231	ダ／19-20-21-207
ローカル	芝／50-55-62-789	ダ／45-33-34-438

勝利へのポイント

阪神ダートの1番人気／複勝率83%

種牡馬キタサンブラックの成功で人気が再燃。2歳馬カムニャックに「オークス候補」の声まで飛んでいる。ただし、勝利数上位には中山ダ1800、阪神ダ2000などダート中距離が並び、近年の芝重賞では4着と5着が多いことも忘れずに。

条件戦ダートの1番人気は堅実で、前走の着順が良ければ信頼感は高い。芝ではあまり鋭い切れ味がない分、走れる条件が狭くなり、得意競馬場が決まっていたり、高速馬場より時計遅めの決着や道悪で着順を上げる。速いタイムで走れる裏付けがあるかどうかを確認しよう。フェーングロッテンのように短い直線コースに安定感がある。

牝馬は冬に成績が落ち込み、春にパフォーマンスを上げる傾向あり。大型の牡馬は叩き良化型。

ビッグアーサー

BIG ARTHUR

5歳の高松宮記念で初重賞制覇の晩成スプリンター

2011年生　鹿毛
2024年種付け料▷受胎確認後300万円 (FR)

現役時代

　中央14戦8勝、香港1戦0勝。主な勝ち鞍、高松宮記念、セントウルS。

　3歳4月の遅いデビュー。2戦目はそこから10ヵ月後。軌道に乗るまで時間はかかったが、芝1200を無傷の5連勝でオープン入り。藤岡康太が主戦だった。その後は北九州記念2着、京阪杯2着、阪神C3着など、勝ち切れない成績が続くも、5歳になった16年。高松宮記念で福永祐一に乗り替わると、1番人気に応えて1分6秒7のレコード勝ち。

　5歳秋はセントウルSを逃げ切り、スプリンターズSは単勝1.8倍の大本命に支持される。しかし、1枠1番から直線でもどん詰まりの12着。レッドファルクスが勝利した。

　次走の香港スプリントは、ムーアの騎乗で10着。故障明けの翌年、スプリンターズSは果敢な先行策をとったが6着。レッドファルクスの連覇を許した。

血統背景

　父サクラバクシンオーは、93、94年のスプリンターズSを連覇。近代日本競馬を発展させたテスコボーイの父系の存続が、本馬に懸かる。

　母シヤボナは英国0勝で、ヌレイエフとサドラーズウェルズの近似3×2を持つ。3代母リロイは米国の芝GIを2勝、ヴェルメイユ賞2着。

代表産駒

　ブトンドール（函館2歳S）、トウシンマカオ（京阪杯）。

特注馬

トウシンマカオ／重賞3勝の馬番は、14番、17番、15番。月は11月から3月。涼しい時期の外枠ベスト。

クリノマジン／走れるタイムに限界のある馬で24年は凡走続き。しかしタイムの遅い芝1200なら見限れない。

ブトンドール／短距離の差し馬のため、開催前半は出番なし。開催後半の外差し馬場になったら要注意。

POINT

2歳重賞をにぎわす快速スピード!
芝1200と1400を差すスプリンター
福島と小倉と函館の芝1200で稼ぐ

サクラバクシンオー 鹿 1989	サクラユタカオー	*テスコボーイ
		アンジェリカ
	サクラハゴロモ	*ノーザンテースト
		*クリアアンバー (4-m)
*シヤボナ Siyabona 鹿 2005	*キングマンボ Kingmambo	Mr. Prospector
		Miesque
	レリッシュ Relish	Sadler's Wells
		Reloy (10-e)

Northern Dancer 4×5・4、Special 5・5（母方）

ビッグアーサー産駒完全データ

●最適コース
牡／福島芝1200、中京芝1200、
牝／小倉ダ1000、函館芝1200

●距離別・道悪
芝10〜12	56-42-48-368	ダ10〜13	18-22-23-270
芝14〜16	7-9-12-171	ダ14〜16	5-7-7-142
芝17〜20	0-0-0-16	ダ17〜19	2-5-4-60
芝21〜	0-0-0-2	ダ20〜	0-2-0-6
芝道悪	19-12-17-141	ダ道悪	13-14-8-192

●人気別回収率
1人気	単67%・複77%	35-17-19-51
2〜4人気	単84%・複79%	39-36-37-163
5人気〜	単23%・複47%	14-34-38-821

●条件別・勝利割合
穴率	15.9%	平坦芝率	66.7%
芝道悪率	30.2%	晩成率	26.1%
ダ道悪率	52.0%	芝広いコース率	19.0%

●コース別成績
東京	芝／3-3-1-49	ダ／1-7-1-89
中山	芝／4-2-6-58	ダ／3-9-8-93
京都	芝／3-2-6-47	ダ／1-2-8-31
阪神	芝／8-4-5-60	ダ／6-3-5-83
ローカル	芝／45-40-42-343	ダ／14-15-12-182

勝利へのポイント

芝の勝利数上位、福島／14勝、小倉／12勝

　スプリンター血統なのに、芝の重賞勝ちは外枠ばかり。2着も、5枠から8枠ばかり。そのうち内枠も来るだろうと思いつつ、内に入った馬は凡走が続いている。現役時代の「前が壁」の呪いだろうか。外枠ベターの〝差すスプリンター血統〟。

　全88勝のうち、芝1200が54勝、ダ1200が11勝。距離1600以上をこなす馬は少数派だ。得意コースといまいちコースを出し入れしたり、得意枠と不得意枠を出し入れする戦術がいい。88勝のうち、5番人気以内が79勝だから、驚くような穴勝利は少ない。人気薄は3着に付けよう。

　芝は福島と小倉と函館に良績。ローカルの芝1200は、中央の芝1200に比べて馬券率が跳ね上がる。ダートは500キロ以上の大型馬がよく走る。

アジアエクスプレス ASIA EXPRESS

芝・ダート不問の
2歳牡馬チャンピオン

2011年生　栗毛　アメリカ産
2024年種付け料▷受胎確認後120万円（FR）

現役時代

　中央、地方交流で12戦4勝。主な勝ち鞍、朝日杯FS、レパードS。

　アメリカ生まれ、2歳3月のフロリダのセールにおいてノーザンファームに23万ドルで購入された。

　デビュー時の馬体重は534キロ。新馬、オキザリス賞を2連勝して、「ダートの怪物登場！」と評判になる。3戦目は全日本2歳優駿を除外になり、初芝となる朝日杯FSへ。この年は中山で開催される最後の朝日杯。ストームキャット系が得意とする中山マイルのGIに間に合ったのも、この馬の運だろう。ライアン・ムーアを鞍上に中団のやや後ろの内で折り合い、直線は外へ持ち出すと、一完歩、一完歩、加速をつけて差し切った。単勝870円。

　その後は芝のクラシック路線へ進み、スプリングS2着、皐月賞6着。ダートに戻ってレパードSを快勝したが、脚元の不安で全盛期の能力は戻らず。4歳のアンタレスSで逃げて2着がある。

血統背景

　父ヘニーヒューズは同馬の項を参照。アジアエクスプレスがセリで買われた後、父も日本への導入が決定。

　母ランニングボブキャッツは米国のリステッドレースを3勝。全9勝。母の父ランニングスタッグはブルックリンH（米ダートGII・9F）など重賞4勝のグレイソヴリン系。

代表産駒

　ワールドタキオン（エルムS2着）、メディーヴァル（韋駄天S）。

特注馬

ピューロマジック／北九州記念のテン32秒3は速い。注目は直線急坂の芝1200重賞を走れるのか。平坦で狙おう。
ドンアミティエ／母はディープボンドの母と全姉妹。前半34秒−後半37秒という馬なので、これで間に合えば。
ブレイクフォース／展開次第の差し馬。レース間隔が詰まると良くない。東京も割引き。間隔あいた中山か新潟で。

POINT

母父ディープなら芝も走る！
条件馬はダ1200型かダ1800型か
レース間隔詰めたローテで激走

*ヘニーヒューズ Henny Hughes 栗 2003	*ヘネシー Hennessy	Storm Cat
		Island Kitty
	メドウフライヤー Meadow Flyer	Meadowlake
		Shortley (25)
*ランニングボブキャッツ Running Bobcats 鹿 2002	ランニングスタッグ Running Stag	Cozzene
		Fruhlingstag
	バックアットエム Backatem	Notebook
		Deputy's Mistress(4-m)

アジアエクスプレス産駒完全データ

●最適コース
牡／中山ダ1200、阪神ダ1400
牝／中山ダ1200、福島ダ1150

●距離別・道悪

芝10〜12	11-8-3-76	ダ10〜13	45-54-41-448
芝14〜16	4-4-5-56	ダ14〜16	27-41-31-322
芝17〜20	0-0-0-16	ダ17〜19	25-29-30-327
芝21〜	0-0-0-0	ダ20〜	2-0-1-17
芝道悪	3-4-3-34	ダ道悪	39-40-42-419

●人気別回収率

1人気	単85%・複84%	40-21-15-40
2〜4人気	単73%・複84%	48-63-45-227
5人気〜	単57%・複66%	26-52-51-995

●条件別・勝利割合

穴率	22.8%	平坦芝率	86.7%
芝道悪率	20.0%	晩成率	42.1%
ダ道悪率	39.4%	芝広いコース率	53.3%

●コース別成績

東京	芝／1-2-0-15	ダ／18-20-17-212
中山	芝／0-0-0-10	ダ／25-33-22-218
京都	芝／4-3-0-14	ダ／7-13-7-79
阪神	芝／1-3-2-11	ダ／21-13-17-197
ローカル	芝／9-4-6-101	ダ／28-45-40-408

勝利へのポイント

芝15勝のうち、新潟／6勝、京都／4勝

　ダート99勝、芝15勝。全体を見ればダート血統だが、重賞やオープンでは北九州記念、葵S、韋駄天Sと、芝短距離の好走が目につき、ダート専門と決めつけると痛い目にあう。特に母父ディープとの配合馬は芝で走る。芝は新潟と京都得意。

　勝利数断然1位は中山ダ1200も、ヘニーヒューズ産駒ほど軽やかなスピードや早熟性はなし。その分、ダ1400やダ1800で走る馬も多く、距離を延ばして浮上する馬や、使われながら良くなる傾向あり。ローカルのダ1700も得意で、ダートの重賞やオープンの連対は、エルムSや福島民友Cだ。

　ローテに注目。中1〜2週で良績を残し、叩いての一変が大穴を生む。牝馬のダ1200→ダ1000や、ダ1800→ダ1700の距離ちょび短縮もいい。

パイロ

PYRO

母系は異系色が濃い
注目のエーピーインディ系

2005年生　黒鹿毛　アメリカ産
2024年種付け料▷産駒誕生後400万円

©Darley

POINT

激しい気性のダート向きマイラー
内枠→外枠替わりの穴は絶好！
牝馬はダ1400とダ1200の軽い馬場

ブルピット Pulpit 鹿 1994	エーピーインデイ A.P. Indy	Seattle Slew
		Weekend Surprise
	プリーチ Preach	Mr. Prospector
		Narrate (2-f)
ワイルドヴィジョン Wild Vision 鹿 1998	ワイルドアゲイン Wild Again	Icecapade
		Bushel-n-Peck
	キャロルズワンダー Carol's Wonder	Pass the Tab
		Carols Christmas (8-d)

Native Dancer 5×5

パイロ産駒完全データ

●**最適コース**
牡／中山ダ1800、小倉ダ1700
牝／阪神ダ1400、小倉ダ1700

●**距離別・道悪**

芝10〜12	4-7-8-81	ダ10〜13	54-41-57-554
芝14〜16	0-4-5-75	ダ14〜16	58-54-66-519
芝17〜20	2-1-0-39	ダ17〜19	94-94-86-707
芝21〜	0-0-0-12	ダ20〜	3-5-5-54
芝道悪	4-4-4-43	ダ道悪	87-78-83-736

●**人気別回収率**
1人気	単69%・複83%	63-41-39-81
2〜4人気	単88%・複85%	100-97-86-366
5人気〜	単84%・複71%	52-68-102-1594

●**条件別・勝利割合**
穴率	24.2%	平坦芝率	66.7%
芝道悪率	66.7%	晩成率	43.3%
ダ道悪率	41.6%	芝広いコース率	16.7%

●**コース別成績**
東京	芝／0-0-2-25	ダ／32-36-43-351
中山	芝／1-0-0-29	ダ／30-29-24-277
京都	芝／0-1-0-12	ダ／20-19-20-190
阪神	芝／1-1-3-20	ダ／40-45-46-321
ローカル	芝／4-10-8-121	ダ／87-65-81-695

現役時代

　北米で通算17戦5勝。フォアゴーS（GI・7F）、ルイジアナ・ダービー（GⅡ・8.5F）、他GⅢ2勝。
　2歳時は重賞未勝利もシャンペンSとBCジュヴェナイルのGI各2着がある。3歳クラシックはルイジアナ・ダービー快勝でケンタッキー・ダービーの有力候補に浮上するも8着だった。残りの二冠を回避して臨んだノーザンダンサーSで勝利し、"真夏のダービー"トラヴァーズSが3着。レース名を無視したオールウェザー（AW）でのBCダートマイルは6着。4歳になってのフォアゴーSで待望のGI制覇を果たした。前年同様にサンタアニタ開催のBCダートマイルはやはりAWが合わないのか、最下位の10着大敗。17戦5勝2着5回、3着2回、5着1回。ケンタッキー・ダービーを除く3度の大敗は3歳春のブルーグラスS、2度のBCダートマイル。すべてAWでのもの。

血統背景

　父プルピット。産駒にタピット（同馬の項参照）。
　母系は半妹に北米GⅡ勝ち馬ウォーエコー。同牝系にアンタパブル（BCディスタフGI）、ラウダシオン（NHKマイルC）ら。母の父ワイルドアゲインは第1回BCクラシック馬。ジャスタウェイの母の父。

代表産駒

　メイショウハリオ（帝王賞2回）、ミューチャリー（JBCクラシック）、ケンシンコウ（レパードS）、ラインカリーナ（関東オークス）、デルマルーヴル（名古屋GP）。

特注馬

テーオーリカード／ブリンカー装着の逃げ馬で、前走の着順は関係なし。外枠プラス、ダート重プラス。
クインズメリッサ／距離短縮で好走の多い牝馬。ダ1400→ダ1200や、ダ1200→ダ1150に注目。
ナスティウェザー／3歳の期待馬。勝つときは鮮やかも、走るツボは広くないかも。ダ1400、間隔あけて買い。

勝利へのポイント

3勝クラスのダート／前走10着以下が6勝

　帝王賞連覇のメイショウハリオや、JBCクラシック制覇のミューチャリーなど、地方重賞の大物が目立つ。JRA重賞3勝は、マーチS、みやこS、レパードSと、すべてコーナー4つのダ1800。他にフェブラリーSの3着があり、エーピーインディ系では堅実型のシニスターミニスターと、激しい気性で振り幅の大きなパイロが基本イメージだ。
　重要チェック項目は枠順。内枠割引で外枠激走の馬（ケンシンコウやホールシバン）や、逆に内枠から先手を取ると強い馬がいる。「パイロの外枠替わり」は有名格言だ。牝馬はダ1200や1400の得意なスピード馬が多く、たまに芝馬が出る。牡馬牝馬とも、4番人気から6番人気あたりの回収率が高く、△の並ぶ馬が逃げや後方一気でハマる。

サトノダイヤモンド

SATONO DIAMOND

有馬記念で古馬一蹴
長距離GIで強烈な輝き

2013年生　鹿毛
2024年種付け料▷受胎確認後150万円（FR）

現役時代

　中央16戦8勝、フランス2戦0勝。主な勝ち鞍、菊花賞、有馬記念、神戸新聞杯、阪神大賞典、京都大賞典、きさらぎ賞。日本ダービー2着、皐月賞3着。

　当歳のセレクトセール価格は2億4150万円。額の流星が菱形だったため、サトノダイヤモンドと名付けられた。3戦目できさらぎ賞を勝ち、16年皐月賞は1番人気になるも、中団から3着。後方待機の1着ディーマジェスティと、2着マカヒキにやられた。

　ダービーも皐月賞上位3頭の争いになり、マカヒキに追いすがったがハナ差の2着。秋は神戸新聞杯を勝ち、菊花賞は2.3倍の1番人気。中団の内で折り合い、持ったまま抜け出して上がり34秒1で完勝した。

　続く有馬記念もルメールの好騎乗で優勝。4歳時は春の天皇賞3着の後、フランス遠征してフォワ賞4着、凱旋門賞はエネイブルの15着。不運な重馬場だった。

血統背景

　父ディープインパクトは同馬の項を参照。
　母マルペンサはアルゼンチンの銀杯大賞（芝2000M）、フィルベルトレレナ大賞（ダ2000M）などGIを3勝。
　半妹リナーテは京王杯SC2着、京都牝馬S2着。母父オーペンはダンジグ系で、フランスの芝1200MのGIモルニ賞の勝ち馬。アルゼンチンのリーディングサイアーを獲得した。

代表産駒

　サトノグランツ（京都新聞杯）、シンリョクカ（阪神JF2着）、ダイヤモンドハンズ（札幌2歳S3着）。

特注馬

サトノグランツ／ステイヤーを古馬で開花させるのが得意な友道厩舎。阪神大賞典に出てきたら買いたい。
シンリョクカ／締まったペースを2番手追走した新潟記念で復活。スローだと伸びそうで伸びない。
スズハローム／牡馬では異色の芝1400ホース。母アイラインも芝1400が得意だった。叩き2戦目がいい。

POINT

まくれるコース向きの中長距離砲
距離延長で構えすぎると不発も
距離短縮で気合をつけた牝馬が穴

ディープインパクト 鹿　2002	*サンデーサイレンス Sunday Silence	Halo	
		Wishing Well	
	*ウインドインハーヘア Wind in Her Hair	Alzao	
		Burghclere	(2-f)
*マルペンサ Malpensa 鹿　2006	オーペン Orpen	Lure	
		Bonita Francita	
	マルセラ Marsella	*サザンヘイロー	
		Riviere	(1-w)

Halo 3×5・4、Northern Dancer 5×5・5

サトノダイヤモンド産駒完全データ

●最適コース
牡／京都芝2000、中京ダ1800
牝／札幌芝2000、小倉芝2000

●距離別・道悪

芝10〜12	9-7-8-49	ダ10〜13	0-1-2-17
芝14〜16	8-5-13-98	ダ14〜16	2-7-4-46
芝17〜20	32-18-25-219	ダ17〜19	18-10-17-124
芝21〜	5-3-7-61	ダ20〜	0-1-0-15
芝道悪	14-9-12-115	ダ道悪	8-9-6-78

●人気別回収率

1人気	単69%・複67%	19-10-11-38
2〜4人気	単104%・複84%	40-21-38-110
5人気〜	単65%・複63%	15-21-27-481

●条件別・勝利割合

穴率	20.3%	平坦芝率	51.9%
芝道悪率	25.9%	晩成率	14.9%
ダ道悪率	40.0%	芝広いコース率	33.3%

●コース別成績

東京	芝／4-6-8-69	ダ／1-4-3-27
中山	芝／10-5-5-56	ダ／4-3-5-32
京都	芝／10-4-8-59	ダ／3-5-4-34
阪神	芝／8-2-10-56	ダ／4-3-4-46
ローカル	芝／22-16-22-187	ダ／8-4-7-63

勝利へのポイント

芝2000／20勝、重賞2勝は芝2200と2400

　1年目から牡馬のサトノグランツ、牝馬のシンリョクカがクラシック戦線を賑わせたが、勝負どころで動ける俊敏性や器用さに欠ける弱点があり、それは条件馬も同じ。胴長で大跳びという特徴によるものか、じっくりエンジンを掛けられれば長い末脚を使える反面、一瞬の反応は速くない。

　とはいえ、GI馬が出ても不思議のないスケールの大きさはある。芝は1800から2400、ダートなら1700と1800が主戦場で、特に芝2000の勝利数が突出している。なのに距離延長はいまいちで、むしろ距離短縮で流れが忙しくなると穴が多い。気合をつけると走り、じっくり構えすぎると不発。

　芝は京都と中山で好成績。まくれるコースだ。連勝や連続連対が多く、好調期に乗ろう。

マクフィ

MAKFI

全盛期の鬼姫
ゴルディコヴァを破った本命殺し

2007年生 鹿毛 イギリス産
2024年種付け料▷受胎確認後100万円（不受返・不生返）

現役時代

フランス、イギリスで通算6戦4勝。主な勝ち鞍、英2000ギニー（GI・8F）、ジャックルマロワ賞（GI・1600M）、ジェベル賞（GIII・1400M）。

フランス調教馬ながら果敢に挑んだ英2000ギニーは後方待機策からゴール前で抜け出して優勝した。続くセントジェームズパレスSで7着に敗れたが、フランスへ戻ってのジャックルマロワ賞ではマイルの鬼姫ゴルディコヴァを破る大金星。1999年の祖父ドバイミレニアム、2005年の父ドバウィに続く、3代にわたるジャックルマロワ賞制覇を果たした。再びイギリスへ遠征してのクイーンエリザベス2世Sは5着。この後は北米へ遠征してのBCマイルを選択肢としていたが、完全な体調で臨める保証がないことで現役引退。英2000ギニーは34倍、ジャックルマロワ賞は8倍での勝利。本命殺しの一方、2度の敗戦は本命での出走だった。

血統背景

父ドバウィは同馬の項を参照。

母デラールの半兄にアルハース（デューハーストSGI）。近親にケープリズバーン（TCK女王盃）、グリーンダンサー（名種牡馬）。一族にオーソライズド（英ダービーGI）、ソレミア（凱旋門賞GI）。

代表産駒

ヴァルツァーシャル（マーチS）、オールアットワンス（アイビスSD2回）、ルーチェドォロ（端午S）、カレンロマチェンコ（昇竜S）、シリウスコルト（ラジオNIKKEI賞2着）。

特注馬

ヴァルツァーシャル／毎年、涼しい季節に調子を上げる。24年同様、中山のポルックスSとマーチSが特注。
スピーディブレイク／良馬場は人気で3着が多く、道悪になると着順がアップする巧者。内枠もいい。
シリウスコルト／3歳の期待馬。鋭く切れる瞬発力はないため、上がり35秒以上かかるコースや馬場で買い。

POINT	牡馬はダート、牝馬は芝ダート半々
	時計速い東京と中京のダート得意
	芝なら洋芝か道悪、新潟の千直

ドバウィ Dubawi 鹿 2002	ドバイミレニアム Dubai Millennium	Seeking the Gold
		Colorado Dancer
	ゾマラダー Zomaradah	Deploy
		Jawaher (9-e)
デラール Dhelaal 鹿 2002	グリーンデザート Green Desert	Danzig
		Foreign Courier
	アイリッシュヴァレイ Irish Valley	Irish River
		Green Valley (16-c)

Northern Dancer 5×4、Never Bend 5・5（母方）

マクフィ産駒完全データ

●最適コース
牡／東京ダ1600、中京ダ1400
牝／東京芝1400、札幌ダ1700

●距離別・道悪

芝10〜12	20-16-21-159	ダ10〜13	18-19-20-271
芝14〜16	15-18-14-199	ダ14〜16	28-21-27-259
芝17〜20	5-16-11-82	ダ17〜19	31-31-32-349
芝21〜	0-3-1-8	ダ20〜	1-0-2-21
芝道悪	14-13-16-105	ダ道悪	29-19-20-338

●人気別回収率

1人気	単102%・複95%	36-17-16-30
2〜4人気	単68%・複83%	44-61-52-218
5人気〜	単85%・複69%	38-46-60-1100

●条件別・勝利割合

穴率	32.2%	平坦芝率	52.5%
芝道悪率	35.0%	晩成率	34.7%
ダ道悪率	37.2%	芝広いコース率	35.0%

●コース別成績

東京	芝／7-8-7-84	ダ／16-11-21-163
中山	芝／7-4-7-57	ダ／7-10-7-162
京都	芝／2-1-1-29	ダ／4-9-2-65
阪神	芝／2-2-2-50	ダ／11-7-21-149
ローカル	芝／22-38-30-232	ダ／40-34-30-361

勝利へのポイント

芝の勝率、良馬場／5.9%、道悪／9.5%

勝利数上位コースを当てるのが一番難しそうな種牡馬だ。正解は東京ダ1600、中京ダ1400、小倉ダ1700、東京芝1400、阪神ダ1400。ダートも芝も1400の回収率が高い。苦手コースも多く、中京ダ1200【0-0-0-25】、東京芝1600【1-1-1-29】。

ドバウィ系は欧州だとGI血統なのに、日本では軽い芝向きの瞬発力が足りず、深いダートも合わず、道悪や軽いダート向きのマイラーが中心。牡馬はダート馬が多く、牝馬は芝馬と半々というのも特徴だ。スピードの持続力はあるため、新潟千直が得意という変わったツボもある。

推奨は時計のかかる深いダート→脚抜きのいい軽いダート替わり。東京ダートがいい。芝なら道悪か、函館・札幌の洋芝替わりで馬券になる。

コパノリッキー

COPANO RICKEY

単勝2万円の穴馬から
押しも押されもせぬダート王者へ

2010年生　栗毛
2024年種付け料▷受胎確認後100万円（FR）／産駒誕生後150万円

現役時代

　中央と地方交流33戦16勝。主な勝ち鞍、フェブラリーS（連覇）、JBCクラシック（連覇）、帝王賞、マイルChS南部杯（連覇）、東京大賞典などGIを11勝。

　初のGI出走は4歳のフェブラリーS。16頭中の16番人気だったが、田辺裕信が2番手から抜け出して、単勝2万馬券の大穴。センセーショナルなダート新王者の誕生だった。田辺もこれが初のGIタイトル。

　この年、かしわ記念とJBCクラシックも制して、ハイペースの逃げ先行から粘り込む戦型が確立されてゆく。5歳で武豊に乗り替わり、フェブラリーSとJBCクラシックを連覇。

　ラストランは、新記録のGIの11勝目がかかった7歳の東京大賞典。5日前に同じヤナガワ牧場生まれのキタサンブラックが引退戦の有馬記念を勝ったばかりの中、田辺の手綱で逃げ切り。フェブラリーSと同じ橙色帽子の勝利に、Dr.コパ・オーナーのオレンジの服が映えた。

血統背景

　父ゴールドアリュールはフェブラリーS、東京大賞典などを制したサンデー産駒のダート王者。
　母コパノニキータは中央ダート3勝。

代表産駒

　アームズレイン（りんくうS）、テーオーパスワード（伏竜S）、コパノニコルソン、ペプチドソレイユ、セブンスレター。

特注馬

アームズレイン／トウショウボーイ一族の快速牝系。休み明け初戦に走らず、2戦目に一変のパターン注意。
コパノパサディナ／ローテに注目。連闘は3回あって3回連対。間隔詰めると走る。稍重ダートもいい。
コパノニコルソン／重のダートは3戦2勝。レコード勝ちと、4馬身差の楽勝あり。ローカルの滞在競馬も合う。

POINT

ダ1800とダ1200で稼ぐダート特化型
人気馬より人気薄の大駆けに妙味
オープン級の活躍は3歳馬

ゴールドアリュール 栗 1999	*サンデーサイレンス Sunday Silence	Halo
		Wishing Well
	*ニキーヤ Nikiya	Nureyev
		Reluctant Guest（9-h）
コパノニキータ 栗 2001	*ティンバーカントリー Timber Country	Woodman
		Fall Aspen
	ニホンピロローズ	*トニービン
		ウェディングブーケ（1-o）

コパノリッキー産駒完全データ

●最適コース
牡／函館ダ1700、阪神ダ1400
牝／福島ダ1150、東京ダ1600

●距離別・道悪

芝10〜12	0-0-0-39	ダ10〜13	37-25-17-296
芝14〜16	1-4-0-25	ダ14〜16	11-14-19-219
芝17〜20	2-2-3-34	ダ17〜19	30-27-28-321
芝21〜	1-0-0-3	ダ20〜	5-2-6-30
芝道悪	0-2-1-25	ダ道悪	30-23-25-335

●人気別回収率

1人気	単59%・複85%	20-16-10-25
2〜4人気	単98%・複77%	40-27-30-137
5人気〜	単131%・複63%	27-31-33-805

●条件別・勝利割合

穴率	31.0%	平坦芝率	100%
芝道悪率	− %	晩成率	31.0%
ダ道悪率	36.1%	芝広いコース率	25.0%

●コース別成績

東京	芝／0-0-0-12	ダ／12-4-14-156
中山	芝／0-2-1-12	ダ／12-14-14-148
京都	芝／1-1-0-6	ダ／5-4-6-73
阪神	芝／0-2-0-9	ダ／16-12-12-139
ローカル	芝／3-1-2-62	ダ／38-34-24-350

勝利へのポイント

ダート1番人気の勝率／29%

　JRAの重賞勝ちはまだなし。オープンならアームズレインのダ1200りんくうSと、テーオーパスワードのダ1800伏竜S勝ちがあり、どちらも3歳馬だ。地方では東海ダービー馬が出た。ゴールドアリュール系の中では、やや勝負根性に欠け、ダート1番人気の勝率の低さにもそれが表れている。でも複勝率は60%以上あるから、これは標準。

　勝利数上位コースにはダ1800とダ1200が並び、阪神と中山のダートがいい。東京ダートの馬券率は高くないが、単勝の大穴がちょくちょくある。コーナー2つのコース向きか、4つのコース向きか、各馬ごとに見極めよう。穴は距離短縮に多い。

　2歳から走り、3歳春夏は良好。まだ初年度産駒は5歳だが、4歳停滞→5歳充実の傾向もある。

ディスクリートキャット DISCREET CAT

UAEダービーを圧勝した
2006年の3歳ワールドチャンピオン

2歳重賞をにぎわせる早熟スピード！
重不良のダ1200からダ1600合う
リフレッシュ後の休み明けを狙え

フォレストリー Forestry 鹿 1996	ストームキャット Storm Cat	Storm Bird
		Terlingua
	シェアードインタレスト Shared Interest	Pleasant Colony
		Surgery (13-c)
プリティディスクリート Pretty Discreet 鹿 1992	プライヴェートアカウント Private Account	Damascus
		Numbered Account
	プリティ パースウェイシヴ Pretty Persuasive	Believe It
		Bury the Hatchet (2-n)

Northern Dancer 4×5、Buckpasser 4・5（母方）、
Bold Ruler 5・5（父方）、Ribot 5×5

ディスクリートキャット産駒完全データ

●最適コース
牡／中山ダ1200、阪神ダ1200
牝／中京ダ1400、東京ダ1400

●距離別・道悪
芝10〜12	11-19-16-187	ダ10〜13	37-40-38-345
芝14〜16	16-11-14-150	ダ14〜16	30-25-35-288
芝17〜20	2-3-3-72	ダ17〜19	15-17-20-220
芝21〜	0-0-0-8	ダ20〜	1-2-0-15
芝道悪	9-10-12-93	ダ道悪	34-37-30-308

●人気別回収率
1人気	単80%・複73%	37-14-10-45
2〜4人気	単79%・複81%	48-62-43-213
5人気〜	単51%・複75%	27-41-73-1027

●条件別・勝利割合
穴率	24.1%	平坦芝率	41.4%
芝道悪率	31.0%	晩成率	32.1%
ダ道悪率	41.0%	芝広いコース率	58.6%

●コース別成績
東京	芝／3-3-5-64	ダ／21-19-28-201
中山	芝／3-6-7-58	ダ／20-17-12-153
京都	芝／0-1-1-17	ダ／2-4-3-43
阪神	芝／4-6-3-42	ダ／11-11-17-152
ローカル	芝／19-17-17-236	ダ／29-33-33-319

現役時代

　北米、UAEで通算9戦6勝。主な勝ち鞍、シガーマイルH（GⅠ・8F）、ジェロームBCH（GⅡ・8F）、UAEダービー（GⅡ・1800M）。

　2歳8月のデビューから3戦目で挑戦したUAEダービーは、無敗のウルグアイ三冠馬インヴァソール、日本馬フラムドパシオンらを相手に、4番手追走から直線残り400Mで抜け出し、2着テスティモニーに6馬身差を付けて楽勝。3着フラムドパシオン、4着インヴァソール。

　米三冠は回避し、夏のサラトガを叩かれて参戦したジェロームBCHでは他馬より8ポンド以上重い124ポンドのハンデながら2着に10馬身以上の差を付けて逃げ切った。続くシガーマイルHもトップハンデで勝利。ここまで2着馬に付けた着差の合計は38馬身。

　4歳時のドバイ遠征で呼吸器系の疾患が判明。北米に戻り復帰するも、初戦、そして新設されたBCダートマイルともに3着に終わり、現役を退くこととなった。

血統背景

　父フォレストリー。産駒にプリークネスS馬シャクルフォード。
　母系は母プリティディスクリートがGⅠアラバマS、半兄ディスクリートマインがGⅠキングズビショップSの勝ち馬。

代表産駒

　オオバンブルマイ（ゴールデンイーグル）、エアハリファ（根岸S）、コンバスチョン（全日本2歳優駿2着）、キャットファイト（アネモネS）、スズカコテキタイ（千葉S）。

特注馬

スズカコテキタイ／冬の中山ダ1200か京都ダ1200が合う。外枠だと軽やかに行き過ぎるので、内めの枠ベター。
メズメライザー／休み明け初戦と2戦目は走れるが、使い詰めていくと良くない。中山ダ1200ベスト。
スムースベルベット／中山か福島の芝1200で、時計が速くないときに馬券になる。特別→平場も買い。

勝利へのポイント

ダートの重不良／20勝、複勝率／29%

　輸入前の産駒はエアハリファが根岸Sを勝つなどダートで活躍したが、輸入後はオオバンブルマイ、キャットファイトなどが芝1400や1600の高速芝の重賞でも好走。函館2歳Sの3着や全日本2歳優駿の2着もあり、2歳から軽快なスピードを見せる仕上がりの早さが売り。ダーレージャパン生産の母父パイロとの配合馬は、高確率で勝ち上がる。

　全体の勝利数はダートが4分の3。ダ1200とダ1400を中心にスピードを活かし、重と不良の勝率や複勝率が上がる。湿ったダートで狙う。人気薄の勝利が多いのは東京ダ1400と中山ダ1200。

　芝は中山や阪神の急坂コースを前で粘る馬や、中京や東京の左回りで差す馬など、各馬によって狭いツボがある。好調期には続けて買える。

37

デクラレーションオブウォー DECLARATION OF WAR

マイル実績を引っ提げ
日本の生産界に宣戦布告

2009年生 鹿毛 アメリカ産
2024年種付け料▷受胎確認後300万円 (不受返・不生返)

現役時代

　フランス、アイルランド、イギリス、北米で通算13戦7勝。主な勝ち鞍、クイーンアンS (GI・8F)、インターナショナルS (GI・10.5F)。他、GⅢ1勝。

　3歳秋に重賞初制覇を果たすと、4歳時にはマイルと中距離GI路線に進出。ロッキンジSこそ5着に敗れたものの、ロイヤルアスコット開催の幕開けを飾るクイーンアンSを中団待機から馬群を割って抜け出し優勝。続くエクリプスSは2着。サセックスS、ジャックルマロワ賞とほぼ10日間隔の強行日程も何のその。3着、4着と健闘。さらに10日後にはインターナショナルSにも出走。愛ダービー馬トレーディングレザーを抑えてGI2勝目を飾った。この後はひと息入れ、サンタアニタ競馬場のBCクラシックへ挑戦。ゴール前3頭が並ぶ接戦に持ち込んだが、ハナ、アタマ差の3着に惜敗。この一戦を最後に引退した。

血統背景

　父ウォーフロント。産駒にアメリカンペイトリオット。
　母は北米で3勝。本馬の全弟にウォーコレスポンデント (北米GⅢ2勝)、母の半弟にユニオンラグス (ベルモントSGI)。母の父ラーイ。産駒にJC3着のファンタスティックライト、北米の名牝セレナズソング。

代表産駒

　タマモブラックタイ (ファルコンS)、セットアップ (札幌2歳S)、トップナイフ (ホープフルS2着)、セキトバイースト (チューリップ賞2着)、シランケド (紫苑S3着)。

特注馬

セットアップ／行きたがる気性で、重賞好走は容易でない。小回りオープンの芝1800なら買い。少頭数歓迎。
セキトバイースト／母は北米のGⅡ勝ち馬。切れる末脚はないから、阪神や京都の内回りの芝1400に向きそう。
サトノヴィレ／中1週や中2週のローテに好走が多く、間隔あけると人気で沈む傾向あり。左回り専門。

POINT
ハイペースでも我慢が利く先行力
2歳から3歳春の重賞で穴
明け2、3戦目が勝負ローテ

ウォーフロント War Front 鹿 2002	ダンジグ Danzig	Northern Dancer
		Pas de Nom
	スターリードリーマー Starry Dreamer	Rubiano
		Lara's Star (4-r)
テンポウエスト Tempo West 栗 1999	ラーイ Rahy	Blushing Groom
		Glorious Song
	テンポ Tempo	Gone West
		Terpsichorist (13-b)

Northern Dancer 3×5、Mr. Prospector 5×4、Nijinsky 5×4

デクラレーションオブウォー産駒完全データ

●最適コース
牡／阪神芝1800、札幌芝2000
牝／京都ダ1800、新潟ダ1200

●距離別・道悪

芝10～12	7-9-2-58	ダ10～13	8-4-8-61
芝14～16	9-14-10-108	ダ14～16	9-15-7-105
芝17～20	14-16-10-120	ダ17～19	12-12-21-190
芝21～	2-1-1-16	ダ20～	2-4-1-18
芝道悪	9-6-7-85	ダ道悪	13-15-14-125

●人気別回収率

1人気	単92%・複97%	22-16-7-15
2～4人気	単68%・複78%	24-25-27-109
5人気～	単86%・複84%	17-34-26-552

●条件別・勝利割合

穴率	27.0%	平坦芝率	46.9%
芝道悪率	28.1%	晩成率	17.5%
ダ道悪率	41.9%	芝広いコース率	34.4%

●コース別成績

東京	芝／2-7-4-50	ダ／7-15-8-72
中山	芝／7-3-3-31	ダ／3-3-6-52
京都	芝／3-2-4-42	ダ／7-3-3-59
阪神	芝／4-7-2-42	ダ／4-3-6-74
ローカル	芝／16-21-10-137	ダ／10-11-14-117

勝利へのポイント

芝の勝率トップ3／札幌、中山、新潟

　トップナイフに代表される先行力と粘り強さで穴を連発。オープンの激走も多く、コツをつかめばお金になる。アメリカンペイトリオットやザファクターと一緒に、ウォーフロント系でまとめても可。勝利数は芝とダートが半々。芝は中山と札幌に良績を残し、ダートは東京が得意。つまり、芝なら時計の遅めの小回りや洋芝に向き、ダートならスピードに乗りやすいコースに向く。芝とダートの中間に適性ありと思えばいい。先行馬が多いため、展開も大切。絡まれて大敗した次走に、単騎で逃げ切ってしまうような地雷っぽさがあるから、前走着順は無視して展開を読むこと。
　距離適性はそれぞれ。ローカルのダ1700と、芝1200もよく走る。乗り替わりが刺激になる。

カレンブラックヒル

CURREN BLACK HILL

ダイワメジャー×ミスプロ系の マイルGI馬

2009年生　黒鹿毛
2024年種付け料▷受胎確認後70万円 (FR)

現役時代

中央22戦7勝。主な勝ち鞍、NHKマイルC、ニュージーランドT、毎日王冠、ダービー卿CT、小倉大賞典。

デビューから無傷の4連勝でNHKマイルCに優勝。古馬に混じった毎日王冠で5連勝を飾るも、秋の天皇賞は5着だった。ダイワメジャー産駒らしいスタートの上手さと、折り合いの心配のなさが武器で、他に速い馬がいないNHKマイルCは、自分から逃げてマイペースに持ち込み突き放す。シルポートがハイペースで逃げた毎日王冠は、離れた3番手で様子をうかがい、直線で差し切る。秋山真一郎の意のままに動く操縦性の高さが強みだった。

その後は、これもダイワメジャー産駒らしく勢いが止まり、安田記念やマイルCSでは不振が続いたが、小回りの中山と小倉のGⅢを2勝した。

血統背景

父ダイワメジャーは同馬の項を参照。

母チャールストンハーバーは米国6戦0勝。半弟にレッドアルヴィス (ユニコーンS)。カレンブラックヒルが最後に勝った小倉大賞典の日、弟はフェブラリーSに出走。

母の父グラインドストーンは96年のケンタッキー・ダービー優勝。その父アンブライドルド。母父ミスプロ系のダイワメジャー産駒はほかにアドマイヤマーズ (NHKマイルC)。

代表産駒

アサヒ (東スポ杯2歳S2着)、ラヴケリー (ファンタジーS3着)、セイウンヴィーナス (クイーンC3着)。

特注馬

カズプレスト／休み明けは走れず、2戦目に激走したケースが何度もある。騎手は津村と相性が良い。

トップスティール／中山ダ1800で先行すると穴になるが、先行できるかどうかはサイコロの目のように読めない。

ジュンウィンダム／ダート短距離で切れ味を使うが、テンのスピードは速くない。オープンならダ1400推奨。

牡馬の勝利は9割がダート
重賞を荒らすのは2歳牝馬！
芝→ダート替わりは単勝勝負

ダイワメジャー 栗 2001	*サンデーサイレンス Sunday Silence	Halo
		Wishing Well
	スカーレットブーケ	*ノーザンテースト
		*スカーレットインク (4-d)
*チャールストンハーバー 鹿 1998	グラインドストーン Grindstone	Unbridled
		Buzz My Bell
	ペニーズバレンタイン Penny's Valentine	Storm Cat
		Mrs. Penny　(25)

Northern Dancer 4×5、Le Fabuleux 5・5 (母方)

カレンブラックヒル産駒完全データ

●最適コース
牡／中山ダ1800、東京ダ1400
牝／中京ダ1400、中山ダ1200

●距離別・道悪

芝10～12	9-23-13-215	ダ10～13　39-30-36-294
芝14～16	14-12-18-220	ダ14～16　21-28-25-218
芝17～20	3-11-6-114	ダ17～19　25-29-33-289
芝21～	0-0-0-8	ダ20～　2-1-0-15
芝道悪	8-16-8-137	ダ道悪　36-34-34-318

●人気別回収率

1人気	単78%・複80%	30-12-14-40
2～4人気	単74%・複90%	51-67-46-190
5人気～	単94%・複86%	32-55-71-1143

●条件別・勝利割合

穴率	28.3%	平坦芝率	46.2%
芝道悪率	30.8%	晩成率	35.4%
ダ道悪率	41.4%	芝広いコース率	42.3%

●コース別成績

東京	芝／8-8-7-83	ダ／15-19-16-146
中山	芝／3-6-2-74	ダ／20-14-14-160
京都	芝／0-2-2-33	ダ／6-8-5-70
阪神	芝／2-5-5-72	ダ／16-12-15-131
ローカル	芝／13-25-21-295	ダ／30-35-44-309

勝利へのポイント

重賞【0-1-3-27】

ダートの2番人気は複勝率63%あるのに、ダートの1番人気は複勝率59%しかない珍データから紹介しよう。切れ味がなく、人気馬がアテにならない。ダートは10番人気以下の馬を全部 (371頭) 買っても、単複ともに儲かった万馬券血統。

勝ち鞍の中心は、ダ1200、ダ1400、ダ1800。それでもダート血統と呼びにくいのは、勝利のほとんどが2勝クラス以下の条件戦だから。芝のほうが全体の勝利数は少ない中、オープンの馬券絡みがある。アサヒの東スポ杯2歳Sなど2歳戦なら芝重賞でもたまに通用し、2歳戦は稼ぎ場所だ。

下級条件ダートで大穴になるのは。中山か阪神のダ1200とダ1800で「前走先行してバテた馬」や「前走速い上がりを使って着順の悪かった馬」。

リアルインパクト

REAL IMPACT

日豪でGI制覇。母は異なる父から
活躍馬を多数出す名牝

2008年生　鹿毛
2024年種付け料▷受胎確認後50万円（FR）

POINT
2歳から走る早熟マイラー、道悪得意！
前走着順がいいのに人気薄の馬を狙え
小倉は芝もダートも成績優秀

ディープインパクト 鹿 2002	*サンデーサイレンス Sunday Silence	Halo
		Wishing Well
	*ウインドインハーヘア Wind in Her Hair	Alzao
		Burghclere （2-f）
*トキオリアリティー Tokio Reality 栗 1994	メドウレイク Meadowlake	Hold Your Peace
		Suspicious Native
	ワットアリアリティ What a Reality	In Reality
		What Will Be （3-l）

Nothirdchance 5×5

リアルインパクト産駒完全データ

●最適コース
牡／東京芝1400、中山ダ1800
牝／東京芝1600、函館芝1200

●距離別・道悪

芝10〜12	13-17-21-199		ダ10〜13	18-19-12-213
芝14〜16	29-25-31-279		ダ14〜16	16-12-8-171
芝17〜20	12-10-15-176		ダ17〜19	33-15-41-286
芝21〜	0-0-1-21		ダ20〜	2-0-0-15
芝道悪	12-11-15-173		ダ道悪	24-21-18-273

●人気別回収率

1人気	単92%・複90%	37-13-19-32
2〜4人気	単80%・複85%	50-50-59-188
5人気〜	単76%・複61%	36-35-51-1140

●条件別・勝利割合

穴率	29.3%	平坦芝率	50.0%
芝道悪率	22.2%	晩成率	28.5%
ダ道悪率	34.8%	芝広いコース率	48.1%

●コース別成績

東京	芝／13-15-12-118	ダ／13-13-7-132
中山	芝／8-3-14-110	ダ／11-7-10-116
京都	芝／6-2-4-50	ダ／9-3-7-59
阪神	芝／3-3-7-66	ダ／13-7-7-118
ローカル	芝／24-29-31-331	ダ／23-16-30-260

現役時代

中央28戦4勝、豪州2戦1勝。主な勝ち鞍、安田記念、ジョージライダーS（豪GI・芝1500M）、阪神C（2回）。朝日杯FS2着、ドンカスターマイル2着（豪GI・芝1600M）。ディープインパクトの初年度産駒としてデビュー。新馬を楽勝、京王杯2歳Sは2着、朝日杯FSは中団から差を詰めるもグランプリボスの2着。NHKマイルCもグランプリボスの3着どまりで、同世代の対決ではセカンドクラスの評価だった。しかし、戸崎圭太を鞍上に迎え、異例の3歳馬挑戦となった安田記念であっと言わせる。ハイペースの3番手から抜け出し、ストロングリターンの強襲をクビ差のいでマイル路線の頂点に立った。古馬になって阪神Cを連覇。7歳で豪州遠征をすると、ジョージライダーSを逃げ切って海外GI制覇。さらに中1週で臨んだドンカスターマイルでカーマデックの2着。

血統背景

父ディープインパクトは同馬の項を参照。母トキオリアリティーは短距離で3勝。半弟ネオリアリズム（クイーンエリザベス2世C、中山記念）、半兄アイルラヴァゲイン（オーシャンS）。近親インディチャンプが19年の安田記念を勝利。同馬の母がリアルインパクトの半姉という関係。母の父メドウレイクはプリンスキロからセントサイモンにのぼる父系。

代表産駒

ラウダシオン（NHKマイルC）、モズメイメイ（チューリップ賞）、ルナーインパクト（豪WATCWAオークス）。

特注馬

オーロイプラータ／後方一気の差し馬で展開に左右される。人気なら疑い、上がりのかかるダートで買う。
レディフォース／良のダート【0-0-1-3】、道悪のダート【4-0-0-1】。これを信じて馬場状態で出し入れ。
グランドカリナン／距離をこなす少数派。この馬だけは距離延長を理由に軽視しないこと。東京得意。

勝利へのポイント

芝2200以上【0-0-1-21】

モズメイメイが24年北九州記念で16番人気3着した後、アイビスSDを快勝した。この馬は距離短縮が得意にして、ついに1000mまで短縮。北九州記念は稍重で、ラウダシオンも重が得意だった。

勝ち鞍は芝4割、ダート6割。早熟のスピードを武器に2歳から走り、ロスの少ない器用な走りが長所。距離的に1800までは走れるが、それ以上は不振。得意距離の明確なマイラーが多く、距離短縮は狙い目だ。前走着順は良かったのに今走で人気にならなかった馬が、続けて好走して波乱を呼ぶ。地味な厩舎の馬が多いため、これが起こる。

穴が多いのは、中山芝1600と中京ダ1200。小倉と中京の重・不良は特注。ダートは1200型と1800型がいて、ダート中距離型では3着多数。

ダノンレジェンド

DANON LEGEND

ダート1200〜1400の重賞を9勝！
ヒムヤーにさかのぼる異系

2010年生　黒鹿毛　アメリカ産
2024年種付け料▷受胎確認後100万円（FR）／産駒誕生後150万円

現役時代

　中央、地方交流で30戦14勝。主な勝ち鞍、JBCスプリント（GI・川崎ダ1400）、東京盃（GII・大井ダ1200）、カペラS、クラスターC（2回）、黒船賞（2回）など、ダート1200と1400の重賞を9勝。

　米国バレッツの2歳セールにて38万5000ドルで購入され、2歳秋にデビュー。3歳時は伸び悩むも、4歳を迎えるとカペラSを人気薄で逃げ切って重賞制覇。

　翌5歳は高知の黒船賞、大井の東京スプリントと東京盃、盛岡のクラスターCなど、全国のダート短距離重賞を勝ちまくり、大井開催のJBCスプリントも2着に好走。6歳になっても能力は衰えず、黒船賞、北海道スプリントCなどに勝利。そして川崎開催の距離1400で行われた16年のJBCスプリント、鞍上はM・デムーロ。前年とは逆にコーリンベリーのハナを叩き、そのまま逃げ切り。雪辱を果たし、引退戦を飾った。

血統背景

　父マッチョウノはBCジュヴェナイル（米GI・ダ8.5F）、グレイBCSなど、北米の重賞4勝、2歳GIを2勝。2000年の米国2歳王者。ヒムヤーにさかのぼる異系のサイアーライン。

　母マイグッドネスは米国1勝。祖母カレシングは2000年のBCジュヴェナイルフィリーズ勝ち馬。

　半弟にダノンキングリー（安田記念）。

代表産駒

　ベストリーガード、サンマルレジェンド、ジュディッタ、シンヨモギネス。

特注馬

ミッキーヌチバナ／祖母の全兄がゴールドアリュール。安定感抜群も、馬番1番か2番に入ると割引き。
ハヤブサジェット／重は苦手。短距離で活躍しているが、母系はスタミナ十分。距離延ばしても走れるかも。
マーブルマカロン／420キロ前後の小柄な牝馬で、この馬は軽いダートがベスト。雨の日を待とう。

POINT

阪神ダ1800と中山ダ1200の鬼
パワフル先行で良馬場ダート押し切る
冬の凍結防止剤もプラス材料

マッチョウノ Macho Uno 芦　1998	ホーリーブル Holy Bull	Great Above
		Sharon Brown
	プライマルフォース Primal Force	Blushing Groom
		Prime Prospect(1-c)
＊マイグッドネス My Goodness 黒鹿　2005	ストームキャット Storm Cat	Storm Bird
		Terlingua
	カレシング Caressing	Honour and Glory
		Lovin Touch　(9-f)

Raise a Native 5×5

ダノンレジェンド産駒完全データ

●最適コース
牡／**中山ダ1200、阪神ダ1800**
牝／**東京ダ1400、阪神ダ1800**

●距離別・道悪

芝10〜12	5-6-11-141	ダ10〜13	40-27-21-225
芝14〜16	1-1-3-67	ダ14〜16	22-14-28-170
芝17〜20	0-0-0-22	ダ17〜19	31-31-21-158
芝21〜	0-0-0-2	ダ20〜	0-0-1-8
芝道悪	0-3-3-60	ダ道悪	28-22-26-202

●人気別回収率

1人気	単96%・複87%	26-10-8-24
2〜4人気	単135%・複95%	50-36-30-120
5人気〜	単79%・複95%	23-33-47-649

●条件別・勝利割合

穴率	23.2%	平坦芝率	66.7%
芝道悪率	− %	晩成率	32.3%
ダ道悪率	30.1%	芝広いコース率	33.3%

●コース別成績

東京	芝／1-1-2-32	ダ／20-12-18-111
中山	芝／0-0-0-24	ダ／17-18-12-98
京都	芝／0-0-1-10	ダ／11-9-6-42
阪神	芝／1-0-0-25	ダ／20-11-14-85
ローカル	芝／4-6-11-141	ダ／25-22-21-225

勝利へのポイント

ダート勝率、良／13%、重・不良／8%

　ミッキーヌチバナがアンタレスSを制して重賞勝ちの第1号に。世界遺産的な異系中の異系血統だけに、多様性に富み、肉体的にも精神的にも強靭さを備えているのが最大の長所。産駒はダートの短距離型と中距離型に分かれ、特に中山ダ1200と阪神ダ1800で勝ち鞍を量産。単勝回収率も高く、両コースの単勝を買うだけで資金倍増だ。中山ダ1200は下級クラス、阪神ダ1800は上級クラスに的を絞ると、一層と効率が良くなる。

　馬場状態も鍵を握る。パワーで押し切るタイプのため、力のいる良馬場向き。稍重も走るが、重・不良では数字がかなり落ちる。勝率で5%、連対率で6%違うから、この差は大きい。季節では11月から2月が良く、凍結防止剤もプラスに出る。

2023 RANK
41

アメリカンペイトリオット
AMERICAN PATRIOT

ゴム毬のような走りを見せた
ウォーフロントっ仔

2013年生　鹿毛　アメリカ産　©Darley
2024年種付け料▷産駒誕生後150万円

現役時代

　北米、イギリスで通算14戦5勝。主な勝ち鞍、メイカーズ46マイルS（GI・8F）、ケントS（GⅢ・9F）。

　3歳1月のデビューから芝レースを走り、ケントSを1分47秒19のトラックレコードで制し、アーリントンミリオンの3歳馬版セクレタリアトSはビーチパトロールの3着に好走した。3歳時は9戦3勝。

　4歳時は初戦のクレーミング競走を制すると、芝GI路線へ向かい、春の重要マイル戦、メイカーズ46マイルSを1分34秒70で制し、重賞2勝とした。次走は英国へ遠征。ロイヤルアスコット開催のクイーンアンSに挑むも、良馬場の勝ち時計1分36秒60が示すように、力のいる馬場に手こずったか、11着に終わる。勝ったのは2走前のドバイターフでヴィブロスの3着だった本命馬リブチェスター。帰国後はマイルGI2戦に出走。6着、10着に敗れ、現役を終えた。

血統背景

　父ウォーフロントは同馬の項を参照。日本で人気急上昇の父系。産駒にザファクター、デクラレーションオブウォー。

　母ライフウェルリヴドはウェルアームド（ドバイワールドCGI）の全妹。3代母はシンボリクリスエスの母の全妹。母の父ティズナウはインリアリティ系。

代表産駒

　ビーアストニッシド（スプリングS）、ブレスレスリー（葵S3着）、シルフィードレーヴ（小倉2歳S3着）、クレスコジョケツ、ラケマーダ、エテルナメンテ。

特注馬

ラケマーダ／重賞では厳しいかもしれないが、東京か京都の内有利の馬場で内枠を引けばオープンでも。

イスカンダル／母父ゴールドアリュールで、冬のダートが得意。中山ダ1800の中枠がベスト。重もいい。

エコロレジーナ／ローカルの芝短距離で展開が向くと激走する。叩き良化型で3戦目特注も、基本は気まぐれ。

POINT
小回りの中距離を前で粘るしぶとさ
牡馬のダ1800、牝馬の芝1400に妙味
ダート重は頭で勝負

ウォーフロント War Front 鹿　2002	ダンジグ Danzig	Northern Dancer
		Pas de Nom
	スターリードリーマー Starry Dreamer	Rubiano
		Lara's Star　（4-r）
ライフウェルリヴド Life Well Lived 鹿　2007	ティズナウ Tiznow	Cee's Tizzy
		Cee's Song
	ウェルドレスド Well Dressed	Notebook
		Trithenia　（8-h）

Seattle Slew 5·5（母方）

アメリカンペイトリオット産駒完全データ

● **最適コース**
牡／中山ダ1800、中山芝1800
牝／東京芝1400、小倉芝1800

● **距離別・道悪**

芝10〜12	18-14-21-126	ダ10〜13	8-12-11-102
芝14〜16	13-18-11-139	ダ14〜16	8-9-8-116
芝17〜20	11-10-9-114	ダ17〜19	21-20-19-185
芝21〜	0-0-0-15	ダ20〜	1-2-1-19
芝道悪	6-12-13-94	ダ道悪	18-14-12-152

● **人気別回収率**

1人気	単94%・複85%	33-14-10-31
2〜4人気	単58%・複81%	22-38-34-130
5人気〜	単77%・複80%	25-33-36-655

● **条件別・勝利割合**

穴率	31.3%	平坦芝率	47.6%
芝道悪率	14.3%	晩成率	32.5%
ダ道悪率	47.4%	芝広いコース率	33.3%

● **コース別成績**

東京	芝／5-0-3-42	ダ／2-8-4-78
中山	芝／8-3-7-43	ダ／8-8-9-80
京都	芝／3-6-0-29	ダ／0-4-2-33
阪神	芝／6-11-4-59	ダ／12-10-9-81
ローカル	芝／20-22-27-221	ダ／16-13-15-150

勝利へのポイント

芝の勝利数上位／小倉、中山

　前で踏ん張る競馬が得意。牡馬は勝ち鞍の中心がダ1800。ダート短距離は2、3着が多くなる。牝馬は芝ダートに関わらず、1200から1800まで走っているが、率が高いのは芝1400だ。

　ウォーフロント系の3種牡馬。アメリカンペイトリオット産駒のビーアストニッシドは、中山芝1800のスプリングSを逃げ切り。デクラレーションオブウォー産駒のトップナイフは阪神と中山の中距離を前で粘り、ザファクター産駒のショウナンマグマも中山と福島の中距離を前で粘った。

　逃げ先行させると強いが、先手を取れないと脆さあり。エコロレイズは弥生賞も自己条件も4着続きで、このタイプは上がりのかかるコース向き。重のダートや、平坦ローカル替わりも穴になる。

アメリカンペイトリオット　AMERICAN PATRIOT

サトノアラジン

SATONO ALADDIN

末脚一閃の安田記念
アラジンの次なる願いは……

2011年生　鹿毛
2024年種付料▷受胎確認後100万円(FR)／産駒誕生後150万円

現役時代

　中央26戦8勝、香港3戦0勝。主な勝ち鞍、安田記念、京王杯スプリングC、スワンS。
　ラジオNIKKEI杯でワンアンドオンリーの3着、共同通信杯でイスラボニータの3着と能力を示すも、春のクラシックは出走できず。秋は神戸新聞杯4着、菊花賞6着。展開が向かないと好走できなかった。
　マイル路線に転向し、4歳のエプソムC2着、富士S2着を経て、マイルCSはモーリスの4着に食い込む。5歳になると川田将雅を主戦に迎え、京王杯SCを上がり32秒台の切れ味で快勝。しかし安田記念は届かず4着。秋もスワンSを差し切るが、マイルCSは5着。
　6歳の17年安田記念。ロゴタイプが引っ張るハイペースの後方で末脚をため、直線で炸裂。府中の緑のじゅうたんを上がり33秒5で外から差し切り、ついにアラジンの魔法のランプの願いがかなった。

血統背景

　父ディープインパクト×母父ストームキャットはリアルスティール、ダノンキングリー、ラヴズオンリーユーと同じ。
　母マジックストームはモンマスオークス(米GⅢ・ダ9F)の勝ち馬。全姉ラキシスはエリザベス女王杯、大阪杯の勝ち馬。

代表産駒

　ペニーウェカ(AJCオーストラリアンオークス豪GⅠ・芝2400)、ウェルカムニュース(カノープスS)、ニシノラヴァンダ(函館2歳S2着)、レディバランタイン、ディパッセ、プリモカリーナ。

特注馬

ウェルカムニュース／カノープスSを勝ったときは休み明けでプラス18キロ。冬のプラス馬体重で好成績。
ニシノラヴァンダ／函館2歳Sで逃げて2着に粘った牝馬。母系パワー型で、タイムの速くない芝1200向き。
プリモカリーナ／半兄グロリアムンディとはまるでタイプが違う。直線平坦の芝1400か芝1200の内枠で買い。

POINT
牡馬はダート中距離パワー型
牝馬は芝1400で穴連発のスピード馬
豪州で大成功の異端ディープ系

ディープインパクト 鹿 2002	*サンデーサイレンス Sunday Silence	Halo
		Wishing Well
	*ウインドインハーヘア Wind in Her Hair	Alzao
		Burghclere (2-f)
*マジックストーム Magic Storm 黒鹿 1999	ストームキャット Storm Cat	Storm Bird
		Terlingua
	フォピーダンサー Foppy Dancer	Fappiano
		Water Dance (16-h)

Northern Dancer 5×4・5

サトノアラジン産駒完全データ

●最適コース
牡／中山ダ1800、阪神ダ1800
牝／東京芝1400、小倉芝1200

●距離別・道悪

芝10〜12	11-14-8-95	ダ10〜13	10-9-12-103
芝14〜16	11-8-9-131	ダ14〜16	7-3-6-99
芝17〜20	6-5-11-140	ダ17〜19	23-24-24-212
芝21〜	1-5-2-33	ダ20〜	1-1-1-15
芝道悪	1-10-8-90	ダ道悪	13-15-22-181

●人気別回収率

1人気	単97%・複94%	25-12-7-17
2〜4人気	単65%・複67%	24-32-25-143
5人気〜	単73%・複70%	21-25-41-668

●条件別・勝利割合

穴率	30.0%	平坦芝率	62.1%
芝道悪率	3.4%	晩成率	24.3%
ダ道悪率	31.7%	芝広いコース率	37.9%

●コース別成績

東京	芝／4-1-3-51	ダ／3-1-3-64
中山	芝／1-1-5-48	ダ／10-3-6-72
京都	芝／3-4-4-29	ダ／3-4-3-32
阪神	芝／5-5-2-51	ダ／10-11-12-98
ローカル	芝／16-21-16-220	ダ／15-18-19-163

勝利へのポイント

芝の7番人気以下／7勝はすべて牝馬

　シャトル先のオーストラリアとニュージーランドで大成功。芝2400のGⅠホースなど重賞勝ち馬を多数輩出して人気種牡馬に。デインヒル系の牝馬と合うらしい。が、日本だと牡馬はダートしか勝てず、牝馬は短距離しか走らない。
　男馬と女馬でまるっきり勝ち鞍の内訳が違う。牡馬は38勝のうち、ダート32勝、ダ1800で15勝。牝馬は32勝のうち、芝1200と芝1400で計19勝。
　父としての影響力が弱めで、母系が強く表れる。牡馬はダート、牝馬は短距離という基本を押さえつつ、適性は母の父を見よう。逃げを打てるかどうかで、走りに差のある馬がいるから要注意。
　激走の距離は芝1400が多い。牡馬は阪神と中京のダ1800、牝馬は小倉と福島の芝1200も特注。

43

ヴィクトワールピサ　VICTOIRE PISA

角居厩舎の執念が結実
大震災直後にドバイWC制覇！

2007年生　黒鹿毛　2021年輸出

現役時代

　中央12戦7勝、海外3戦1勝。主な勝ち鞍、ドバイワールドC（AW2000M・GI）、皐月賞、有馬記念、弥生賞、中山記念、ラジオNIKKEI杯2歳S。

　弥生賞まで4連勝。負傷の武豊に替わって皐月賞を任された岩田康誠は後方のインで脚をため、直線も最内へねじ込んで1着。しかし単勝2.1倍のダービーはスローの瞬発力勝負になり、上がり33秒1の3着。

　秋はフランス遠征してニエル賞4着、凱旋門賞7着。帰国後ジャパンC3着を経て有馬記念へ。新コンビのミルコ・デムーロは3角先頭の積極策を見せ、直線で飛んできたブエナビスタをハナ差で抑えた。

　4歳、中山記念を楽勝して向かったのは、UAEのドバイワールドC。2011年3月26日、日本が大震災に見舞われた2週後のこと。喪章をつけたデムーロはスローと見るや2番手まで進出。逃げたトランセンドとのデッドヒートによるワンツーは、日本に希望を与えた。

血統背景

　父ネオユニヴァースは同馬の項を参照。

　母ホワイトウォーターアフェアはポモーヌ賞（仏GII・芝2700M）1着、ヨークシャーオークス（英GI・芝11.9F）2着。半兄アサクサデンエン（安田記念）、半兄スウィフトカレント（小倉記念）、近親ロープティサージュ（阪神JF）。

代表産駒

　ジュエラー（桜花賞）、ウィクトーリア（フローラS）、アサマノイタズラ（セントライト記念）、レッドアネモス（クイーンS）。

特注馬

ロングラン／芝1800のスペシャリストなのか。他の距離で負けても気にしないこと。外枠と丹内騎乗はプラス。
コスモサガルマータ／切れ味はないが、先行するとしぶとい。直線短いコースで前へ行く騎手が乗れば期待。
エポックヴィーナス／国内最後の世代の期待馬。全兄アイルシャインと同じ京都と中京芝1600に勝ち鞍あり。

人気馬も人気薄も距離1800得意
牡馬はダート転身で変わり身
牝馬は切れ味あるマイラー

ネオユニヴァース 鹿　2000	*サンデーサイレンス Sunday Silence	Halo
		Wishing Well
	*ポインテッドパス Pointed Path	Kris
		Silken Way　(1-l)
*ホワイトウォーターアフェア Whitewater Affair 栗　1993	マキアヴェリアン Machiavellian	Mr. Prospector
		Coup de Folie
	マッチトゥーリスキー Much Too Risky	Bustino
		Short Rations (8-d)

Halo 3×4

ヴィクトワールピサ産駒完全データ

●最適コース
牡／中山ダ1800、中山芝2200
牝／中山芝1800、東京芝1800

●距離別・道悪
芝10〜12	21-26-20-288	ダ10〜13	11-9-11-158
芝14〜16	46-51-43-525	ダ14〜16	10-11-10-247
芝17〜20	61-62-64-715	ダ17〜19	28-41-39-574
芝21〜	9-15-19-174	ダ20〜	4-9-9-77
芝道悪	19-30-34-430	ダ道悪	19-31-24-421

●人気別回収率
1人気	単68%・複74%	43-28-21-72
2〜4人気	単77%・複77%	91-102-86-415
5人気〜	単59%・複66%	56-94-108-2271

●条件別・勝利割合
穴率	29.5%	平坦芝率	49.6%
芝道悪率	13.9%	晩成率	47.4%
ダ道悪率	35.8%	芝広いコース率	42.3%

●コース別成績
東京	芝／23-24-23-252	ダ／12-16-15-176
中山	芝／20-19-19-208	ダ／15-13-19-188
京都	芝／15-13-18-152	ダ／4-4-5-127
阪神	芝／14-26-23-254	ダ／7-10-10-179
ローカル	芝／65-72-63-836	ダ／15-27-20-386

勝利へのポイント

重賞5勝のうち、乗り替わり／4勝

　トルコに売却され、24年3歳が国内最後の世代。オープン級の馬は減ったが、24年もロングランが小倉大賞典で2着に入り、息の長さを示した。

　アサマノイタズラのセントライト記念や、フォルコメンのダービー卿CT2着は、上手な騎手に乗り替わった途端、能力を解放するかのように大駆けした。乗り方が難しい血統だ。キャリアを重ねるほど気性の難しさを出し、特に牡馬はムラ馬になりやすい。スランプや去勢手術の後、ダートで復活するパターンもあり。ダートは中山と新潟得意。

　芝は1800mの成績が良い。速い上がりの脚を使えない馬は中山、福島、中京に向き、切れ味のある馬（マイラー牝馬に多い）は、軽い芝も走り、東京や京都に向く。中2週のローテ特注。

スワーヴリチャード SUAVE RICHARD

3世代のダービー馬を一蹴!
ハーツクライの父系はオレが継ぐ!

2014年生 栗毛
2024年種付け料▷受胎確認後1500万円(FR)

現役時代

中央18戦6勝、UAE1戦0勝。主な勝ち鞍、ジャパンC、大阪杯、共同通信杯、アルゼンチン共和国杯、金鯱賞。日本ダービー2着、宝塚記念3着など。

4戦目に共同通信杯1着。右回りではコーナーがぎこちないのに対して、左回りではスムーズな走りをする個性が話題になる。主戦は四位洋文。皐月賞はこの弱点と1枠が仇になり、アルアインの6着。左回りのダービーはスローペースの中団につけて、上がり33秒5の末脚を繰り出し、レイデオロの2着惜敗。

3歳秋はAR共和国杯を楽勝するも、有馬記念は外を回って4着まで。右回りの弱点が知れ渡った4歳の大阪杯。最後方からまくって3角先頭でGI初勝利を決めた。さらにハーツ産駒らしく、5歳でピークを迎える。ドバイSC3着、宝塚記念3着ときて、重のジャパンCを完勝。ワグネリアン、マカヒキ、レイデオロと3世代のダービー馬を負かした。

血統背景

父ハーツクライは同馬の項を参照。
母ピラミマは中央0勝。半兄バンドワゴン(きさらぎ賞2着)。祖母キャリアコレクションは米国のダート短距離重賞2勝のほか、BCジュヴェナイルフィリーズ2着。

代表産駒

レガレイラ(ホープフルS)、スウィープフィート(チューリップ賞)、アドマイヤベル(フローラS)、コラソンビート(京王杯2歳S)、アーバンシック(京成杯2着)。

特注馬

レガレイラ/レース傾向で言えば、差し馬が届きやすいエリザベス女王杯向き。それ以外は過信禁物では。
アーバンシック/予測でしかないが、距離はピンポイントで芝2000が合うと思う。2400以上は合わないような。
スパークリシャール/タイムの速い良馬場より、ちょっと渋った馬場に安定感あり。中山の内枠を推奨。

POINT
重賞ホース続出でトップ種牡馬へ躍進
芝1600から芝2400で切れ味発揮!
2歳から走る完成度とレース上手

ハーツクライ 鹿 2001	*サンデーサイレンス Sunday Silence	Halo
		Wishing Well
	アイリッシュダンス	*トニービン
		*ビューパーダンス (6-a)
*ピラミマ Pirramimma 黒鹿 2005	アンブライドルズソング Unbridled's Song	Unbridled
		Trolley Song
	*キャリアコレクション Career Collection	General Meeting
		River of Stars (1-a)

スワーヴリチャード産駒完全データ

●最適コース
牡/中山芝1600、札幌芝1800
牝/東京芝1600、中山ダ1200

●距離別・道悪

芝10～12	2-7-4-24	ダ10～13	4-3-3-21
芝14～16	13-8-11-71	ダ14～16	1-0-1-24
芝17～20	16-16-18-68	ダ17～19	1-0-0-15
芝21～	1-1-0-12	ダ20～	0-0-0-6
芝道悪	5-4-6-37	ダ道悪	2-1-1-17

●人気別回収率

1人気	単69%・複81%	16-12-6-15
2～4人気	単57%・複81%	14-15-23-56
5人気～	単106%・複86%	8-8-8-170

●条件別・勝利割合

穴率	21.1%	平坦芝率	40.6%
芝道悪率	15.6%	晩成率	— %
ダ道悪率	33.3%	芝広いコース率	53.1%

●コース別成績

東京	芝/9-7-7-31	ダ/2-0-1-27
中山	芝/6-5-3-20	ダ/3-2-0-13
京都	芝/4-5-9-43	ダ/0-1-2-8
阪神	芝/3-3-4-23	ダ/0-0-0-3
ローカル	芝/10-12-10-58	ダ/1-0-1-15

勝利へのポイント

重賞3着以内10回中、前走3着以内/9回

初年度産駒が大活躍して種付け料は200万円から1500万円に。仕上がりの早さとレース上手な走りで、2歳重賞や3歳クラシックを賑わせた。

芝1800、芝1600、芝2000が勝利数トップ3。特に芝1800は複勝率50%と、高い適性を示す。小回り向き、大回り向きはそれぞれで、ハーツ産駒のような右回り割引きの傾向も感じない。重賞で馬券になった馬のほとんどは前走3着以内だから、調子のいい馬を狙おう。ただし、派手な後方一気を決めた馬の次走は不振。芝の良と稍重がいい。

ネガティヴ要素をあげるなら、GIIを3勝したのに、ダービーまでの3歳GIは【0-0-0-8】。これはハーツクライ産駒と逆の傾向で、フジキセキ産駒のような前哨戦向きの完成度が目についた。

45

マインドユアビスケッツ

MIND YOUR BISCUITS

ドバイゴールデンシャヒーンを連覇！
末脚自慢の名スプリンター

2013年生　栗毛　アメリカ産
2024年種付け料▷受胎確認後300万円（FR）

現役時代

北米、UAEで通算25戦8勝。主な勝ち鞍、ドバイゴールデンシャヒーン（GI・1200M）2回、マリブS（GI・7F）。他、GII2勝、GIII1勝。

GI昇格の2002年以降、ドバイゴールデンシャヒーンの連覇を果たした唯一の馬。1度目の4歳時は後方待機策から残り100Mであっさり抜け出しての楽勝。2度目の5歳時は前年のBCスプリントの勝ち馬ロイエイチが1.3倍の圧倒的人気に支持され、7.6倍の3番人気に甘んじていたが、直線最後方から電光石火の末脚を繰り出し、2番人気エックスワイジェットをゴール寸前にアタマ差かわして連覇を達成した。ドレフォンとは4度対戦。3連敗を喫した後の4歳時のBCスプリントで3着に入り、6着だったドレフォンに初めて先着した。他にマイル、中距離GIでの2着がある。現役最後の一戦はBCクラシックの11着。

血統背景

父ポッセ。リヴァリッジBC（GII・7F）など米重賞3勝。産駒にカレブズポッセ（BCダートマイルGI・8F）、コディアックカウボーイ（シガーマイルGI・8F）。

母ジャズメインは不出走。母の半姉にキムチ（ウッドバイン・オークス）。母の父トセットは米2歳GI2勝。

代表産駒

デルマソトガケ（BCクラシックGI2着・2000M）、ホウオウビスケッツ（函館記念）、マルカラピッド（エーデルワイス賞）、ショーモン（デイリー杯2歳S3着）。

特注馬

ホウオウビスケッツ／昨年版の「芝2000の重賞なら勝てる」をもう一丁。ダートのフェブラリーSも走ったりして。
マイノワール／母父のハービンジャーっぽいレースをする。小回り芝2000向き。母は道悪巧者だったから高速芝は？
サンライズグルーヴ／重・不良のダートは2戦2勝。ダ1700向き。母父サンライズペガサスが珍しい。

POINT

勝ち鞍の7割ダート、3割芝
スピードの持続力が持ち味
同父系のクロフネをイメージ

ポッセ Posse 鹿　2000	シルヴァーデビュティ Silver Deputy	Deputy Minister
		Silver Valley
	ラスカ Raska	Rahy
		Borishka　（1-p）
ジャズメイン Jazzmane 栗　2006	トセット Toccet	Awesome Again
		Cozzene's Angel
	オールジャズ Alljazz	Stop the Music
		Bounteous　（A4）

Deputy Minister 3×4、Blushing Groom 4×5
Hail to Reason 5×4

マインドユアビスケッツ産駒完全データ

●最適コース
牡／東京ダ1600、札幌ダ1700
牝／中山ダ1800、阪神ダ1400

●距離別・道悪

芝10〜12	2-3-0-42	ダ10〜13	7-6-6-122
芝14〜16	8-7-9-75	ダ14〜16	12-16-13-154
芝17〜20	6-5-3-56	ダ17〜19	26-23-16-249
芝21〜	1-0-0-13	ダ20〜	0-3-0-11
芝道悪	3-3-3-40	ダ道悪	17-21-11-184

●人気別回収率

1人気	単74%・複58%	15-6-1-23
2〜4人気	単106%・複92%	33-35-23-104
5人気〜	単104%・複64%	14-22-23-595

●条件別・勝利割合

穴率	22.6%	平坦芝率	70.6%
芝道悪率	17.6%	晩成率	12.9%
ダ道悪率	37.8%	芝広いコース率	23.5%

●コース別成績

東京	芝／1-2-1-17	ダ／6-11-8-104
中山	芝／2-2-4-18	ダ／7-10-4-106
京都	芝／1-1-1-23	ダ／6-3-4-78
阪神	芝／2-1-2-30	ダ／6-8-7-86
ローカル	芝／11-9-4-98	ダ／20-16-12-162

勝利へのポイント

1番人気、芝【3-0-1-5】、ダ【12-6-0-18】

ホウオウビスケッツが函館記念を完勝。スピードの持続力に優れ、芝で末脚をためて持ち味が生きるタイプではないが、前でワンペースの勝負をすれば高い能力を出す。同父系のクロフネと同様の長所だ。ためすぎの騎手だと能力を出せない。

1年目世代はデルマソトガケが交流GIとドバイGIIを勝利。全体の勝利数は芝3割、ダート7割でダート得意も、芝の中身も上々だ。芝なら1600から2000で良績を残し、短距離は成績が下がる。

勝ち星が多いのはダ1400からダ1800。ダートのオープンでは2歳カトレアS（東京ダ1600）2着がある程度も、そのうち重賞級も出るのではないか。1番人気は1着か着外という極端さがあり、型にハマらないとあっさり負ける。展開を最重視。

クロフネ

KUROFUNE

産駒が続々GI奪取
競馬界を震撼させた白い黒船

1998年生　芦毛　2021年死亡

現役時代

中央10戦6勝。主な勝ち鞍、NHKマイルC、ジャパンCダート、毎日杯、武蔵野S。

外国産馬に門戸を閉ざしていたダービーに、2001年からマル外の出走が認められた。鎖国を打ち破った黒船のようにと命名されたのがクロフネ。毎日杯を5馬身差で圧勝すると、NHKマイルCはフランス滞在中だった武豊が呼び寄せられ、後方一気でGI制覇。

ダービーは距離の壁か、ジャングルポケットの5着。秋は神戸新聞杯3着から天皇賞・秋に登録するも、外国産馬の出走制限で除外。やむを得ずダート重賞の武蔵野Sへ矛先を向けると、1分33秒3の驚愕レコードで圧勝！あらたな航路が広がった。

ジャパンCダートは米国のGI馬リドパレスとの日米決戦ムードに沸いたが、クロフネが楽々と4角先頭からぶっちぎり、7馬身差の大レコードだった。

血統背景

父フレンチデピュティの代表産駒にアドマイヤジュピタ（天皇賞・春）、エイシンデピュティ（宝塚記念）など。

母ブルーアヴェニューは米5勝。全妹ベラベルッチはクロフネの武蔵野S翌日のBCジュヴェナイルフィリーズ3着。母の父クラシックゴーゴーは北米の格なしステークス勝ち馬。

代表産駒

カレンチャン（スプリンターズS）、ホエールキャプチャ（ヴィクトリアマイル）、アエロリット（NHKマイルC）、ソダシ（桜花賞、ヴィクトリアマイル）。

特注馬

ママコチャ／ソダシの全妹。高速芝が得意で、この馬は雨の日に割引き。休み明け緒戦より2戦目がいい。
ハギノアトラス／長期休養後は大敗続きも、残り少ないオープン馬。福島ダ1700で相手が薄ければ期待はある。
ミエノナイスガイ／左回り、渋ったダート、外枠が好材料。近親インカンテーションで、東京なら走れる。

POINT	牝馬が芝1600から芝2000の重賞活躍
	阪神と東京のダート1番人気は安定
	もっさり大型牡馬は小回り割引き

*フレンチデピュティ French Deputy 栗　1992	デピュティミニスター Deputy Minister	Vice Regent
		Mint Copy
	ミッテラン Mitterand	Hold Your Peace
		Laredo Lass　（4-m）
*ブルーアヴェニュー Blue Avenue 芦　1990	クラシックゴーゴー Classic Go Go	Pago Pago
		Classic Perfection
	イライザブルー Eliza Blue	Icecapade
		*コレラ　　（2-r）

Nearctic 5×4、Nasrullah 5×5

クロフネ産駒完全データ

●最適コース
牡／中山ダ1800、東京ダ2100
牝／中山ダ1800、東京芝1600

●距離別・道悪

芝10～12	11-11-10-148	ダ10～13	19-22-14-310
芝14～16	18-16-13-141	ダ14～16	20-35-29-329
芝17～20	14-15-13-154	ダ17～19	58-71-80-689
芝21～	3-0-0-46	ダ20～	10-2-4-68
芝道悪	10-9-12-118	ダ道悪	41-48-62-549

●人気別回収率

1人気	単77%・複86%	56-33-28-64
2～4人気	単67%・複77%	57-80-60-284
5人気～	単64%・複60%	40-59-75-1537

●条件別・勝利割合

穴率	26.1%	平坦芝率	52.2%
芝道悪率	21.7%	晩成率	49.7%
ダ道悪率	38.3%	芝広いコース率	43.5%

●コース別成績

東京	芝／4-12-3-73	ダ／15-22-21-214
中山	芝／5-6-5-49	ダ／27-26-23-233
京都	芝／4-0-3-41	ダ／18-17-15-189
阪神	芝／7-4-7-63	ダ／15-19-16-266
ローカル	芝／26-20-18-263	ダ／32-46-52-494

勝利へのポイント

芝の勝利数上位／小倉芝1200、東京芝1600

最近は母父クロフネも大活躍を見せ、阪神の芝2000と2200重賞に良績が多い。スタニングローズ、レイパパレ、スルーセブンシーズなどだ。

最後の大物ソダシを見届け、21年1月に大往生。東京芝1600などスピードの持続力を求められるコースに強く、強気の先行策が合う。この個性を活かせる騎手と、活かせない騎手の差が出やすいため、継続騎乗のほうが安心して買える。

交流重賞も得意で、川崎ダ2100の関東オークスを3勝。ダートの人気馬が堅実なのは、阪神ダ1400とダ1800、東京ダ1400とダ1600。広いコースなら人気馬は堅実も、大型の牡馬が小回りで人気を背負うと危ない。「雨のクロフネ」の格言もあり、芝もダートも、雨の日は買いに出よう。

2023 RANK 47

エイシンヒカリ

A SHIN HIKARI

香港C、イスパーン賞を連勝し
世界ランキング1位を記録!

2011年生 芦毛
2024年種付け料▷受胎確認後80万円(FR)

現役時代

中央11戦8勝、海外4戦2勝。主な勝ち鞍、イスパーン賞(仏GI・芝1800M)、香港C(香GI・芝2000M)、毎日王冠、エプソムC。

3歳4月のデビューから5連勝でアイルランドTを逃げ切り。直線で外ラチまでヨレるヤンチャな走りが話題になり、ハイペースで逃げて後続を突き放すスタイルが確立された。4歳でエプソムCと毎日王冠を逃げ切り。武豊が乗る逃げ馬から「サイレンススズカ2世」の呼び名も生まれるが、2番人気の天皇賞・秋はクラレントの2番手に控えて9着敗退した。

しかし12月の香港Cを逃げ切り、GI制覇。さらに2016年5月のイスパーン賞では、不利と思われたフランスの重馬場で10馬身差の圧勝。ワールドサラブレッドランキングの1位に輝く。5歳秋の天皇賞は逃げて失速し、引退戦となった香港Cも果敢な逃げを打ったが、まっすぐ走ってモーリスの10着だった。

血統背景

父ディープインパクトは同馬の項を参照。

母キャタリナは米国3勝。半兄エーシンピーシーはスプリングS3着、全妹エイシンティンクルは関屋記念3着。近親で血統構成の近いスマイルカナは桜花賞を逃げて3着。

代表産駒

エンヤラヴフェイス(デイリー杯2歳S2着)、エイシンスポッター(キーンランドC2着)、カジュフェイス(もみじS)、ウインスノーライト。

特注馬

エイシンスポッター/オープンで届いたのは開催後半の馬場ばかり。でも、開催前半によく人気になる。
ニシノライコウ/昨年版の「中山芝1600で大枚勝負」が幕張Sで的中。東京の高速決着は控えめに、道悪で狙う。
ウインスノーライト/逃げ馬から後方一気に脚質転換し、一段と展開が重要になった。少頭数や外差し馬場で。

POINT

逃げか後方一気か、我が道を行く
ディープ系の個性派スピード血統
雨馬場は芝もダートも狙い目!

ディープインパクト 鹿 2002	*サンデーサイレンス Sunday Silence	Halo
		Wishing Well
	*ウインドインハーヘア Wind in Her Hair	Alzao
		Burghclere (2-f)
*キャタリナ Catalina 芦 1994	ストームキャット Storm Cat	Storm Bird
		Terlingua
	カロライナサガ Carolina Saga	Caro
		Key to the Saga(16-g)

Northern Dancer 5×4

エイシンヒカリ産駒完全データ

●最適コース
牡/東京ダ1600、東京芝1600
牝/小倉芝1200、函館芝1200

●距離別・道悪

芝10〜12	15-10-12-129	ダ10〜13	9-13-18-101
芝14〜16	12-17-16-151	ダ14〜16	4-7-5-64
芝17〜20	9-14-9-137	ダ17〜19	8-14-18-125
芝21〜	1-2-1-14	ダ20〜	1-1-0-10
芝道悪	13-18-8-100	ダ道悪	8-19-18-102

●人気別回収率

1人気	単76%・複86%	14-10-6-16
2〜4人気	単64%・複77%	23-27-35-131
5人気〜	単65%・複113%	22-41-38-584

●条件別・勝利割合

穴率	37.3%	平坦芝率	54.1%
芝道悪率	35.1%	晩成率	35.6%
ダ道悪率	36.4%	芝広いコース率	37.8%

●コース別成績

東京	芝/4-2-6-74	ダ/3-4-4-47
中山	芝/2-5-11-46	ダ/4-7-10-72
京都	芝/5-3-2-13	ダ/2-2-4-18
阪神	芝/4-2-0-63	ダ/3-10-9-56
ローカル	芝/22-31-19-235	ダ/10-12-14-107

勝利へのポイント

芝の道悪/13勝、単勝回収率143%

勝ち星が多いのは、芝1200、芝1600、ダ1200。ローズSで2着に逃げ残ったエイシンヒテンのような中距離馬もいることを押さえつつ、短距離馬やマイラーが中心。回収率を含めてもっと絞れば、小倉芝1200、函館芝1200、東京芝1600がいい。

現役時代は気性の難しい個性派として鳴らしたが、産駒もエイシンスポッターのような最後方強襲型がいて楽しい。逃げか、直線一気か、両極端の脚質が目につき、オレはオレの走りをするだけだ、届くか届かないかは知ったこっちゃないというキャラ。馬券のポイントは、オープン級の活躍は2歳から3歳前半に多いことと、雨馬場が上手なこと。芝の道悪の回収率は単複ともに100を軽く超え、ダートの道悪は複の回収率が跳ね上がる。

ディープブリランテ

DEEP BRILLANTE

バブル、ザッツの近親
ディープ産駒初のダービー馬

2009年生　鹿毛　2023年引退

ディープブリランテ
DEEP BRILLANTE

現役時代

　中央6戦3勝、イギリスで1戦0勝。主な勝ち鞍、日本ダービー、東京スポーツ杯2歳S。

　パカパカファームの生産、矢作芳人厩舎。岩田康誠を背に阪神芝1800の新馬と、不良馬場の東京スポーツ杯2歳Sを連勝。3歳になると共同通信杯は逃げて2着、スプリングSも2着。稍重の皐月賞は3番手から伸びるが、イン強襲のゴールドシップに届して3着。

　2012年ダービーは単勝8.5倍の3番人気。ゼロスが飛ばす展開の中、内の4番手で息を潜める。後ろで牽制し合うゴールドシップとワールドエースを尻目に、直線早めに先頭に立つと岩田得意のお尻トントン、末脚全開！　強襲するフェノーメノをハナ差のいでゴール。ウイニングランは、馬の背に突っ伏して号泣する岩田の姿があった。7月に英国の"キングジョージ"出走もデインドリームの8着。最後のレースに。

血統背景

　父ディープインパクトの2年目の産駒。
　母ラヴアンドバブルズはフランスのGⅢクロエ賞勝ち。3代母の半弟バブルガムフェロー（天皇賞・秋）、近親ザッツザプレンティ（菊花賞）、ショウナンパントル（阪神JF）。
　母の父ルウソバージュはイスパーン賞（仏GI・芝1850M）優勝、仏2000ギニー2着。ネヴァーベンド系。

代表産駒

　モズベッロ（日経新春杯）、セダブリランテス（ラジオNIKKEI賞）、エルトンバローズ（毎日王冠）。

特注馬

エルトンバローズ／ディープブリランテ産駒の芝1600重賞勝ちは一例もなく、今後も挑むのか。芝1800に合う。
アレグロブリランテ／締まったペースのラジオNIKKEI賞は見せ場なし。ペースのせいか、暑さのせいか、要観察。
サトミノマロン／大型馬のせいか、休み明けは走らず、使われながら良くなる。上がりかかる中山ダートに合う。

芝の重・不良は特注。重賞でも！
ワンペース向きの持続スピード
得意な上がりタイムになれば穴

	サンデーサイレンス	Halo
ディープインパクト	*サンデーサイレンス Sunday Silence	Halo
鹿　2002		Wishing Well
	*ウインドインハーヘア Wind in Her Hair	Alzao
		Burghclere　(2-f)
*ラヴアンドバブルズ Love And Bubbles	ルウソバージュ Loup Sauvage	Riverman
鹿　2001		Louveterie
	*バブルドリーム Bubble Dream	Akarad
		*バブルプロスペクター(1-b)

Lyphard 4×5、Busted 4×5、Northern Dancer 5×5

ディープブリランテ産駒完全データ

●最適コース
牡／阪神ダ1400、小倉芝1800
牝／福島芝1200、函館芝1200

●距離別・道悪

芝10〜12	22-15-31-257	ダ10〜13	12-17-26-265
芝14〜16	22-31-42-446	ダ14〜16	15-16-17-268
芝17〜20	21-33-23-344	ダ17〜19	13-11-22-296
芝21〜	10-8-13-99	ダ20〜	2-4-1-33
芝道悪	15-18-18-271	ダ道悪	18-14-21-349

●人気別回収率

1人気	単58%・複75%	30-21-19-50
2〜4人気	単71%・複69%	48-54-50-269
5人気〜	単59%・複70%	39-60-106-1689

●条件別・勝利割合

穴率	33.3%	平坦芝率	57.3%
芝道悪率	20.0%	晩成率	43.6%
ダ道悪率	42.9%	芝広いコース率	38.7%

●コース別成績

東京	芝／9-13-17-189	ダ／6-11-12-184
中山	芝／8-10-15-147	ダ／9-13-12-183
京都	芝／10-9-10-91	ダ／4-2-2-57
阪神	芝／8-14-18-154	ダ／10-9-9-127
ローカル	芝／40-41-49-565	ダ／13-13-31-311

勝利へのポイント

芝1600以下の重賞【0-2-3-57】

　24年はアレグロブリランテがスプリングSで逃げ残り、2着。エルトンバローズの芝1800重賞勝ちに続き、芝1800のトライアルの活躍が際立つ。エルトンは速い脚も使うが、切れ味はいまいちで中山、阪神内回り、福島がいい。時計のかかる芝は得意で、モズベッロは重のGIで穴をあけた。

　短距離馬やダート馬など、産駒のタイプは多様。重賞の3〜5着が多く、スローの瞬発力勝負より、ワンペースの流れに合う。スタミナはあるのに芝1600の勝利が多いのも、締まった流れになりやすいためだ。ペースや展開で着順が上下するため、近走の着順だけで判断しないこと。「得意な上がり」になれば、一変も期待できる。ダートは阪神ダ1400や京都ダ1400が優秀。ダ1400狙いだ。

49

ダノンバラード

DANON BALLADE

世界的名牝系
バラード一族のディープ産駒

2008年生　黒鹿毛
2024年種付け料▷受胎確認後250万円

現役時代

中央26戦5勝。主な勝ち鞍、AJCC、ラジオNIKKEI杯2歳S。宝塚記念2着。

ディープインパクトの初年度産駒で、ラジオNIKKEI杯に勝利。父の重賞勝ち第1号となった。

皐月賞は中団からオルフェーヴルの3着に食い込むも、ダービーを前に左前脚の故障が判明して離脱。半年間の休養後は、日経新春杯や中日新聞杯などの中長距離重賞で2、3着を繰り返し、復活の重賞Vは5歳のAJCC。F・ベリー騎手の巧みな手綱さばきもあって、冬の中山を好位から抜け出した。

あらためて能力の高さを示したのは5歳の宝塚記念。5番人気ながら、1着ゴールドシップ、3着ジェンティルドンナという断然人気馬の間にはさまり、馬連5千円台の波乱を演出。鋭く切れるタイプではないだけに、阪神の内回りが得意だった。

血統背景

母レディバラードは交流GⅢを2勝。近親にシングスピール、ラーイ、デヴィルズバッグ、ダノンシャンティなどのバラード牝系。母の父アンブライドルドはケンタッキー・ダービー、BCクラシックに優勝。ディープ×アンブライドルド系の組み合わせは、コントレイルやダノンプラチナと同じ。

代表産駒

ロードブレス（日本テレビ盃）、キタウイング（フェアリーS）、ナイママ（札幌2歳S2着）。15、16年は日、17年は伊、18年は英で供用。19年から再び日本で供用。

特注馬

ミシシッピテソーロ／全4勝が左回り。中山で負けた後の東京、福島で負けた後の新潟に注目。
アマイ／馬券になったのはほとんど福島か函館という、ダノンバラード典型の先行馬。内枠もプラスになる。
コスモディナー／福島芝1800の新馬を勝ったきり、福島に出ていない。マイルより中距離向きだろう。

素質馬の開花は2歳から！
福島と札幌得意の夏血統
牝馬はスピード、牡馬は先行粘り

ディープインパクト 鹿 2002	*サンデーサイレンス Sunday Silence	Halo
		Wishing Well
	*ウインドインハーヘア Wind in Her Hair	Alzao
		Burghclere　(2-f)
*レディバラード Lady Ballade 黒鹿 1997	アンブライドルド Unbridled	Fappiano
		Gana Facil
	アンジェリックソング Angelic Song	Halo
		Ballade　(12-c)

Halo 3×3

ダノンバラード産駒完全データ

●最適コース
牡／福島芝1800、札幌芝1800
牝／新潟芝1600、中山芝1600

●距離別・道悪

芝10～12	2-15-6-82	ダ10～13	1-1-2-41
芝14～16	12-8-11-153	ダ14～16	3-3-3-33
芝17～20	19-22-27-260	ダ17～19	11-11-15-85
芝21～	1-1-2-33	ダ20～	0-0-3-7
芝道悪	10-11-10-122	ダ道悪	6-4-9-79

●人気別回収率

1人気	単76%・複95%	9-7-3-7
2～4人気	単88%・複83%	25-23-22-81
5人気～	単68%・複75%	15-31-44-606

●条件別・勝利割合

穴率	30.6%	平坦芝率	70.6%
芝道悪率	29.4%	晩成率	30.6%
ダ道悪率	40.0%	芝広いコース率	29.4%

●コース別成績

東京	芝／6-6-5-104	ダ／2-1-5-33
中山	芝／3-6-11-117	ダ／0-1-2-50
京都	芝／1-0-1-15	ダ／4-3-2-9
阪神	芝／1-3-3-36	ダ／2-5-4-18
ローカル	芝／23-31-26-256	ダ／7-5-10-56

勝利へのポイント

福島芝／7勝、中京芝【0-0-1-35】

勝利数上位は、福島芝1800、中山芝1600、京都ダ1900。札幌と函館の芝もいい。1年周期の季節馬に網を張り、大漁旗をあげよう。夏が旬だ。

再輸入後はキタウイングとミシシッピテソーロがGI路線に乗ったものの、期待ほどの成長は見られず。芝重賞の馬券絡みは2歳から3歳春まで。瞬発力の足りなさが活躍場所を狭めてしまい、勝ち鞍トップは福島というデータがそれを示す。

とはいえ、輸出前の産駒は5歳でダート重賞をにぎわせたロードブレスなどがいて、徐々に階段を上がる成長力も感じさせる。この辺はアンブライドルドっぽい。2歳からスピードを見せた馬たちが、その後、ダートや小回り中距離に活躍場所を移していく。中京芝の不振はたまたまかも。

ディーマジェスティ DEE MAJESTY

皐月賞で大物食い!
近年稀にみる最強世代の最強伏兵馬

2013年生　鹿毛
2024年種付け料▷受胎確認後50万円(FR)

POINT

意外に1200の活躍多数。短縮で穴

重賞なら3歳春のマイルか芝1800

牝馬は減量騎手が狙い目

ディープインパクト 鹿 2002	*サンデーサイレンス Sunday Silence	Halo
		Wishing Well
	*ウインドインハーヘア Wind in Her Hair	Alzao
		Burghclere (2-f)
エルメスティアラ 鹿 1998	*ブライアンズタイム Brian's Time	Roberto
		Kelley's Day
	*シンコウエルメス Shinko Hermes	Sadler's Wells
		Doff the Derby (4-n)

Hail to Reason 4×4、Northern Dancer 5×4

現役時代

　中央11戦4勝。主な勝ち鞍、皐月賞、セントライト記念、共同通信杯。日本ダービー3着。

　祖母シンコウエルメスの物語から始めよう。イギリスダービー馬ジェネラスの半妹として輸入された同馬は、1戦0勝の後、調教中に骨折。安楽死処分の話が出る中、藤沢和雄調教師の嘆願によって大手術が行われ、命はつなぎとめられた。その20年後、孫にあたる牡馬が大仕事をやってのける。それが二ノ宮敬宇厩舎に預けられたディーマジェスティだ。

　15年、デビュー3戦目の東京芝2000で勝ち上がると、共同通信杯を蛯名正義の騎乗で中団から差し切り。

　16年皐月賞は8番人気。当日の中山は強風が吹き荒れ、速いペースで先行した馬たちが直線で伸びを欠く中、後方14番手から豪快に突き抜けた。

　ダービーは3着。セントライト記念1着から向かった菊花賞は4着だった。

血統背景

　父ディープインパクトは同馬の項を参照。

　母エルメスティアラは不出走。祖母の半兄ジェネラス(英ダービー)、祖母の全妹イマジン(英オークス)、近親にタワーオブロンドン(スプリンターズS)、オセアグレイト(ステイヤーズS)。欧州のGI馬がズラリと並ぶ名牝系。

代表産駒

　ユキノロイヤル(NZT3着)、クロスマジェスティ(アネモネS)。

特注馬

ドットクルー／古馬オープンで通用するならこの馬。スロー先行で好走。締まったペースは割引き。
ペプチドタイガー／東京ダ1400で前へ行けなかったのは、砂スタートが合わないのか。芝スタートのダ1400で。
ドーバーホーク／好走ゾーンは1分9秒台の芝1200。通常そのタイムにはなりにくいが取捨の目安になる。

ディーマジェスティ産駒完全データ

●最適コース
牡／中山芝1600、函館芝1800
牝／阪神ダ1200、中山ダ1200

●距離別・道悪
芝10〜12	7-10-5-45	ダ10〜13	8-14-6-79
芝14〜16	6-11-12-74	ダ14〜16	5-6-7-67
芝17〜20	9-12-15-77	ダ17〜19	7-8-6-96
芝21〜	1-2-3-19	ダ20〜	1-0-2-6
芝道悪	2-5-5-49	ダ道悪	12-8-5-94

●人気別回収率
1人気	単61%・複89%	14-15-10-18
2〜4人気	単76%・複81%	19-26-21-76
5人気〜	単179%・複90%	11-22-25-369

●条件別・勝利割合
穴率	25.0%	平坦芝率	60.9%
芝道悪率	8.7%	晩成率	25.0%
ダ道悪率	57.1%	芝広いコース率	17.4%

●コース別成績
東京	芝／1-5-8-45	ダ／1-3-1-44
中山	芝／6-8-8-40	ダ／4-5-3-46
京都	芝／2-2-3-7	ダ／1-3-1-18
阪神	芝／2-2-4-24	ダ／5-7-7-49
ローカル	芝／12-18-12-99	ダ／10-10-9-91

勝利へのポイント

芝2200以上【1-2-3-19】

　勝ち星が多いのは、芝1200、芝1800、ダ1200。これほど短距離に偏るとは予想外だった。2100以上の距離では、ダートを含めても函館芝2600の1勝があるだけ。あるはずのスタミナを活かせないのは、気性的に抑えの利かない馬が多いせいか。面白いのは牝馬のほうがダート馬が多く、牡馬は芝馬が多い。めったにない傾向で、これも牝馬はダート短距離を先行して粘る競馬が多いせい。

　重賞は毎日杯の3着と、ニュージーランドTの3着。あとはアネモネSの1着。すべて3歳春だ。この時期はまだスピードを活かして前で踏ん張る競馬がオープンでも通用する。その後は距離短縮して短距離馬になるか、ジリ脚の中距離馬になるか。芝はなぜか5枠と6枠で複勝率40%以上と好調。

ディーマジェスティ DEE MAJESTY

51

ファインニードル

FINE NEEDLE

2着はわずか2回
勝ち切る強さ誇るゴドルフィン馬

©Darley

2013年生　鹿毛
2024年種付け料▶産駒誕生後180万円

牝馬はローカル短距離で勝ち鞍量産
牡馬は距離延長の中距離に妙味
前走上位着順馬を狙え

アドマイヤムーン 鹿　2003	*エンドスウィープ End Sweep	*フォーティナイナー Broom Dance
		Broom Dance
	マイケイティーズ	*サンデーサイレンス
		*ケイティーズファースト (7-f)
*ニードルクラフト Needlecraft 栗　2002	マークオブエスティーム Mark of Esteem	Darshaan
		Homage
	シャープポイント Sharp Point	*ロイヤルアカデミーⅡ
		Nice Point　(10-c)

Sharpen Up 5×4、Northern Dancer 5×5・5

ファインニードル産駒完全データ

●最適コース
牡／中山芝1600、東京ダ1400
牝／札幌芝1200、新潟芝1000

●距離別・道悪
芝10～12	21-13-14-111	ダ10～13	7-3-4-95
芝14～16	5-6-12-89	ダ14～16	6-5-1-49
芝17～20	1-6-1-15	ダ17～19	1-1-1-28
芝21～	0-0-0-2	ダ20～	0-0-0-1
芝道悪	8-6-11-44	ダ道悪	6-3-3-69

●人気別回収率
1人気	単91%・複85%	15-5-5-13
2～4人気	単75%・複75%	14-17-14-63
5人気～	単95%・複78%	12-12-14-314

●条件別・勝利割合
穴率	29.3%	平坦芝率	74.1%
芝道悪率	29.6%	晩成率	9.8%
ダ道悪率	42.9%	芝広いコース率	37.0%

●コース別成績
東京	芝／2-1-2-21	ダ／3-4-0-28
中山	芝／2-3-2-18	ダ／3-3-0-37
京都	芝／3-2-2-34	ダ／1-0-1-16
阪神	芝／1-3-4-30	ダ／1-1-1-30
ローカル	芝／19-16-17-114	ダ／6-1-4-62

勝利へのポイント

新潟芝【8－3－3－27】

ファンタジーSのカルチャーデイ、函館2歳S3着のスカイキャンバスなど2歳重賞で好走する早熟馬がいる一方、クルゼイロドスルが関越Sをレコードで勝ち、古馬になって急上昇した父に少しでも近づこうかとする産駒がいる。仕上がりの早さは間違いなく、2歳の早い時期から走り、その後の成長力の見極めが最重要課題。牝馬は短距離馬に徹し、直線平坦の京都やローカル芝の短距離で勝ち鞍量産。新潟千直も得意コース。牡馬も短距離中心ながら、中距離馬も出ている。前出クルゼイロドスルやハイディージェンは距離延長が功を奏している。牝馬はローカル短距離で待ち構え、牡馬は距離延長時に妙味ありとする。牡牝とも前走上位馬は買い。ダートは現状、2勝Cが壁。

現役時代

中央26戦10勝、香港2戦0勝。主な勝ち鞍、高松宮記念、スプリンターズS、セントウルS（2回）、シルクロードS。

4歳でセントウルSを制して初重賞制覇。5歳で川田将雅と久々のコンビを組むと、馬が変わった。シルクロードS楽勝の次走、18年高松宮記念は先に抜け出したレッツゴードンキを外から強襲して、ハナ差の差し切り。馬主名義がシェイク・モハメドから、ゴドルフィンに変更された直後の快挙だった。

5歳秋もセントウルS連覇から、スプリンターズSへ向かう。台風接近による道悪の中、外からラブカンプーをクビ差の差し切り。「着差はわずかでも勝ち切るのがこの馬の強さ」と川田は胸を張った。香港にも2度遠征したが、チェアマンズスプリントは4着。香港スプリントはゲートで待たされ、8着に終わった。

血統背景

父アドマイヤムーンは同馬の項を参照。現役時代にアドマイヤの近藤オーナーから、ダーレー・ジャパン・ファームへ電撃トレードされ、ジャパンCを勝った。

母ニードルクラフトはクロエ賞（仏GⅢ・芝1800）など、フランスとイタリアの重賞を計2勝。母の父マークオブエスティームは96年の英2000ギニーに勝ったミルリーフ系。

代表産駒

カルチャーデイ（ファンタジーS）、スカイキャンバス（函館2歳S3着）、クルゼイロドスル（ジュニアC）。

特注馬

クルゼイロドスル／ダルシャーンのクロスに母父がアルカセット。中距離勝ちは納得。父同様に川田と手が合う。
スタンリーテソーロ／母はブラジルGI馬。上記馬同様にダルシャーンのクロス。ダート馬の出世頭候補。
トーラスシャイン／近親に凱旋門賞ソットサス、シンエンペラー兄弟。マイルもこなすとみた。

52

ワールドエース

WORLD ACE

ディープ×ドイツ血統の
活躍馬のさきがけ

2009年生　鹿毛　2023年引退

POINT	決め手欠き、3着、4着の山
	阪神、中山、東京が稼ぎ場
	重賞級は中長距離馬から

ディープインパクト 鹿　2002	*サンデーサイレンス Sunday Silence	Halo
		Wishing Well
	*ウインドインハーヘア Wind in Her Hair	Alzao
		Burghclere　(2-f)
*マンデラ Mandela 栗　2000	アカテナンゴ Acatenango	Surumu
		Aggravate
	マンデリヒト Mandellicht	Be My Guest
		Mandelauge　(3-d)

Northern Dancer 5×4

ワールドエース産駒完全データ

●最適コース
牡／阪神芝1800、中山芝2000
牝／札幌芝1500、東京芝1400

●距離別・道悪

芝10～12	6-8-15-170	ダ10～13	7-7-13-196
芝14～16	18-20-31-321	ダ14～16	2-7-12-159
芝17～20	19-16-18-253	ダ17～19	11-19-27-303
芝21～	5-5-8-61	ダ20～	2-7-3-29
芝道悪	15-15-23-221	ダ道悪	7-14-20-261

●人気別回収率

1人気	単66%・複70%	23-17-6-36
2～4人気	単54%・複76%	29-35-52-163
5人気～	単40%・複67%	18-37-69-1293

●条件別・勝利割合

穴率	25.7%	平坦芝率	27.1%
芝道悪率	31.3%	晩成率	34.3%
ダ道悪率	31.8%	芝広いコース率	47.9%

●コース別成績

東京	芝／11-7-19-142	ダ／0-9-8-111
中山	芝／10-11-7-123	ダ／4-8-9-146
京都	芝／1-3-6-48	ダ／1-2-2-50
阪神	芝／11-8-6-117	ダ／5-9-11-117
ローカル	芝／15-20-34-375	ダ／12-12-25-263

現役時代

　中央14戦4勝、豪州と香港で3戦0勝。主な勝ち鞍、きさらぎ賞、マイラーズC。皐月賞2着。

　サンデーレーシングの募集価格は総額1億円。きさらぎ賞、若葉Sを差し切り、12年皐月賞は2番人気。しかしスタートでつまずき、福永祐一が落馬寸前の後方17番手から。稍重の中山の大外をぶん回して猛然と追い込んだが、ゴールドシップの2着まで。

　この末脚が評価され、ダービーは2.5倍の1番人気。今度はゴールドシップと牽制し合いすぎて仕掛けが遅れ、ディープブリランテに届かずの4着。上がり33秒8は最速だっただけに騎乗に批判の声も出たが、瞬時に動けない不器用さ、外しか回れない乗りづらさも目立った。1年8ヵ月の長期休養をはさみ、5歳のマイラーズCで1分31秒4のレコード復活勝利。香港と豪州のマイルGIにも参戦した。

血統背景

　父ディープインパクトは同馬の項を参照。

　母マンデラはドイツオークス3着。全弟ワールドプレミアは19年菊花賞優勝、有馬記念3着。半弟ヴェルトライゼンデは20年日本ダービー3着。母の半弟マンデュロはイスパーン賞、ジャックルマロワ賞など欧州GIを3勝。

　母の父アカテナンゴはドイツの芝2400のGIを6勝などの、ドイツの大種牡馬。ジャパンCを勝ったランドの父。

代表産駒

　レッドヴェロシティ（青葉賞3着）、メイショウシンタケ（米子S）。

特注馬

モンドデラモーレ／2歳時に東京1800での勝ち上がり馬は重賞級の可能性あり。東京スポーツ杯2歳Sは一考。

ジュンブロッサム／ようやくOP入りした直後に関屋記念3着。重賞制覇も近いか。上記馬とは母父が同じクロフネ。

サンストックトン／半兄にアルゼンチン共和国杯3着のサンアップルトン。2400＆2500でドカンだ。

勝利へのポイント

中京芝【3－6－14－83】

　本格化かと期待を抱かせながら煮え切らない競馬を続けるサンストックトン、レッドヴェロシティ。瞬発力を欠き、なおかつ脚質の幅が狭いため、3、4着を繰り返す産駒が多い。特に中京では3、4着の山を築いている。3連単の3着付けか3連複で攻めるのが正解か。また、阪神芝／11勝に対し京都芝／1勝という極端な傾向がある。中京はともかく、独血統の片鱗を見せられる直線に坂のあるコースで勝ち鞍を積み上げ、芝の道悪も好材料。オープン勝ちが2歳のクローバー賞と1600の米子S。それでもノヴェリストやエイシンフラッシュよろしく、重賞級は中長距離馬から出るとみた。アルゼンチン共和国杯では網を張っておきたい。ダートはタイセイブレイズ以外は2勝Cまで。

WORLD ACE

エスポワールシチー

ESPOIR CITY

ダートのGIを9勝した
ゴールドアリュール産駒のスピード型

2005年生　栗毛
2024年種付け料▷受胎確認後200万円 (FR)

ダートの安定株
着を上げてきたら黙って買い
大勝負はJRAより地方か

ゴールドアリュール 栗　1999	*サンデーサイレンス Sunday Silence	Halo
		Wishing Well
	*ニキーヤ Nikiya	Nureyev
		Reluctant Guest(9-h)
エミネントシチー 鹿　1998	*ブライアンズタイム Brian's Time	Roberto
		Kelley's Day
	ヘップバーンシチー	*ブレイヴェストローマン
		コンパルシチー (4-m)

Hail to Reason 4×4

現役時代

国内39戦17勝、米国1戦0勝。主な勝ち鞍、ジャパンCダート、フェブラリーS、マイルChS南部杯(3回)、かしわ記念(3回)、JBCスプリントなど、ダートGIを9勝、重賞12勝。

佐藤哲三が素質を見込み、付きっきりで調教をつけた馬。4歳のマーチS勝利を皮切りに、かしわ記念、南部杯、JCダート、5歳のフェブラリーSなど、ダートGIを5連勝。ハイペースでもバテないスピードと、荒々しい気性が魅力だった。

5歳秋には米国のBCクラシックに出走。19連勝中のゼニヤッタらを向こうに回して、直線では先頭に立ったが10着。初距離の2000Mも長かった。

6歳以降も勝ち星を積み重ね、8歳で南部杯とJBCスプリント(金沢ダ1400)を連勝。帝王賞でも2年連続2着など、GIの2着が5回ある。

血統背景

父ゴールドアリュールはフェブラリーS、東京大賞典などダートGIを4勝。代表産駒にスマートファルコン、ゴールドドリームなど、高速ダートを得意にする馬が多い。

母は国内3勝。近親にゴールドシチー(皐月賞と菊花賞でサクラスターオーの2着)。

代表産駒

ペイシャエス(ユニコーンS)、イグナイター(JBCスプリント)、メモリーコウ(東海S3着)、ショーム(バレンタインS)、ヤマノファイト(羽田盃)、ヴァケーション(全日本2歳優駿)。

特注馬

ペイシャエス／東京大賞典は大井の白砂に対応できるかだ。その前のJBCクラシックは有力。
ケイアイドリー／意外と地方の小回りは苦手なのか。JBCスプリントは悩ましい。
スマイルウィ／JBCスプリントの最大の惑星。祖母の父が一世代だけを遺して早世のドバイミレニアム。泣ける。

エスポワールシチー産駒完全データ

●最適コース
牡／中山ダ1800、東京ダ1600
牝／中山ダ1800、東京ダ1400

●距離別・道悪

芝10〜12	2-3-1-26	ダ10〜13	36-36-48-344
芝14〜16	0-0-0-15	ダ14〜16	25-23-21-234
芝17〜20	2-1-2-27	ダ17〜19	50-39-34-364
芝21〜	0-0-0-3	ダ20〜	1-0-3-14
芝道悪	0-0-1-11	ダ道悪	35-34-48-382

●人気別回収率

1人気	単71%・複75%	33-15-14-45
2〜4人気	単95%・複92%	53-51-39-166
5人気〜	単94%・複81%	30-36-56-816

●条件別・勝利割合

穴率	25.9%	平坦芝率	25.0%
芝道悪率	ー %	晩成率	43.1%
ダ道悪率	31.3%	芝広いコース率	25.0%

●コース別成績

東京	芝／0-0-0-13	ダ／21-18-22-186
中山	芝／1-1-0-8	ダ／19-18-26-188
京都	芝／0-0-0-2	ダ／9-6-8-58
阪神	芝／2-2-3-10	ダ／21-9-12-124
ローカル	芝／1-1-0-38	ダ／42-47-38-400

勝利へのポイント

3勝C以上／11勝のうち4歳／3勝、5歳／5勝

東京1600、ローカル1700を含め短距離から中距離までのダートを満遍なく走る砂の安定株。ペイシャエスは2度目の札幌1700を克服してエルムSを制した。馬場状態も気にすることなく、人気での信頼性は高い。2歳から走り、3歳時に1勝Cを勝ち上がり、4歳、5歳時に2勝C、3勝C突破という成長曲線。6歳で交流重賞制したケイアイドリーのように高齢馬も侮れない。概ね叩き良化型で、使われながら調子を上げていく。徐々に着を上げてきた時は四の五の言わずに買いの手。JBCスプリント優勝のイグナイターの活躍等で、23年の地方競馬リーディングは2位だった。地方競馬では交流競走を含め重賞好走馬を多数輩出。地方競馬でも軽視できず、小回りコースも器用にこなす。

エスポワールシチー ESPOIR CITY

ラブリーデイ

LOVELY DAY

5歳で覚醒し、宝塚記念、天皇賞・秋を含む、年間重賞6勝!

2010年生　黒鹿毛
2024年種付け料▷受胎確認後80万円(FR)／産駒誕生後120万円

現役時代

中央31戦9勝、香港2戦0勝。主な勝ち鞍、宝塚記念、天皇賞・秋、京都記念、京都大賞典、中山金杯、鳴尾記念。

2歳時は4戦2勝。皐月賞15着、ダービー7着。この頃、本馬の未来を正しく見通していた人はいなかっただろう。5歳から快進撃が始まる。中山金杯をレコード勝ちすると、京都記念でキズナやハープスターを負かして重賞連勝。好位で折り合い、ロスなく抜け出す競馬は安定感抜群ながら、強さがわかりにくい。天皇賞・春で完敗したため、なおさら評価が難しくなった。

中距離に戻ると、鳴尾記念を楽勝。宝塚記念で同じ金子オーナーのデニムアンドルビーを抑えてGI初勝利。秋、京都大賞典を上がり32秒3で制すると、天皇賞・秋も完勝。この年だけで7人の騎手が乗って重賞6勝。ジャパンCは3着、有馬記念は5着に敗れたが、年間、王道路線フル参戦の丈夫さも近年の名馬にはない長所だった。6歳で香港に2度遠征。QE2世Cと香港Cで、ともに4着した。

血統背景

父キングカメハメハは同馬の項を参照。

母ポップコーンジャズは1勝、03年スイートピーS2着。近親クーデグレイス（ローズS3着）、4代母シャダイチャッターの一族にアリゼオ（スプリングS）、スマートギア（中日新聞杯）。

代表産駒

グリューネグリーン（京都2歳S）、ゾンニッヒ（青函S）。

特注馬

ゾンニッヒ／意表を突いてカペラSでどうだ。芝→ダート、その逆は金子オーナーの所有馬によくあることだが。

エラン／2000以上を使ってきたら一考。中山の2500は最適コースとみた。近親にレイパパレ。

グリューネグリーン／血統から見捨てるのは早い。2歳時を思い出し、阪神は開催はないが、京都でもオープン特別なら。

POINT

使われながら良くなる晩成型
芝もダートも道悪は鬼
札幌芝は好相性

キングカメハメハ 鹿　2001	キングマンボ Kingmambo	Mr. Prospector
		Miesque
	*マンファス Manfath	*ラストタイクーン
		Pilot Bird　(22-d)
ポップコーンジャズ 鹿　2000	ダンスインザダーク	*サンデーサイレンス
		*ダンシングキイ
	グレイスルーマー	*トニービン
		ディスクジョッキー(19)

Northern Dancer 5・5×5

ラブリーデイ産駒完全データ

●最適コース
牡／東京ダ2100、札幌芝2000
牝／東京ダ1400、阪神芝1600

●距離別・道悪
芝10〜12	6-11-8-108	ダ10〜13	5-6-9-146
芝14〜16	10-10-10-159	ダ14〜16	9-5-8-129
芝17〜20	12-16-18-189	ダ17〜19	18-25-20-258
芝21〜	2-2-5-38	ダ20〜	2-1-1-33
芝道悪	12-11-12-121	ダ道悪	14-17-10-230

●人気別回収率
1人気	単81%・複82%	19-10-7-20
2〜4人気	単57%・複74%	20-38-30-132
5人気〜	単129%・複72%	25-28-42-908

●条件別・勝利割合
穴率	39.1%	平坦芝率	46.7%
芝道悪率	40.0%	晩成率	37.5%
ダ道悪率	41.2%	芝広いコース率	26.7%

●コース別成績
東京	芝／5-3-4-84	ダ／7-4-4-108
中山	芝／6-5-5-77	ダ／3-6-6-115
京都	芝／0-2-2-27	ダ／3-2-0-25
阪神	芝／4-4-4-61	ダ／3-4-6-96
ローカル	芝／15-25-26-245	ダ／18-21-22-222

勝利へのポイント

札幌芝【4−2−6−22】

牡馬は中距離以上、牝馬はマイル以下で勝ち鞍を稼ぎつつ、ゾンニッヒのように中距離から徐々に距離を短くして成果を出している産駒がいるから難しい。力任せに走れる短距離で好走するのはスタミナ豊富な血統によくある例だが、冒頭の傾向を押さえつつ、柔軟に構えるのが肝要とする。

使われながら良くなる晩成型で、古馬になって2勝C、3勝Cを突破する。また、叩き2戦、3戦、4戦と調子を上げてくる。芝もダートも道悪の鬼。「雨のラブリーデイ」は女房を○に入れても買いだ。札幌の芝も好相性。データ集計後に件のゾンニッヒがしらかばSで追い込みを決めた。本来のスタミナを活かして2600で勝ち負けする産駒も出るだろう。同じ北の洋芝でも函館は2着、3着が多い。

エイシンフラッシュ EISHIN FLASH

一瞬の脚で輝いたスローの王者
東京のイン突きでGI2勝

2007年生　黒鹿毛
2024年種付け料▷受胎確認後80万円（FR）

*キングズベスト King's Best 鹿　1997	キングマンボ Kingmambo	Mr. Prospector
		Miesque
	アレグレッタ Allegretta	Lombard
		Anatevka　　(9-h)
*ムーンレディ Moonlady 黒鹿　1997	プラティニ Platini	Surumu
		Prairie Darling
	ミッドナイトフィーヴァー Midnight Fever	Sure Blade
		Majoritat　　(8-a)

Birkhahn 5×5

現役時代

　国内25戦6勝、海外2戦0勝。主な勝ち鞍、日本ダービー、天皇賞・秋、毎日王冠、京成杯。有馬記念2着、天皇賞・春2着、皐月賞3着。

　黒々と均整の取れた馬体で、まずは京成杯を勝利。皐月賞はヴィクトワールピサの3着に追い込む。7番人気のダービーは前年のリーディング内田博幸を鞍上に、1600M1分41秒1の超スロー。1枠1番を活かしてインで脚をため、上がり32秒7の瞬発力でローズキングダムとの競り合いを制した。4歳は春天2着、宝塚記念3着、有馬記念2着。5歳でドバイワールドC6着。

　天覧競馬となった5歳秋の天皇賞。シルポートが20馬身近い大逃げを打つなか、ダービーの再現のように直線はインを突き、上がり33秒1の快勝。ウイニングランのデムーロは緑のキャップを脱いで下馬。両陛下に向かってヒザまずき、深々と一礼した。

血統背景

　父キングズベストは英2000ギニー優勝。代表産駒にワークフォース（英ダービー、凱旋門賞）など。

　母ムーンレディはドイツセントレジャー（独GII・芝2800M）、ロングアイランドH（米GII・ダ11F）など重賞4勝。母の父プラティニはメルクフィンク銀行賞、ミラノ大賞など、芝2400のGIを勝ったドイツの一流馬。93年JCで4着。

代表産駒

　ヴェラアズール（22ジャパンC）、オニャンコポン（京成杯）。

特注馬

オニャンコポン／なんだかんだと言っても菅原騎手と手が合う。初心に返って京都金杯より中山金杯。

マルカブリッツ／母、祖母とも芝2000以上で勝ち鞍あり。中長距離での注目株とする。

ラエール／半姉にフローラS2着のスライリー。近親に新潟記念1着シンリョクカ。冬の時計のかかる馬場での大駆け。

エイシンフラッシュ産駒完全データ

●最適コース

牡／中山芝2000、福島芝2000

牝／阪神芝1400、中京芝1600

●距離別・道悪

芝10～12	28-18-18-322	ダ10～13	14-14-14-357
芝14～16	28-33-28-520	ダ14～16	16-15-11-258
芝17～20	42-43-42-683	ダ17～19	25-37-32-451
芝21～	11-7-15-155	ダ20～	3-8-7-59
芝道悪	35-28-32-416	ダ道悪	24-24-27-445

●人気別回収率

1人気	単62%・複74%	31-23-15-49
2～4人気	単65%・複67%	71-64-64-349
5人気～	単70%・複59%	65-88-88-2407

●条件別・勝利割合

穴率	38.9%	平坦芝率	44.0%
芝道悪率	32.1%	晩成率	41.9%
ダ道悪率	41.4%	芝広いコース率	39.4%

●コース別成績

東京	芝／16-16-15-263	ダ／12-10-10-214
中山	芝／17-20-11-206	ダ／6-12-7-220
京都	芝／5-5-3-141	ダ／5-6-6-72
阪神	芝／15-14-15-230	ダ／8-13-10-160
ローカル	芝／56-46-59-840	ダ／27-33-31-459

勝利へのポイント

特別&重賞の勝ち距離上位／芝2000、芝1600

　ローカルの芝短距離やダート1400での勝ち鞍も多く、特に牝馬はその傾向が強いが、積極的に狙うのは牡馬の芝中距離の特別戦以上。重賞3勝は2000＆2400。特別戦でも勝ち鞍上位コースに中山2000、福島2000、阪神2000と並ぶ。コーナー4つの中距離を得意とし、時計のかかる馬場はさらに良く、道悪での勝率も高い。しかし、そこはドイツ血統。時計のかかる馬場でしか実績のなかった馬が高速馬場でいきなり勝ち負けしたりする。この転換点を見逃さないことだ。馬券を買わなくても産駒の動向は常に観察することが肝要である。

　中距離以外で狙って妙味あるのが芝短距離。同じ馬が何度も穴をあける。坂のあるコース着外からローカルで大駆け。頭に入れておいて損はない。

ダンカーク

DUNKIRK

13年の北米新種牡馬リーディング
母系は南米ゆかりの血統

2006年生　芦毛　アメリカ産　2024年引退
2024年種付け料▷受胎確認後30万円／産駒誕生後50万円

ダンカーク　DUNKIRK

現役時代

　北米で通算5戦2勝。主な勝ち鞍、未勝利（7F）、アローワンス競走（9F）。ベルモントS（GI・12F）2着、フロリダ・ダービー（GI・9F）2着。

　キーンランドの1歳市場にて370万ドルの高値で落札。3歳1月のデビュー戦、アローワンス競走を2連勝。続くフロリダ・ダービーは重賞初挑戦にもかかわらず本命に推されての2着。ドロドロの不良馬場で行われたケンタッキー・ダービーは中団のまま11着に終わった。プリークネスSを回避して臨んだ三冠の最終戦、ベルモントSでは一転して逃げの手。まくってきたケンタッキー・ダービー馬マインザットバードにかわされるが、これを差し返し、サマーバードの強襲に屈したものの2着に粘った。マインザットバードは3着。この後、左後脚に骨折が判明。手術には成功したがそのまま引退。翌年から種牡馬入りした。

血統背景

　父アンブライドルズソング。産駒にアロゲート（ドバイワールドCGI・10F）、アグネスソニック（NHKマイル2着）。
　母シークレットステイタスはケンタッキー・オークスGI、マザーグースSGIなど重賞3勝。近親にチリのGI馬マリアカンデラ（エル・ダービーGI）。

代表産駒

　アイスジャイアント（JBC2歳優駿）、メイショウテンスイ（グリーンチャンネルC）、レオビヨンド（中山大障害3着）、タケルペガサス（鳳雛S2着）、トウセツ、カピリナ。

特注馬

トウセツ／安定感のある中京はもちろん、外差しが決まる馬場、展開なら競馬場を問わないとみた。
カピリナ／新潟の千直はどうだ。ダート、芝ともこなすなら当該コースは鬼に金棒。半姉にキーンランドCのレイハリア。
コルサファターレ／全兄にシークレットラン。中京ダ1900や阪神ダ2000を走らせたい。

POINT
ダート1400型と1800型が中心
中京ダ1900＆東京ダ2100は特注
道悪の鬼、悪化するほど高率

アンブライドルズソング Unbridled's Song 芦 1993	アンブライドルド Unbridled	Fappiano
		Gana Facil
	トロリーソング Trolley Song	Caro
		Lucky Spell　（4-m）
シークレットステイタス Secret Status 栗 1997	エーピーインディ A.P. Indy	Seattle Slew
		Weekend Surprise
	プライヴェートステイタス Private Status	Alydar
		Miss Eva　（8-g）

Raise a Native 5×4

ダンカーク産駒完全データ

●最適コース
牡／阪神ダ1800、中京ダ1900
牝／中京ダ1800、東京芝1400

●距離別・道悪

芝10〜12	7-11-4-129	ダ10〜13	11-18-21-281
芝14〜16	4-5-3-144	ダ14〜16	20-18-13-261
芝17〜20	4-11-4-163	ダ17〜19	58-42-52-563
芝21〜	4-7-2-44	ダ20〜	7-3-3-60
芝道悪	8-13-4-113	ダ道悪	49-36-36-430

●人気別回収率

1人気	単92%・複95%	34-21-10-30
2〜4人気	単97%・複75%	47-48-33-203
5人気〜	単56%・複58%	34-46-59-1412

●条件別・勝利割合

穴率	29.6%	平坦芝率	68.4%
芝道悪率	42.1%	晩成率	44.3%
ダ道悪率	51.0%	芝広いコース率	52.6%

●コース別成績

東京	芝／4-8-4-89	ダ／21-14-9-200
中山	芝／1-7-3-68	ダ／16-9-21-203
京都	芝／3-0-0-27	ダ／8-9-7-96
阪神	芝／0-5-0-47	ダ／16-13-20-246
ローカル	芝／11-14-6-249	ダ／35-36-32-420

勝利へのポイント

中京ダ1800＆1900【19−13−8−91】

　7月下旬にけい養先のイーストスタッドから種牡馬引退が発表された。6月末現在、JRAでは重賞勝ち馬こそいないが、忘れた頃にオープンで連絡みをする産駒がいる。データ集計後にメイショウテンスイが福島のジュライSで連絡みどころか勝利して中穴馬券を提供した。

　8割方がダートの勝ち鞍ながら、さりげなく芝の短距離で勝利し、3勝Cを勝ち上がった産駒がいる。ダートは1400型と1800型に分かれ、北米血統らしく、左回りの東京、中京で荒稼ぎしている。特に中京1900、東京2100では強気の勝負。ダート道悪は閻魔さまも黙らせる鬼の中の鬼。馬場が悪化するほど勝率、連率が上昇する「大雨のダンカーク」だ。"雨の慕情"を惜別の詩とする。

ロゴタイプ

LOGOTYPE

安馬ながらGI3勝！
お値段以上の大活躍

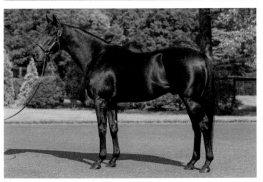

2010年生　黒鹿毛
2024年種付け料▷受胎確認後50万円（FR）

現役時代

中央28戦6勝、UAEと香港2戦0勝。主な勝ち鞍、朝日杯FS、皐月賞、安田記念、スプリングS。

村田一誠の手綱で函館芝1200の新馬を勝ち上がり。5戦目のベゴニア賞からデムーロに乗り替わると、東京芝1600をレコード勝ち。覚醒の快進撃が始まる。

12年の朝日杯FS、13年のスプリングS、皐月賞まで4連勝でクラシックを制覇。好位からの抜け出しと、高いスピード性能には安定感があった。

2番人気のダービーは距離の限界か、キズナの5着に敗退。以降は長く勝ち星から遠ざかるも、6歳の安田記念で単勝3690円の逃げ切りを決めて復活。田辺の思い切った騎乗で3年ぶりのGI勝利を飾った。

翌年、7歳になった安田記念も前半57秒1のハイペースで逃げてサトノアラジンの2着。父ローエングリンと同じく中山記念とも相性が良く、4歳で3着、5歳で2着、6歳で7着、7歳で3着している。

血統背景

父ローエングリンは中山記念（2回）、マイラーズC（2回）、宝塚記念3着。ローエングリンもロゴタイプもレコード勝ちを記録した共通点がある。

母ステレオタイプは園田のダート2勝。

祖母スターバレリーナは93年ローズS1着、エリザベス女王杯1番人気9着。

代表産駒

ラブリイユアアイズ（阪神JF2着）、オメガギネス。

特注馬

オメガギネス／何のひねりもなくチャンピオンズCの最有力候補。下記の馬との対決も待たれる。

ミトノオー／JBCクラシックか確勝を期してみやこSか。動向が注目される。JBCクラシックは枠順次第。

ボッドロゴ／近親にクラウンプライド。ジャパンダートクラシックは間に合わなくても、今後の注目株。

POINT
OP&重賞成績は抜群
牡馬はダ中距離、牝馬は芝短距離
牡馬は成長力あり

ローエングリン 栗 1999	シングスピール Singspiel	In The Wings
		Glorious Song
	*カーリング Carling	Garde Royale
		Corraleja （4-p）
ステレオタイプ 鹿 2002	*サンデーサイレンス Sunday Silence	Halo
		Wishing Well
	スターバレリーナ	Risen Star
		*ベリアーニ （8-k）

Halo 4×3、Northern Dancer 5×5

ロゴタイプ産駒完全データ

●最適コース
牡／中山ダ1800、京都ダ1800
牝／新潟芝1400、小倉芝1200

●距離別・道悪

芝10〜12	5-5-6-54	ダ10〜13	2-5-3-78
芝14〜16	6-5-9-129	ダ14〜16	2-2-6-66
芝17〜20	3-4-14-125	ダ17〜19	14-12-12-120
芝21〜	0-0-0-11	ダ20〜	0-1-0-5
芝道悪	4-4-7-68	ダ道悪	9-6-8-90

●人気別回収率

1人気	単96%・複90%	11-3-5-9
2〜4人気	単81%・複76%	15-13-14-67
5人気〜	単26%・複71%	6-18-31-512

●条件別・勝利割合

穴率	18.8%	平坦芝率	78.6%
芝道悪率	28.6%	晩成率	21.9%
ダ道悪率	50.0%	芝広いコース率	42.9%

●コース別成績

東京	芝／1-3-3-84	ダ／2-3-5-66
中山	芝／0-1-5-44	ダ／5-4-7-83
京都	芝／0-1-1-12	ダ／4-2-1-10
阪神	芝／0-2-2-18	ダ／0-2-1-23
ローカル	芝／13-7-18-161	ダ／7-9-7-87

勝利へのポイント

OP&重賞【6-4-3-9】

初年度にラブリイユアアイズ、2年目にミトオノー、3年目はシカゴスティングと毎世代からOP&重賞好走馬を輩出。2勝C〜未勝利に対し、OP&重賞での実績は抜群で、1〜3着数は4着以下を上回る。未勝利戦や1勝Cを勝ち上がり、即OP&重賞で好走というのは早熟なスピード血統にありがちで、牝馬はその傾向に近いが、牡馬はミトオノー、オメガギネスらが古馬になってさらなる成長をみせている。牡牝の違いは他にもあり、牡馬はダート中距離、牝馬は芝短距離で勝ち鞍を伸ばしている。祖父から続く破天荒な父系。芝中距離の上級馬を出しても驚かないが。牝馬は大敗するまで追いかけ、牡馬は大敗からの巻き返しがあり、安易な軽視は禁物。オッズ次第で買いの手。

シャンハイボビー

SHANGHAI BOBBY

余力を残して引退
無敗の2歳チャンピオン

2010年生　青鹿毛　アメリカ産
2024年種付け料▷受胎確認後250万円（FR）

現役時代

　北米で8戦6勝。主な勝ち鞍、BCジュヴェナイル（GⅠ・8.5F）、シャンペンS（GⅠ・8F）、ホープフルS（GⅡ・7F）。

　2歳時は5戦5勝。東海岸のシャンペンSを制し、西海岸サンタアニタ競馬場でのBCジュヴェナイルは最終コーナーで先頭に立ち、2着馬の急迫をアタマ差抑えての勝利だった。無敗の2歳チャンピオン。当然のようにクラシック制覇の期待が高まったが、3歳初戦のホーリーブルSで2着に敗れ、デビュー6戦目にして初の黒星を喫した。復権を懸けてのフロリダ・ダービーは好位追走も見せ場なく、ケンタッキー・ダービーを制するオーブの5着。この後は立て直しを図るためクラシック回避を決め、秋まで休養。復帰戦となったベルモント競馬場でのステークスをクビ差で勝利するも、これが現役最後の一戦となった。

血統背景

　父ハーランズホリデー。産駒にイントゥミスチーフ（同馬の項参照）、アルビアーノ（スワンS）。

　母系は近親にシティバンド（オークリーフSGⅠ）。母の父オリエンテイトはBCスプリントGⅠの勝ち馬。ブラッシンググルーム系。

代表産駒

　アエロトレム（ラテンアメリカ大賞GⅠ・2000M）、マンダリンヒーロー（サンタアニタ・ダービーGⅠ2着）、マリアズハート（韋駄天S）、コパノハンプトン。

特注馬

マンダリンヒーロー／ケンタッキー・ダービー以外は左回りで大崩れなし。船橋を使ってきたら狙う。
コパノハンプトン／得意の阪神に中枠から外目、加えて重、不良馬場の条件が揃ったときは勝負。
ゼットカレン／芝で2、3着があり、ダート馬が勝ち負けする新潟千直を走らせないか。

POINT

短距離で狙い撃て
牡はダート、牝は芝、ダート
牝馬の新潟千直には注目

ハーランズホリデー Harlan's Holiday 鹿 1999	ハーラン Harlan	Storm Cat
		Country Romance
	クリスマスインエイケン Christmas in Aiken	Affirmed
		Dowager　（4-m）
スティーリン Steelin' 黒鹿 2004	オリエンテイト Orientate	Mt. Livermore
		Dream Team
	スティールバンド Steel Band	Carson City
		*ウェディングバンド (8-h)

Blushing Groom 4・5（母方）、Raise a Native 5×5

シャンハイボビー産駒完全データ

●最適コース
牡／阪神ダ1200、中山ダ1200
牝／中山芝1200、新潟芝1000

●距離別・道悪

芝10～12	8-8-12-64	ダ10～13	15-17-18-109
芝14～16	2-5-2-56	ダ14～16	7-8-10-93
芝17～20	2-0-3-48	ダ17～19	7-11-5-96
芝21～	0-1-0-13	ダ20～	0-0-0-6
芝道悪	3-3-3-35	ダ道悪	10-9-15-122

●人気別回収率

1人気	単56%・複85%	9-13-4-16
2～4人気	単78%・複98%	20-27-28-67
5人気～	単66%・複38%	12-10-18-402

●条件別・勝利割合

穴率	29.3%	平坦芝率	66.7%
芝道悪率	25.0%	晩成率	17.1%
ダ道悪率	34.5%	芝広いコース率	25.0%

●コース別成績

東京	芝／0-1-2-21	ダ／2-2-3-62
中山	芝／3-4-1-28	ダ／8-6-6-59
京都	芝／1-2-2-11	ダ／1-3-5-46
阪神	芝／0-1-2-25	ダ／10-8-6-55
ローカル	芝／8-6-10-96	ダ／8-17-13-82

勝利へのポイント

～1400【ダート／21勝、芝／10勝】

　勝ち鞍の大半は1400以下。南米では中距離GⅠ馬を出しながら、国が変わると短距離指向が強くなるのは、日本に限らず、北米でも見られるストームキャット系の現象。とは言いつつ、サンタアニタ・ダービー2着マンダリンヒーローの例があり、油断はできないが、仕上がり早く、2歳の短距離戦から走るが、牡牝の特徴は大きく異なり、「最適コース」がそのまま傾向を表している。牡はほぼダート一辺倒で、中山、阪神での勝利数が飛び抜けている反面、東京、京都は不振。道悪は不良馬場になると勝率が上がる。牝馬は芝、ダートともこなし、ダートは牡馬同様に中山、阪神、芝は中山とローカルが稼ぎ場。輸入前の牝馬マリアズハートが得意とした新潟千直は注目コース。

トーセンラー

TOSEN RA

1600～3200までのGIをこなした
京都外回りの鬼

トーセンラー TOSEN RA

2008年生　黒鹿毛
2024年種付け料▷受胎確認後50万円（FR）／産駒誕生後80万円

現役時代

　中央25戦4勝。主な勝ち鞍、マイルCS、京都記念、きさらぎ賞。天皇賞・春2着。

　きさらぎ賞で上がり33秒4の切れ味を使い、オルフェーヴルやウインバリアシオンを負かして1着。蛯名正義と組んだ皐月賞は7着、ダービーは11着と伸び悩んだが、秋になるとセントライト記念2着の後、菊花賞は3番人気。三冠達成の懸かったオルフェーヴルをマークして、一緒に上がっていく強気の騎乗で京都競馬場を沸かせ、3着に入った。

　完成は5歳。武豊に乗り替わり、京都記念で久々の重賞勝利を飾り、天皇賞・春はフェノーメノの2着。やはりベストは長距離かと思わせながら、秋は京都大賞典からマイルCSへ向かう異例のローテ。策士・藤原英昭調教師の狙いが功を奏し、初めてのマイル戦を後方15番手から直線一気。33秒3の鬼脚で差し切り、マイル王のタイトルを獲得した。

血統背景

　父ディープインパクトの初年度産駒。

　母プリンセスオリビアは米国で3勝。全弟スピルバーグは天皇賞・秋に優勝、ジャパンC3着。半姉ブルーミングアレーはフローラS3着。母の父リシウスはミドルパークS1着、英2000ギニー2着、ジャックルマロワ賞2着。

代表産駒

　ザダル（エプソムC）、ドロップオブライト（CBC賞）、アイラブテーラー（淀短距離S）、アケルナルスター。

特注馬

アケルナルスター／ディープの祖母バーグクレアの4×4。ローカル中距離でも走り、福島記念は注意。
エンドウノハナ／京都の中長距離では目が離せない。渋ればなおよい。目指せ万葉S。
トーセンエスクード／新潟1200でも狙える。モアザンレディ×フライングスパーの母はスピード豊富。

マ中距離馬は鋭い末脚が持ち味
中長距離馬は息の長い末脚が武器
前走3着以内の好調馬は買え

ディープインパクト 鹿　2002	*サンデーサイレンス Sunday Silence	Halo
		Wishing Well
	*ウインドインハーヘア Wind in Her Hair	Alzao
		Burghclere　　(2-f)
*プリンセスオリビア Princess Olivia 栗　1995	リシウス Lycius	Mr. Prospector
		Lypatia
	ダンスイメージ Dance Image	Sadler's Wells
		Diamond Spring (17-b)

Lyphard 4×4、Northern Dancer 5×5・4、Goofed 5×5・5

トーセンラー産駒完全データ

●最適コース
牡／新潟芝1800、小倉芝1200
牝／函館芝1200、阪神芝1400

●距離別・道悪

芝10～12	17-16-15-155	ダ10～13	1-4-6-55
芝14～16	10-11-8-182	ダ14～16	1-1-0-48
芝17～20	14-6-12-202	ダ17～19	3-0-1-92
芝21～	6-4-11-48	ダ20～	0-0-0-6
芝道悪	15-7-16-163	ダ道悪	4-3-3-89

●人気別回収率

1人気	単122%・複89%	19-3-4-14
2～4人気	単59%・複83%	15-18-24-77
5人気～	単48%・複50%	18-21-25-697

●条件別・勝利割合

穴率	34.6%	平坦芝率	51.1%
芝道悪率	31.9%	晩成率	46.2%
ダ道悪率	80.0%	芝広いコース率	40.4%

●コース別成績

東京	芝／8-3-8-121	ダ／1-0-0-45
中山	芝／5-6-5-111	ダ／3-4-3-60
京都	芝／3-3-3-25	ダ／0-0-0-8
阪神	芝／4-2-4-43	ダ／0-1-0-19
ローカル	芝／27-23-26-287	ダ／1-0-4-69

勝利へのポイント

函館芝【6-4-4-29】

　牡馬は中距離型、牝馬はマイラーを基本としつつ、産駒の適距離は臨機応変に構えるのが正解。CBC賞を制したドロップオブライトやエプソムCのザダルらのようにマイラー、中距離馬はディープ系らしい鋭い末脚を持ち味とし、アケルナルスター、エンドウノハナらの中長距離馬は息の長い末脚が武器。競馬場毎の勝ち鞍数に開きがなくなり、以前はさっぱりの小倉で勝ち鞍を増やしている。北の洋芝も苦にしない。それでもマイラーや中距離馬は長い直線の東京、新潟を得意とする。出世する馬は早い段階から能力を示し、数戦で勝ち上がる。馬券は「前走3着以内」の好調馬を買うこと。人気馬の連対率も高い。ダートはロードバルドルが2勝Cを突破。あとは下級条件の勝利。

トゥザグローリー

TO THE GLORY

GIには惜しくも届かなかったキンカメ産駒
母は名牝トゥザヴィクトリー

2007年生　鹿毛

現役時代

　中央33戦8勝。主な勝ち鞍、京都記念、日経賞、日経新春杯、鳴尾記念、中日新聞杯。有馬記念3着。

　エリザベス女王杯を制したトゥザヴィクトリーは繁殖入り後、子供が競走馬になれない例が続いた。ようやく登場したのがキンカメ産駒の本馬。キャロットの募集価格1億2000万円の期待馬だった。

　3歳春は青葉賞2着、ダービー7着。12月の中日新聞杯で重賞勝ちをすると、14番人気の有馬記念で好位からヴィクトワールピサとブエナビスタに続く3着。

　4歳で京都記念、日経賞を連勝、春の天皇賞は1番人気に祭り上げられるが、距離が長すぎたか13着に失速。京都記念は池江泰郎調教師にとって、定年前最後の重賞勝ちだった。転厩後、暮れの有馬記念で2年連続の3着に入ると、5歳で日経新春杯と鳴尾記念に勝利。冬の中長距離重賞にはめっぽう強い馬だった。

血統背景

　父キングカメハメハは同馬の項を参照。
　母トゥザヴィクトリーは01年エリザベス女王杯優勝、ドバイワールドC2着、桜花賞3着、オークス2着。全弟トゥザワールド（弥生賞）、全妹トーセンビクトリー（中山牝馬S）、近親デニムアンドルビー（ローズS）、メドウラーク（七夕賞）、クラージュゲリエ（京都2歳S）、リオンリオン（青葉賞）。

代表産駒

　カラテ（東京新聞杯、新潟記念、新潟大賞典）、ゲンパチルシファー（プロキオンS）、メイショウミツヤス、セッタレダスト。

特注馬

カラテ／福島記念や中日新聞杯あたりでもう一花咲かせたい。あとはハンデとの戦い。
フームスムート／サンデーサイレンスの全兄妹3×3の稀なクロスを持つ。北のダ1700専門だが、福島、小倉はどうか。
セッタレダスト／前年版同様に前走凡走からの一変あり。東京1400&1600での強気の先行で活路を開け。

	キングマンボ Kingmambo	Mr. Prospector
キングカメハメハ 鹿　2001		Miesque
	*マンファス Manfath	*ラストタイクーン
		Pilot Bird　(22-d)
トゥザヴィクトリー 鹿　1996	*サンデーサイレンス Sunday Silence	Halo
		Wishing Well
	*フェアリードール Fairy Doll	Nureyev
		Dream Deal　(9-f)

Nureyev 4×3、Northern Dancer 5・5×4

トゥザグローリー産駒完全データ

●最適コース
牡／東京芝1600、札幌ダ1700
牝／福島芝1200、新潟ダ1200

●距離別・道悪
芝10〜12	4-5-5-94	ダ10〜13	16-17-16-180
芝14〜16	11-8-11-123	ダ14〜16	4-17-16-169
芝17〜20	8-5-3-232	ダ17〜19	15-28-24-283
芝21〜	1-1-1-45	ダ20〜	0-1-3-22
芝道悪	10-2-5-100	ダ道悪	14-26-26-252

●人気別回収率
1人気	単75%・複99%	13-12-9-10
2〜4人気	単70%・複72%	24-20-28-122
5人気〜	単68%・複73%	22-50-42-916

●条件別・勝利割合
穴率	37.3%	平坦芝率	50.0%
芝道悪率	41.7%	晩成率	49.2%
ダ道悪率	40.0%	芝広いコース率	50.0%

●コース別成績
東京	芝／6-4-4-58	ダ／4-12-15-111
中山	芝／5-1-2-65	ダ／4-14-8-116
京都	芝／2-0-3-26	ダ／2-3-3-47
阪神	芝／0-3-1-45	ダ／3-9-4-116
ローカル	芝／11-11-10-200	ダ／22-25-29-264

勝利へのポイント

3勝C以上／9勝のうち、5歳〜／8勝

　3歳、4歳はケツ青く、5歳、6歳になって花を咲かせる晩成血統。カラテは6歳、7歳で重賞を積み上げ、ゲンパチルシファーのプロキオンS優勝も6歳だった。揉まれながら徐々に力をつけ、年齢を重ねるごとにクラスを上げる。芝、ダートの勝ち鞍数の比較では後者が若干上回るものの、ダート馬は総じてジリで2着、3着の山を築いている。芝馬も決め手があるとはいえないが、先行しての粘りや時計のかかる馬場ではきっちりと勝利する。道悪は好材料。また、芝は距離に偏りがあり、いわゆる根幹距離の1200、1600、2000で勝ち鞍を稼いでいる。ローカル2000重賞での高齢馬狙いは有効な馬券戦術。牝馬は大半が下級条件の短距離専門。未だにハイライトを吸うオヤジでこそだ。

レッドファルクス

RED FALX

5歳、6歳のスプリンターズSを連覇
遅咲きの名スプリンター

2011年生　芦毛
2024年種付け料▷受胎確認後50万円（FR）

芝とダートの二刀流
芝馬は仕上がり早い短マイル馬
ダート馬は牡は中、牝は短マ狙い

*スウェプトオーヴァーボード Swept Overboard 芦 19977	*エンドスウィープ End Sweep	*フォーティナイナー Forty Niner
		Broom Dance
	シアーアイス Sheer Ice	Cutlass
		Hey Dolly A.　(8-f)
ベルモット Vermouth 栗 1997	*サンデーサイレンス Sunday Silence	Halo
		Wishing Well
	*レガシーオブストレングス Legacy of Strength	Affirmed
		Katonka　(9-c)

Raise a Native 5×5

現役時代

中央28戦10勝、香港1戦0勝。主な勝ち鞍、スプリンターズS（2回）、京王杯SC、CBC賞。

芝とダートの両方で勝ち星を積み上げ、6勝目はダ1400の欅S、7勝目は芝1200のCBC賞という万能ぶり。5歳で重賞ウイナーの仲間入りを果たすと、夏を休養にあて、ぶっつけのローテで16年スプリンターズSへ。

ミッキーアイルのスローの逃げで進み、最後の直線は馬群が密集。1番人気ビッグアーサーは「前が壁」になって脚を余し、外を伸びたレッドファルクスが差し切り。1着から11着まで0秒3差にひしめく大混戦を、1分7秒6で制した。鞍上はミルコ・デムーロ。

6歳の高松宮記念はセイウンコウセイの3着。京王杯SCを勝利し、安田記念はサトノアラジンにクビ＋クビの3着。再びぶっつけローテで臨んだ17年スプリンターズSは、後方から外を鋭く伸びて連覇を達成した。

血統背景

父スウェプトオーヴァーボードは、米国ダ8FのGIメトロポリタンH優勝。

代表産駒に、オメガパフューム（東京大賞典）、パドトロワ（函館SS。種牡馬）、リッジマン（ステイヤーズS）、アーバンストリート（シルクロードS）など。

母ベルモットは中央3勝。母の全姉に98年の最優秀2歳牝馬のスティンガー、サイレントハピネス（ローズS）。

代表産駒

リバートゥルー、レッドシュヴェルト。

特注馬

ペンティメント／中山ダ1800ではOP級。まずは師走S目標。鞍上はルメール騎手推し。母は東京ダービー4着。
リバートゥルー／東京ダ1400&1600のOP候補。湿った馬場に差しが決まる展開。勝負だ。
トーアアイギス／ダートは大崩れなし。左回りで勝利しているが、回りに関係なく揉まれない外枠希望。

レッドファルクス産駒完全データ

●最適コース
牡／中山ダ1800、東京芝1400
牝／東京ダ1400、新潟ダ1200

●距離別・道悪

芝10～12	4-5-4-84	ダ10～13	8-9-11-99
芝13～16	8-5-12-84	ダ14～16	6-6-4-99
芝17～20	1-0-1-39	ダ17～19	6-4-3-61
芝21～	1-0-1-9	ダ20～	1-1-0-3
芝道悪	5-3-3-53	ダ道悪	6-6-7-84

●人気別回収率

1人気	単92%・複99%	13-6-7-8
2～4人気	単88%・複69%	13-10-12-55
5人気～	単46%・複50%	9-14-17-385

●条件別・勝利割合

穴率	25.7%	平坦芝率	50.0%
芝道悪率	35.7%	晩成率	17.1%
ダ道悪率	28.6%	芝広いコース率	28.6%

●コース別成績

東京	芝／3-0-5-26	ダ／7-9-3-49
中山	芝／1-3-0-26	ダ／5-4-6-54
京都	芝／1-0-2-20	ダ／0-1-2-31
阪神	芝／2-2-1-25	ダ／3-2-3-29
ローカル	芝／7-5-10-119	ダ／6-4-4-69

勝利へのポイント

牡ダ【～1600／1勝、1700～／8勝】

芝、ダートともこなす二刀流。芝馬はフォーティナイナー系らしく、仕上がりの早さとスピードを活かして2歳夏秋の短距離戦から走り、マイル以下で勝ち鞍を稼いでいる。ダート馬は芝馬より若干遅れ、2歳秋から3歳春にかけて勝ち上がり、その後の6～8月に1勝Cを突破する。ダートは性別によって違いがあり、牡の大半が中距離馬に対し、牝が短マイル馬で、特に東京ダ1600を得意としている。以上の傾向を踏まえると狙いは絞りやすい。父が長距離馬リッジマンを出したように意外性のある父系ではあるが、気性的にムラのある父系ながら、穴は少なく、前走2、3着馬が順当に勝利。黒潮皐月賞、東海優駿の各2着馬が出ており、地方競馬での飛躍も期待する。

ジョーカプチーノ

JO CAPPUCCINO

異色の戦績でマイルGIを制覇
初年度産駒が重賞勝ち

2006年生　芦毛
2024年種付け料▷受胎確認後30万円 (不生返)

POINT

函館 (芝1200) の女
牡馬は使われながら成長
牡馬の叩き2～3戦目を狙え

マンハッタンカフェ 青鹿　1998	*サンデーサイレンス Sunday Silence	Halo
		Wishing Well
	*サトルチェンジ Subtle Change	Law Society
		Santa Luciana (16-c)
ジョープシケ 芦　2000	フサイチコンコルド	Caerleon
		*バレークイーン
	ジョーユーチャリス	トウショウボーイ
		ジョーバブーン　　(2-f)

Northern Dancer 5・5 (母方)

現役時代

　中央23戦6勝。主な勝ち鞍、NHKマイルC、ファルコンS、シルクロードS。

　初勝利は中京ダ1700の未勝利戦という、のちのGIホースとしては異色のスタート。2勝目は距離短縮の芝1200、3勝目はファルコンS・中京芝1200。ここまで逃げの競馬を続けていたのに、ハイペースの前崩れの展開を中団から差し切った。鞍上は藤岡康太。続くニュージーランドTで3着に入り、NHKマイルCへ。当時スプリンターは不振とされていたことや、若い鞍上の実績のなさも加わり、10番人気の低評価。しかし、多くの人の目が節穴だったことが、府中の高速馬場のもとにさらされる。前半1000M57秒2の激流の2番手につけたジョーカプチーノは、直線に入っても脚色が衰えず、後続を突き放す。2着のレッドスパーダを抑えて、1分32秒4のレコードタイム。

　5歳でシルクロードS1着、スワンS2着などがある。

血統背景

　父マンハッタンカフェは同馬の項を参照。後継のガルボやラブイズブーシェの産駒が2019年デビュー。

　母ジョープシケは中央1勝。近親に特記すべき活躍馬なし。母父フサイチコンコルドは日本ダービー馬。

代表産駒

　ジョーストリクトリ (ニュージーランドT)、ナムラリコリス (函館2歳S)、シナモンスティック (キーンランドC2着)、ジョーマンデリン (函館SS3着)、ジョーアラビカ (京阪杯3着)。

特注馬

キタノリューオー／勝負所で外に持ち出せ、なおかつ外差しが決まる馬場が好走の条件。近走の着順より展開。

ホウオウバリスタ／トウショウボーイ4×4のクロス。近親に鳳雛Sのカシマエスパーダ。東京ダ2100の安定株。

シナモンスティック／隠れ芝1400巧者。前走1200から1400は一考。人気薄なら迷わず買い。

ジョーカプチーノ産駒完全データ

●最適コース
牡／中山ダ1800、中山芝1600
牝／函館芝1200、新潟芝1000

●距離別・道悪

芝10～12	21-19-29-251	ダ10～13	8-12-24-242
芝14～16	9-7-12-163	ダ14～16	10-5-4-107
芝17～20	2-3-12-85	ダ17～19	7-9-8-99
芝21～	0-1-2-13	ダ20～	2-2-3-4
芝道悪	4-7-11-138	ダ道悪	15-5-11-166

●人気別回収率

1人気	単59%・複70%	9-3-7-18
2～4人気	単81%・複78%	24-21-31-111
5人気～	単64%・複70%	26-34-56-835

●条件別・勝利割合

穴率	44.1%	平坦芝率	71.9%
芝道悪率	12.5%	晩成率	40.7%
ダ道悪率	55.6%	芝広いコース率	21.9%

●コース別成績

東京	芝／1-1-9-81	ダ／10-7-8-97
中山	芝／4-6-3-76	ダ／10-10-16-121
京都	芝／0-1-1-13	ダ／3-0-1-21
阪神	芝／4-1-4-17	ダ／0-5-3-40
ローカル	芝／23-21-38-325	ダ／4-6-11-173

勝利へのポイント

牝馬の函館芝1200【9-4-2-18】

　函館芝1200の牝馬と、使われながら成長する牡馬。馬券はこの2点に絞って狙う。牝馬は函館芝1200が十八番。牝馬勝ち鞍23勝のうち9勝を占め、データ集計後にもさらに1勝を積み上げている。ナムラリコリス、ジョーマンデリンらは函館の初夏を満喫するように気持ちよく走った。札幌芝1200は勝ち鞍数こそ少ないが、ヒモ付けに妙味ありとする。一方の牡馬はジョーストリクトリがニュージーランドTを制しているものの、概ね年を重ねるごとに成長し、4歳、5歳時に名脇として馬券に絡んでくる。芝馬は短、マイル、ダート馬はマンハッタンカフェ系らしくどの距離でもこなし、東京2100も守備範囲。ダート重、不良は鬼。間隔を詰めての出走、叩き2～4戦目も狙い目。

トランセンド

TRANSCEND

世界の大舞台でも
実力を証明した砂の王者

2006年生　鹿毛
2024年種付け料▷受胎確認後50万円(FR)

現役時代

　国内22戦10勝、UAE2戦0勝。主な勝ち鞍、ジャパンCダート（2回）、フェブラリーS、南部杯、レパードS。ドバイワールドカップ2着。

　ダート1600から1900で重賞5勝をあげた砂の王者。4歳のジャパンCダート（阪神ダ1800）と、5歳のフェブラリーSを続けて逃げ切り、GIを連勝すると、向かったのはドバイの頂上決戦。2011年の大震災からわずか2週後という日程のなか、藤田伸二を背に逃げを打ち、中東の風を受ける。道中でポジションを上げたヴィクトワールピサと直線の叩き合いになり、2着に粘って日本馬ワンツーを決めた。

　この年、ジャパンCダートをワンダーアキュート以下に逃げ切り2連覇のほか、大井のJBCクラシックでスマートファルコンとのハイペース一騎打ちの2着も名勝負。高速ダートに強かった。

血統背景

　父ワイルドラッシュはメトロポリタンH優勝の米国ダートGIマイラー。代表産駒にパーソナルラッシュ（エルムS）。
　母シネマスコープは国内5勝。近親にダンディコマンド（北九州記念）、パルスビート（京都新聞杯2着）。4代母アイアンエイジは米国の名馬スワップスの全妹。

代表産駒

　メイショウダジン（天保山S）、プロバーティオ（ヒヤシンスS2着）、トランセンデンス（JBC2歳優駿2着）、ジェミニキング（阪神スプリングJ）、フリーフリッカー。

特注馬

パラシュラーマ／祖母はファレノプシス。10〜12月【3-1-0-1】。京都で待つ。室町S、りんくうSとよりどりみどり。
モズリッキー／上記馬に続いて季節から狙う。1〜3月【2-4-0-1】。年明けを待つ。競馬場替わりでも好走あり。
メイショウモズ／全兄に6歳時に天保山Sを制したメイショウダジン。ズブさが目立ってきた現状、差しの決まる展開で。

ダート短距離、中距離が仕事場
着順を上げてきた時が勝負所
高齢馬を嘗めるな

*ワイルドラッシュ Wild Rush 鹿　1994	ワイルドアゲイン Wild Again	Icecapade
		Bushel-n-Peck
	ローズパーク Rose Park	Plugged Nickle
		Hardship　　(1-w)
シネマスコープ 栗　1993	*トニービン Tony Bin	*カンパラ
		Severn Bridge
	ブルーハワイ	*スリルショー
		*サニースワップス　(A4)

Khaled 4×5、Hyperion 5×5

トランセンド産駒完全データ

●**最適コース**
牡／小倉ダ1700、京都ダ1800
牝／東京ダ1600、京都ダ1200

●**距離別・道悪**

芝10〜12	3-6-3-39	ダ10〜13	17-9-14-148
芝14〜16	1-2-3-34	ダ14〜16	11-12-9-100
芝17〜20	4-2-3-32	ダ17〜19	19-19-22-220
芝21〜	0-0-0-8	ダ20〜	1-4-5-21
芝道悪	4-0-2-36	ダ道悪	18-18-22-232

●**人気別回収率**

1人気	単73%・複76%	19-8-8-26
2〜4人気	単82%・複100%	22-31-26-84
5人気〜	単53%・複67%	15-15-25-552

●**条件別・勝利割合**

穴率	26.8%	平坦芝率	50.0%
芝道悪率	50.0%	晩成率	42.9%
ダ道悪率	37.5%	芝広いコース率	50.0%

●**コース別成績**

東京	芝／2-1-1-8	ダ／4-9-9-110
中山	芝／0-0-1-13	ダ／8-4-9-92
京都	芝／0-0-0-7	ダ／8-11-4-64
阪神	芝／0-3-2-13	ダ／12-10-15-110
ローカル	芝／6-6-5-72	ダ／16-10-13-173

勝利へのポイント

ダート1200【17-8-10-116】

　父の現役時同様にダートを仕事場とし、短距離と中距離で勝ち鞍を量産。1200は最多勝利数を誇り、勝率、連対率とも良い。マイルは2勝ながら、ヒヤシンスS2着、ユニコーンS3着があり、全く不得手といえないのが悩ましいところ。好不調の波がはっきりしている傾向にあり、着順を上げてきた時が勝負所。前走2、3着馬は素直に買いだ。季節的な要因も見逃せない。暑さが苦手なのか、夏は冴えない。函館、札幌はさっぱりだし、新潟は春、秋、小倉は冬開催が中心。古馬になって急上昇することはないが、現状の力をそのまま維持するので、高齢を理由に嘗めてかかると痛い目に遭う。羽田盃を勝ったゴールドホイヤーは6歳時に京成盃グランドマイラーズを制している。

フランケル

FRANKEL

14戦無敗、GI10勝の怪物
産駒初のGI馬は日本で誕生

2008年生　鹿毛　イギリス産

POINT

ワンターンの短、マイルが中心
勢いのある馬は追いかけろ
出よ、東京2400GI馬

ガリレオ Galileo 鹿　1998	サドラーズウェルズ Sadler's Wells	Northern Dancer
		Fairy Bridge
	アーバンシー Urban Sea	Miswaki
		Allegretta　(9-h)
カインド Kind 鹿　2001	*デインヒル Danehill	Danzig
		Razyana
	レインボウレイク Rainbow Lake	Rainbow Quest
		Rockfest　(1-k)

Northern Dancer 3×4、Natalma 4×5・5、Buckpasser 5×5

フランケル産駒完全データ

●最適コース
牡／中京芝1400、阪神芝1400
牝／小倉芝1200、札幌芝1200

●距離別・道悪

芝10～12	15-14-21-102	ダ10～13	0-0-0-14
芝14～16	21-20-16-104	ダ14～16	3-1-3-29
芝17～20	9-24-10-86	ダ17～19	5-3-3-42
芝21～	2-2-1-20	ダ20～	0-0-0-5
芝道悪	6-12-9-79	ダ道悪	4-1-3-29

●人気別回収率

1人気	単61%・複81%	24-17-13-32
2～4人気	単59%・複79%	24-34-24-132
5人気～	単82%・複80%	7-13-17-238

●条件別・勝利割合

穴率	12.7%	平坦芝率	53.2%
芝道悪率	12.8%	晩成率	41.8%
ダ道悪率	50.0%	芝広いコース率	40.4%

●コース別成績

東京	芝／8-7-2-41	ダ／3-0-0-11
中山	芝／2-3-6-22	ダ／0-0-0-5
京都	芝／3-5-4-31	ダ／1-0-1-11
阪神	芝／6-11-6-51	ダ／1-3-4-25
ローカル	芝／28-34-30-167	ダ／3-1-1-38

勝利へのポイント

勝利数上位コース9位まで短マのワンターン

史上最速で100頭目の重賞勝ち馬を輩出。日本でもフランケルの人気は高く、多数の産駒が輸入されている。ただし、日本での産駒は短、マイラーに近く、加えてワンターンのコースを得意としている。反面、1600を含め小回りの中山は苦手とし、阪神、京都などコーナー4つの中距離もいまひとつ。母の父デインヒルの影響か、ガリレオ系にしては仕上がりが早く、勝ち上がって即重賞で通用する。前走の1着は素直に評価して、勢いが止まるまで追いかけ、大敗後はあっさり見切るのが手。選手権距離で絶対的な強さを持つフランケル。コーナー4つといっても大箱の東京2400でソウルスターリングに続く産駒が出ることは、スキャットダディ系が日本ダービーを勝つ確率より高い。

現役時代

イギリスで通算14戦14勝。主な勝ち鞍、英2000ギニー（GI・8F）、セントジェームズパレスS（GI・8F）、サセックスS（GI・8F）2回、インターナショナルS（GI・約10F）、チャンピオンS（GI・10F）などGI10勝を含む重賞12勝。

2歳8月のデビュー戦から4歳10月のチャンピオンSまで、無人の野を行くが如く無敗の14連勝。ただ、常に盤石の強さで勝利を収めたわけではなく、掛かり気味に進出して他馬に詰め寄られたセントジェームズパレスS、出遅れてヒヤリとさせたチャンピオンSなど、天才少年ゆえに秘める、“危うさ”も垣間見せた。ワールド・サラブレッド・ランキングのレイティングは140。141から見直されて138に下がったダンシングブレーヴ、同じく140から136のシャーガーらを抑え、“堂々”の歴代最強馬と認定された。

血統背景

父ガリレオは同馬の項参照。デインヒル牝馬との配合から、テオフィロ（デューハーストS）、ハイランドリール（“キングジョージ”）、ジャパン（パリ大賞）などGI馬多数輩出。

母系は全弟にノーブルミッション（同馬の項を参照）、近親にパワーズコート（アーリントンミリオンGI）。

代表産駒

ソウルスターリング（オークス）、モズアスコット（安田記念）、グレナディアガーズ（朝日杯FS）、アダイヤー（英ダービー・GI）、アルピニスタ（凱旋門賞GI）。

特注馬

デルアヴァー／福島1800新馬をひと捲り。近親にラニ。待ちかねたクラシック候補か。サドラーズウェルズ3×4が頼もしい。

シャイニングソード／ソウルスターリングの全弟。GIは無理筋でも来季のアルゼンチン共和国杯を期待してしまう。

レイベリング／適距離は1400&1600。京都の阪神Cでも外1400なら対応できるとみた。

ブリックスアンドモルタル <small>BRICKS AND MORTAR</small>

末脚一閃！5歳時にGI5勝した アメリカ芝王者

2014年生　黒鹿毛　アメリカ産
2024年種付け料▷受胎確認後600万円（FR）

現役時代

　北米で13戦11勝。主な勝ち鞍、BCターフ（GI・12F）、アーリントンミリオン（GI・10F）、ペガサスワールドCターフ招待S（GI・9.5F）などGI5勝。

　3歳2月のデビューから芝路線を歩み、快進撃を続けるも、歩様の矯正を目的とした外科手術が施され、4歳12月末まで長期休養。これが功を奏したのか、復帰後はさらに力を増し、5歳時は芝王者として君臨。ペガサスワールドCターフ招待Sを直線一閃の差し脚を決めてGI初制覇を果たし、マンハッタンSでは直線で突き抜け、その末脚には一層と磨きがかかった。アーリントンミリオンも難なく突破。迎えた大一番BCターフは、距離に対して多少の懸念を抱いていた陣営の不安を一掃。中団馬群のなか追走から直線で外に持ち出すと末脚炸裂。着差はアタマ差ながら、改めて底力を知らしめた一戦だった。

血統背景

　父ジャイアンツコーズウェイ。現役時は1400、マイル、中距離GI6勝。産駒にシャマーダル（仏ダービーGI）、エイシンアポロン（マイルCS）。2018年死亡。

　母ビヨンドザウェイヴズは仏準重賞勝ち馬。本馬の半姉にエメラルドビーチ（グレンズフォールズSGⅢ）。

代表産駒

　ゴンバデカーブース（サウジアラビアRC）、セシリエプラージュ（フィリーズレビュー3着）、クイックバイオ（ききょうS）、クランフォード。

特注馬

ゴンバデカーブース／母は中山牝馬S3着。マイルGIを狙える器も、脚の使い場所が難しく、騎手を選ぶ。
クランフォード／中京芝1400でレコード勝ち。急坂コースより、京都か東京の芝1400重賞に合うのでは。
アスクカムオンモア／母は愛知杯とマーメイドSを勝利の重賞馬。左回りの芝2000で開花するか。道悪も上手。

POINT
1年目から芝ダートのGI上位馬を輩出
芝1400から芝2000が主戦場
武器は鋭い切れ味、課題は折り合い

ジャイアンツコーズウェイ Giant's Causeway 栗 1997	ストームキャット Storm Cat	Storm Bird
		Terlingua
	マリアーズストーム Mariah's Storm	Rahy
		*イメンス　　　(11)
ビヨンドザウェイヴズ Beyond the Waves 黒鹿 1997	オーシャンクレスト Ocean Crest	Storm Bird
		S.S.Aroma
	エクセデント Excedent	Exceller
		Broadway Lullaby (21-a)

Storm Bird 3×3、Prince John 5・5（母方）

ブリックスアンドモルタル産駒完全データ

●最適コース
牡／東京芝1600、中京芝2000
牝／阪神芝1600、阪神芝1400

●距離別・道悪
芝10～12	0-1-0-21	ダ10～13	2-2-5-21
芝14～16	15-10-7-98	ダ14～16	2-2-8-25
芝17～20	10-13-10-85	ダ17～19	4-1-3-48
芝21～	2-2-6-31	ダ20～	1-1-0-7
芝道悪	8-5-3-54	ダ道悪	5-4-7-43

●人気別回収率
1人気	単71%・複86%	10-4-7-8
2～4人気	単112%・複78%	23-16-14-70
5人気～	単13%・複65%	3-12-18-258

●条件別・勝利割合
穴率	8.3%	平坦芝率	33.3%
芝道悪率	29.6%	晩成率	― %
ダ道悪率	55.6%	芝広いコース率	66.7%

●コース別成績
東京	芝／8-9-7-47	ダ／3-2-6-19
中山	芝／2-3-6-37	ダ／1-1-3-26
京都	芝／6-8-2-50	ダ／2-2-1-18
阪神	芝／6-2-4-30	ダ／1-1-2-16
ローカル	芝／5-4-4-71	ダ／2-0-4-22

勝利へのポイント

芝1200以下【0-1-0-21】

　芝の勝ち鞍は1400から2200まで。特に芝1800と芝1600がいい。折り合いに難のあるスピードタイプの印象もあるなか、芝1200以下は0勝。これは意外。芝1400でレコード勝ちしたクランフォードもいて、快速馬も出るだろうが、本質は中距離寄り。母系にスタミナがあれば長い距離もこなす。課題は折り合いで、好走枠順を気にしよう。

　重賞勝ち1号はゴンバデカーブースのサウジアラビアRC。セシリエプラージュはフィリーズレビューで3着し、2歳から3歳春のマイル路線は今後も活躍場所になりそう。ただし上記の〝意外とスプリントなし〟という特徴は頭に置きたい。

　ダートは全日本2歳優駿2着や、東京ダービー3着馬も出たが、ストーム系の割に芝馬が多めだ。

バゴ

BAGO

名馬ナシュワン直仔の凱旋門賞馬
母系も筋金入り

2001年生　黒鹿毛　フランス産
2024年種付け料▷受胎確認後100万円（不生返）

現役時代

　フランス、イギリス、アイルランド、北米、日本で通算16戦8勝。主な勝ち鞍、凱旋門賞（GI・2400M）、クリテリウムアンテルナシオナル（GI・1600M）、パリ大賞（GI・2000M）、ジャンプラ賞（GI・1800M）、ガネー賞（GI・2100M）。

　調整遅れで仏ダービーこそ見送ったが、3歳6月のパリ大賞まで6連勝。しかし、続くインターナショナルSGI、ニエル賞GIIとも3着敗退。凱旋門賞は直前まで出否未定だったが、良馬場が望めることで出走に踏み切り、自慢の末脚を爆発させた。勝ち時計は歴代2位の2分25秒00だった。4歳時も現役を続け、初戦のガネー賞を制したが、この後はすっかり善戦マンに甘んじ、サンクルー大賞、"キングジョージ"、連覇を狙った凱旋門賞とも3着、BCターフGIは4着。現役最後のジャパンCは後方から差を詰めての8着。

血統背景

　父ナシュワン。英2000ギニー、英ダービー、"キングジョージ"のGIを無敗で制覇し、通算7戦6勝。02年死亡。
　母系は半弟にマクシオス（ムーランドロンシャン賞GI）。祖母の全兄にマキアヴェリアン（種牡馬）。近親にナムラクレア、ファンディーナ、マカオンドール。

代表産駒

　クロノジェネシス（有馬記念）、ビッグウィーク（菊花賞）、ステラヴェローチェ（神戸新聞杯）、コマノインパルス（京成杯）、トータルクラリティ（新潟2歳S）。

特注馬

トータルクラリティ／近親に宝塚記念2着のスルーセブンシーズ。伸び代は大きく、中距離でこそ本領発揮とみた。
ウィンターベル／母父ディープインパクト。近親にダービー4着のグレートマジシャン。クラシック路線の注目株。
ステラヴェローチェ／再度、中距離以上を使ってきたら一考。横山典を鞍上にAJCCはどうだ。

POINT	忘れた頃に大駒輩出
	大レースで凄みを発揮
	古馬の急上昇を見逃すな

ナシュワン Nashwan 栗　1986	ブラッシンググルーム Blushing Groom	Red God
		Runaway Bride
	ハイトオブファッション Height of Fashion	Bustino
		Highclere　(2-f)
ムーンライツボックス Moonlight's Box 鹿　1996	ヌレイエフ Nureyev	Northern Dancer
		Special
	クードジェニー Coup de Genie	Mr. Prospector
		Coup de Folie (2-d)

Natalma 4・5（母方）、Nearco 5×5、Native Dancer 5・5（母方）

バゴ産駒完全データ

●最適コース
牡／東京芝1600、阪神芝1600
牝／阪神芝1200、函館芝1200

●距離別・道悪

芝10〜12	10-10-12-79	ダ10〜13	5-8-13-96
芝14〜16	15-9-12-156	ダ14〜16	5-2-2-86
芝17〜20	8-21-18-263	ダ17〜19	10-9-6-143
芝21〜	6-3-5-48	ダ20〜	0-0-1-18
芝道悪	12-14-11-111	ダ道悪	6-10-11-124

●人気別回収率

1人気	単87%・複82%	19-8-6-18
2〜4人気	単86%・複88%	30-34-24-91
5人気〜	単45%・複48%	10-20-39-780

●条件別・勝利割合

穴率	16.9%	平坦芝率	43.6%
芝道悪率	30.8%	晩成率	45.8%
ダ道悪率	30.0%	芝広いコース率	48.7%

●コース別成績

	芝	ダ
東京	7-8-9-93	3-1-1-65
中山	2-5-8-100	4-5-5-78
京都	5-2-4-41	3-3-1-28
阪神	8-7-8-53	2-3-3-56
ローカル	17-21-18-259	8-7-12-116

勝利へのポイント

重賞7勝、同2着3回は全て1600以上

　スタミナを活かせる中距離以上の他に、力任せに走れる短距離でも勝ち鞍を稼ぐのは本格的欧州血統によくある例。加えて父系は振り幅が大きいブラッシンググルーム系。納得の結果である。それでも代表産駒にみられるようにGI、GII級は中長距離馬。短めの距離で軽く買い、中距離以上で大きく勝負に出る。淀みなく流れる展開から底力を試される競馬に強く、大レースほど凄みを発揮する。ビッグウィーク、クロノジェネシスに次ぐ産駒が待たれる。2歳から走る産駒がいる一方、使われながら力をつける産駒がいる。特に後者の急上昇には注意が必要。競馬場を問わず、芝2200も最適距離に推奨する。ディープインパクト系牝馬との配合でハイクレアのクロスが生じる。

スピルバーグ

SPIELBERG

5歳で覚醒
ディープ産駒の秋の天皇賞馬

2009年生　鹿毛
2024年種付料▷PRIVATE

スピルバーグ SPIELBERG

POINT

- 中距離型でマイルもこなす
- 左回りの東京、中京は稼ぎ場
- キレキレの馬を探し出せ

ディープインパクト 鹿　2002	*サンデーサイレンス Sunday Silence	Halo
		Wishing Well
	*ウインドインハーヘア Wind in Her Hair	Alzao
		Burghclere　(2-f)
*プリンセスオリビア Princess Olivia 栗　1995	リシウス Lycius	Mr. Prospector
		Lypatia
	ダンスイメージ Dance Image	Sadler's Wells
		Diamond Spring (17-b)

Lyphard 4×4、Northern Dancer 5×5・4、Goofed 5×5・5

スピルバーグ産駒完全データ

●最適コース
牡／中京ダ1800、東京ダ1600
牝／東京芝1800、小倉芝2000

●距離別・道悪
芝10～12	2-5-3-76	ダ10～13	2-4-3-78
芝14～16	4-9-12-111	ダ14～16	4-7-3-63
芝17～20	17-13-18-196	ダ17～19	12-11-11-170
芝21～	0-2-1-33	ダ20～	0-2-4-13
芝道悪	6-7-9-109	ダ道悪	6-7-8-106

●人気別回収率
1人気	単81%・複86%	14-10-4-14
2～4人気	単95%・複88%	20-24-26-76
5人気～	単22%・複52%	7-19-25-650

●条件別・勝利割合
穴率	17.1%	平坦芝率	39.1%
芝道悪率	26.1%	晩成率	43.9%
ダ道悪率	33.3%	芝広いコース率	56.5%

●コース別成績
東京	芝／7-5-11-71	ダ／4-7-4-50
中山	芝／2-3-6-64	ダ／2-3-4-65
京都	芝／2-4-4-26	ダ／1-4-2-35
阪神	芝／3-3-4-43	ダ／1-2-4-53
ローカル	芝／9-14-9-212	ダ／10-8-7-121

現役時代

中央17戦6勝、英国1戦0勝。主な勝ち鞍、天皇賞・秋。ジャパンC3着。

3歳時は共同通信杯と毎日杯で追い込んで3着。皐月賞は権利を取れなかったが、プリンシパルSは後方一気の上がり34秒0で1着。12年ダービーはディープブリランテの14着だった。

長期休養をはさんで4歳秋にノベンバーSを勝利し、オープンに復帰。この翌週に全兄トーセンラーがマイルCSを差し切り、GIホースの全弟になる。

5歳秋、毎日王冠の3着から始動して、天皇賞・秋へ向かう。5番人気の伏兵評価だったが、北村宏司は内の経済コースの中団を進み、直線は大外へ持ち出す思い切った騎乗。これが鮮やかに決まり、ジェンティルドンナやイスラボニータを差し切り。藤沢和雄厩舎の天皇賞・秋での強さも見せつけた。

血統背景

父ディープインパクトは同馬の項を参照。

母プリンセスオリビアは米国3勝。半兄フラワーアレイ（米GIトラヴァーズS、アイルハヴァナザーの父）、全兄トーセンラー（マイルCS、京都記念）、近親ランブリングアレー（中山牝馬S）。

母の父リシウスはミドルパークS1着。

代表産駒

セオ（都大路S）、ルージュリナージュ（ヴィクトリアマイル5着）、ウインドジャマー、デルマカンノン。

特注馬

ルージュリナージュ／東京、新潟の芝1800。差しの決まる展開なら何時でも来い。間隔をあけたときに好走。
セオ／中京記念は飛ばした逃げ馬に鈴を付けに行った結果。ただし、本筋はワンターンの1600＆1800。
バレエマスター／新潟の3勝Cを勝ってOP入り。隠れ左回り巧者とみた。7～9月は3勝。夏開催の新潟、中京では忘れずに。

勝利へのポイント

勝ち鞍上位距離【ダ1800、芝2000、芝1800】

芝、ダートの勝利総数は年ごとに逆転するが、ダートは牡馬が中心。両者に共通するのは1800＆2000で勝ち鞍を稼ぎつつマイルもこなすこと。勝ち味の遅い産駒が多数占めるなか、鋭い脚を持つルージュリナージュや先行して末脚を鈍らせずに押し切るセオら、ディープ系らしい産駒も出ている。ズブ目の馬か、切れ味を備えているかの見極めは大事で、後者なら追いかけて損はない。穴が少ない一方、1番人気の信頼性は高く、アタマから買える。また、前走2着の次走1着は高率。積極的に狙っていこう。左回りとの相性が良く、芝は東京、ダートは東京、中京の勝ち鞍が上位を占める。ブリンカー使用や騎手の乗り替わり、距離、競馬場替わりなどちょっとした変更でも走る。

グレーターロンドン GREATER LONDON

マイル戦4連勝でオープン入り
ディープが送り込む良血マイラー

2012年生　鹿毛
2024年種付け料▷受胎確認後150万円（FR）／産駒誕生後200万円

現役時代

中央15戦7勝。主な勝ち鞍、中京記念、東風S。

半姉ダイワエルシエーロは04年オークス優勝。母ロンドンブリッジは98年桜花賞2着。下河辺牧場が誇る名牝系の良血馬として期待され、東京芝1600の新馬戦を楽勝するが、3戦2勝の時点で蹄葉炎を発症。

大竹調教師らスタッフは、負担の少ない蹄鉄やプール調教で粘り強くリハビリを続け、1年後に復帰。するとマイル戦を4連勝して東風Sを勝利。安田記念も中団から上がり33秒9で伸びたがサトノアラジンの4着。掲示板には1着から5着まで「クビ」が4つ並んだ。

5歳の天皇賞・秋は、不良馬場で他馬が避けたインコースを突いて4角先頭。失速して9着に敗れはしたが、田辺の一発勝負騎乗で見せ場を作った。

そして6歳夏の中京記念を1分32秒3でレコード勝ち。大外を豪快に伸びて、念願の重賞を手中に収めた。

血統背景

父ディープインパクトは同馬の項を参照。

母ロンドンブリッジは98年の桜花賞でファレノプシスの2着、ファンタジーS1着。半姉ダイワエルシエーロ（オークス）、半兄ビッグプラネット（アーリントンC）、全姉の仔にキセキ（菊花賞、ジャパンC2着）。

母の父ドクターデヴィアスは英ダービー馬。

代表産駒

ロンドンプラン（小倉2歳S）、ユリーシャ（エルフィンS）、ナイトインロンドン（阿寒湖特別）。

特注馬

ピースワンデューク／菊花賞の結果やいかに。ともあれ、ヨシトミさんに最年長重賞勝利更新の相棒。東京の中長距離。

ナイトインロンドン／下りで加速ができる京都で再注目。昭和の名牝系ケンタッキー系。令和に復活だ。

フォーチュンタイム／産駒有数の切れ者。母の父ブライアンズタイムなら、中距離でも勝ち負け。

距離適性は母の父をみろ
ディープ系らしく鋭さが武器
距離延長は買い材料

ディープインパクト 鹿　2002	*サンデーサイレンス Sunday Silence	Halo
		Wishing Well
	*ウインドインハーヘア Wind in Her Hair	Alzao
		Burghclere　(2-f)
ロンドンブリッジ 栗　1995	*ドクターデヴィアス Dr Devious	Ahonoora
		Rose of Jericho
	*オールフォーロンドン All for London	Danzig
		Full Card　(22-b)

Northern Dancer 5×5・4

グレーターロンドン産駒完全データ

● 最適コース
牡／東京芝2400、東京ダ1400
牝／中山芝1600、阪神芝1400

● 距離別・道悪

芝10〜12	5-1-3-41	ダ10〜13	1-1-1-14
芝14〜16	8-9-9-65	ダ14〜16	4-6-3-12
芝17〜20	7-4-1-36	ダ17〜19	3-0-3-12
芝21〜	4-1-0-15	ダ20〜	0-0-0-1
芝道悪	4-2-0-33	ダ道悪	1-2-2-9

● 人気別回収率

1人気	単62%・複63%	6-4-1-11
2〜4人気	単133%・複107%	18-9-10-33
5人気〜	単149%・複83%	8-9-9-152

● 条件別・勝利割合

穴率	25.0%	平坦芝率	41.7%
芝道悪率	16.7%	晩成率	18.8%
ダ道悪率	12.5%	芝広いコース率	50.0%

● コース別成績

東京	芝／6-3-2-45	ダ／3-4-2-9
中山	芝／4-5-4-18	ダ／1-0-2-11
京都	芝／1-0-0-10	ダ／2-2-1-2
阪神	芝／3-2-2-16	ダ／0-1-0-3
ローカル	芝／10-5-5-68	ダ／2-0-2-14

勝利へのポイント

距離、短縮【2-2-2-54】延長【10-6-3-44】

小倉2歳Sのロンドンプラン、菊花賞まで駒を進めたナイトインロンドンと母系によって短距離馬から中長距離馬までを輩出。そもそもグレーターロンドン自身、母が桜花賞2着馬、近親に菊花賞馬キセキで、距離適性に関しては多様性を持った血統的下地がある。ディープインパクト系らしく、ハマった時の切れ味は鮮やか。そのぶん重い馬場がいまひとつで、道悪は荒れていない稍重までの条件がつく。極端な結果にあるのが距離の短縮と延長。短縮はさっぱり走らず、追走が楽になる延長で変わり身をみせる。さらに細かく言えばマイルから1800出走は特筆。現状は勝ち鞍数でも質でも芝馬だが、母の父シニスターミニスターのユキマルは兵庫時代3勝を含め5連勝の活躍。

ノヴェリスト

NOVELLIST

近年、日本でも重要度が増している
ドイツ血統の結晶

2009年生　黒鹿毛　アイルランド産
2024年種付け料▷受胎確認後25万円（FR）

POINT

芝で狙ってこそ本筋

上級戦での大駆けあり

近走よりも以前の実績重視

モンズン Monsun 黒鹿 1990	ケーニッヒシュトゥール Konigsstuhl	Dschingis Khan
		Konigskronung
	モゼラ Mosella	Surumu
		Monasia　(8-a)
ナイトラグーン Night Lagoon 黒鹿 2001	ラグナス Lagunas	*イルドブルボン
		Liranga
	ネヌファー Nenuphar	Night Shift
		Narola　(4-r)

Literat 4×4、Northern Dancer 5・4（母方）

ノヴェリスト産駒完全データ

● **最適コース**
牡／阪神芝2400、中京芝2000
牝／東京芝1800、東京芝1400

● **距離別・道悪**

芝10〜12	8-12-10-176	ダ10〜13	15-18-22-241
芝14〜16	27-23-32-305	ダ14〜16	5-5-6-156
芝17〜20	45-35-48-442	ダ17〜19	15-12-16-268
芝21〜	14-19-21-128	ダ20〜	0-1-2-28
芝道悪	17-26-29-264	ダ道悪	17-18-16-273

● **人気別回収率**

1人気	単77%・複79%	29-12-13-37
2〜4人気	単77%・複79%	52-58-57-237
5人気〜	単71%・複60%	48-55-87-1470

● **条件別・勝利割合**

穴率	37.2%	平坦芝率	37.2%
芝道悪率	18.1%	晩成率	45.0%
ダ道悪率	48.6%	芝広いコース率	52.1%

● **コース別成績**

東京	芝／23-18-19-162	ダ／5-4-3-116
中山	芝／13-18-13-143	ダ／7-9-6-129
京都	芝／5-8-13-87	ダ／3-4-5-58
阪神	芝／12-6-11-134	ダ／8-5-11-119
ローカル	芝／41-39-55-525	ダ／12-14-21-271

現役時代

ドイツ、イタリア、フランス、イギリスで通算11戦9勝。主な勝ち鞍、キングジョージ6世＆クイーンエリザベスS（GI・12F）、サンクルー大賞（GI・2400M）、バーデン大賞（GI・2400M）、ジョッキークラブ大賞（GI・2400M）他、重賞3勝。

3歳時はジョッキークラブ大賞勝ちや独ダービー2着があるものの、バーデン大賞で前年の凱旋門賞馬ディンドリームの4着に敗れる準A級馬に過ぎなかった。それが4歳になって仏、英への遠征で確変。サンクルー大賞を中団から抜け出して快勝。キングジョージ6世＆クイーンエリザベスSは4番手追走から直線を向くと残り2Fで突き抜け、2分24秒60のレコードで圧勝した。秋はバーデン大賞を勝利し、凱旋門賞を目指すも、本番2日前に熱発し無念の回避。日本で種牡馬入りが決まり、そのまま現役を退くことになった。

血統背景

父モンズンはドイツの大種牡馬。産駒にシロッコ（BCターフGI）。メルボルンCGI3勝もある。父系は世界遺産級のブランドフォード系。ソウルスターリングの母の父。

母ナイトラグーンはGIII勝ち馬。近親に名種牡馬ネッカーがいる"N"ライン系。母の父ラグナスは独ダービー馬。

代表産駒

ブレークアップ（アルゼンチン共和国杯）、ラストドラフト（京成杯）、ゴッドセレクション（ジャパンダートダービー2着）、ヴァルコス（青葉賞2着）、ヤマニンアドホック（ラジオNIKKEI賞3着）。

特注馬

マーゴットソラーレ／2歳時の百日草特別でアーバンシックのクビ差2着なら潜在能力は高くないか。復帰が待たれる。

ヤマニンアドホック／3代母はダイヤモンドS4着。アルゼンチン共和国杯はアタマから狙い撃ち。

シリアルノヴェル／前年版に続いて推奨。機は熟した。あわよくばダイヤモンドS。その後は言わずもがな。

勝利へのポイント

勝ち鞍上位コース／中京芝2000、東京芝1800

ダート勝ち鞍こそ約3割を占めジャパンダートダービー2着も出しているが、大半は下級馬。博打に王道もなにもないが、芝で狙ってこそ本筋というもの。ドイツ血統らしく上級条件になればなるほど一発にかけて勝負の手だ。24年の"キングジョージ"だってドイツ血統の格下馬ゴリアットがオーギュストロダンらを切って捨て、英国の競馬おやじを黙らせた。

淀みなく流れる展開に向き、速い時計の決着にも対応する。牝馬はこれに切れ味が加わり、ワンターンの東京、新潟コースで勝ち鞍を積み上げている。牡馬、牝馬とも得意競馬場、得意回りがはっきりしている傾向にあり、近走の着順より、これまでの実績重視。重、不良馬場は案外と苦手。

ストロングリターン STRONG RETURN

古馬になり急上昇した
シンボリクリスエスの最強マイラー

2006年生　鹿毛　2023年引退

POINT
芝馬は3歳春までが旬
ダートの左回りは米びつ
穴はダ1000の2、3着付け

*シンボリクリスエス Symboli Kris S 黒鹿　1999	クリスエス Kris S.	Roberto
		Sharp Queen
	ティーケイ Tee Kay	Gold Meridian
		Tri Argo　(8-h)
*コートアウト Caught Out 鹿　1998	スマートストライク Smart Strike	Mr. Prospector
		Classy'n Smart
	*アザール Azhaar	Nijinsky
		Smart Heiress (A13)

Smartaire 5・4（母方）、Nashua 5×5

ストロングリターン産駒完全データ

●最適コース
牡／東京ダ1600、中山ダ1200
牝／中京ダ1200、新潟ダ1200

●距離別・道悪

芝10～12	4-8-10-125	ダ10～13	26-36-38-377
芝14～16	7-16-11-224	ダ14～16	14-15-15-239
芝17～20	1-7-5-146	ダ17～19	15-23-27-316
芝21～	0-0-1-15	ダ20～	0-0-2-26
芝道悪	3-4-7-132	ダ道悪	18-28-31-389

●人気別回収率

1人気	単80%・複91%	24-11-17-22
2～4人気	単63%・複79%	28-44-36-174
5人気～	単16%・複57%	15-50-56-1272

●条件別・勝利割合

穴率	22.4%	平坦芝率	58.3%
芝道悪率	25.0%	晩成率	43.3%
ダ道悪率	32.7%	芝広いコース率	33.3%

●コース別成績

東京	芝／3-11-4-97	ダ／11-15-11-196
中山	芝／0-4-3-62	ダ／10-11-21-193
京都	芝／2-1-2-29	ダ／3-4-4-66
阪神	芝／1-1-5-58	ダ／7-11-8-139
ローカル	芝／6-14-13-264	ダ／24-33-38-364

現役時代

中央21戦7勝。主な勝ち鞍、安田記念、京王杯スプリングC。

当初はスタートが下手。コーナーでもたつき、エンジンの掛かりも遅い。出世は遅れた。

軌道に乗ったのは5歳。京王杯SCを上がり33秒1で差し切って重賞を手にすると、安田記念も33秒台の末脚を繰り出し、リアルインパクトを追い詰めるクビ差の2着。堀厩舎のワンツーは、新進気鋭の調教師の名を知らしめた。ゆったりしたレース間隔と、東京コース中心のローテが功を奏した。

1年後の安田記念、大願成就の日がやってくる。新パートナーの福永祐一を背に、課題のスタートを決め、1000M56秒3のハイペースを後方で折り合う。直線はグランプリボスとの一騎打ち。競り合いを制して、1分31秒3のレコード勝ちを飾った。

血統背景

父シンボリクリスエスは、有馬記念と天皇賞・秋を連覇。代表産駒にエピファネイア、サクセスブロッケンなど。

母コートアウトは北米6勝、マザリンBCS2着（加GI・ダ8.5F）。半妹レッドオーヴァル（桜花賞2着）、半兄ダイワマックワン（クリスマスローズS）。

代表産駒

プリンスリターン（シンザン記念2着・函館2歳S3着）、ツヅミモン（シンザン記念2着）、ペイシャルアス（カンナS）、フラリオナ（ききょうS2着）、キーフラッシュ、ヤマニンレジスタ。

特注馬

エクセスリターン／ダート3勝Cを突破した数少ない産駒。京都ダ1900巧者で、中京ダ1900での好走もありとみた。
リジン／浦和で7戦5勝2着2回の後、JRAへ移籍。阪神で1勝Cを勝ち上がったが、浦和の実績から左回りでの一発期待。
ロミオボス／東京ダ1600だけで飯を食っている馬。ゆったりしたローテーションで好走する。

勝利へのポイント

芝～3歳春／8勝、3歳夏～／4勝

OP、重賞好走馬には芝馬が並ぶが、多くが3歳春までのもので、芝の全勝利数でも～3歳春とそれ以降では開きがある。近年は一層とダートの勝ち鞍が芝を圧倒。3歳の早い時期までなら芝のOP級が出ることを頭に入れつつ、ダート中心に攻めるのが正解だろう。ダート馬は芝馬ような仕上がりの早さがないのと決め手に欠けるので、未勝利を脱する大半が3歳になってから。また、1勝Cを突破するのも遅く、強い馬が抜ける3歳後半から4歳春に集中。米びつとしているコースは東京1600、新潟1200、中京1200など左回りコース。人気での信頼性も高い。前走2、3着馬の勝率は高く、着順を上げてきた馬をこまめに拾っていくことが有効な馬券戦術。穴は1000の2、3着付け。

ラニ

LANI

ヘヴンリーロマンスが産んだ
米三冠挑戦のガキ大将

2013年生　芦毛　アメリカ産
2024年種付け料▷受胎確認後50万円 (FR)

現役時代

　中央11戦2勝、アメリカとUAEで6戦1勝。主な勝ち鞍、UAEダービー（GⅡ・ダ1900M）。ベルモントS3着（米GⅠ・ダ12F）。

　2005年の天皇賞・秋を松永幹夫騎手で制した牝馬ヘヴンリーロマンスは引退後、米国で繁殖入り。そこへタピットを種付けして産まれた芦毛馬は、日本に輸入されて松永幹夫厩舎に預けられた。これがラニだ。

　京都ダ1800と東京ダ1600で2勝の後、ドバイのUAEダービーに遠征。このGⅡを制してポイントを獲得し、次走より米国三冠に挑戦。ケンタッキー・ダービー9着、プリークネスS5着、ベルモントS3着（1着はクリエイター）。上々の結果を残しつつ、それ以上に話題を集めたのは現地メディアにクレイジーホースと報じられた「調教の際に暴れてラチを蹴破った」「カリフォルニアクロームと金網越しに吠え合って勝利した」などのヤンチャな所業の数々だった。

血統背景

　父タピットは同馬の項を参照。
　母ヘヴンリーロマンスは天皇賞・秋、札幌記念、阪神牝馬Sの勝ち馬。秋天の優勝後、鞍上の松永幹夫が馬上から、天皇陛下に敬礼した場面でも有名。
　半兄アウォーディー（JBCクラシック）、半姉アムールブリエ（エンプレス杯）。ダート重賞馬が並ぶ。

代表産駒

　リメイク（端午S、昇竜S）、ラニカイ。

特注馬

リメイク／JBCスプリントは小回りだけに一抹の不安。それよりもドバイゴールデンシャヒーンで大勝負といく。
ムーヴ／前年版の推奨に応え、東京ダ1400でヒモ穴をあけた。今後も東京ダ1300＆1400では注意。三浦騎手との相性は抜群。
メイプルタピット／1勝C東京ダ2100を圧勝。待望の中距離上級牡馬か。脚質に幅が出れば上のクラスでも。

タピット Tapit 芦　2001	プルプット Pulpit	A.P. Indy
		Preach
	タップユアヒールズ Tap Your Heels	Unbridled
		Ruby Slippers (3-o)
ヘヴンリーロマンス 鹿　2000	*サンデーサイレンス Sunday Silence	Halo
		Wishing Well
	*ファーストアクト First Act	Sadler's Wells
		Arkadina　(13-c)

Mr. Prospector 4・5（父方）、Northern Dancer 5×4

ラニ産駒完全データ

●最適コース
牡／中山ダ1200、中京ダ1400
牝／小倉ダ1700、阪神ダ1800

●距離別・道悪
芝10〜12	0-0-0-3	ダ10〜13	7-5-6-50
芝14〜16	0-0-0-16	ダ14〜16	7-16-8-83
芝17〜20	1-2-0-23	ダ17〜19	13-12-22-169
芝21〜	0-0-0-6	ダ20〜	1-0-0-19
芝道悪	0-0-0-13	ダ道悪	4-16-13-123

●人気別回収率
1人気	単74%・複100%	9-6-5-5
2〜4人気	単79%・複84%	12-11-14-38
5人気〜	単56%・複71%	8-18-17-326

●条件別・勝利割合
穴率	27.6%	平坦芝率	― %
芝道悪率	― %	晩成率	41.4%
ダ道悪率	14.3%	芝広いコース率	― %

●コース別成績
東京	芝／0-1-0-17	ダ／6-9-3-69
中山	芝／1-0-0-11	ダ／4-2-11-67
京都	芝／0-0-0-0	ダ／3-2-4-28
阪神	芝／0-0-0-4	ダ／4-9-5-56
ローカル	芝／0-1-0-16	ダ／11-11-13-101

勝利へのポイント

牡馬ダ〜1400／11勝、1600〜／4勝

　リメイクがカペラSに続いて盛岡のクラスターC、韓国のコリアスプリント、サウジのリヤドダートスプリントを制し、地方競馬ではフークピグマリオンが東海優駿を制覇。中央、地方、海外の重賞戦線でも目が離せない存在となってきた。牡馬は短距離、牝馬は中距離で勝ち鞍を量産。ただし、牡馬にしても短距離一辺倒と決めつけるのは危険で、エーピーインディ系が中距離の上級馬を出せないわけがないのだ。仕上がりはゆっくりで多くが3歳になって未勝利を脱し、上のクラスに入って何戦か後に着順を上げて勝ち上がる成長曲線。前走2、3着馬は人気でも狙うべし。詰めての出走が良く、叩いての変わり身もある。馬場状態は問わない。芝上級馬が出たらごめんなさい。

ラニ LANI

ニューイヤーズデイ NEW YEAR'S DAY

早い時期から動ける産駒多数
良血繁殖を味方につけるダート界の新星

POINT ダート向き正統派マイラー
6枠より外枠の成績が爆上がり！
東京と阪神のダ1400が特注

ストリートクライ Street Cry 黒鹿 1998	マキアヴェリアン Machiavellian	Mr. Prospector
		Coup de Folie
	ヘレンストリート Helen Street	Troy
		Waterway (1-l)
ジャストホイッスルディキシー Justwhistledixie 黒鹿 2006	ディキシーユニオン Dixie Union	Dixieland Band
		She's Tops
	ジェネラルジーン General Jeanne	Honour and Glory
		Ahpo Hel (8-c)

Mr. Prospector 3×5、Hail to Reason 5×5、Natalma 5×5

2011年生　鹿毛　アメリカ産
2024年種付け料▷受胎確認後200万円（FR）

現役時代

　北米で3戦2勝。主な勝ち鞍、BCジュヴェナイル（GI・8.5F）。
　B・バファート調教師が管理。2歳8月のデビュー戦こそ3着に敗れたが、2戦目に未勝利を脱すると、強気にBCジュヴェナイル挑戦。単勝11.5倍での伏兵扱いだったが、13頭立ての8番手追走から直線を向くとぽっかり空いた内を突いて伸び、先に抜け出した本命馬ハヴァナを1馬身1/4差しきって優勝した。しかし、この後に骨折が判明。2歳時の3戦で現役を引退、翌年から種牡馬入りすることが決まった。

血統背景

　父ストリートクライ。現役時はドバイワールドCなどGI2勝。産駒に米女傑ゼニヤッタ、豪女傑ウインクスやケンタッキー・ダービー馬ストリートセンス。2014年死亡。
　母ジャストホイッスルディキシーはボニーミスSなど北米GII2勝。父タピットとする本馬の半弟にモハイメン（ファウンテンオブユースSなど北米GII4勝）、キングリー（北米GIII1勝）、エンフォーサブル（北米GIII1勝）。母の父ディキシーユニオンの産駒にベルモントS馬ユニオンラグス。

代表産駒

　エートラックス（兵庫ChS）、バロンドール（ブルーバードC3着）、スミレファースト、ベルウェザー。北米供用時にマキシマムセキュリティ（北米GI4勝、ケンタッキー・ダービー1位入線→17着降着、サウジC1位入線→失格）、ファイティングマッド（クレメントLハーシュSGI・8.5F）を輩出。

特注馬

エートラックス／先行差しの堅実型。古馬オープンに混じると楽ではなさそうだが、脚抜きのいいダ1400なら。
バロンドール／UAEダービーに遠征して6着。母系は超スタミナ型で、ダートの長距離がベストと思われる。
スミレファースト／芝ダート兼用の短距離馬。1分8秒台の芝1200なら走破圏内も、それより速いと厳しい。

ニューイヤーズデイ産駒完全データ

●最適コース
牡／阪神ダ1400、小倉ダ1700
牝／東京ダ1600、京都ダ1400

●距離別・道悪

芝10〜12	2-3-2-15	ダ10〜13	5-8-5-44
芝14〜16	3-6-6-44	ダ14〜16	16-10-8-64
芝17〜20	3-0-2-18	ダ17〜19	11-10-9-70
芝21〜	0-0-0-6	ダ20〜	2-0-1-3
芝道悪	3-1-3-13	ダ道悪	12-13-5-59

●人気別回収率

1人気	単92%・複83%	13-6-3-13
2〜4人気	単92%・複85%	21-16-17-59
5人気〜	単133%・複88%	8-15-13-192

●条件別・勝利割合

穴率	19.0%	平坦芝率	75.0%
芝道悪率	37.5%	晩成率	− %
ダ道悪率	35.3%	芝広いコース率	25.0%

●コース別成績

東京	芝／1-0-1-18	ダ／10-0-5-37
中山	芝／0-2-2-17	ダ／4-3-4-37
京都	芝／0-1-1-13	ダ／6-10-6-40
阪神	芝／1-1-1-9	ダ／7-6-5-27
ローカル	芝／6-5-5-26	ダ／7-9-3-40

勝利へのポイント

ダート34勝のうち、6枠から8枠／23勝

　勝ち鞍はダート8割、芝2割。距離ではダ1400、ダ1800に勝利が多い。勝率ならダ1600も高い。かつてミスプロ系の種牡馬がたくさんいた頃を思い出すような、ダート向きマイラー血統。芝も1200から2000まで勝ち鞍あり。湿ったダートもいい。
　オープン勝ちはエートラックスのバイオレットS（阪神ダ1400）。同馬は交流GIIの兵庫ChS（園田ダ1400）も勝利した。その他は下級条件の活躍が中心も、ダートならオープン級は何頭か出そう。
　特注は枠順。6枠から8枠の勝率や勝利数が優秀で、特にダ1700以上の距離で差が激しい。1枠から5枠／2勝に対して、6枠から8枠／11勝という大差だ。「外枠ダートのニューイヤーズデイ」だけで儲かりそう。東京ダートも得意で単勝狙い。

ビーチパトロール

BEACH PATROL

芝中距離で活躍した
期待のキングマンボ系

2013年生　黒鹿毛　アメリカ産
2024年種付け料▶受胎確認後80万円（FR）

現役時代

　北米で通算19戦5勝。主な勝ち鞍、セクレタリアトS（GI・10F）、アーリントンミリオン（GI・10F）、ジョーハーシュターフクラシックS（GI・12F）。

　2歳11月のデビューから引退まで終始一貫して芝路線を歩み、3歳夏にはアーリントンミリオンの3歳版セクレタリアトSを制し、重賞初制覇をGIで飾った。4歳になって好走はするものの勝ちきれずにいたが、1年前を思い出したのか、アーリントンミリオンで重賞2勝目。続くジョーハーシュターフクラシックSも制し、BCターフでは北米の大将格として臨むこととなった。結果は直線を向いて先頭に立ったところを、タリスマニックの強襲に遭い、同馬の半馬身差2着。良馬場の勝ち時計はコースレコードの2分26秒19だった。5歳時は2戦未勝利。6着以下は3歳時と現役最後の一戦の2回。詰めは甘かったが、堅実ではあった。

血統背景

　父レモンドロップキッド。ベルモントSなど米GI5勝。産駒にレモンポップ（フェブラリーS）、アポロキングダム。

　母系は母の姉にハリケーンバーティー（プライオレスSGII）、母の父クワイエットアメリカンの産駒にリアルクワイエット（ケンタッキー・ダービーGI）。

代表産駒

　シーウィザード（新潟2歳S3着）、ライズゾーン（船橋・東京湾C）、サンマルパトロール、モズロックンロール、ビキニボーイ、タリア、エナジーポコアポコ。

特注馬

シーウィザード／新潟も良いが、同じ左回りの中京も狙える。兄たちは短距離馬だが、近親に日経賞2着のクロミナンス。
サンマルパトロール／大まくりで2勝C、3勝Cを連勝。これでデムーロ騎手とは2戦2勝。着を上げてきた次走は買い。
タリア／勝ち上がりに苦しんでいるが、コース実績のある福島芝1200で再考。時計がかかればなお良し。

芝の小回り中距離が仕事場
2歳中距離戦が最初の勝負
ローカルでの復活を狙え

レモンドロップキッド Lemon Drop Kid 鹿　1996	キングマンボ Kingmambo	Mr. Prospector
		Miesque
	チャーミングラッシー Charming Lassie	Seattle Slew
		Lassie Dear　　(3-l)
バッシュフルバーティー Bashful Bertie 鹿　2007	クワイエットアメリカン Quiet American	Fappiano
		Demure
	クレヴァーバーティー Clever Bertie	Timeless Native
		Clever But Costly (9-a)

Mr. Prospector 3×4、Dr. Fager 5×4（母方）

ビーチパトロール産駒完全データ

●最適コース
牡／新潟芝外2000、中山芝2000
牝／札幌芝1200、福島芝1800

●距離別・道悪
芝10〜12	4-2-1-49	ダ10〜13	0-0-0-42
芝14〜16	0-0-3-67	ダ14〜16	1-5-5-64
芝17〜20	9-8-11-124	ダ17〜19	2-6-9-97
芝21〜	1-1-2-26	ダ20〜	0-0-0-11
芝道悪	5-4-6-68	ダ道悪	1-3-4-84

●人気別回収率
1人気	単102%・複96%	6-3-2-3
2〜4人気	単36%・複69%	5-7-15-45
5人気〜	単26%・複60%	6-12-14-432

●条件別・勝利割合
穴率	35.3%	平坦芝率	57.1%
芝道悪率	35.7%	晩成率	29.4%
ダ道悪率	33.3%	芝広いコース率	14.3%

●コース別成績
東京	芝／0-0-1-47	ダ／0-0-2-49
中山	芝／4-0-2-59	ダ／0-0-2-44
京都	芝／1-0-1-17	ダ／0-4-4-26
阪神	芝／2-1-2-19	ダ／2-3-2-34
ローカル	芝／7-10-11-124	ダ／1-4-4-61

勝利へのポイント

牡芝2000【6−3−4−45】

　父の現役時同様に産駒も芝の中距離を仕事場とし、中距離に限れば2歳の早い時期から走る。その後は強敵相手に苦しい競馬を続けても、ローカルで勝ち上がってくる。シーウィザードも遅ればせながら、得意の新潟開催で2勝Cを突破した。夏場が良いのか新潟外2000を除けばコーナー4つの中距離向きで、東京芝は全くの不振。キレキレの馬場より若干でも時計のかかる馬場向きで、稍重、重馬場は追い風。牡馬は徹底した中距離型として捉え、2600での勝利があり、スタミナも備えている。牝馬も中距離中心ながら短距離馬が出ている。ダートは勝利数こそ少なくとも大崩れの少ないサンマルパトロールや地方で重賞勝ち馬を出し、中堅級は望める。適距離は芝と同じく中距離。

79

タリスマニック

TALISMANIC

4歳で本格化
世界を渡り歩いたサドラーズウェルズ系

2013年生　黒鹿毛
2024年種付け料▷産駒誕生後120万円

©Darley

現役時代

　フランス、北米、香港、UAEで通算23戦8勝。主な勝ち鞍、BCターフ（GI・12F）、モーリスドニュイユ賞（GII・2800M）、ゴントービロン賞（GIII・2000M）。
　4歳の夏に本格化し、一気に頂点まで駆け上がった。モーリスドニュイユ賞で重賞制覇を果たし、フォワ賞が3着。前年11着だった凱旋門賞は回避し、矛先を米国BCターフへ向けると、これが見事に当たる。単勝15.1倍の5番人気だったが、内ラチ沿いの5番手追走から、直線で外目に持ち出すと末脚炸裂。先に抜け出して逃げ込みを図るビーチパトロールを半馬身かわしてGI制覇を果たした。良馬場の勝ち時計はレコードの2分26秒19。前年の勝ち馬ハイランドリールは3着。ハイランドリールとの再戦となった香港ヴァーズは同馬の2着。5歳時も現役続行。GIII1勝がある。連覇を目指したBCターフはエネイブルの6着。

血統背景

　父メダーリアドロは同馬の項参照。
　母マジックミッションは米GIII1勝。祖母の孫にロジクライ（富士S）。4代母バーグクレアはディープインパクトの祖母。母の父マキアヴェリアンはヴィルシーナ、シュヴァルグラン姉弟やヴィクトワールピサの母の父でもある。

代表産駒

　サウザンサニー（ファルコンS3着）、ナンセイホワイト（東京ダービー3着）、マクッテソフィア（フェニックス賞3着）、グランフォーブル、アンクルクロス、ランスオブクイーン。

特注馬

ランスオブクイーン／エリザベス女王杯最大の惑星としたらぶち上げすぎか。祖母は伝説のチェリーコウマン。
ブロッケンボウ／欧州王道のサドラーズウェルズのクロス保有。中日新聞杯はぶち上げすぎか。
サウザンサニー／上記馬同様にサドラーズウェルズのクロス。中山芝1200稍重は鉄板。人気的に馬券の妙味は？だが。

POINT

産駒は短距離型と中距離型
東京は芝切り、ダート買い
奥手の芝上級馬を期待

メダーリアドロ Medaglia d'Oro 黒鹿 1999	エルプラド El Prado	Sadler's Wells
		Lady Capulet
	カプチーノベイ Cappucino Bay	Bailjumper
		Dubbed In　(9-b)
マジックミッション Magic Mission 鹿 1998	マキアヴェリアン Machiavellian	Mr. Prospector
		Coup de Folie
	ドリームチケット Dream Ticket	Danzig
		Capo Di Monte (2-f)

Northern Dancer 4×4、Natalma 5×5・5

タリスマニック産駒完全データ

● 最適コース
牡／中山芝1200、阪神ダ1800
牝／小倉芝1200、新潟芝2200

● 距離別・道悪

芝10〜12	5-6-5-28	ダ10〜13	5-8-4-55
芝14〜16	1-0-6-52	ダ14〜16	4-3-6-70
芝17〜20	1-2-2-64	ダ17〜19	9-15-12-141
芝21〜	1-0-0-6	ダ20〜	0-0-1-8
芝道悪	4-1-4-39	ダ道悪	8-6-12-101

● 人気別回収率

1人気	単67%・複72%	10-6-5-17
2〜4人気	単63%・複78%	9-17-13-52
5人気〜	単66%・複60%	7-11-18-355

● 条件別・勝利割合

穴率	26.9%	平坦芝率	37.5%
芝道悪率	50.0%	晩成率	19.2%
ダ道悪率	44.4%	芝広いコース率	25.0%

● コース別成績

東京	芝／0-0-0-16	ダ／4-3-3-53
中山	芝／3-0-0-16	ダ／5-5-4-47
京都	芝／1-2-2-25	ダ／1-1-1-32
阪神	芝／0-1-2-19	ダ／4-3-2-45
ローカル	芝／4-5-9-74	ダ／4-14-13-97

勝利へのポイント

1勝C以上【芝／4勝、ダ／2勝】

　東京ダービー3着や水沢留守杯日高賞の勝ち馬など地方では重賞好走馬を出している。中央でもランスオブクイーンのオークス5着（馬券圏外だが）の他、2勝C、3勝Cを勝ち上がる産駒が増え、どうにか格好をつけつつある。しかも中距離一辺倒ではなく芝1200連勝のサウザンサニーに代表される短距離馬がいれば、2000＆2200で勝ち上がったブロッケンボウがいる。芝、ダートともこなすが、質の比較では勝利数の少ない芝がやや優勢。芝はローカル短距離や小回り中距離で走り、東京は大不振。反面、ダートは東京が得意競馬場のひとつ。ダート重、不良はめっぽう上手い。今後も短距離馬を出すのか、血統どおり奥手の重賞級芝馬が出るのか。地味ながら注目する値打ちはある。

キングマン

KINGMAN

母系の底力魅力のマイラー
日本でもブレイク！

2011年生 鹿毛 イギリス産

現役時代

イギリス、アイルランド、フランスで通算8戦7勝。主な勝ち鞍、愛2000ギニー（GI・8F）、セントジェームズパレスS（GI・8F）、サセックスS（GI・8F）、ジャックルマロワ賞（GI・1600M）、他GⅢ2勝。

2歳6月のデビューから3歳初戦のグリーナムSまで3連勝としたが、本命で臨んだ英2000ギニーはナイトオブサンダーの2着に敗れて初黒星。結果的にはこれが現役唯一の敗戦だった。以降はマイルGI4連勝。愛2000ギニーを5馬身差で圧勝し、セントジェームズパレスSではナイトオブサンダーに雪辱。古馬との初対戦サセックスSでは前年の勝ち馬トロナドを破り、続くジャックルマロワ賞は後方からの追い込みを決め2馬身半差で優勝した。この後は秋のクイーンエリザベス2世Sや米国BCマイルを目標としていたが、ノドの感染症にかかって現役引退となった。

血統背景

父インヴィンシブルスピリットは同馬の項参照。

母ゼンダは仏1000ギニー馬。近親にオアシスドリーム（ジュライCGI）など重賞勝ち馬多数。ニューベイ（仏ダービーGI）も同牝系。母の父ザミンダーの産駒にザルカヴァ（凱旋門賞GI）。前記ニューベイの母の父。

代表産駒

シュネルマイスター（NHKマイルC）、スパークリングプレンティ（仏オークスGI・2100M）、ペルシアンキング（仏2000ギニーGI・1600M）、エリザベスタワー（チューリップ賞）。

特注馬

プリティディーヴァ／母父ガリレオ系ならマイルもこなすとみた。足りないのはシャーペンアップ系クロス。
スターウェーブ／新潟2歳Sはマイルが合わなかったのか、早熟と見なして次走は見切るか、悩ましい。
イングランドアイズ／いまひとつ勝ち切れないもどかしさ。クイーンC4着を思い出し、マイルで追い込み勝負も手だ。

KINGMAN

POINT

3歳春までのマイル路線を賑わす
条件戦より重賞でこそ
シャーペンアップ系クロスに大駒

インヴィンシブルスピリット Invincible Spirit 鹿 1997	グリーンデザート Green Desert	Danzig
		Foreign Courier
	ラファ Rafha	Kris
		Eljazzi (7-a)
ゼンダ Zenda 鹿 1999	ザミンダー Zamindar	Gone West
		Zaizafon
	ホープ Hope	*ダンシングブレーヴ
		Bahamian (19)

Northern Dancer 4×5・5、Never Bend 5×5

キングマン産駒完全データ

●最適コース
牡／東京芝1600、札幌芝1500
牝／阪神芝1600、新潟芝1400

●距離別・道悪

芝10〜12	8-4-3-42	ダ10〜13	0-0-0-6
芝14〜16	10-4-4-41	ダ14〜16	0-0-0-1
芝17〜20	2-4-4-15	ダ17〜19	0-0-0-13
芝21〜	0-0-0-1	ダ20〜	0-0-0-0
芝道悪	4-4-2-23	ダ道悪	0-0-0-9

●人気別回収率

1人気	単84%・複70%	12-3-2-14
2〜4人気	単49%・複63%	7-4-7-32
5人気〜	単15%・複44%	1-5-2-73

●条件別・勝利割合

穴率	5.0%	平坦芝率	35.0%
芝道悪率	20.0%	晩成率	10.0%
ダ道悪率	—%	芝広いコース率	40.0%

●コース別成績

東京	芝／4-2-6-14	ダ／0-0-0-0
中山	芝／4-3-1-13	ダ／0-0-0-4
京都	芝／1-1-0-6	ダ／0-0-0-2
阪神	芝／4-2-0-16	ダ／0-0-0-5
ローカル	芝／7-4-4-50	ダ／0-0-0-9

勝利へのポイント

2歳／10勝、〜3歳6月／7勝、3歳7月〜／3勝

海外ではマイルを中心に中距離でもGI勝ち馬を輩出。今季も英1000ギニー馬、仏オークス馬を出した。日本でも中距離をこなすが、やはり得意とするのはマイル。仕上がり早く、2歳新馬から走り、3歳春までのマイル路線を賑わす。この期間は積極的に狙える。あとは成長力。勝ち鞍の大半が3歳6月までのもの。重賞級はともかく、条件級の深追いは禁物。これはクラス別の勝利数にも表れ、重賞あって、2勝C、3勝Cはなし。重賞でこその血統といえる。イングランドアイズの今後には注目したい。シュネルマイスターや冒頭の英1000ギニー馬、仏オークス馬などシャーペンアップ系クロスを持つ活躍馬多し。加えて独血統を内包していれば最強。5代血統表は要確認。

ミッキーロケット

MIKKI ROCKET

惜敗続きの重賞戦線
宝塚記念で7番人気のロケット砲炸裂

2013年生 鹿毛
2024年種付け料▷受胎確認後50万円(FR)

POINT

芝中距離以上で勝ち鞍量産
先行押し切る競馬に活路
本格化は3歳後半以降

	キングマンボ Kingmambo	Mr. Prospector
キングカメハメハ 鹿　2001		Miesque
	*マンファス Manfath	*ラストタイクーン
		Pilot Bird　(22-d)
*マネーキャントバイミーラヴ Moneycantbuymelove 鹿　2006	ピヴォタル Pivotal	Polar Falcon
		Fearless Revival
	サブリアン Sabreon	Caerleon
		Sabria　(4-n)

Mr. Prospector 3×5、Nureyev 4×4、Northern Dancer 5・5×5・5

現役時代

中央24戦5勝。主な勝ち鞍、宝塚記念、日経新春杯。

1歳セレクトセールで9936万円。皐月賞13着の後、夏の函館と札幌の芝2000で勝ち星を積み、秋初戦の神戸新聞杯は差してサトノダイヤモンドの2着。菊花賞は4番人気になるも、後方から差を詰めて5着まで。

4歳。雪による延期で火曜開催となった日経新春杯は、シャケトラと一騎打ちを演じて重賞初勝利。

5歳を迎え、日経新春杯4着、春の天皇賞4着と充実を示すなか、主戦の和田竜二にとって思い出深いニュースが流れる。テイエムオペラオーの死去である。

約1ヵ月後の18年宝塚記念、7番人気の伏兵扱いで大仕事をやってのけた。稍重の内から徐々に進出し、香港のGI4勝馬ワーザーをぎりぎりクビ差抑えて1着。17年ぶりのGI優勝となった和田はゴール直後から涙を隠さず、馬上に突っ伏すように喜びを表現した。

血統背景

父キングカメハメハは同馬の項を参照。

母マネーキャントバイミーラヴは英GIのナッソーS3着。

5代母の全姉トリリオンの一族に、トリプティク、トレヴ(凱旋門賞)。同牝系にディーマジェスティ(皐月賞)、タワーオブロンドン(スプリンターズS)。

母の父ピヴォタルは英GIナンソープS勝ち。

代表産駒

ミッキーゴージャス(愛知杯)、ジョウショーホープ(札幌2歳S4着)、メイテソーロ(青葉賞4着)。

特注馬

ミッキーゴージャス／忘れちゃいけない1勝Cを勝ち上がったのは中山1800。中山牝馬Sでどうだ。あとはハンデ次第。

メイテソーロ／本筋は中山か。グレイトフルSで勝負して、有馬記念の資金を稼ごう。重いハンデにはなるまい。

グランアルティスタ／祖母は亜GI勝ち馬。大きいことは言わないが、中堅級の長距離馬として期待。北の2600狙い。

ミッキーロケット産駒完全データ

●最適コース
牡／東京芝2400、阪神芝1400
牝／小倉芝1800、小倉芝2000

●距離別・道悪

芝10～12	1-0-3-11	ダ10～13	2-0-2-27
芝14～16	5-5-6-54	ダ14～16	0-0-2-16
芝17～20	11-7-9-76	ダ17～19	2-2-1-30
芝21～	2-2-0-21	ダ20～	1-0-0-5
芝道悪	5-2-4-44	ダ道悪	0-0-3-32

●人気別回収率

1人気	単146%・複105%	11-3-0-4
2～4人気	単116%・複93%	10-8-11-23
5人気～	単34%・複38%	3-5-12-213

●条件別・勝利割合

穴率	12.5%	平坦芝率	47.4%
芝道悪率	26.3%	晩成率	33.3%
ダ道悪率	－%	芝広いコース率	31.6%

●コース別成績

東京	芝／2-2-1-25	ダ／1-0-1-16
中山	芝／4-2-2-21	ダ／2-1-1-21
京都	芝／4-1-5-19	ダ／0-0-1-8
阪神	芝／3-2-3-20	ダ／1-0-2-14
ローカル	芝／6-7-7-77	ダ／1-1-0-19

勝利へのポイント

芝【～1400／4勝、1600／2勝、1800～／13勝】

キングカメハメハの後継種牡馬は現役時の成績がそのまま産駒に出ることが多く、その例に漏れず、愛知杯を制したミッキーゴージャス、東京芝2400の2勝Cを勝ち上がったメイテソーロなど芝の中距離以上で勝ち鞍を増やしている。天皇賞4着の実績から、ステイヤーを出せる下地もある。ダ1200の新馬を勝ち上がった産駒もいるが、短距離は下級条件に限られる。1400得意のジョウショーホープは置いといて、あくまでも大きく狙うのは芝の中距離以上とする。瞬発力勝負より、上がりの速くないレースを先行押し切る競馬が合いそうだ。適度に時計のかかる道悪は歓迎のくち。本格化は3歳後半以降か。古馬になって急上昇する産駒が出たら占めたもの。見逃さないことだ。

84

レイデオロ

REY DE ORO

名伯楽にダービートレーナーの
称号をもたらした大器

2014年生 鹿毛
2024年種付け料▷受胎確認後500万円（FR）

現役時代

　中央15戦7勝、UAE2戦0勝。主な勝ち鞍、日本ダービー、天皇賞・秋、ホープフルS、神戸新聞杯、オールカマー。ジャパンC2着、有馬記念2着。

　リーディングを12度獲得した藤沢和雄調教師も、ダービーには縁がなかった。そこに登場したのがレイデオロ。母ラドラーダも、祖母レディブロンドも、母父シンボリクリスエスも藤沢が手掛けた馬だった。新馬からホープフルS（当時GⅡ）まで3連勝すると、皐月賞にぶっつけのローテを選択。しかし、スタートで後手を踏み、5着敗退。

　日本ダービーはマイスタイルが逃げる前半63秒2の超スローペースのなか、向こう正面でルメールが動く。通過順13-14-2-2という大まくりを打ち、あとは直線で前をとらえるだけ。後ろからきたスワーヴリチャードとアドミラブルを封じて1着。藤沢和師にとって開業30年目のダービー優勝だった。

血統背景

　父キングカメハメハは同馬の項を参照。
　母ラドラーダは中央4勝。祖母レディブロンドは芝1200を5勝し、03年スプリンターズS4着。全弟レイエンダはエプソムC1着、富士S2着など。3代母ウインドインハーヘアの仔にディープインパクト、近親ゴルトブリッツ（帝王賞）。

代表産駒

　サンライズアース（すみれS、ダービー4着）、ミナデオロ（白百合S）、アドマイヤテラ、トロヴァトーレ。

特注馬

サンライズアース／名牝系で、将来、道悪の宝塚記念で穴をあけそうなイメージ。その前に京都芝2400狙い。
トロヴァトーレ／大物感あるが、不器用で脚の使い場所が難しい。むしろ距離短縮で忙しい流れが合うかも。
アドマイヤテラ／母父ハーツクライの超スタミナ型。ウインドインハーヘア4×4。菊花賞が道悪になれば、もしかして!?

POINT

芝2000以上向きの晩成の長距離砲
マクリが利くコースで持久力発揮
小型馬は3着止まりの傾向

キングカメハメハ 鹿 2001	キングマンボ Kingmambo	Mr. Prospector
		Miesque
	*マンファス Manfath	*ラストタイクーン
		Pilot Bird （22-d）
ラドラーダ 青鹿 2006	*シンボリクリスエス Symboli Kris S	Kris S.
		Tee Kay
	*レディブロンド Lady Blond	Seeking the Gold
		ウインドインハーヘア(2-f)

Mr. Prospector 3×4、Northern Dancer：5・5（父方）

レイデオロ産駒完全データ

●最適コース
牡／東京芝1800、中山ダ1800
牝／中山ダ2000、阪神ダ1800

●距離別・道悪

芝10〜12	0-0-0-16	ダ10〜13	0-0-0-10
芝14〜16	5-1-6-52	ダ14〜16	0-1-5-26
芝17〜20	19-9-18-140	ダ17〜19	7-6-4-70
芝21〜	6-1-1-31	ダ20〜	0-1-2-3
芝道悪	5-5-4-44	ダ道悪	4-3-2-38

●人気別回収率

1人気	単72%・複78%	11-4-5-9
2〜4人気	単74%・複82%	15-13-19-61
5人気〜	単84%・複48%	11-2-12-278

●条件別・勝利割合

穴率	29.7%	平坦芝率	36.7%
芝道悪率	16.7%	晩成率	― %
ダ道悪率	57.1%	芝広いコース率	50.0%

●コース別成績

東京	芝／8-1-4-51	ダ／0-2-5-15
中山	芝／6-1-4-32	ダ／2-3-1-10
京都	芝／7-3-7-54	ダ／1-1-2-34
阪神	芝／3-1-4-28	ダ／3-1-1-23
ローカル	芝／6-5-6-74	ダ／1-1-2-27

勝利へのポイント

距離1200以下【0-0-0-26】

　産駒デビュー1年でまだ重賞勝ちはなし。オープン勝ちはサンライズアースのすみれS（阪神芝2200）と、ミナデオロの白百合S（京都芝1800）。大物感を漂わせつつ、一瞬の反応が早くない晩成の中長距離型という出足。ダービー4着もある。

　勝ち鞍が多いのは、芝2000、芝1800、ダ1800。目に付くのは中山芝2000や京都芝2000など、内回りでマクリが利くコースの良績だ。短距離はさっぱりで、芝もダートも1200以下の勝ち鞍なし。当然、距離延長は狙い目で、ローカルの芝2600もよく馬券になっている。芝の道悪も悪くない。

　ウインドインハーヘアのクロス持ちは小型馬が多く、440キロ未満の馬は3着止まり多数。ダートは馬格があれば今後走るはずで、ダ2100に注目。

イントゥミスチーフ INTO MISCHIEF

早熟マイラー返上
北米首位のクラシック血統

2005年生　鹿毛　アメリカ産

POINT

ダート短、マイルで勝ち鞍量産

名うてのレフティー

近走好走馬は素直に買え

ハーランズホリデー Harlan's Holiday 鹿　1999	ハーラン Harlan	Storm Cat
		Country Romance
	クリスマスインエイケン Christmas in Aiken	Affirmed
		Dowager　　（4-m）
レスリーズレディ Leslie's Lady 鹿　1996	トリッキークリーク Tricky Creek	Clever Trick
		Battle Creek Girl
	クリスタルレディ Crystal Lady	Stop the Music
		One Last Bird（23-b）

Hail to Reason 5×4、Northern Dancer 5×5

イントゥミスチーフ産駒完全データ

●最適コース
牡／東京ダ1600、中京ダ1200
牝／東京ダ1600、東京ダ1400

●距離別・道悪
芝10〜12	0-1-3-16	ダ10〜13	15-14-11-55
芝14〜16	2-2-2-20	ダ14〜16	15-8-7-50
芝17〜20	0-0-1-4	ダ17〜19	6-6-1-28
芝21〜	1-0-0-3	ダ20〜	1-2-0-1
芝道悪	0-2-2-7	ダ道悪	15-14-9-45

●人気別回収率
1人気	単89%・複107%	18-14-9-9
2〜4人気	単70%・複75%	14-15-10-57
5人気〜	単153%・複71%	8-4-6-111

●条件別・勝利割合
穴率	20.0%	平坦芝率	33.3%
芝道悪率	− %	晩成率	27.5%
ダ道悪率	40.5%	芝広いコース率	66.7%

●コース別成績
東京	芝／0-1-1-3	ダ／13-5-5-33
中山	芝／0-0-1-3	ダ／2-2-5-18
京都	芝／0-0-0-8	ダ／2-7-0-11
阪神	芝／0-0-0-7	ダ／6-6-2-21
ローカル	芝／3-2-4-22	ダ／14-10-7-51

勝利へのポイント

東京ダ1600【7−2−4−22】

　23年も北米首位種牡馬として君臨。後継種牡馬のゴールデンセンツがケンタッキー・ダービー馬を送り出し、新種牡馬オーセンティックも控え、イントゥミスチーフ系は前途洋々だ。日本でも多数の産駒が走り、ダート短、マイルで勝ち鞍を量産。特に東京1600＆1400、中京1200、新潟1200が勝利数上位コースに並び、左回りで荒稼ぎをしている。抜群の勝ち上がり率を誇り、2歳初っ端から走る産駒もいるが、多くは3歳になってから未勝利を脱する。素質のある馬は上のクラスを突破するのが早く、3歳時には大方の将来性が把握できる。湿ったダートは水を得た馬。穴は少なく、近走好走馬を素直に買うこと。5歳以降は若干の伸び悩み。芝は下級条件。芝からダート替わりは注。

現役時代

　北米で通算6戦3勝。主な勝ち鞍、キャッシュコールフュチュリティ（GI・8.5F）。マリブS（GI・7F）2着。サンヴィセンテS（GII・7F）2着。

　2歳10月にデビューし、ここを逃げ切って快勝。続くハリウッドプレビューSGIIIは本命に推されるも2着。シーズン最後を締めくくる2歳GIキャッシュコールフュチュリティは前走の敗戦が嫌われてか、単勝14.8倍の伏兵に甘んじたが、2番手から抜け出し、重賞初制覇をGIで飾った。3歳時は初戦のサンヴィセンテS2着後に戦線離脱を余儀なくされ、秋まで休養。復帰となったリステッドこそ制するものの、続くマリブSは2着。この一戦を最後に現役を退いた。6戦3勝2着3回。全出走が西海岸のサンタアニタ競馬場とハリウッド競馬場。両競馬場とも導入直後のオールウェザー馬場だった。

血統背景

　父ハーランズホリデー。産駒にシャンハイボビー（同馬の項参照）、アルビアーノ（スワンS）。

　母系は半妹弟にBCディスタフ2回など砂の鬼姫ビホルダー、BCジュヴェナイルターフのメンデルスゾーン。

代表産駒

　オーセンティック（同馬の項参照）、マンダルーン（ケンタッキー・ダービーGI・10F）、ローレルリバー（ドバイワールドCGI・2000M）、ライフイズグッド（ペガサスワールドCGI・9F）、ソニックスター（青竜S）、メタマックス（カペラS3着）。

特注馬

ソニックスター／得意の東京に戻って躍進。精神面が強くなれば、フェブラリーSが視野に入る。

ルージュスタニング／ダート転向に成功。川崎スパーキングレディーカップでどうだ。母の半兄にアロゲート。

マテンロウサン／ミスパンテールの仔で、芝で好走続けるのか悩ましい。ダートの選択肢もあると思うが。

パレスマリス

PALACE MALICE

一躍脚光！
持ち込み馬が芝マイルGI連勝

2010年生　鹿毛　アメリカ産
2024年種付け料▷産駒誕生後350万円
©Darley

現役時代

　北米で通算19戦7勝。主な勝ち鞍、ベルモントS（GI・12F）、メトロポリタンH（GI・8F）、ジムダンディS（GII・9F）など重賞6勝。

　デビュー2戦目で未勝利を脱したものの2勝目を挙げられずケンタッキー・ダービーも12着に敗れた。しかし、プリークネスSを回避して臨んだベルモントSでケンタッキー・ダービー馬オーブ、プリークネスS馬オクスボウを撃破。2番手から早めに先頭に立ち、2着オクスボウに3馬身1/4差をつける完勝だった。続くジムダンディSも制したが、トラヴァーズSは4着。BCクラシックは6着に終わった。4歳時は緒戦のガルフストリームパークHGIIを制すると、続くGII、GIIIを連勝。大本命に推されたメトロポリタンHも4番手から末脚を伸ばして優勝した。しかし、3歳時同様に勢いは初夏まで。以降は勝てずに終わった。

血統背景

　父カーリンは同馬の項を参照。
　母系は半弟にステイヤーズSの勝ち馬アイアンバローズ、天皇賞（春）勝ち馬ジャスティンパレス。母の父ロイヤルアンセムは英、北米のGI3勝。カーリン×シアトリカル系の配合はBCターフの勝ち馬イングリッシュチャンネルと似る。

代表産駒

　ジャンタルマンタル（NHKマイルC）、ノーブルロジャー（シンザン記念）、インユアパレス。北米供用時にストラクター（BCジュヴェナイルターフGI・8F）。

特注馬

ジャンタルマンタル／皐月賞は3着惜敗。次走のNHKマイルCが楽勝。展開によっては中距離もこなせるのか、やっぱりマイルの馬なのか。ここは中距離でも勝負になる方に駒を張る。
ノーブルロジャー／NHKマイルCで味噌を付けたが、このまま終わるはずがない。勝ち味を思い出し、GIとは言わないが、あわよくば京都の阪神C。

POINT

中年の星、一躍有名種牡馬に
マイル適性は十二分
配合次第で中距離&2400も

カーリン Curlin 栗 2004	スマートストライク Smart Strike	Mr. Prospector
		Classy'n Smart
	シェリフズデピュティ Sheriff's Deputy	Deputy Minister
		Barbarika (19-c)
*パレスルーマー Palace Rumor 鹿 2003	ロイヤルアンセム Royal Anthem	Theatrical
		In Neon
	ウィスパーイフユーデア Whisperifyoudare	Red Ransom
		Stellar Affair (2-s)

Northern Dancer 5×5

パレスマリス産駒完全データ

●最適コース
牡／東京芝1600、京都芝1600外
牝／函館ダ1700、中京ダ1800

●距離別・道悪

芝10～12	0-0-0-1	ダ10～13	2-0-0-4
芝14～16	5-0-1-6	ダ14～16	0-1-0-3
芝17～20	1-2-1-2	ダ17～19	2-2-2-9
芝21～	0-0-0-0	ダ20～	0-0-0-0
芝道悪	1-1-0-1	ダ道悪	1-0-0-6

●人気別回収率

1人気	単131%・複103%	4-2-0-2
2～4人気	単173%・複133%	5-3-2-3
5人気～	単34%・複43%	1-0-2-20

●条件別・勝利割合

穴率	10.0%	平坦芝率	50.0%
芝道悪率	16.7%	晩成率	ー %
ダ道悪率	25.0%	芝広いコース率	100%

●コース別成績

東京	芝／2-1-0-2	ダ／0-1-0-1
中山	芝／0-0-1-0	ダ／0-0-0-0
京都	芝／3-0-1-2	ダ／2-0-0-2
阪神	芝／1-1-0-2	ダ／1-0-1-3
ローカル	芝／0-0-0-3	ダ／1-2-1-10

勝利へのポイント

芝1600【5－0－1－4】

　ジャンタルマンタルの朝日杯FS制覇に続き、ノーブルロジャーがシンザン記念優勝。父の名は一気に高まり、24年から日本で供用されることが決まった。ダート寄りのカーリン系ながら、母の父が芝向きのシアトリカル系、半弟にジャスティンパレスという母系の影響が強く出ていると推測できる日本での成績だ。前記2頭の実績からマイルの対応力は十二分に示され、配合牝馬次第で、中距離や2400の上級馬も出せるはず。素質の高さから2歳で頭角を現したジャンタルマンタルは例外として、本格化は3歳以降だろう。古馬になっての成長力も期待できる。前哨戦で敗退しても本番では侮るなかれ。カーリン系は大レースほど凄みを発揮する。ダートは渋い中距離馬が出そうだ。

アメリカンファラオ AMERICAN PHAROAH

37年ぶり米三冠
アンブライドルド系の本流

2012年生　鹿毛　アメリカ産

POINT	日本ではダート血統
	1着あって、2、3着なし
	近走の着順より、展開、枠順重視

パイオニアオブザナイル Pioneerof the Nile 黒鹿　2006	*エンパイアメーカー Empire Maker	Unbridled
		Toussaud
	スターオブゴーシェン Star of Goshen	Lord at War
		Castle Eight（21-a）
リトルプリンセスエマ Littleprincessemma 栗　2006	ヤンキージェントルマン Yankee Gentleman	Storm Cat
		Key Phrase
	イクスクルーシヴロゼット Exclusive Rosette	Ecliptical
		Zetta Jet　（14）

Northern Dancer 5×5

現役時代

　北米で通算11戦9勝。主な勝ち鞍、米三冠、BCクラシック（GI・10F）、他GI4勝、GII1勝。

　1978年のアファームド以来、37年ぶり、史上12頭目の米三冠を達成。ケンタッキー・ダービーは3番手から直線で先頭に立ち、不良馬場でのプリークネスSは7馬身差の逃げ切り圧勝。ベルモントSも先手を取り、ゴールでは2着に5馬身半差をつけていた。この後はハスケル招待Sを制し、トラヴァーズSこそキーンアイスの2着に不覚を取ったが、BCクラシックで王者の走り。2着に6馬身差をつけてコースレコード2分00秒07での優勝。三冠にBCクラシック制覇という史上初の偉業を果たし、引退の花道を飾った。本来はAmerican Pharoahのはずが、登録時のミスでAmerican Pharoahの綴りとなったのはよく知られるところ。通算11戦9勝2着1回。2歳デビュー戦は5着だった。

血統背景

　父パイオニアオブザナイル。祖父エンパイアメーカーは日本でも供用。

　母リトルプリンセスエマは未出走。半妹にチェイシングイエスタデイ（スターレットSGI）。

代表産駒

　カフェファラオ（フェブラリーS2回）、ダノンファラオ（ジャパンダートダービー）、フォーウィールドライブ（同馬の項参照）、ヴァンゴッホ（22年から日本供用）、ペルアア（マリーンC）、リフレイム（パラダイスS）。

特注馬

エスカル／北海道スプリントCは揉まれての敗戦。先手を取れる展開か、揉まれない外枠時に再考。

コルドンルージュ／長期休養明けの一戦が3着で、力の衰えはない。前年版どおりに左回りの中距離、外枠で買い。

ダノンスウィッチ／祖母は北米GI2勝。使い込むより、間隔をあけての1、2戦が勝ちか。

アメリカンファラオ産駒完全データ

●最適コース
牡／東京ダ1600、京都ダ1800
牝／中京ダ1800、新潟ダ1800

●距離別・道悪
芝10〜12	2-0-3-7	ダ10〜13	10-8-4-48
芝14〜16	7-4-2-25	ダ14〜16	12-8-7-53
芝17〜20	0-0-1-15	ダ17〜19	27-10-10-105
芝21〜	0-0-0-1	ダ20〜	0-0-0-4
芝道悪	1-1-1-10	ダ道悪	18-8-10-71

●人気別回収率
1人気	単108%・複81%	31-10-3-26
2〜4人気	単80%・複81%	18-16-16-73
5人気〜	単277%・複106%	9-4-8-159

●条件別・勝利割合
穴率	15.5%	平坦芝率	44.4%
芝道悪率	11.1%	晩成率	32.8%
ダ道悪率	36.7%	芝広いコース率	55.6%

●コース別成績
東京	芝／4-3-1-10	ダ／6-2-3-32
中山	芝／1-0-0-4	ダ／3-1-1-17
京都	芝／0-0-0-4	ダ／11-1-3-25
阪神	芝／0-1-2-11	ダ／8-13-4-43
ローカル	芝／4-0-3-19	ダ／21-9-10-93

勝利へのポイント

ダート【49−26−21−210】

　北米ダート重賞勝ち馬が増えているとはいえ、欧州、オセアニアの芝での活躍が目立ち、オーストラリアでは産駒がオーストラリアンダービーを制している。翻って日本ではダートが仕事場。競馬場、距離を問わずに勝ち鞍を量産。難点は精神的弱さ。自身によるペース駆けや揉まれずにレースを進めると圧勝する一方、出入りの激しい展開や内に閉じ込められると大敗を喫する。極端にいえば1着あって2、3着なし。近走の着順より展開、枠順を重視し、馬券はアタマで勝負するのが常套手段。条件さえ合えば、昇級初戦や格上げ挑戦だろうと狙え、得意コースに戻っての復活にも注意。2歳から走り、3歳、古馬になっての成長力がある。馬場状態も問わず、なかでも不良は鬼。

101

カリフォルニアクローム CALIFORNIA CHROME

産駒が北米・南米で重賞勝ち！
米二冠の人気者

2011年生 栗毛 アメリカ産
2024年種付け料▷受胎確認後400万円（FR）

POINT

アメリカ二冠にドバイWC制覇
芝も走れるエーピーインディ系
ダ1700の逃げ先行馬が穴を連発

ラッキープルピット Lucky Pulpit 栗 2001	プルピット Pulpit	A.P. Indy
		Preach
	ラッキーソフ Lucky Soph	Cozzene
		Lucky Spell （4-m）
ラヴザチェイス Love the Chase 栗 2006	ノットフォーラヴ Not For Love	Mr. Prospector
		Dance Number
	チェイスイットダウン Chase It Down	Polish Numbers
		Chase the Dream (A4)

Mr. Prospector 4×3、Northern Dancer 4・5（母方）
Numbered Account 4・4（母方）

カリフォルニアクローム産駒完全データ

● 最適コース
牡／東京ダ1600、中山ダ1800
牝／函館ダ1700、京都芝2000

● 距離別・道悪

芝10〜12	0-0-3-27	ダ10〜13	6-2-5-33
芝14〜16	5-1-0-36	ダ14〜16	3-2-3-49
芝17〜20	2-4-3-30	ダ17〜19	11-16-7-93
芝21〜	0-0-0-3	ダ20〜	0-0-0-3
芝道悪	2-1-1-27	ダ道悪	8-7-2-61

● 人気別回収率

1人気	単91%・複87%	9-5-2-8
2〜4人気	単91%・複100%	10-13-8-45
5人気〜	単124%・複119%	8-7-11-221

● 条件別・勝利割合

穴率	29.6%	平坦芝率	57.1%
芝道悪率	28.6%	晩成率	— %
ダ道悪率	40.0%	芝広いコース率	42.9%

● コース別成績

東京	芝／1-1-0-13	ダ／4-1-2-29
中山	芝／2-1-0-9	ダ／5-3-4-35
京都	芝／2-1-1-20	ダ／3-5-3-53
阪神	芝／0-0-2-12	ダ／2-3-1-29
ローカル	芝／2-2-3-42	ダ／6-8-5-32

勝利へのポイント

5番人気以下8勝のうち、東京／4勝（ダ3勝）

現役時代

北米、UAEで通算27戦16勝。主な勝ち鞍、米二冠、ドバイワールドC（GI・2000M）などGI7勝。

2歳時は条件級だったが、3歳になると素質開花。ケンタッキー・ダービー、プリークネスSとも3番手から抜け出して二冠達成。ベルモントSはスタート直後に他馬に脚を踏まれるアクシデントもあり4着に敗れた。同レースの外傷により秋まで休養。BCクラシックは3着も、芝初挑戦のハリウッド・ダービーを制し、復権に成功。4歳時はドバイワールドC2着後に脚部不安等で残りのシーズンを棒に振った。しかし、5歳になると3歳春を彷彿させる快進撃。ドバイワールドC、米国へ戻ってパシフィッククラシックS、オーサムアゲインSとGIを連勝。BCクラシックは、急上昇の3歳馬アロゲートの猛追に2着惜敗。引退レースとなった翌年のペガサスワールドCはアロゲートの9着。

血統背景

父ラッキープルピット。ダートGII2着。種牡馬としては産駒初の重賞勝ち馬が本馬だった。17年に心臓発作で死亡。

母ラヴザチェイスは1勝。ラトロワンヌ系の名牝ナンバードアカウント3×3のクロスを持つ。近親に目立った活躍馬はいない。母の父ノットフォーラヴは本邦輸入種牡馬リズムの全弟。

代表産駒

カビルカーン（アルマクトゥームチャレンジGI・1900M）、クロミウム（チリ2000ギニーGI・1600M）、ワイドラトゥール（紅梅S）、アンバードール（伏竜S3着）、スプリングノヴァ。

特注馬

ワイドラトゥール／唯一の芝のオープン馬。桜花賞も16番人気で鋭く追い込んだ。差し馬場の芝1400買い。
スプレーフォール／外めの枠から、被されずに先行すると能力を出す。叩き良化型。3代母ツルマルガール。
タマモプルメリア／減量騎手か軽ハンデのダ1700が得意。2勝クラス以上になると、牝馬限定戦待ち。

エーピーインディ系だから、てっきりダート専用かと思いきや、勝ち鞍はダート7割、芝3割。ダートなら1200から2000まで走るが、ダ1700の馬券率が高い。芝は1400から2000まで走り、芝1200は不振だ。まずは「ローカルのダ1700の逃げ先行馬を狙え」は覚えておこう。減量騎手も合う。

ダートも芝も穴が多く、全馬の単勝を買っても儲かる計算。人気薄の激走を見ると、差し馬が突然休み明けや叩き2戦目に先行して穴をあけたり、距離短縮で一変したり、東京ダート替わりで激走したり。リフレッシュ休養後の緒戦と2戦目は特に気をつけたい。ストレスのない条件で能力を解放する。エーピー系のお約束、外枠替わりにも注目。乗り替わりより継続騎乗に穴が多い。

ネロ

NERO

オーナーこだわりの血統
魅力は母系の適性引き出す力

2011年生 栗毛
2024年種付け料▷産駒誕生後20万円

現役時代

中央と交流競走で47戦8勝。主な勝ち鞍、京阪杯（2回）、セントウルS2着、東京盃2着。

2歳で芝1200のオープン、クリスマスローズSを勝利。4歳で芝1200のオープン勝利を2つ追加すると、5歳のアイビスSDで逃げて2着。スピードに磨きがかかり、テンの3ハロンが32秒台を計時することもあった。

16年スプリンターズSで外枠から見せ場たっぷりの6着した後、5歳秋にして重馬場の京阪杯を逃げ切り、重賞初勝利を飾る。得意の道悪を味方につけ、エイシンスパルタンに4馬身差の楽勝だった。その後は地方交流重賞も走り、大井のJBCスプリント4着など。

翌17年の京阪杯を逃げ切って連覇を達成した。

血統背景

父ヨハネスブルグは、BCジュヴェナイル（GI・8.5F）を無敗で制した2歳チャンピオン。日本では本馬やホウライアキコ（デイリー杯2歳S）など、スプリンターやマイラーを多数輩出。また、輸入前に残した代表産駒スキャットダディが米国で種牡馬として大成功。父系を広げている。

母ニシノタカラヅカは中央1勝。母の半姉ニシノフラワーは、91年阪神3歳牝S、92年桜花賞、スプリンターズSと、GIを3勝、重賞を6勝。西山牧場を代表する名牝。

代表産駒

ニシノレヴナント（グレイトフルS）、ペップセ（笠松クイーンC）など。22年に産駒がデビューし、1年目産駒39頭のうち、地方を含めて28頭が勝ち上がり。

特注馬

ニシノレヴナント／デュプリシトの3×4を持ち、ステイヤーとして成功。道悪ならオープンでも勝負になる。
セイウンダマシイ／たまにしか走らないムラ馬。千直の持ちタイム54秒4は優秀で、外枠を引いたら要注意。
ディアドコス／京都芝1200を得意とするネロの現役時代に近い馬。小回りの内枠なら速いタイムに対応できる。

POINT

ニシノフラワー近親の快速馬!
現役時代は道悪をすいすい逃げ切り
産駒は長距離馬も出て多様

*ヨハネスブルグ Johannesburg 鹿 1999	*ヘネシー Hennessy	Storm Cat
		Island Kitty
	ミス Myth	*オジジアン
		Yarn (2-f)
ニシノタカラヅカ 栗 2003	*サンデーサイレンス Sunday Silence	Halo
		Wishing Well
	*デュプリシト Duplicit	Danzig
		Fabulous Fraud(2-s)

Northern Dancer 5×4

ネロ産駒完全データ

●最適コース
牡／中山ダ1200、東京芝1400
牝／福島芝1800、函館ダ1000

●距離別・道悪

芝10～12	2-5-2-20	ダ10～13	4-3-2-53
芝14～16	2-3-2-21	ダ14～16	0-3-1-23
芝17～20	0-2-0-7	ダ17～19	0-0-0-13
芝21～	4-0-1-3	ダ20～	0-0-0-0
芝道悪	2-1-3-11	ダ道悪	2-2-1-36

●人気別回収率

1人気	単207%・複160%	2-2-0-0
2～4人気	単74%・複109%	6-11-4-20
5人気～	単46%・複36%	4-3-4-120

●条件別・勝利割合

穴率	33.3%	平坦芝率	37.5%
芝道悪率	25.0%	晩成率	25.0%
ダ道悪率	50.0%	芝広いコース率	62.5%

●コース別成績

東京	芝／3-4-2-18	ダ／1-3-1-27
中山	芝／2-0-0-9	ダ／2-1-0-24
京都	芝／1-0-1-1	ダ／0-0-0-4
阪神	芝／0-0-0-1	ダ／0-1-0-7
ローカル	芝／2-6-2-22	ダ／1-1-2-27

勝利へのポイント

前走1着馬は【0-0-1-12】

北海道のアロースタッドで3シーズン供用された後、日本軽種馬協会に買い取られ、22年から九州で供用されている。現役時代のオーナー西山茂行氏によれば「ニシノフラワーの母デュプリシトのクロスを作りたくて種牡馬にした」とのことで、そのクロスを持つ馬は多いが傾向はバラバラ。

母父コンデュイットのニシノレヴナントは芝の長距離のオープンを張り、母父パイロのセイウンダマシイはダ1200や芝1000で勝ち星をあげるなど、母系の血をそのまま引き出した産駒が多い。全般に現役時代のネロより距離をこなしているので、短距離向きと決めつけないこと。芝もダートも東京の成績がいい。連勝して上昇する傾向はなく、前走1着馬は不振。クラス慣れしてから通用する。

119

ロジャーバローズ ROGER BAROWS

名牝ジェンティルドンナと7/8同血
早世惜しまれる大波乱のダービー馬

2016年生　鹿毛　2024年死亡
2024年種付け料▶受胎確認後80万円(FR)

現役時代

中央6戦3勝。主な勝ち鞍、日本ダービー。

当歳セレクトセールの落札価格は8424万円。母リトルブックはジェンティルドンナの母の妹で、血統表の8分の7がジェンティルドンナと同じ近親。

新潟芝2000の新馬を勝ち、スプリングSは7着敗退。同じ角居厩舎のサートゥルナーリアが皐月賞を制するなか、ロジャーバローズは京都新聞杯を逃げて2着。

迎えた2019年日本ダービー。同厩サートゥルナーリアが単勝1.6倍、1枠1番のこちらは単勝93.1倍の12番人気。ハイペースで逃げたリオンリオンの離れた2番手につけると、直線でも脚色が衰えず、猛追するダノンキングリーとの競り合い。最後は浜中俊のステッキ連打に応えて、クビ差の優勝。大波乱のダービー馬が誕生した。

次走は凱旋門賞遠征が発表されるも、浅屈腱炎を発症。父ディープ死亡の直後でもあり、引退した。

血統背景

父ディープインパクトは同馬の項を参照。

母リトルブックは英国産。母の半姉ドナブリーニはジェンティルドンナ(牝馬三冠)やドナウブルー(京都牝馬S)の母で、ロジャーバローズとジェンティルドンナは血統構成が近い。近親にジェラルディーナ(エリザベス女王杯)。

代表産駒

オーキッドロマンス(パラダイスS、カンナS)、オメガウインク(フィリーズレビュー5着)、サクセスカラー(クイーンC4着)。

特注馬

オーキッドロマンス／なぜか馬番5番か6番ばかり引く。内枠を活かすのがうまく、おそらく外枠は割引き。

オメガウインク／東京芝は【3-0-1-0】。関西遠征いまいちなのは、相手が強かったせいか、輸送か。要観察。

サクセスカラー／特注馬3頭みんな東京芝1400を勝っている。この馬は牝馬同士なら中距離重賞も走れそう。

POINT

スピード十分、マイラー中心!
ダンジグのクロスが成功
好枠を活かせる堅実なレース運び

ディープインパクト 鹿 2002	*サンデーサイレンス Sunday Silence	Halo
		Wishing Well
	*ウインドインハーヘア Wind in Her Hair	Alzao
		Burghclere (2-f)
*リトルブック Little Book 鹿 2008	リブレッティスト Librettist	Danzig
		Mysterial
	カルノーマズレイディ Cal Norma's Lady	*リファーズスペシャル
		June Darling (16-f)

Lyphard 4×4、Northern Dancer 5×4.5

ロジャーバローズ産駒完全データ

●最適コース
牡／東京芝1400、中山ダ1800
牝／中山芝1800、東京芝1600

●距離別・道悪

芝10〜12	2-0-0-6	ダ10〜13	0-0-1-11
芝14〜16	6-5-5-31	ダ14〜16	1-1-3-10
芝17〜20	1-3-5-33	ダ17〜19	2-1-5-46
芝21〜	0-1-0-4	ダ20〜	0-0-0-1
芝道悪	4-1-3-10	ダ道悪	2-0-4-31

●人気別回収率

1人気	単68%・複83%	2-2-1-3
2〜4人気	単85%・複122%	8-7-10-19
5人気〜	単38%・複42%	2-2-8-120

●条件別・勝利割合

穴率	16.7%	平坦芝率	11.1%
芝道悪率	44.4%	晩成率	— %
ダ道悪率	66.7%	芝広いコース率	55.6%

●コース別成績

東京	芝／5-2-3-27	ダ／0-1-3-11
中山	芝／3-1-1-12	ダ／1-1-2-21
京都	芝／0-1-1-8	ダ／1-0-2-16
阪神	芝／0-1-0-4	ダ／0-0-0-4
ローカル	芝／1-4-5-23	ダ／1-0-2-16

勝利へのポイント

芝の1、2番人気／複勝率74%

24年6月に死亡のニュースが報じられた。5シーズンの供用だった。早世が惜しまれる。

牡馬のオーキッドロマンスが芝1200のカンナSと、芝1400のパラダイスSに勝利。牝馬のサクセスカラーは芝1600のクイーンCとアネモネSで4着。両馬ともにダンジグのクロスを持ち、ロジャーバローズの持つダンジグを刺激した配合から軽快なスピードタイプが出ている。ディープインパクトの後継ではミッキーアイルに近いタイプか。あまりダービー馬のイメージを当てはめないこと。

適性距離なら安定して走る堅実さがあり、人気馬の連対率や複勝率は標準より高い。ダートのほうが穴は多いので、芝では5番人気以内の馬を中心に買い、ダートで穴のヒモを狙う。稍重いい。

135

シュヴァルグラン

CHEVAL GRAND

ハーツ産駒らしく5歳で本格化
スタミナ武器の中長距離砲

2012年生　栗毛
2024年種付け料▷受胎確認後100万円(FR)／産駒誕生後150万円

現役時代

　中央30戦7勝、海外3戦0勝。主な勝ち鞍、ジャパンC、阪神大賞典、アルゼンチン共和国杯。天皇賞・春2着(2回)、ドバイシーマクラシック2着。

　母ハルーワスウィートに〝ヴ〟の付く馬名とくれば、オーナーは大魔神の佐々木主浩氏、友道厩舎。

　京都2歳Sで3着するも、三冠レースには縁がなく、身が入ったのは3歳秋から。条件戦を3連勝してオープン入りし、4歳の日経新春杯2着から阪神大賞典1着。天皇賞・春はキタサンブラックの3着。秋は得意の東京でAR共和国杯を差し切り、ジャパンCも3着。

　5歳になり、阪神大賞典2着、天皇賞・春2着と勝てない競馬が続いたが、ジャパンCで豪州のボウマンを鞍上に迎えるといつもより前の位置で脚をため、逃げるキタサンブラックをとらえて優勝した。

　その後も有馬記念の3着が2回あるほか、7歳でドバイシーマクラシック2着、キングジョージは6着。

血統背景

　父ハーツクライは同馬の項を参照。
　母ハルーワスウィートは中央5勝。半姉ヴィルシーナは13年と14年のヴィクトリアマイル連覇、半妹ヴィブロスは16年秋華賞、17年ドバイターフ優勝。近親ブラヴァス(新潟記念)、マーティンボロ(中日新聞杯)など。

代表産駒

　メリオーレム(プリンシパルS2着)、カルプスペルシュ(函館2歳S5着)。

特注馬

メリオーレム／母メリオーラはイタリアの芝2000のGⅢで2着。ライの全きょうだいクロスを持ち、大舞台でも不気味さあり。が、菊花賞より阪神大賞典に合うかも。
カルプスペルシュ／母の半姉プリモシーン、半弟ダノンエアズロック。芝1200の新馬を勝ったが、芝1600も走れるはずで、長い目で見たい逸材。牝馬の代表産駒になるか。

晩成型のステイヤー血統
ローカルの芝2600は出世コース?
牝馬は芝1200や距離短縮に注意

ハーツクライ 鹿 2001	*サンデーサイレンス Sunday Silence	Halo
		Wishing Well
	アイリッシュダンス	*トニービン
		*ビューパーダンス(6-a)
ハルーワスウィート 栗 2001	マキアヴェリアン Machiavellian	Mr. Prospector
		Coup de Folie
	*ハルーワソング Halwa Song	Nureyev
		Morn of Song (12-c)

Halo 3×4・5、Northern Dancer 5×4、Natalma 5・5(母方)

シュヴァルグラン産駒完全データ

●最適コース
牡／阪神芝2000、東京芝2400
牝／小倉芝1200、中京芝1200

●距離別・道悪

芝10~12	2-3-2-20	ダ10~13	1-0-3-26
芝14~16	0-2-1-35	ダ14~16	1-2-0-23
芝17~20	2-2-6-47	ダ17~19	1-5-3-58
芝21~	1-0-2-9	ダ20~	0-0-0-7
芝道悪	1-2-2-22	ダ道悪	2-3-2-45

●人気別回収率

1人気	単40%・複86%	2-4-2-3
2~4人気	単123%・複85%	6-5-4-21
5人気~	単0%・複77%	0-5-11-201

●条件別・勝利割合

穴率	― %	平坦芝率	60.0%
芝道悪率	20.0%	晩成率	― %
ダ道悪率	66.7%	芝広いコース率	20.0%

●コース別成績

東京	芝／1-1-0-22	ダ／1-0-0-20
中山	芝／0-0-0-12	ダ／1-1-1-40
京都	芝／1-0-0-21	ダ／0-3-1-18
阪神	芝／1-2-2-11	ダ／1-1-1-14
ローカル	芝／2-4-9-45	ダ／0-2-3-22

勝利へのポイント

芝1600以下7連対のうち、牝馬／6回

　同じハーツ後継のスワーヴリチャードが成功しすぎて比較されてしまうが、晩成傾向はやむなし。集計期間後の24年7月、8月にようやく勝ち上がった馬も多く、これら3歳夏秋の未勝利脱出組から重賞級が出る可能性もある。代表産駒メリオーレムは、順調なら菊花賞へ駒を進めるだろう。

　勝ち鞍が多いのは、芝1200、芝2000、ダ1800。芝の短距離で走るのはほとんど牝馬。ダートの中距離で走るのは牡馬に多い。代表産駒は芝のステイヤーだろうから、勝ち味に遅いタイプは素直に距離延長や、小回りコースで買い、夏のローカルの芝2600は狙い目になる。それでいて、忙しい距離で気合を注入されたほうが走るケースもよくあるのがハーツ系。牝馬は距離短縮にも要注意。

143

アルアイン

AL AIN

気性の強さが吉と出るか!?
芝2000mGI2勝の中距離馬

2014年生　鹿毛
2024年種付け料▶受胎確認後150万円（FR）／産駒誕生後200万円

現役時代

中央19戦5勝、香港1戦0勝。主な勝ち鞍、皐月賞、大阪杯、毎日杯。マイルCS3着。

4戦目の毎日杯から松山弘平に乗り替わり、2番手から快勝。皐月賞は牝馬のファンディーナが1番人気を背負う混戦のなか、9番人気のアルアインは先行集団につけ、直線は狭いところを他馬と接触しながら抜け出す。ペルシアンナイトとの一騎打ちになり、1分57秒8の皐月賞レコードで優勝した。デビュー9年目の松山弘平は中央GIの初勝利。左拳を何度も突き上げ、競馬を教えてくれた亡き祖父への感謝を涙ながらに語った。3連単は100万馬券。

ダービーは5着。セントライト記念2着の後、菊花賞は7着。4歳時は大阪杯3着、マイルCS3着。

5歳の大阪杯、鞍上に14年目の北村友一を迎えると、好位の内から2年ぶりの1着ゴール。ガッツポーズもなく、噛みしめるようなGI初勝利だった。

血統背景

父ディープインパクトは同馬の項を参照。
母ドバイマジェスティは2010年のBCフィリー＆メアスプリント（GI・ダ7F）など、重賞4勝。
全弟シャフリヤールは21年日本ダービー、22年ドバイシーマクラシック優勝。全弟ダノンマジェスティ。

代表産駒

コスモキュランダ（弥生賞、皐月賞2着）、エンドレスサマー（函館2歳S3着）。

特注馬

コスモキュランダ／半兄はレッドファルクス産駒でダ2000を勝った。母系のスタミナは豊富。AJCC合いそう。
カズゴルティス／母父ウォーエンブレムで、現時点でのダートの出世頭。ダ1800に延びても走れる。
エンドレスサマー／血統的にはダートの能力も高そうで、芝1600というより、ダ1400向きのイメージ。

POINT

皐月賞と大阪杯優勝の中距離馬

初年度産駒から皐月賞2着馬！

気性の激しさあり、折り合い注目

ディープインパクト 鹿 2002	*サンデーサイレンス Sunday Silence	Halo
		Wishing Well
	*ウインドインハーヘア Wind in Her Hair	Alzao
		Burghclere　(2-f)
*ドバイマジェスティ Dubai Majesty 黒鹿 2005	エッセンスオブドバイ Essence of Dubai	Pulpit
		Epitome
	グレイトマジェスティ Great Majesty	Great Above
		Mistic Majesty　(2-s)

アルアイン産駒完全データ

●最適コース
牡／中山芝2000、京都ダ1400
牝／小倉芝1800、新潟芝1800

●距離別・道悪
芝10〜12	2-3-0-16	ダ10〜13	0-0-0-15
芝14〜16	0-0-3-41	ダ14〜16	2-2-1-9
芝17〜20	5-7-2-62	ダ17〜19	1-1-2-35
芝21〜	0-0-0-4	ダ20〜	0-0-0-3
芝道悪	3-3-0-28	ダ道悪	0-1-0-19

●人気別回収率
1人気	単93%・複111%	2-2-1-1
2〜4人気	単86%・複64%	6-5-3-22
5人気〜	単99%・複32%	2-6-4-162

●条件別・勝利割合
穴率	20.0%	平坦芝率	71.4%
芝道悪率	42.9%	晩成率	― %
ダ道悪率	― %	芝広いコース率	14.3%

●コース別成績
東京	芝／0-1-0-28	ダ／1-1-0-7
中山	芝／1-3-1-17	ダ／0-0-0-1
京都	芝／0-1-2-27	ダ／2-1-2-11
阪神	芝／1-1-0-12	ダ／0-1-0-11
ローカル	芝／5-4-2-39	ダ／0-0-1-15

勝利へのポイント

牝馬、3勝はすべてローカル芝

1年目の代表産駒コスモキュランダは、弥生賞1着、皐月賞2着。それ以外は目立たなかったが、2年目産駒からもさっそく函館2歳S3着のエンドレスサマーが出た。打率は高くないが、一発長打の打てる血統だ。と、すぐ野球にたとえる昭和脳。

勝ち鞍が多いのは芝2000、芝1200、芝1800。芝の成績がいい競馬場は函館と新潟。特に牝馬はローカル勝利の占める割合が高い。コスモキュランダのように使われながら良化していく馬を狙うのが正解だろう。前走2着、3着の馬は順当に走り、その割に馬券の妙味もある。現役時代から気性の激しさで知られ、騎手との相性、外から被されたときの心配や、折り合い面の課題はある。ダートも悪くない。今後は芝馬と半々くらいか。

アルアイン AL AIN

モーニン

MOANIN

ヘニーヒューズの後継先鋒
23年地方の2歳リーディング獲得！

2012年生　栗毛　アメリカ産
2024年種付け料▷受胎確認後150万円 (FR)

POINT

地方競馬で記録的勝ち馬ラッシュ

ヘニーヒューズより中距離走る

2歳戦なら芝でも軽視禁物

*ヘニーヒューズ Henny Hughes 栗 2003	*ヘネシー Hennessy	Storm Cat
		Island Kitty
	メドウフライヤー Meadow Flyer	Meadowlake
		Shortley (25)
ギグリー Giggly 黒鹿 2005	*ディストーティドヒューマー Distorted Humor	*フォーティナイナー
		Danzig's Beauty
	チェイスト Chaste	Cozzene
		Purity (22-b)

Mr. Prospector 4・5 (母方)、Northern Dancer 5×5
Raise a Native 5×5

モーニン産駒完全データ

●最適コース
牡／京都ダ1800、新潟ダ1200
牝／集計期間内では判断できず

●距離別・道悪
芝10～12	0-0-0-4	ダ10～13	3-5-3-47
芝14～16	0-1-1-9	ダ14～16	1-3-2-38
芝17～20	0-0-0-2	ダ17～19	5-5-3-36
芝21～	0-0-0-0	ダ20～	0-0-2-3
芝道悪	0-0-0-2	ダ道悪	3-4-4-51

●人気別回収率
1人気	単157%・複93%	7-1-0-3
2～4人気	単24%・複73%	2-9-5-22
5人気～	単0%・複56%	0-4-6-114

●条件別・勝利割合
穴率	― %	平坦芝率	― %
芝道悪率	― %	晩成率	― %
ダ道悪率	33.3%	芝広いコース率	― %

●コース別成績
東京	芝／0-0-0-2	ダ／0-1-2-32
中山	芝／0-0-1-2	ダ／0-5-1-35
京都	芝／0-0-0-0	ダ／4-5-3-15
阪神	芝／0-0-0-0	ダ／0-1-2-14
ローカル	芝／0-1-0-11	ダ／5-1-2-28

現役時代

　中央と地方交流で27戦7勝、韓国1戦1勝。主な勝ち鞍、フェブラリーS、根岸S、コリアスプリント。

　同じヘニーヒューズ産駒のアジアエクスプレスと同じOBSのマーチセールで落札され、同じ馬場オーナーの所有として走ったのがモーニンだ。

　3歳5月の遅いデビューからダ1400とダ1600を4連勝。武蔵野Sはノンコノユメの3着。

　4歳の始動戦・根岸Sを完勝すると、続くフェブラリーSはデムーロを鞍上に2番人気。脚抜きのいい重馬場で、前半1000m58秒4のハイペースの4番手につけると、直線は危なげなく抜け出す。1番人気ノンコノユメの追撃を抑えて、1分34秒0のレースレコードで優勝した。ここまで7戦6勝の快進撃。

　その後はかしわ記念3着など勝ちきれない時期が続くも、6歳で韓国のコリアスプリント（ダ1200、韓国GI、国際格付けはリステッド）を制した。

血統背景

　父ヘニーヒューズは同馬の項を参照。後継のアジアエクスプレス、ヘニーハウンド、サウンドボルケーノらが種牡馬になり、父の父ヘネシーは米国を中心に父系を築いている。

　5代母Belle de Nuitは、ロンドンブリッジ（グレーターロンドンの母）の3代母と姉妹にあたる。

代表産駒

　ブルーサン（JpnⅢ雲取賞・大井ダ1800）。23年デビューの初産駒は地方で58勝をあげ、NARの2歳リーディングを獲得。

特注馬

　ブルーサン／コーナー4つのコースの単騎逃げがベスト。母の半弟リュウノユキナはJBCスプリント2着など。
　アイズ／ブリンカー装着して、走りが格段に上向いた。前傾ラップのダ1200を先行して粘り込む。
　キングツェッペリン／祖母はトウカイテイオーの半妹。未勝利勝ちの内容が良く、京都ダ1400で狙う。

勝利へのポイント

東京ダート【0-1-2-32】

　産駒デビューの23年、2歳馬が地方競馬で58勝をあげ、2歳リーディングを獲得。中央の3勝と合わせた61勝はファーストシーズンの新記録だという。2年目産駒も地方では次々に勝ち上がっており、中央だけ見てるとその凄さがわかりにくい。サウスヴィグラスのような存在になるのか。

　以下は中央競馬のデータ。注目はダ1200より、ダ1800やダ1700の勝利が多いこと。決して短距離一辺倒のスピードタイプではなく、ヘニーヒューズより中距離寄りのイメージを持っておきたい。京都ダートの成績が良く、東京ダートで不振なのはたまたまか、適性か。今後の観察ポイントだ。

　芝1600の新馬で馬券になった馬が2頭いるのも注目。芝0勝とはいえ、芝で走る能力もある。

サンダースノー

THUNDER SNOW

ドバイWC連覇! UAEで輝いた
芝・ダ不問の活躍馬

2014年生 鹿毛 アイルランド産
2024年種付け料▷産駒誕生後200万円
©Darley

POINT
ダート中距離を先行押し切り!
牝馬のダート回収率うまうま
リフレッシュ後の1、2戦勝負

ヘルメット Helmet 栗 2008	エクシードアンドエクセル Exceed And Excel	*ディンヒル Patrona
	アクセサリーズ Accessories	Singspiel Anna Matrushka (7-f)
イースタンジョイ Eastern Joy 鹿 2006	ドバイデスティネイション Dubai Destination	Kingmambo Mysterial
	レッドスリッパーズ Red Slippers	Nureyev Morning Devotion (4-k)

Nureyev 5・3（母方）、Northern Dancer 5・5×4

サンダースノー産駒完全データ

●最適コース
牡／中山ダ1800、京都ダ1400
牝／京都ダ1800、阪神ダ1800

●距離別・道悪

芝10〜12	0-0-0-24	ダ10〜13	1-5-2-32
芝14〜16	0-2-3-22	ダ14〜16	4-1-3-37
芝17〜20	0-0-1-35	ダ17〜19	15-11-3-90
芝21〜	0-0-0-3	ダ20〜	1-0-0-6
芝道悪	0-0-1-15	ダ道悪	5-6-5-55

●人気別回収率

1人気	単74%・複85%	3-1-2-3
2〜4人気	単115%・複75%	12-8-5-34
5人気〜	単130%・複84%	6-10-5-212

●条件別・勝利割合

穴率	28.6%	平坦芝率	－ %
芝道悪率	－ %	晩成率	－ %
ダ道悪率	23.8%	芝広いコース率	－ %

●コース別成績

東京	芝／0-1-0-8	ダ／2-0-0-17	
中山	芝／0-0-0-9	ダ／2-1-0-24	
京都	芝／0-0-1-18	ダ／9-6-2-53	
阪神	芝／0-1-1-8	ダ／6-2-6-33	
ローカル	芝／0-0-2-41	ダ／2-8-0-38	

現役時代

イギリス、フランス、UAE、アイルランド、北米で通算24戦8勝。主な勝ち鞍、ドバイワールドC（GI・2000M）2回、ジャンプラ賞（GI・1600M）、クリテリウムアンテルナシオナル（GI・1400M）、他GII2勝。

世界各国を転戦。フランスでもGIを制しているが、UAEでこそ輝いていた馬だった。3歳時のUAEダービーは日本馬エピカリスとの一騎打ち。これを短頭差制して優勝した。4歳春に再度UAEに遠征。アルマクトゥームチャレンジR1、R2、R3を2着、1着、2着と経てのドバイワールドC。同馬主タリスマニックの二番手的存在だったが、2分01秒38のレコードで逃げ切って優勝。5歳時のドバイワールドCは逃げ込みを図るグロンコウスキーをゴール寸前にハナ差かわし、史上初の同レース連覇を達成した。UAEでは8戦5勝。UAE2000ギニーGIII勝ちもある。

血統背景

父ヘルメット。コーフィールドギニー（GI・1600M）などGI3勝。産駒にカントコラーレ（ミラノ大賞GII・2000M）。

母イースタンジョイは仏1勝。母系近親にコロイボス（英2000ギニーGI）、ウエストウインド（仏オークスGI）。母の父ドバイデスティネーションはゴールデンホーン（英ダービーGI）の母の父でもある。

代表産駒

テンカジョウ、ジーサイクロン、テーオールビー、バガリーロータス、カフェニクス、サンダーアラート。

特注馬

テンカジョウ／母父エンパイアメーカーのアメリカン配合。外を回って差すのが得意なため、多頭数は不安も。
ジーサイクロン／ダ1800を3連勝して上昇。寒い季節のダートも走れるのか、今後の注目。川田騎乗は買い。
テーオールビー／連対は全部、牝馬限定戦のダート。重のダートで逃げて楽勝があり、この再現ありそう。

勝利へのポイント

ダ1800／14勝、単勝回収率266%

ローカルの好走が目立つ振り幅の大きな穴血統だ。勝ち鞍が多いのは断然、ダ1800。集計期間後のローカルを含めれば、ダ1700、芝1400も合う。

プラス材料は、外枠、単騎逃げ、滞在競馬、リフレッシュ休養明けの緒戦か2戦目、減量騎手。すんなり先手を取れば、少々のハイペースでも粘れるしぶとさがあり、中途半端に脚をためないほうが走る。揉まれずに道中を進めば激走する反面、二番が利かないモロさもあり、1番人気の信頼度は低め。「前走2着だから今度は勝つ番だろう」などと安易に思わないこと。外しか回れない差し馬もいるから、扱いは慎重にしよう。枠も大事。

牡馬より牝馬のダート勝利が多いのも異例で、京都と阪神のダートに牝馬の良績が多い。

サンダースノー THUNDER SNOW

アニマルキングダム
ANIMAL KINGDOM

ダート未経験で
ケンタッキー・ダービーを制覇の個性派

2008年生　栗毛　アメリカ産
2024年種付料▷受胎確認後80万円 (不受返・不生返)

現役時代

　北米、UAE、イギリスで通算12戦5勝。主な勝ち鞍、ケンタッキー・ダービー(GI・10F)、ドバイワールドC(GI・2000M)、スパイラルS(GⅢ・9F)。

　ダート未経験でケンタッキー・ダービーへ出走。単勝21.9倍の伏兵だったが、中団追走から直線で抜け出して優勝した。二冠目のプリークネスSは2着。ベルモントSも6着に敗れ、その後に骨折が判明。残りの3歳シーズンは全休を余儀なくされた。4歳時はドバイワールドCに狙いを定めるも再び骨折。復帰戦となったBCマイルは2着。5歳時もドバイワールドCを目標として狙いどおりに優勝。ケンタッキー・ダービーとAWのドバイワールドC優勝は史上初だった。この後に英国へ遠征してのクイーンアンSは11着。この一戦を最後に引退。12戦5勝2着5回。6着以下はベルモントS、クイーンアンS。馬場を問わずに堅実だった。

血統背景

　父ルロワデサニモー。サイテーションHなどGI3勝。祖父キャンディストライプスはバブルガムフェローの半兄。

　母ダリシアは日本に輸入され、その仔にサトノダムゼル(福島牝馬S3着)、ディープキング(ラジオNIKKEI賞3着)。母の父アカテナンゴは独名種牡馬。産駒にランド(ジャパンC)。

代表産駒

　エンジェルオブトゥルース(オーストラリアン・ダービーGI・2400M)、プリフロオールイン(高知優駿)、ヒルノドゴール、ケイツールピア、プルナチャンドラ、イッツリット。

特注馬

ヒルノドゴール／近親にテイエムオペラオーやトップナイフがいる一族。時計の速くないダ1400向き。
ケイツールピア／芝で上がり34秒台の切れ味を見せる産駒はこの馬くらい。母系は超スタミナ型。長距離期待。
プルナチャンドラ／母父オペラハウスで上がりのかかるダート向き。冬の中山ダ1800なら出番があるか。

3着と4着だらけのジリ脚ヒモ向き
ブラジル×ドイツの異系血統
3歳以降の上昇期待

ルロワドサニモー Leroidesanimaux 栗 2000	キャンディストライプス Candy Stripes	Blushing Groom
		*バブルカンパニー
	ディセンブル Dissemble	Ahonoora
		Kerali (11)
*ダリシア Dalicia 鹿 2001	アカテナンゴ Acatenango	Surumu
		Aggravate
	ダイナミス Dynamis	*ダンシングブレーヴ
		Diasprina (1-h)

Lyphard 4×4

アニマルキングダム産駒完全データ

●最適コース
牡／京都ダ1400、阪神ダ1400
牝／新潟芝1600、阪神ダ1800

●距離別・道悪
芝10～12	0-0-1-7	ダ10～13	2-1-1-22
芝14～16	0-0-0-15	ダ14～16	2-5-5-44
芝17～20	1-0-4-28	ダ17～19	3-1-9-43
芝21～	0-0-0-0	ダ20～	0-0-0-5
芝道悪	0-0-1-13	ダ道悪	3-2-7-46

●人気別回収率
1人気	単34%・複72%	1-1-3-4
2～4人気	単79%・複85%	6-4-7-21
5人気～	単5%・複37%	1-2-10-139

●条件別・勝利割合
穴率	12.5%	平坦芝率	100%
芝道悪率	－%	晩成率	12.5%
ダ道悪率	42.9%	芝広いコース率	100%

●コース別成績
東京	芝／0-0-1-6	ダ／1-2-4-37
中山	芝／0-0-1-10	ダ／3-0-3-25
京都	芝／0-0-1-9	ダ／1-2-4-17
阪神	芝／0-0-0-4	ダ／1-3-3-15
ローカル	芝／1-0-2-21	ダ／1-0-1-20

勝利へのポイント

牡馬の芝【0-0-0-18】

　産駒デビューから1年ちょっとが経過も、やや苦戦。芝もダートも3着から5着がやたら多い。

　芝は【1-0-4-2-5-35】、ダは【3-4-15-10-5-77】。

　父がブラジル産のブラッシンググルーム系、母がドイツ産と異系色が濃く、配合牝馬によって個性は分かれるが、全体的に切れ味がないというか、勝負根性に欠けるような印象を受ける。

　3着以内を好走と見なせば、成績がいいのはダ1400とダ1800。先行して粘り込み、馬券圏内に食い込む。牝馬は芝で走る馬もいるが、牡馬は集計期間に芝の3着以内なし。海外では芝2400のGI馬も出ているのにダート専用だ。人気になりにくい馬が多いので、近走着順がいいのに人気薄の馬をヒモに拾っていけば、好配当にありつける。

その他の種牡馬

*アイルハヴアナザー   I'll Have Another

2009年生、2018年輸出／米●フォーティナイナー系

```
┌ Flower Alley          ┌ Arch
└ Arch's Gal Edith       └ Force Five Gal
```

7戦5勝／ケンタッキー・ダービー（GI・10F）、プリークネスS（GI・9.5F）。
代表産駒／ウインマーベル（京王杯スプリングC）、アナザートゥルース（アンタ
レスS）、マイネルサーパス（福島民報杯）、サヴァ（大沼S）、オメガレインボー
（アハルテケS）。

　安馬ながら二冠を制し、アメリカンドリームを体現。三
冠の懸かったベルモントSは脚部不安で前日に出走取り消し。
父はトーセンラーの半兄。母系一族に米首位種牡馬イントゥ
ミスチーフ。ダートで勝ち鞍を量産し、なおかつ芝短距離の
重賞級も輩出。産駒は高齢になっても力の衰えは少なく、む
しろ渋みを出してきたりする。脚抜きのいいダートは得意。

| 距離 | 短中 | 馬場 | ダ | 性格 | 普 | 成長力 | 晩 |

*アグネスデジタル

1997年生、2021年死亡／米●ミスタープロスペクター系

```
┌ Crafty Prospector     ┌ Chief's Crown
└ Chancey Squaw          └ Alliance
```

32戦12勝／香港C、天皇賞・秋、マイルCS、安田記念、フェブラリーS、
南部杯。
代表産駒／カゼノコ（ジャパンDダービー）、ヤマニンキングリー（札幌記念）、
アスカノロマン（東海S）、サウンドバリアー（フィリーズレビュー）。

　3歳秋のマイルCSを13番人気の後方一気。4歳で地方のダー
トGI、天皇賞・秋、香港カップを制し、芝もダートも国内
も海外も全部勝ってしまう異能のオールラウンダーとして競
馬史に名を刻んだ。父はミスプロ系のマイラー型。3代母ラ
ナウェイブライドはブラッシンググルームの母。産駒は芝ダ
ート兼用。芝は急坂と洋芝、ダートは湿った馬場が得意。

| 距離 | 短中 | 馬場 | 万 | 性格 | 普 | 成長力 | 普 |

アッミラーレ

1997年生●サンデーサイレンス系

```
┌ *サンデーサイレンス    ┌ Carr de Naskra
└ *ダジルミージョリエ     └ Mawgrit
```

18戦6勝／欅S、春待月S。
代表産駒／ハッピースプリント（全日本2歳優駿）、トキノエクセレント（さきたま
杯2着）、ミスランダー（関東オークス2着）、サクラサクラサクラ（クイーン賞
2着）、ニシオボヌール。

　ホクトベガがドバイに散った悲劇の2日前、同馬と同じ酒
井牧場に産まれた。サンデー産駒には珍しく、勝ち星6つは
すべてダート。ダ1400とダ2300のオープン特別を勝利した。
産駒は道悪のダートや、東京ダ1400&1600など、スピード
を活かせる馬場向き。大井の名馬ハッピースプリントが出て、
種付け数は一時100頭を突破。24年2歳が最後になりそう。

| 距離 | マ中 | 馬場 | ダダ | 性格 | 普 | 成長力 | 普 |

アドマイヤムーン

2003年生●ミスタープロスペクター系

```
┌ *エンドスウィープ       ┌ *サンデーサイレンス
└ マイケイティーズ        └ *ケイティーズファースト
```

17戦10勝／ドバイデューティフリー、宝塚記念、ジャパンC、弥生賞、札幌
記念、京都記念、共同通信杯、札幌2歳S。
代表産駒／ファインニードル（スプリンターズS）、セイウンコウセイ（高松宮記
念）、ハクサンムーン（セントウルS）。

　メイショウサムソンの同期で皐月賞4着、ダービー7着。
札幌記念などを制した後、4歳春の海外遠征でドバイDF（G
I・1777M）を楽勝。ゴドルフィンに40億円でトレードされ、
4歳の宝塚記念とジャパンCを岩田康誠で制した。産駒は急
坂の芝1200や、新潟の直千に適性を発揮し、スピードが売り。
内枠から器用な好位差しができる。夏のローカル注目。

| 距離 | 短マ | 馬場 | 芝 | 性格 | 普 | 成長力 | 早 |

アドミラブル

2014年生●サンデーサイレンス系

```
┌ ディープインパクト      ┌ *シンボリクリスエス
└ スカーレット           └ グレースアドマイヤ
```

5戦3勝／青葉賞、ダービー3着。

　17年のダービーで1番人気になったディープ産駒。新馬で
敗れた後にノド鳴りの手術をして再出発。3連勝で青葉賞を
制した。ダービーはデムーロが後方で待機し、途中から動い
たレイデオロが優勝。上がり最速で追い込むも3着まで。3
代母バレークイーンの一族にフサイチコンコルド（ダービー）、
アンライバルド（皐月賞）。産駒は短距離やダートも走る。

| 距離 | マ中 | 馬場 | 万 | 性格 | 堅 | 成長力 | 早 |

*アポロキングダム

2003年生、2022年引退／米●キングマンボ系

```
┌ Lemon Drop Kid    ┌ Storm Cat
└ Bella Gatto        └ Winter Sparkle
```

11戦2勝。
代表産駒／アポロスターズ（カンナS）、シャインカメリア（ダリア賞2着）、アポロビビ（ジャニュアリーS）。

現役時代はダート2勝。脚抜きのいい馬場が得意だった。父レモンドロップキッドはキングマンボのアメリカでの代表産駒で、フューチュリティS（ダ8F）、ベルモントS（ダ12F）などGIを5勝。カリズマティックの三冠を阻止した。本馬の近親にカポウティ。産駒は2歳戦向きのスプリンター、2歳の夏秋にさっさと稼ぐアポロ所属のクラブ馬が中心。

| 距離 | 短 | 馬場 | 万 | 性格 | 普 | 成長力 | 早 |

*アポロケンタッキー

2012年生、2022年死亡●ダンジグ系

```
┌ Langfuhr          ┌ Gone West
└ Dixiana Delight    └ Lake Lady
```

37戦9勝／東京大賞典、日本テレビ盃。

ダートの中長距離で走った大型馬。4歳秋のみやこSで初重賞勝ちを飾ると、東京大賞典も単勝1倍台に支持されたアウォーディーを競り落として快勝。17年ドバイワールドCはアロゲートの9着だった。種牡馬としては3シーズンの供用で死亡。産駒は100頭以上いる。父は米国のダート7Fと8FのGIを3勝。ダート1200や1800、減量ジョッキーに注意。

| 距離 | 短中 | 馬場 | ダ | 性格 | 普 | 成長力 | 普 |

*アルデバランII

Aldebaran

1998年生／米●ミスタープロスペクター系

```
┌ Mr. Prospector      ┌ Private Account
└ Chimes of Freedom   └ Aviance
```

25戦8勝／メトロポリタンH（GI・8F）、フォアゴーH（GI・7F）、サンカルロスH（GI・7F）、トムフールH（GI・7F）。
代表産駒／ダンスディレクター（シルクロードS）、ダノンゴーゴー（ファルコンS）、トーセンラーク（アルテミスS3着）、レジーナフォルテ（ルミエールオータムD）。

イギリスからアメリカへ移籍後の5歳に本格化。GI5勝を含め5重賞を制した。5歳時は8戦5勝。2着、3着各1回。唯一の大敗が本命に推されたBCスプリントGIの6着。父の産駒にフォーティナイナー。母系近親にスピニングワールド（BCマイルGI）。ダートが勝ち鞍数で上回るものの、上位級は芝馬。たたき2戦目とダートの道悪に妙味あり。

| 距離 | 短中 | 馬場 | 万 | 性格 | 普 | 成長力 | 普 |

アレスバローズ

2012年生●サンデーサイレンス系

```
┌ ディープインパクト    ┌ *トニービン
└ タイセイエトワール    └ エンスラーリング
```

34戦7勝／CBC賞、北九州記念。
代表産駒／ケイテンアイジン、エイヨーアメジスト。

1年目産駒6頭は目立たなかったが、九州に移動してからの2年目の産駒がブレイク。小倉の九州産限定レースで抜群のスピードを見せている。短距離路線で成功した貴重なディープインパクト産駒。切れる末脚で、18年のCBC賞と北九州記念を連勝した。近親ソルヴェイグ（スプリンターズS3着）、ソルジャーズソング（高松宮記念3着）のスピード牝系。

| 距離 | 短マ | 馬場 | 芝 | 性格 | 普 | 成長力 | 早 |

アンライバルド

2006年生●サンデーサイレンス系

```
┌ ネオユニヴァース    ┌ Sadler's Wells
└ *バレークイーン      └ Sun Princess
```

10戦4勝／皐月賞、スプリングS。
代表産駒／トウショウドラフタ（ファルコンS）。

ダービー馬フサイチコンコルドと13歳違いの半弟。近親にヴィクトリー（皐月賞）。新馬でリーチザクラウンやブエナビスタを負かし、若駒Sから、スプリングS、皐月賞まで3連勝。岩田康誠の絶妙な待ちと仕掛けが目立った。ダービーは不良馬場で12着。産駒はダ1800のズブいタイプと、気性の繊細な芝1200〜1400タイプに分かれる。稍重ダートを狙え。

| 距離 | 短中 | 馬場 | 万 | 性格 | 狂 | 成長力 | 早 |

インカンテーション

2010年生●エーピーインディ系

```
┌ *シニスターミニスター  ┌ Machiavellian
└ *オリジナルスピン      └ Not Before Time
```

36戦11勝／レパードS、みやこS、平安S、マーチS、武蔵野S。
代表産駒／ラジエーション

ダート1600から2100の中距離重賞を6勝のほか、15年のフェブラリーSや17年のかしわ記念でコパノリッキーの2着など、GIの2、3着が計4回。息長く8歳まで一線を張った。獲得賞金は3億7000万円以上。父シニスターミニスター同様に、産駒はほぼダート専用。地方競馬へ入る馬が中心だが、中央でもダート1400以下でスピードを見せている。

| 距離 | 短中 | 馬場 | ダ | 性格 | 普 | 成長力 | 普 |

その他の種牡馬

ヴァンキッシュラン

2013年生●サンデーサイレンス系

```
┌ ディープインパクト          ┌ Galileo
└ リリーオブザヴァレー ───────┴ Pennegale
```

8戦3勝／青葉賞。
代表産駒／トーセンヴァンノ。

当歳セレクトセールの価格が1億9950万円。母リリーオブザヴァレーはフランスのGⅠオペラ賞（芝2000M）の勝ち馬で、母の父ガリレオ。欧州血統らしく、新馬から2着、3着を重ねたが、芝2400のアザレア賞を勝ち、青葉賞も内田博幸を背にレッドエルディストラを負かして勝利した。ダービー13着を最後に引退。産駒は札幌の芝に良績。洋芝や道悪に合う。

| 距離 | ▶マ中 | 馬場 | ▶芝 | 性格 | ▶堅 | 成長力 | ▶普 |

ヴァンセンヌ

2009年生●サンデーサイレンス系

```
┌ ディープインパクト          ┌ ニホンピロウイナー
└ フラワーパーク ────────────┴ ノーザンフラワー
```

16戦6勝／東京新聞杯。安田記念2着。
代表産駒／イロゴトシ（中山グランドジャンプ）、ロードベイリーフ。

母が高松宮杯とスプリンターズSを制したフラワーパーク。6歳の東京新聞杯を制し、京王杯SC2着の後、15年安田記念は上がり33秒7の末脚でモーリスとクビ差の2着に迫った。母の父ニホンピロウイナーは84、85年のマイルCS連覇など、ハビタット系の昭和の伝説マイラー。産駒は道悪が上手で、時計の遅い芝1200から2000や、ダートで着を重ねるタイプ。

| 距離 | ▶短中 | 馬場 | ▶芝 | 性格 | ▶堅 | 成長力 | ▶普 |

---

*ヴィットリオドーロ

2009年生、2021年引退／米●サドラーズウェルズ系

```
┌ Medaglia d'Oro             ┌ *アフリート
└ プリエミネンス ─────────────┴ アジテーション
```

12戦4勝、重賞勝ちなし。
代表産駒／オマツリオトコ（兵庫ジュニアGP）、イグナシオドーロ（北海道2歳優駿）。

母プリエミネンスは関東オークスやエルムSなどダート重賞を8勝の後、アメリカのサンタマリアHで5着。そのまま繁殖入りし、米国で産んだのが本馬。父メダーリアドロは米国のサドラー系の大種牡馬で、18年の種付け料は25万ドル。産駒はグランド牧場の生産馬が中心で、イグナシオドーロとオマツリオトコが交流重賞を制するなど、ダートが得意。

| 距離 | ▶短中 | 馬場 | ▶ダダ | 性格 | ▶普 | 成長力 | ▶普 |

ウインバリアシオン

2008年生●サンデーサイレンス系

```
┌ ハーツクライ                ┌ Storm Bird
└ *スーパーバレリーナ ────────┴ *カウントオンアチェンジ
```

23戦4勝／青葉賞、日経賞。ダービー2着、菊花賞2着、有馬記念2着、
天皇賞・春2着。
代表産駒／ドスハーツ（鈴鹿S）、オタクインパクト（道営記念2着）。

安藤勝己を主戦に11年の青葉賞を勝利。不良のダービーと、菊花賞はオルフェーヴルの2着。ブランク復帰後の5歳の有馬記念もオルフェーヴルの2着だった。父ハーツクライの初年度産駒で、4代母の子孫に米国王者カーリン（BCクラシック）。引退後、青森で種牡馬入り。毎年20～30頭の産駒が生まれ、産駒はダートの中距離を中心に健闘。3～5着が多い。

| 距離 | ▶中長 | 馬場 | ▶ダ | 性格 | ▶普 | 成長力 | ▶晩 |

---

*エーシントップ

2010年生／米●ストームバード系

```
┌ Tale of the Cat            ┌ Unbridled's Song
└ Ecology ───────────────────┴ Gdansk's Honour
```

24戦6勝／京王杯2歳S、ニュージーランドT。

ストームキャット父系の外国産馬らしく、デビューから3連勝。京王杯2歳SとNZTを勝ち、13年NHKマイルCは1番人気で7着だった。父テイルオブザキャットは種牡馬として成功し、産駒ジオポンティ（アーリントンミリオンS）の仔にドレフォン。産駒はエイシンの馬を中心に、ホッカイドウ競馬の2歳戦でスピードを発揮している。鹿児島で供用。

| 距離 | ▶短マ | 馬場 | ▶ダ | 性格 | ▶普 | 成長力 | ▶早 |

エキストラエンド

2009年生●サンデーサイレンス系

```
┌ ディープインパクト          ┌ Garde Royale
└ *カーリング ────────────────┴ Corraleja
```

38戦6勝／京都金杯。
代表産駒／マツリダスティール（盛岡ジュニアGP）。

角居厩舎の良血ディープ産駒。弥生賞5着、京都新聞杯3着と一線級では足りなかったが、中長距離路線からマイル路線に転じると5歳の京都金杯を差し切り、東京新聞杯も2着した。母カーリングは仏オークス。半兄ローエングリン、全兄リベルタスは朝日杯FS3着。海外で種牡馬入りの記事も出たが破談になり、国内供用。盛岡の重賞芝マイラーが出た。

| 距離 | ▶マ中 | 馬場 | ▶芝 | 性格 | ▶堅 | 成長力 | ▶普 |

*エスケンデレヤ

Eskendereya

2007年生／米●ストームキャット系

- Giant's Causeway
  - Seattle Slew
- Aldebaran Light
  - Altair

6戦4勝／ウッドメモリアルS（GⅠ・9F）、ファウンテンオブユースS（GⅡ・9F）。
代表産駒／ダイメイコリーダ（ジャパンダートダービー2着）、スズカデレヤ（中京2歳S2着）、ショウナンライシン（ジュライS2着）。

前哨戦の連勝でケンタッキー・ダービーの有力候補に浮上するも、直前に脚部不安を発症。そのまま引退となった。父の産駒に20年から日本で供用のブリックスアンドモルタル。スピード自慢のストームキャット系ながらそこはスタミナを備えるジャイアンツコーズウェイ系、ダ1800〜2100で勝ち鞍を稼いでいる。ただし、2勝クラス突破に四苦八苦が現状。

| 距離 | 中 | 馬場 | ダダ | 性格 | 普 | 成長力 | 普 |

エピカリス

2014年生●サンデーサイレンス系

- ゴールドアリュール
  - *カーネギー
- スターベスミツコ
  - マーチンミユキ

12戦4勝／北海道2歳優駿。
代表産駒／サントノーレ（京浜盃）

新馬を6馬身、プラタナス賞を7馬身、北海道2歳優駿（門別ダ1800）を大差で制し、ヒヤシンスSも勝って4連勝。UAEダービーに遠征し、サンダースノーにアタマ差の2着だった。ベルモントSは出走取消、4勝で終わった。近親リトルアマポーラ（エリザベス女王杯）、ファストフォース（高松宮記念）。ダートなら距離問わず走るが、ダ1700の成績がいい。

| 距離 | マ中 | 馬場 | ダ | 性格 | 普 | 成長力 | 普 |

オーシャンブルー

2008年生、2022年死亡●サンデーサイレンス系

- ステイゴールド
  - Dashing Blade
- *プアプー
  - Plains Indian

30戦7勝／金鯱賞、中山金杯。有馬記念2着。
代表産駒／ダンシングリッチー。

ステイゴールド×ミルリーフ系の晩成ステイヤー。4歳の秋にオープン入りして金鯱賞をレコード勝ちの後、10番人気の有馬記念でもゴールドシップの2着に差して、波乱を演出した。6歳で中山金杯を勝利。代表産駒ダンシングリッチーはナカヤマフェスタの弟で、芝2400の道悪が得意。軽さはないがスタミナを活かす条件で買い。ダート中距離もこなす。

| 距離 | 中長 | 馬場 | 芝 | 性格 | 普 | 成長力 | 晩 |

---

*オールステイ

2011年生／米●ダンジグ系

- Cape Cross
  - Victory Gallop
- Flowerette
  - *プリンセスオリビア

18戦3勝。
代表産駒／ラヴォラーレ。

父ケープクロスの外国産馬。函館と福島の芝1800と芝2000で逃げ切りの3勝をあげた。単騎ならしぶといが、絡まれるともろかった。祖母プリンセスオリビアは、トーセンラーとスピルバーグの母という良血。初年度産駒3頭の中から、中央3勝のラヴォラーレが登場。同馬は東京ダート2100を3勝している。同父系の種牡馬にベーカバド、シーザスターズ。

| 距離 | マ中 | 馬場 | ダ | 性格 | 普 | 成長力 | 早 |

キタサンミカヅキ

2010年生●リファール系

- キングヘイロー
  - サクラバクシンオー
- キタサンジュエリー
  - キタサンコール

60戦13勝／東京盃（2回）、東京スプリント。

ダート短距離13勝のキングヘイロー産駒の差し馬。やんちゃな気性で知られ、北島三郎オーナーが直々に武士沢へ騎乗依頼した話や、南関東での主戦だった森泰斗が引退時に熱いメッセージをツイートしたエピソードもある。中央では6歳で京葉Sを制し、南関東へ移籍して東京盃を連覇。8歳のJBCスプリント（京都ダ1200）もしぶとく3着に追い込んだ。

| 距離 | 短中 | 馬場 | 万 | 性格 | 普 | 成長力 | 早 |

---

*キングズベスト

King's Best

1997年生、2019年死亡／米●キングマンボ系

- Kingmambo
  - Lombard
- Allegretta
  - Anatevka

6戦3勝／英2000ギニー（GⅠ・8F）。
代表産駒／ワークフォース（英ダービーGⅠ）、エイシンフラッシュ（ダービー）、ミスニューヨーク（ターコイズS2回）、トーラスジェミニ（七夕賞）、コスモメドウ（ダイヤモンドS）、ショウナンバルディ（中日新聞杯）。

英2000ギニーは本命馬ジャイアンツコーズウェイに圧勝。期待された英ダービーは筋肉痛で回避。愛ダービーはレース中に骨折。そのまま引退となった。日本供用後はひと息の種牡馬成績も、死後の21年に産駒が立て続けに重賞制覇。"死んだ種牡馬の産駒は走る"を実践した。上級馬はマイルから中距離向きで、高齢馬の一発には注意。時計のかかる馬場。

| 距離 | マ中 | 馬場 | 芝 | 性格 | 普 | 成長力 | 晩 |

その他の種牡馬

グァンチャーレ

2012年生●ロベルト系

```
┌スクリーンヒーロー      ┌*ディアブロ
└チュウオーサーヤ ───────┴サンライトブルボン
```

42戦5勝／シンザン記念。

1年目からモーリスとゴールドアクターを出して脚光を浴びた父スクリーンヒーローの2年目産駒。シンザン記念1着、弥生賞4着、ダービー8着を経てマイル路線へ進み、キャピタルS、洛陽Sに勝利。19年マイラーズCでダノンプレミアムの2着もある。父スクリーン×母の父ディアブロはクリノガウディーと同じ。産駒のJRA初勝利はダ1200。砂替わり注目。

距離	短中	馬場	ダ	性格	普	成長力	普

グランデッツァ

2009年生、2020年引退●サンデーサイレンス系

```
┌アグネスタキオン        ┌Marju
└*マルバイユ ───────────┴Hambye
```

19戦5勝／スプリングS、七夕賞、札幌2歳S。
代表産駒／カネフラ。

札幌2歳Sでゴールドシップを負かし、重のスプリングSはディープブリランテを差し切り。皐月賞は1番人気になったが、後方待機から5着だった。ほかに5歳のマイルCS3着、6歳の七夕賞1着がある。ひとつ上の半姉マルセリーナは11年の桜花賞馬。産駒はダ1700や芝1600の連対はあるものの不振。アグネスタキオン父系はダート寄りマイラーに出る。

距離	マ中	馬場	ダ	性格	堅	成長力	普

グランプリボス

2008年生●テスコボーイ系

```
┌サクラバクシンオー      ┌*サンデーサイレンス
└ロージーミスト ─────────┴*ビューティフルベーシック
```

28戦6勝／朝日杯FS、NHKマイルC、京王杯2歳S、スワンS、マイラーズC。
安田記念2着、マイルCS2着。
代表産駒／モズナガレボシ（小倉記念）、モズミギカタアガリ（エーデルワイス賞）。

朝日杯FSはデムーロを鞍上にリアルインパクトを差し切り、NHKマイルCはウィリアムズで優勝。安田記念は4歳と6歳で2着。英国と香港にも遠征し、6歳の香港マイルで3着した。父の父サクラユタカオーは86年の天皇賞・秋を優勝。テスコボーイ系の貴重な父系。代表産駒も芝向きも、全体ではダート馬8割。ダ1200だと3着が多く、距離延長で良さを見せる。

距離	短中	馬場	ダ	性格	堅	成長力	普

*クリエイターⅡ

Creator

2013年生／米●エーピーインディ系

```
┌Tapit          ┌Privately Held
└Morena ─────────┴Charytin
```

12戦3勝／ベルモントS（GⅠ・12F）、アーカンソー・ダービー（GⅠ・9F）。
代表産駒／リコーヴィクター（JBC2歳優駿3着）、フィリオデルソル（大井優駿スプリント3着）、メイショウイジゲン。

ケンタッキー・ダービー13着完敗も、プリークネスSを回避して臨んだベルモントSで末脚爆発。逃げ馬をハナ差交わして勝利した。日本から遠征のラニが3着。日本競馬に強いエーピーインディ系ながら現状は苦戦。気の悪さはこの父系の特徴だが、輪に掛けてムラッ気いっぱい。スタミナはあるので、中山ダ2500では狙える。あわよくば大井・東京記念。

距離	中	馬場	ダダ	性格	狂	成長力	普

*ケイムホーム

Came Home

1999年生、2021年死亡／米●ゴーンウエスト系

```
┌Gone West      ┌Clever Trick
└Nice Assay ─────┴*インフルヴュー
```

12戦9勝／パシフィッククラシック（GⅠ・10F）、サンタアニタ・ダービー（GⅠ・9F）、ホープフルS（GⅠ・7F）など重賞8勝。
代表産駒／インティ（フェブラリーS）、サウンドリアーナ（ファンタジーS）、タガノトネール（武蔵野S）、カチューシャ（オアシスS）。

ケンタッキー・ダービーでウォーエンブレムの6着に敗れたが、夏の大一番パシフィッククラシックでは同馬や古馬を一蹴した。同父系のスパイツタウンに負けじと産駒はスピードに任せた先行力が持ち味。ダートに限ると上級クラスでも即通用する。湿ったダートは好材料。使われてよりも明け2、3戦目が馬券の勝負どころ。古馬になっての復活に注意。

距離	短マ	馬場	ダ	性格	普	成長力	普

*ケープブランコ

Cape Blanco

2007年生／愛●サドラーズウェルズ系

```
┌Galileo         ┌Presidium
└Laurel Delight ─┴Foudroyer
```

15戦9勝／愛ダービー（GⅠ・12F）、愛チャンピオンS（GⅠ・10F）、アーリントンミリオンS（GⅠ・10F）などGⅠ5勝、他GⅡ2勝。
代表産駒／ランスオブプラーナ（毎日杯）、ベアナチュラル（高知優駿2着）、ドウドウキリシマ、アラレタバシル、アイブランコ、チビリサラン。

3歳時は愛ダービー、愛チャンピオンSを制し、ハービンジャーに千切られたが、"キングジョージ"2着もある。4歳時はアーリントンミリオンSなど米GⅠ3連勝。愛、北米とは裏腹にフランスとの相性が悪く、本命に推された仏ダービー、凱旋門賞とも10着、13着だった。産駒はジリ脚で、クラスが上がると苦労している。力のいる馬場やダートで一考。

距離	中	馬場	万	性格	普	成長力	晩

その他の種牡馬

*ゴールデンバローズ

2012年生●エーピーインディ系

┌ Tapit ──────── ┌ Mayakovsky
└ *マザーロシア ── └ Still Secret

26戦6勝／ヒヤシンスS。
代表産駒／フジユージーン（東北優駿）。

話題の種牡馬だ。2020年だけ供用されて産駒は9頭のみだったが、フジユージーンが8戦8勝で東北優駿を楽勝。JRAでも2頭が勝ち上がり。24年から種牡馬復帰した。タピット産駒の米国産馬。東京ダ1600を3連勝し、ヒヤシンスSは単勝140円の圧倒的な人気に応えた。UAEダービーに遠征して3着の後は気性の難しさもあり、本気で走らないレースも。

距離	マ中	馬場	ダ	性格	狂	成長力	早

ゴールドアクター

2011年生●ロベルト系

┌ スクリーンヒーロー ── ┌ キョウワアリシバ
└ ヘイロンシン ──────── └ ハッピーヒエン

24戦9勝／有馬記念、アルゼンチン共和国杯、日経賞、オールカマー。
代表産駒／ゴールドプリンセス。

種付け料30万円だった父スクリーンヒーローの初年度産駒。3歳は青葉賞4着、菊花賞3着。4歳で重のアルゼンチン共和国杯を制し、8番人気の有馬記念でキタサンブラックらを交わして3番手から快勝した。吉田隼人のGI初勝利。産駒は芝での瞬発力不足が弱点も、時計かかれば浮上し、ダートも東京ダ2100などで活躍。スタミナはあり、距離延長は狙い目。

距離	中長	馬場	万	性格	普	成長力	晩

ゴールドアリュール

1999年生、2017年死亡●サンデーサイレンス系

┌ *サンデーサイレンス ── ┌ Nureyev
└ *ニキーヤ ──────────── └ Reluctant Guest

16戦8勝／フェブラリーS、ジャパンDダービー、ダービーGP、東京大賞典。
代表産駒／エスポワールシチー（フェブラリーS）、コパノリッキー（フェブラリーS・2回）、スマートファルコン（東京大賞典・2回）、クリソベリル（チャンピオンズC）、ゴールドドリーム（フェブラリーS）。

サンデーサイレンスが晩年に送り出した砂の金看板。02年ダービーでタニノギムレットの5着した後、交流GIを含めてダート重賞を勝ちまくった。ドバイワールドCは03年のイラク戦争勃発により、渡航中止。産駒もフェブラリーSを4勝、チャンピオンズCを2勝。得意は東京ダ1600、牝馬の外枠替わりなど。今後は母の父として得意条件が引き継がれる。

距離	マ中	馬場	ダダ	性格	普	成長力	普

コパノリチャード

2010年生、2021年引退●サンデーサイレンス系

┌ ダイワメジャー ── ┌ トニービン
└ ヒガシリンクス ── └ ビッグラブリー

22戦6勝／高松宮記念、スワンS、アーリントンC、阪急杯。
代表産駒／コパノキャリー（盛岡ビギナーズC）。

ダイワメジャー産駒らしい速さを持ち、4戦3勝でアーリントンCを勝利。スワンS、阪急杯とタイトルを増やし、初の芝1200出走となった14年高松宮記念をM・デムーロの手綱で2番手から快勝した。不良馬場が向いた幸運もあり、馬主のDr.コパ氏の"運を呼び込む力"を知らしめた。半姉コパノオーシャンズ（朱鷺S）。産駒も2歳から走るマイラー。

距離	短マ	馬場	万	性格	普	成長力	早

*サウスヴィグラス

1996年生、2018年死亡／米●フォーティナイナー系

┌ *エンドスウィープ ── ┌ Star de Naskra
└ *ダーケストスター ── └ Minnie Riperton

33戦16勝／JBCスプリント、根岸S2回、北海道スプリントC2回など。
代表産駒／ヒガシウィルウィン（ジャパンダートダービー）、コーリンベリー（JBCスプリント）、ラブミーチャン（全日本2歳優駿）、サブノジュニア（JBCスプリント）、テイエムサウスダン（根岸S）。

6歳の根岸Sで重賞初制覇を果たすと、交流重賞を含めダート短距離界の中心的存在として活躍した。現役最後の一戦、JBCスプリントではマイネルセレクトと名勝負を展開。これをハナ差退けた。地方競馬では7年連続でリーディング。地方の名種牡馬だった。ダート短距離向きの軽快なスピードと、小回りカーブで発揮されるレースの上手さが最大の武器。

距離	短	馬場	ダ	性格	普	成長力	普

サトノアレス

2014年生、2023年輸出●サンデーサイレンス系

┌ ディープインパクト ── ┌ *デインヒル
└ *サトノアマゾネス ──── └ Prawn Cocktail

16戦4勝／朝日杯FS。

3戦目の未勝利戦を勝ち上がり、そこから3連勝で朝日杯FSを制した珍しい戦歴。同世代にレイデオロがいて、ホープフルSのほうがレベルが高かった幸運もあった。その後は巴賞を勝ち、4歳の東京新聞杯2着、安田記念4着など。3代母クリムゾンセイントの一族にストームキャット、ロイヤルアカデミーがいる名種牡馬の牝系。血統は超一流だ。

距離	マ中	馬場	芝	性格	堅	成長力	普

ザファクター

The Factor

2008年生、2018年帰国／米●ウォーフロント系

┌ War Front　　　　　┌ Miswaki
└ Greyciousness　　　└ Skatingonthinice

13戦6勝／マリブS（GI・7F）、パットオブライエンS（GI・7F）。
代表産駒／ショウナンマグマ（ラジオNIKKEI賞2着）、サンノゼテソーロ、ナックドロップス。北米でシストロン（ビッグクロスビーS。GI・6F）、ノーテッドアンクオーテッド（シャンデリアS。GI・8.5F）。

クラシック路線から短距離路線へ矛先を変えたのが功を奏してGIを2勝。日本で人気上昇中の父系で、父の産駒にデクラレーションオブウォー、アメリカンペイトリオット。18年の1シーズンだけ日本で供用。ダート中距離で勝ち鞍を稼ぎつつ、芝の中距離型も出す。小回りコースで先手を取ったときの粘りが"売り"。牝馬は大半が短距離馬。新潟の千直も。

| 距離 | 短中 | 馬場 | 万 | 性格 | 普 | 成長力 | 普 |

ジャングルポケット

1998年生、2021年死亡●グレイソヴリン系

┌ *トニービン　　　　┌ Nureyev
└ *ダンスチャーマー　└ Skillful Joy

13戦5勝／日本ダービー、ジャパンC、共同通信杯、札幌3歳S。
代表産駒／オウケンブルースリ（菊花賞）、ジャガーメイル（天皇賞・春）、トーセンジョーダン（天皇賞・秋）、トールポピー（オークス）、アヴェンチュラ（秋華賞）。

皇月賞は出遅れてアグネスタキオンの3着、ダービーは得意の左回りの東京芝2400で完勝。ウイニングランでは勝利のいななきをあげた。鞍上は角田晃一。菊花賞4着の後、ジャパンCはテイエムオペラオーを負かした。産駒は長い直線、締まった流れ、左回りが得意。スローで不発→ハイペース激走が穴パターン。内伸び馬場より外伸び馬場で買いたい。

| 距離 | 中長 | 馬場 | 芝 | 性格 | 普 | 成長力 | 晩 |

ショウナンカンプ

1998年生、2020年死亡●プリンスリーギフト系

┌ サクラバクシンオー　┌ ラッキーソブリン
└ ショウナングレイス　└ ヤセイコーソ

19戦8勝／高松宮記念、スワンS、阪急杯。
代表産駒／ショウナンアチーヴ（ニュージーランドT）、ラブカンプー（CBC賞）、ショウナンカザン（淀短距離S）。

ダート3勝の後、4歳で芝路線へ転じると、圧倒的なスピードを披露。逃げ切りの3連勝で02年高松宮記念を制覇した。オーシャンSのテン3ハロンは32秒0だった。新潟開催のスプリンターズSは、ビリーヴ、アドマイヤコジーンとの三つ巴になって3着。産駒は芝の短距離が主戦場で、新潟芝1000は回収率が高い。ダートも含めて距離短縮は穴になる。

| 距離 | 短 | 馬場 | 芝 | 性格 | 普 | 成長力 | 普 |

ショウナンバッハ

2011年生●サンデーサイレンス系

┌ ステイゴールド　　　┌ サクラバクシンオー
└ シュガーハート　　　└ オトメゴコロ

56戦6勝／AJCC3着、中日新聞杯2着。

キタサンブラックの1つ上の半兄。キャリア56戦を重ね、AJCC3着、新潟記念3着、中日新聞杯2着と重賞実績はいまひとつながら、種牡馬入り。ショウナンの冠で知られる国本オーナーの所有する牝馬に、主に種付けされている。15年のジャパンCに出走して、最後方から上がり最速をマークした逸話あり。産駒は芝1400から芝2000で馬券になっている。

| 距離 | マ中 | 馬場 | 芝 | 性格 | 普 | 成長力 | 晩 |

シルポート

2005年生●リファール系

┌ *ホワイトマズル　　┌ *サンデーサイレンス
└ スペランツァ　　　└ *フジャブ

54戦10勝／読売マイラーズC（2回）、京都金杯。
代表産駒／ハクサンアマゾネス、ハクサンライラック、ハクサンフラワー。

小気味の良い大逃げでレースを引き締め、時に波乱を巻き起こした逃亡者。4コーナー手前から後続を引き離し、ギリギリ残る競馬でファンをつかんだ。6歳で京都金杯とマイラーズCを逃げ切り、7歳でマイラーズC連覇。重賞3勝は小牧太の手綱。近親にカフェブリリアント（阪神牝馬S）。産駒は芝ダート兼用のマイラータイプ。単騎逃げを狙いたい。

| 距離 | 短中 | 馬場 | 万 | 性格 | 普 | 成長力 | 普 |

スウィフトカレント

2001年生、2022年死亡●サンデーサイレンス系

┌ *サンデーサイレンス　┌ Machiavellian
└ *ホワイトウォーターアフェア　└ Much Too Risky

42戦6勝／小倉記念。天皇賞・秋2着。
代表産駒／ユウチェンジ（UAEダービー3着）、サンダラス（野路菊S）。

半兄アサクサデンエン（安田記念）、半弟ヴィクトワールピサ（皇月賞、有馬記念）、近親ロープティサージュ（阪神JF）と、GIホースが並ぶ名牝系。4歳で充実して、5歳で日経新春杯2着、小倉記念1着。鋭い決め手を持ち、7番人気の天皇賞・秋でダイワメジャーの2着に食い込んだ。産駒は芝1800と2000の回収率が高く、芝1400と1600は不振。

| 距離 | 中 | 馬場 | 芝 | 性格 | 普 | 成長力 | 普 |

*スウェプトオーヴァーボード　Swept Overboard

1997年生、2017年死亡／米●フォーティナイナー系

┌*エンドスウィープ ┌Cutlass
└Sheer Ice └Hey Dolly A.

20戦8勝／メトロポリタンH（GI・8F）など北米GI2勝、GⅢ2勝。
代表産駒／レッドファルクス（スプリンターズS2回）、オメガパフューム（東京大賞典4回）、リッジマン（ステイヤーズS）、パドトロワ（キーンランドS）、アーバンストリート（シルクロードS）、エーシンブラン（兵庫ChS）。

6着以下1回の堅実派で、6Fと8FのGIを制した。父の産駒にアドマイヤムーン。多くが早熟なスプリンターながら、重賞＆OPの勝ち鞍の大半が5歳以上に加え、規格外の産駒を出すところが"灰色の亡霊"ネイティヴダンサーの怖さ。芝、ダートの行き来や距離伸縮など紆余曲折を経つつ、ストライクゾーンをみつけて激走するのが出世型。道悪ダは買い。

距離	短	馬場	万	性格	普	成長力	普

*スクワートルスクワート　Squirtle Squirt

1998年生／米●ミスタープロスペクター系

┌Marquetry ┌Lost Code
└Lost the Code └Smarter By the Day

16戦8勝／BCスプリント（GI・6F）、キングズビショップS（GI・7F）。
代表産駒／ヨカヨカ（北九州記念）、シャウトライン（バーデンバーデンC）、ジェイケイセラヴィ（アイビスサマーダッシュ2着）。

馬名はポケモンのキャラクター、ゼニガメ（スクワートル）に因んだもの。デビューから短距離路線を歩み、BCスプリントは前年の勝ち馬コナゴールドやスウェプトオーヴァーボードを破っての優勝だった。父は芝、ダートのGI勝ち馬。軽いスピードと先行力を売りにし、芝、ダートとも1000〜1400が得意距離。芝→ダートなど目先を変えると好走する。

距離	短	馬場	ダ	性格	普	成長力	早

スズカコーズウェイ

2004年生●ストームバード系

┌Giant's Causeway ┌*フレンチデビュティ
└*フレンチリヴィエラ └Actinella

44戦6勝／京王杯スプリングC。
代表産駒／スズカコーズライン（北海道スプリントC2着）、バンドオンザラン（大井・優駿スプリント）、ニュータウンガール（東海ダービー）。

父ジャイアンツコーズウェイは愛チャンピオンSなど欧州のGIを6勝の名馬。その仔を受胎した母が輸入されて産んだ持ち込み馬。5歳で京王杯スプリングCを穴の快勝。鞍上の後藤浩輝は「自転車より乗りやすい馬と聞いていた通り」。半弟にカデナ（弥生賞）。産駒の勝ち鞍はダート1400以下が中心。速いダート向きか、外枠向きかなどを見極めたい。

距離	短マ	馬場	ダダ	性格	普	成長力	早

*ストーミングホーム　Storming Home

1998年生、2020年引退／英●ミスタープロスペクター系

┌Machiavellian ┌Shareef Dancer
└Try to Catch Me └It's in the Air

24戦8勝／チャンピオンS（GI・10F）、チャールズウィッティンガム記念H（GI・10F）、クレメント・L・ハーシュ記念ターフH（GI・10F）など。
代表産駒／ティーハーフ（函館スプリントS）、マコトブリジャール（クイーンS）、サドンストーム（京洛S）、デザートストーム（ギャラクシーS）。

4歳時にチャンピオンSを制し、5歳時には米GI2勝。アーリントンミリオンは1位入線も進路妨害で4着降着。4歳時に出走したジャパンCは15着。父は種牡馬以上に日本ではヴィルシーナ、シュヴァルグラン姉弟やヴィクトワールピサの母の父として知られる。産駒は芝、ダート兼用の晩成型。逃げ、先行より中団からの差しや後方一気の追い込みが得意。

距離	短中	馬場	万	性格	普	成長力	晩

スマートファルコン

2005年生●サンデーサイレンス系

┌ゴールドアリュール ┌*ミシシッピアン
└ケイシュウハーブ └キョウエイシラユキ

34戦23勝／JBCクラシック（2回）、東京大賞典（2回）、帝王賞、川崎記念など。
代表産駒／シャマル（かしわ記念）、オーヴェルニュ（東海S）。

ダートGIを6勝、重賞19勝！武豊とのコンビで5歳11月のJBCクラシック（船橋ダ1800）から、7歳1月の川崎記念まで負け知らずの9連勝。自らハイペースに持ち込む暴力的な逃げで、フリオーソやトランセンドを寄せ付けなかった。産駒は重・不良のダートで能力アップ。牡馬は中距離、牝馬は短距離の勝ち鞍が多い。中京と阪神のダートは好成績。

距離	短中	馬場	ダダ	性格	堅	成長力	晩

ゼンノロブロイ

2000年生、2022年死亡●サンデーサイレンス系

┌*サンデーサイレンス ┌*マイニング
└ローミンレイチェル └One Smart Lady

20戦7勝／天皇賞・秋、ジャパンC、有馬記念、青葉賞、神戸新聞杯。
代表産駒／サンテミリオン（オークス）、マグニフィカ（ジャパンダートダービー）、ペルーサ（青葉賞）、トレイルブレイザー（京都記念）。

青葉賞1着からダービーへ向かう藤沢ローテで、ネオユニヴァースの2着。4歳秋にペリエ騎手で秋天、JC、有馬記念を3連勝。5歳で英国のインターナショナルS（GI・芝2080M）へ遠征、エレクトロキューショニストとクビ差の2着だった。母は米国のダート7FのGI馬。産駒は長距離GIIの勝ち馬が多いが、近年はダートが主戦場。東京ダ1600得意。

距離	中長	馬場	万	性格	普	成長力	普

*タートルボウル

Turtle Bowl

2002年生、2017年死亡／愛●ノーザンダンサー系

- Dyhim Diamond
  - Top Ville
  - Kamiya
- Clara Bow

21戦7勝／ジャンプラ賞（GI・1600M）、ジョンシェール賞（GIII・1600M）。
代表産駒／トリオンフ（小倉記念）、タイセイビジョン（京王杯2歳S）、ヴェントヴォーチェ（キーンランドC）、ベレヌス（中京記念）、アンデスクイーン（エンプレス杯）。

仏2000ギニーは8着に終わったが、仏3歳マイル路線を締めくくるジャンプラ賞を制した。父はスペインのリーディングサイアーというマニアックな種牡馬。芝、ダートの中距離で勝ち鞍を量産しつつ、少数ながら短距離の上級馬を送り出した。一瞬の切れよりも淀みなく流れる展開を得意とする。重賞勝ち鞍の半数は5歳以上。高齢馬の大駆けは常に注意。

| 距離 | 短中 | 馬場 | 万 | 性格 | 普 | 成長力 | 晩 |

タイセイレジェンド

2007年生●キングマンボ系

- キングカメハメハ
  - メジロマックイーン
  - ペッパーキャロル
- シャープキック

42戦9勝／JBCスプリント、東京盃、クラスターC。
代表産駒／スピーディキック（エーデルワイス賞、東京シンデレラマイル）。

ダートで勝ち星を積み上げ、5歳以降は交流競走で花開く。12年のJBCスプリント（GI・川崎ダ1400）はセイクリムズンやスーニを相手に逃げ切り。ドバイや韓国にも遠征するなど、ダート短距離で2歳から8歳まで長く活躍した。母シャープキックはメジロマックイーン代表産駒の1頭で、中央5勝。血統上はスタミナがあり、産駒は中距離も走れる。

| 距離 | マ中 | 馬場 | ダ | 性格 | 堅 | 成長力 | 普 |

タイムパラドックス

1998年生、2022年死亡●ロベルト系

- *ブライアンズタイム
  - Alzao
  - Bold Lady
- ジョリーザザ

50戦16勝／ジャパンCダート、JBCクラシック（2回）、川崎記念、帝王賞、ブリーダーズGC、平安S、アンタレスS。
代表産駒／ソルテ（さきたま杯）、トウケイタイガー（かきつばた記念）、インサイドザパーク（東京ダービー）。

初重賞は6歳の平安S。交流重賞でも勝ち鞍を積み重ね、04年のJCダート（東京ダ2100M）でアドマイヤドンを差し切って天下取り。7歳、8歳とJBCクラシックを連覇した。半姉ローラローラの仔にサクラローレル（有馬記念）。産駒のベストはダート中長距離も、ダ1200や1400もよく走る。中山と中京ダは1着が多く、東京と京都ダは2、3着が多い。

| 距離 | マ中 | 馬場 | ダダ | 性格 | 普 | 成長力 | 晩 |

タニノギムレット

1999年生、2020年引退●ロベルト系

- *ブライアンズタイム
  - *クリスタルパレス
  - *タニノシーバード
- タニノクリスタル

8戦5勝／日本ダービー、スプリングS、アーリントンC、シンザン記念。
代表産駒／ウオッカ（ダービー）、スマイルジャック（スプリングS）、ハギノハイブリッド（京都新聞杯）、ミッドサマーフェア（フローラS）、オールザットジャズ（福島牝馬S）、セイクリッドバレー（新潟大賞典）。

5戦4勝で向かった02年皐月賞は、後方から大外を追い込むも、内を抜け出したノーリーズンの3着。松田国調教師は前年のクロフネと同じ変則二冠を狙うローテを表明。NHKマイルCは単勝1.5倍で進路を失い、3着に敗れたが、ダービーは余裕を持って勝利した。母はアネモネS（京都芝1400M）の勝ち馬。母の父クリスタルパレスは仏ダービー馬。

| 距離 | マ中 | 馬場 | 芝 | 性格 | 堅 | 成長力 | 普 |

ダノンシャーク

2008年生、2021年引退●サンデーサイレンス系

- ディープインパクト
  - Caerleon
  - Jabali
- *カーラパワー

39戦7勝／マイルCS、京都金杯、富士S。
代表産駒／シャークスポット、タイキドミニオン。

ディープインパクトの初年度産駒で、古馬になってから充実した貴重なGIマイラー。5歳の京都金杯が初重賞勝ち、この年は安田記念3着、マイルCS3着。6歳のマイルCSを8番人気、岩田康誠の手綱で1分31秒5で快勝した。半妹レイカーラ（ターコイズS）、4代母Toute Cyの子孫にモンジュー（凱旋門賞）。産駒は決め手の甘いディープ中距離型。

| 距離 | 短中 | 馬場 | 万 | 性格 | 普 | 成長力 | 晩 |

ダノンシャンティ

2007年生、2020年引退●サンデーサイレンス系

- フジキセキ
  - Mark of Esteem
  - Glorious Song
- *シャンソネット

8戦3勝／NHKマイルC、毎日杯。
代表産駒／スマートオーディン（京都新聞杯）、サイタスリーレッド（オーバルスプリント）。

ダーレージャパンの生産で、母の兄はジャパンCを勝ったシングスピール。近親にデヴィルズバッグのバラード牝系。共同通信杯2着、毎日杯1着から、松田国英調教師の独特ローテで皐月賞をパスして、NHKマイルCを上がり33秒5で制した。産駒は芝もダートも、1400、1200、1800が好成績、マイルは不振。ダートの稍重と、少し時計のかかる芝がいい。

| 距離 | 短中 | 馬場 | 万 | 性格 | 堅 | 成長力 | 早 |

その他の種牡馬

ディープスカイ

2005年生、2021年引退 ●サンデーサイレンス系

```
┌ アグネスタキオン        ┌ Chief's Crown
└ *アビ              └ Carmelized
```

17戦5勝／日本ダービー、NHKマイルC、神戸新聞杯、毎日杯。JC2着、安田記念2着。
代表産駒／クリンチャー（京都記念）、サウンドスカイ（全日本2歳優駿）、キョウエイギア（ジャパンダートダービー）、モルトベーネ（アンタレスS）。

栗毛の馬体と白い鼻面。未勝利脱出まで6戦を要しながら、NHKマイルCはイン突き、ダービーは外強襲で連勝した。主戦は四位洋文。3歳のJCでスクリーンヒーローの2着も光る。4代母ミスカーミーの一族に、タップダンスシチー、チーフズクラウンなど。パワーとスタミナを武器に、ダートの中距離で活躍。叩かれながら、3、4戦目に穴を開ける。

距離	中長	馬場	ダ	性格	堅	成長力	普

トウケイヘイロー

2009年生、2023年引退 ●サンデーサイレンス系

```
┌ ゴールドヘイロー       ┌ ミルジョージ
└ ダンスクィーン        └ ハイネスポート
```

27戦8勝／札幌記念、鳴尾記念、函館記念、ダービー卿CT。
代表産駒／メイショウオキビ、トウケイミラ。

当初は芝1400中心に走っていたが、中距離戦を速いペースで逃げる戦法に転じたところ、急上昇。4歳の1年間だけで重賞を4勝した。圧巻は重の札幌記念の6馬身差の逃げ切り。この年、香港Cの2着もある。産駒は芝ダート兼用タイプで1600から2000M向き。父ゴールドヘイローは地方競馬で活躍馬を多数輩出して、人気サイアーになったサンデー産駒。

距離	マ中	馬場	万	性格	普	成長力	普

トゥザワールド

2011年生、2023年引退 ●キングマンボ系

```
┌ キングカメハメハ      ┌ *サンデーサイレンス
└ トゥザヴィクトリー     └ *フェアリードール
```

12戦4勝／弥生賞。皐月賞2着、有馬記念2着、ザBMW2着。
代表産駒／ゴールドチャリス（中京2歳S）。

名牝トゥザヴィクトリーの息子として注目され、キャロットクラブの募集価格は総額1億円。弥生賞を制し、皐月賞は1番人気でイスラボニータの2着だった。3歳の有馬記念は9番人気でジェンティルドンナの2着。豪州遠征して芝2400のGI に2着。産駒は芝ダート兼用で、どちらも1200mと1800mが得意。芝1600は道悪なら走る。ダートも重・不良はいい。

距離	短中	馬場	万	性格	普	成長力	普

トーセンジョーダン

2007年生 ●グレイソヴリン系

```
┌ ジャングルポケット     ┌ *ノーザンテースト
└ エヴリウィスパー       └ *クラフティワイフ
```

30戦9勝／天皇賞・秋、アルゼンチン共和国杯、AJCC、札幌記念。
代表産駒／アズマヘリテージ（小倉2歳S2着）。

ホープフルSを制するも裂蹄に悩まされ、三冠レースは回避。4歳夏から再始動すると、アル共和国杯1着、有馬記念5着、AJCC1着。5歳で札幌記念と秋天を連覇して頂点に立ち、JCもブエナビスタの2着した。父ジャングルポケットはダービーとJCに勝利。今や風前の灯となったトニービンの直系。産駒は芝だと詰めが甘く、ダート中距離が主戦場。

距離	中	馬場	万	性格	普	成長力	晩

トーセンホマレボシ

2009年生 ●サンデーサイレンス系

```
┌ ディープインパクト     ┌ *ノーザンテースト
└ エヴリウィスパー       └ *クラフティワイフ
```

7戦3勝／京都新聞杯、ダービー3着。
代表産駒／ミッキースワロー（セントライト記念、日経賞）。

秋の天皇賞を勝ったトーセンジョーダンの半弟で、父はディープインパクト。セレクトセールの価格は1億6275万円。中京芝2200の大寒桜賞1着の後、京都新聞杯をレコード勝ち。ダービーは7番人気だったが、ウィリアムズの騎乗で2番手から早め先頭の見せ場を作り、ディープブリランテの3着に善戦した。産駒は多様にばらつき、騎手替わりで穴になる。

距離	マ中	馬場	万	性格	普	成長力	早

トーセンレーヴ

2008年生 ●サンデーサイレンス系

```
┌ ディープインパクト     ┌ Caerleon
└ ビワハイジ           └ *アグサン
```

33戦8勝／エプソムC、プリンシパルS。
代表産駒／トーセンクレセント。

母ビワハイジは95年の2歳女王で、エアグルーヴを負かしたGIマイラー。半姉にブエナビスタ（桜花賞、オークス、ジャパンCなど）という超良血馬。青葉賞3着、ダービー9着の後、4歳でエプソムCを勝利した。7歳で有馬記念6着もある。トーセンの島川オーナーの自家種牡馬で、産駒はすべてエスティファーム生産。勝利1号は福島芝2000のやや重。

距離	中長	馬場	芝	性格	堅	成長力	晩

トーホウジャッカル

2011年生●サンデーサイレンス系

```
┌スペシャルウィーク        ┌Unbridled's Song
└*トーホウガイア          └Agami
```

13戦3勝／菊花賞。
代表産駒／トーホウディアス。

末勝利を勝ち上がったのが3歳7月。神戸新聞杯3着で菊花賞の出走権利を得ると、14年菊花賞を3分1秒0のレコード勝ち。3ヵ月半で頂点に駆け上がった。鞍上は酒井学。半姉トーホウアマポーラ(CBC賞)、4代母の子孫にエーシンフォワード(マイルCS)。産駒は母父スピード型のトーホウの馬が健闘。牝馬は芝1200、牡馬はダート含む1400から1800で。

距離	マ中	馬場	万	性格	普	成長力	普

---

*トビーズコーナー

Taby's Corner

2008年生／米●ダンジグ系

```
┌Bellamy Road         ┌Mister Frisky
└Brandon's Ride       └Mrs.Bumble
```

12戦5勝／ウッドメモリアルS(GI・9F)。
代表産駒／ソリストサンダー(武蔵野S)、ソイカウボーイ(兵庫ジュニアGP3着)、エナハツホ。

ケンタッキー・ダービーへ向け、東海岸の最終ステップ戦ウッドメモリアルSで2歳チャンピオン、アンクルモーらを破って勝利するも、脚部不安により、クラシックは棒に振った。父の産駒にバンケットスクエア。異系色が豊富な血統ながら、産駒は非力なスプリンター、マイラーばかり。東京ダ1300&1400、福島ダ1700を得意としている。芝はローカル。

距離	短マ	馬場	万	性格	普	成長力	普

ドリームジャーニー

2004年生●サンデーサイレンス系

```
┌ステイゴールド           ┌メジロマックイーン
└オリエンタルアート        └エレクトロアート
```

31戦9勝／宝塚記念、有馬記念、朝日杯FS、神戸新聞杯、大阪杯。
代表産駒／スルーセブンシーズ(中山牝馬S、宝塚記念2着)、ヴェルトライゼンデ(日経新春杯)、ミライヘノツバサ(ダイヤモンドS)、トゥラヴェスーラ(高松宮記念3着)。

朝日杯FSを制したときが馬体重416キロ。これがステイゴールド産駒初のGI勝利で、まだ父が名種牡馬と知る人は少なかった。5歳で宝塚記念と有馬記念を制覇、通算重賞7勝。全弟にオルフェーヴル。人を振り落とす癖で知られた。産駒は締まった流れや持久戦を得意とし、スルーセブンシーズは凱旋門賞でも4着。道悪や左回りで浮上する馬をチェック。

距離	短中	馬場	芝	性格	普	成長力	晩

ドリームバレンチノ

2007年生●デヴィルズバッグ系

```
┌*ロージズインメイ        ┌*マイネルラヴ
└コスモヴァレンチ         └イブキローマン
```

55戦12勝／JBCスプリント、東京盃、函館スプリントS、シルクロードS。

芝の短距離で勝ち星を積み上げ、5歳で函館スプリントSを制したのが重賞初勝利。このときひとつ年下のロードカナロアを負かしている。6歳で高松宮記念2着の後、ダートの交流重賞も走るようになり、7歳で盛岡開催のJBCスプリントに優勝。10歳まで現役だった。母コスモヴァレンチは小倉2歳Sに勝利。産駒はダート馬が中心で、中距離も走れる。

距離	短中	馬場	ダ	性格	普	成長力	普

ナカヤマフェスタ

2006年生、2023年引退●サンデーサイレンス系

```
┌ステイゴールド           ┌*タイトスポット
└ディアウインク          └セイレイ
```

15戦5勝／宝塚記念、セントライト記念、東スポ杯2歳S。凱旋門賞2着。
代表産駒／ガンコ(日経賞)、バビット(セントライト記念)。

東スポ杯2歳Sを勝ち、不良のダービーは大外から4着。セントライト記念1着、菊花賞12着を経て、4歳で10年宝塚記念に優勝。フランスに遠征し、フォワ賞2着をステップに挑んだ重の凱旋門賞、ワークフォースとの一騎打ちになり、頭差の2着だった。翌年もフォワ賞4着、凱旋門賞11着。産駒は洋芝や短い直線、道悪の持久戦向き。高速上がりは不向き。

距離	中長	馬場	芝	性格	普	成長力	晩

ニシケンモノノフ

2011年生●デヴィルズバッグ系

```
┌メイショウボーラー       ┌*アフリート
└グリーンヒルコマチ       └ツネノコトブキ
```

42戦12勝／JBCスプリント、兵庫ジュニアGP、北海道スプリントC、兵庫ゴールドT。
代表産駒／デステージョ(兵庫ジュニアGP3着)。

タイキシャトル→メイショウボーラーと続く父系がつながるか、本馬に懸かっている。北海道公営でデビューして、中央入り。脚抜きのいい速いダートでスピードを活かし、6歳のJBCスプリント(大井ダ1200)は、コパノリッキーとの接戦を制して短距離王者に。産駒も軽快なスピードを持ち、2歳から活躍。ダ1600も走れるほか、芝1600の入着もある。

距離	短マ	馬場	ダ	性格	普	成長力	早

その他の種牡馬

ハクサンムーン

2009年生●フォーティナイナー系

┌ アドマイヤムーン ── サクラバクシンオー
└ チリエージェ ── メガミゲラン

29戦7勝／セントウルS、アイビスSD、京阪杯。スプリンターズS2着、高松宮記念2着。

レース前にぐるぐる回旋するクセで人気を集め、スタートダッシュの速さはピカイチ。セントウルSの逃げ切りなど、短距離重賞を3勝したほか、4歳のスプリンターズSは逃げてロードカナロアの2着、6歳の高松宮記念はエアロヴェロシティの2着。近親にウインブライトのゲラン一族。21年7月にゲノムが小倉芝1200を勝ち、JRAの勝ち上がり1号に。

距離	短	馬場	万	性格	普	成長力	早

パドトロワ

2007年生、2022年死亡●ミスタープロスペクター系

┌ スウェプトオーヴァーボード ── フジキセキ
└ グランパドゥ ── スターバレリーナ

35戦9勝／アイビスSD、キーンランドC、函館スプリントS。
代表産駒／ダンシングプリンス（JBCスプリント）、エムティアン。

4歳のスプリンターズSは安藤勝己の4角先頭でカレンチャンの2着に残り、馬連万馬券。5歳夏にアイビスSDで復活すると、キーンランドCはダッシャーゴーゴーとハナ差の1分7秒6の逃げ切りレコード。母グランパドゥは01年中日新聞杯1着、祖母スターバレリーナ（ローズS）、近親ロゴタイプ（皐月賞）。産駒は2歳夏から走るスピード武器。

距離	短マ	馬場	万	性格	普	成長力	早

*バトルプラン

Battle Plan

2005年生、2021年引退／米●アンブライドルド系

┌ *エンパイアメーカー ── Seeking the Gold
│ Flanders ── Starlet Storm

6戦4勝／ニューオリンズH（GⅡ・9F）。
代表産駒／ライオンボス（アイビスサマーダッシュ）、ブレスジャーニー（東京スポーツ杯）、マイネルシュバリエ（札幌2歳S2着）、アッシェンプッテル（クイーン賞2着）、モジアナフレイバー（東京大賞典3着）。

骨に問題があり初出走が3歳11月と遅く、4歳時は関節を痛め1戦で終え、満足に使えたのは5歳時のみ。ニューオリンズHを制した。父ベルモントS馬、母はBCジュヴェナイルフィリーズなどGI3勝の良血。ダートの勝ち鞍が大半ながら、重賞、OP級は芝馬という変わり種。牡馬は中距離、牝馬は1400以下。父の産駒同様に高齢馬の大駆けには注意が必要。

距離	短中	馬場	万	性格	普	成長力	普

バンブーエール

2003年生●ミスタープロスペクター系

┌ *アフリート ── Rainbow Quest
└ レインボーウッド ── Priceless Fame

25戦10勝／JBCスプリント、東京盃、クラスターC。
代表産駒／キャッスルトップ（ジャパンDダービー）、ダンツゴウユウ。

09年ドバイゴールデンシャヒーン4着（ダ1200・GI）の健闘が光る。中央では昇竜S、北陸Sなどダートのオープン5勝にとどまったが、交流重賞で活躍。08年の園田開催のJBCスプリント（ダ1400）では、スマートファルコンやブルーコンコルドを負かして逃げ切り、ダート短距離界の頂点に立った。母の兄にサラトガシックス。パワー型マイラー。

距離	短マ	馬場	ダ	性格	普	成長力	普

フェノーメノ

2009年生、2021年引退●ステイゴールド系

┌ ステイゴールド ── *デインヒル
└ *ディラローシェ ── Sea Port

18戦7勝／天皇賞・春（2回）、青葉賞、セントライト記念、日経賞。
代表産駒／キタノオクトパス（ジャパンDダービー3着）、ナッジ（JBC2歳優駿2着）。

左記の勝ち鞍のほか、ダービーでディープブリランテのハナ差2着。蛯名正義がダービージョッキーに最も近づいた瞬間だった。5歳の天皇賞・春は、キズナやゴールドシップを相手に2連覇を飾った。母の半兄にインディジェナス（99年ジャパンC2着）。産駒はダートの中長距離が主戦場も、牝馬は芝1800や芝2000も走る。総じて決め手は甘く、複向き。

距離	中長	馬場	ダ	性格	普	成長力	普

フリオーソ

2004年生●ロベルト系

┌ *ブライアンズタイム ── Mr. Prospector
└ *ファーザ ── Baya

39戦11勝／帝王賞2回、川崎記念、ジャパンダートダービー、全日本2歳優駿、かしわ記念など、交流GIを6勝。
代表産駒／タイキフェルヴール（師走S）、ヒカリオーソ（川崎記念2着）。

2007年、08年、10年、11年のNAR年度代表馬。船橋の名伯楽、故・川島正行調教師の代表馬で、ダーレーがJRAの馬主資格を取れなかった時代の名馬。中央では芝スタートにとまどったフェブラリーSの猛追2着がある。3代母の全姉トリプティク（GIを9勝）、近親トレヴ（凱旋門賞）。産駒はダ1800から2400で堅実。人気馬を軸にするのが効率良し。

距離	中長	馬場	ダダ	性格	堅	成長力	晩

*ベーカバド

Behkabad

2007年生／仏●グリーンデザート系

| Cape Cross | ┬ Kris |
| Behkara | └ Behera |

11戦6勝／パリ大賞（GI・2400M）、ニエル賞（GII・2400M）など仏重賞4勝。
代表産駒／フィールシンパシー（福島牝馬S2着）、ダブルシャープ（札幌2歳S3着）、デアフルーグ（伏竜S）、タイセイアベニール（函館スプリントS3着）。

ニエル賞はヴィクトワールピサにアタマ差競り勝ち。凱旋門賞はワークフォースの4着。父の産駒にシーザスターズ（英二冠、凱旋門賞）。本格的な欧州血統ながら日本ではありがちな、力任せに走れる短距離かスタミナを活かせる中距離以上で勝ち鞍を上げている。勝ち味に遅く、なおかつ晩成型とみられ、上級条件で積極的に狙えるのは古馬になってから。

| 距離 ▶ 短中 | 馬場 ▶ 万 | 性格 ▶ 普 | 成長力 ▶ 晩 |

---

*ベストウォーリア

2010年生●エーピーインディ系

| *マジェスティックウォリアー | ┬ Mr. Greeley |
| *フラーテイシャスミス | └ Seductive Smile |

36戦9勝／マイルChS南部杯（2回）、ユニコーンS、プロキオンS（2回）。
代表産駒／ジョージテソーロ（昇竜S2着）。

重の京都ダ1400のすばるSを1分21秒7のレコード勝ちするなど、脚抜きのいいダートに強さを示した。3歳のユニコーンS勝利は、中央へ移籍後の戸崎圭太の初重賞勝ちだった。地方のサイアーランクは2年目で30位に入り、重賞勝ち馬も出て、ベストテンを見込める勢い。中央での馬券絡みは、ほとんどダート1400以下の短距離。距離が延びると不振だ。

| 距離 ▶ 短マ | 馬場 ▶ ダダ | 性格 ▶ 普 | 成長力 ▶ 普 |

---

*ヘニーハウンド

2008年生／米●ストームバード系

| *ヘニーヒューズ | ┬ Crusader Sword |
| Beautiful Moment | └ Proud Minstrel |

32戦4勝／ファルコンS、オパールS。
代表産駒／モナルヒ、クインズジュビタ。

父ヘニーヒューズが輸入される前の米国での初年度産駒。2戦目で阪神芝1200のファルコンSを勝ち、NHKマイルCは12着だった。6歳の京都芝1200のオパールSで1分6秒7のレコード勝ち。母の父クルセイダーソードはホープフルS（米2歳GI・ダ6.5F）、ダマスカスの父系。芝ダート兼用のスピード型。21年にアッミラーレらと同じ青森の牧場に。

| 距離 ▶ 短マ | 馬場 ▶ ダ | 性格 ▶ 狂 | 成長力 ▶ 早 |

ベルシャザール

2008年生●キングマンボ系

| キングカメハメハ | ┬ *サンデーサイレンス |
| マルカキャンディ | └ *ジーナロマンティカ |

18戦6勝／ジャパンカップダート、武蔵野S。日本ダービー3着。
代表産駒／シャイニーロック（リゲルS）。

オルフェーヴル世代で、不良馬場のダービーを3着。骨折休養後はダート路線に転じ、阪神ダ1800のJCダート制覇。2013年の最優秀ダートホース。母マルカキャンディは府中牝馬S1着。産駒はダートの1700と1800を中心に、堅実な走りを繰り返し、2、3、4着が多い。長距離もいい。仕上がりは遅くで、3歳の未勝利を勝ち上がる。22年から青森で供用。

| 距離 ▶ マ中 | 馬場 ▶ ダ | 性格 ▶ 堅 | 成長力 ▶ 晩 |

ポアゾンブラック

2009年生●ミスタープロスペクター系

| *マイネルラヴ | ┬ *チーフベアハート |
| サンライトチーフ | └ サンライトコール |

33戦12勝／エニフS、マイルCh南部杯2着。
代表産駒／イチネンエーグミ。

園田の兵庫ダービー2着の後、中央入りして阪神ダ1400のエニフS1着、盛岡ダ1600のGI南部杯でベストウォーリアの2着。マイネルラヴ産駒らしく、中山芝1200のオープン特別勝ちもある。21年の新馬戦が門別で始まるや、勝ち馬が出て、中央でもダ1150の新馬勝ち。軽快なスピードと早熟性を発揮している。ダート馬中心も、短距離なら芝でも要注意。

| 距離 ▶ 短マ | 馬場 ▶ ダ | 性格 ▶ 普 | 成長力 ▶ 早 |

ホークビル

Hawkbill

2013年生／米●エルプラド系

| Kitten's Joy | ┬ Giant's Causeway |
| Trensa | └ Serape |

24戦10勝／エクリプスS（GI・10F）、ドバイシーマクラシック（GI・2410M）、プリンセスオブウェールズS（GII・12F）、ドバイシティーオブゴールド（GII・2410M）他、GIII2勝。
代表産駒／カテリーナ、ホワイトビーチ、セレスト。

英クラシックこそ不出走だったが、エクリプスSでは大本命の仏2000ギニー馬ザグルカを破って優勝。5歳時はゴドルフィン所有馬の常として各国を転戦。ドバイシーマクラシックでは"キングジョージ"を制するポエッツワードやレイデオロを相手に逃げ切り勝ちを収めた。ローカルの芝1800＆2000向き。速い脚を欠くので2600でも。重馬場も良し。

| 距離 ▶ 中 | 馬場 ▶ 芝 | 性格 ▶ 普 | 成長力 ▶ 普 |

その他の種牡馬

*ホワイトマズル

White Muzzle

1990年生、2017年死亡／英●リファール系

```
┌*ダンシングブレーヴ ──┬─ Ela-Mana-Mou
└Fair of The Furze ────┴─ Autocratic
```

17戦6勝／伊ダービー（GI・2400M）、ドーヴィル大賞（GI・2500M）。
代表産駒／イングランディーレ（天皇賞・春）、アサクサキングス（菊花賞）、ニ
ホンピロアワーズ（JCダート）、スマイルトゥモロー（オークス）。
母の父／スマートレイアー（京都大賞典）、カツジ（ニュージーランドT）。

伊ダービー後は英仏のGIに挑戦。"キングジョージ"、凱
旋門賞でそれぞれ2着となった。4歳時の凱旋門賞では武豊
を鞍上に迎えたが、その騎乗方法について物議を醸した。父
の産駒に桜花賞馬テイエムオーシャン。母の父は"キングジ
ョージ"の勝ち馬。逃げるにしても追い込むにしてもハイペ
ースで持ち味を発揮した。高齢になっても衰えない。

距離	中長	馬場	万	性格	普	成長力	普

*マクマホン

Mac Mahon

2014年生／伊●トライマイベスト系

```
┌Ramonti ────┬─ Celtic Swing
└Miss Sultin ─┴─ Miss Caerleon
```

10戦5勝／伊ダービー（GⅡ・2200M）、カタール・ダービー（GI・2000M）。
ローマ賞（GⅡ・2000M）2着。
代表産駒／スタンレー（名古屋・中京ペガスターC）、トーセンアウローラ。

"トーセン"の島川隆哉氏が所有し、イタリアとカタールの
ダービーを制した。父はクイーンエリザベス2世S、香港C
などGI5勝。サトノクラウンと同父系。6月末現在、勝ち馬
は中央1頭だが、地方では新潟2歳Sに挑戦したスタンレー
ら数頭を送り出している。小倉の未勝利を圧勝したトーセン
アウローラのように、勝ち上がるには時計の助けが必要か。

距離	中	馬場	ダ	性格	普	成長力	普

マツリダゴッホ

2003年生●サンデーサイレンス系

```
┌*サンデーサイレンス ─┬─ Bel Bolide
└*ペイパーレイン ─────┴─ *フローラルマジック
```

27戦10勝／有馬記念、オールカマー（3回）、AJCC、日経賞。
代表産駒／ロードクエスト（スワンS）、マイネルハニー（チャレンジC）、ウイン
マーレライ（ラジオNIKKEI賞）、クールホタルビ（ファンタジーS）。

重賞6勝は中山芝2500か中山芝2200という、中山のマク
リの鬼だった。父サンデーのラストクロップ。4歳でAJCC
とオールカマーを勝利し、有馬記念でダイワスカーレットを
内から交わして優勝。単勝5230円の大穴だった。母の半弟
ナリタトップロード（菊花賞）。産駒は早熟のスピード馬が多
く、ローカルの芝1200が得意。しぼんだら追いかけないこと。

距離	短中	馬場	芝	性格	普	成長力	早

ミッキーグローリー

2013年生●サンデーサイレンス系

```
┌ディープインパクト ─┬─ *ホワイトマズル
└メリッサ ───────────┴─ ストーミーラン
```

13戦7勝／京成杯AH、関屋記念。

5歳夏に福島芝1800を勝ってオープン入りすると、重賞
初出走だった京成杯AHをルメールの巧みな騎乗で差し切り。
6歳の関屋記念も後方強襲を決めた。母メリッサは北九州記
念優勝、全弟カツジも中山芝1600の重賞馬。5代母の全姉ガ
ーネットの小岩井系。産駒のJRA初勝利はダ1600、次がダ
2100。スローの瞬発力比べより、ダートを前で勝負したい。

距離	マ中	馬場	万	性格	普	成長力	晩

ミュゼスルタン

2012年生●キングマンボ系

```
┌キングカメハメハ ─┬─ *フレンチデピュティ
└アスクデピュティ ─┴─ マルカコマチ
```

7戦3勝／新潟2歳S。
代表産駒／ユングヴィ（京王杯2歳S3着）。

新馬はソールインパクトを負かし、新潟2歳Sは後方一気
で1分33秒4のレコード勝ち。故障で7ヵ月を棒に振ったが、
それでも15年NHKマイルC3着、ダービー6着したのだから、
潜在能力の高さが知れる。母アスクデピュティは07年の紫苑
S3着。祖母マルカコマチは99年の京都牝馬特別1着。1年目
は4頭だった種付けが、4年目の2020年は20頭に増加。

距離	マ中	馬場	芝	性格	普	成長力	普

メイショウサムソン

2003年生、2021年引退●サドラーズウェルズ系

```
┌*オペラハウス ─┬─ *ダンシングブレーヴ
└マイヴィヴィアン ┴─ ウイルプリンセス
```

27戦9勝／皐月賞、ダービー、天皇賞・春、天皇賞・秋、スプリングS、大阪杯、
宝塚記念2着（2回）。
代表産駒／デンコウアンジュ（福島牝馬S、ヴィクトリアマイル2着）、ルミナ
スウォリアー（函館記念）、キンショウユキヒメ（福島牝馬S）。

小さな牧場に生まれ、700万円で買われた馬が二冠を制す
るという下剋上のヒーロー。鞍上・石橋守、22年目のGIジ
ョッキーを破れた騎手も笑顔で祝福した。春秋の天皇賞も
制して、5歳で凱旋門賞に出走。他馬と接触して10着だった。
産駒はコーナー4つの中距離戦がベスト。昇級即通用のパタ
ーンに馬券のうまみあり。重賞は5歳以上の牝馬が活躍。

距離	マ中	馬場	万	性格	堅	成長力	晩

メイショウボーラー

2001年生、2022年引退 ●デヴィルズバッグ系

```
┌ *タイキシャトル ──────── ┌ Storm Cat
└ ナイスレイズ ──────────── └ Nice Tradition
```

29戦7勝／フェブラリーS、デイリー杯2歳S、小倉2歳S、根岸S、ガーネットS。
代表産駒／ニシケンモノノフ（JBCスプリント）、ラインミーティア（アイビスSD）、
エキマエ（兵庫ChS）。

小倉2歳Sの2F目に10秒2を記録したスピードで新馬から4連勝。朝日杯FSは逃げてコスモサンビームの2着。皐月賞3着、NHKマイルC3着を経てダートに転じ、重賞3連勝でフェブラリーSをレコード勝ちした。5歳のスプリンターズS2着もある。牡馬はダ1400、ダ1800、牝馬は芝1400、芝1200の勝ち鞍が中心。高齢まで走り、忘れた頃に同じコースで大駆け。

距離	短中	馬場	ダ	性格	普	成長力	晩

モンテロッソ　　Monterosso

2007年生、2022年引退 ●英●ドバウィ系

```
┌ Dubawi ──────────────── ┌ Barathea
└ Porto Roca ──────────── └ Antelliere
```

17戦7勝／ドバイワールドC（GI・2000M）、キングエドワード7世S（GII・12F）、ドバイシティオブゴールド（GII・2485M）。
代表産駒／ビリーバー（アイビスSD）、ホープフルサイン（淀短距離S）、リュヌルージュ（中山牝馬S2着）、ラセット（中京記念2着）。

2011年のドバイワールドCはヴィクトワールピサ、トランセンドに次ぐ3着。翌年も同レースに出走。2分02秒67のレコードで快勝した。世界を席巻するドバウィ系だが、日本での成績はいまひとつ。本馬の産駒も勝ち味の遅さは否めない。ただし、大穴血統としての要素はたっぷり。近走の着順に関係なく、得意競馬場、距離での一発に注意。ダート稍重は鬼。

距離	短中	馬場	芝	性格	普	成長力	普

ヤマカツエース

2012年生 ●キングマンボ系

```
┌ キングカメハメハ ──────── ┌ *グラスワンダー
└ ヤマカツマリリン ──────── └ *イクセプトフォーワンダ
```

30戦7勝／金鯱賞（2回）、NZトロフィー、福島記念、中山金杯。
代表産駒／ダイシンヤマト。

重賞5勝、冬の芝2000に強かった。3歳から4歳にかけて、重の福島記念と、良の中山金杯を連勝。さらに4歳12月の金鯱賞と、5歳3月の金鯱賞（中京芝2000）を勝つという珍しい戦歴を残し、GIの大阪杯でもキタサンブラックの3着した。牝系は丈夫さが長所。産駒は叩き良化型が多く、レース間隔のあいた時より、詰まったローテに好走が多い。穴血統。

距離	マ中	馬場	万	性格	普	成長力	普

ヤングマンパワー

2012年生 ●ダンジグ系

```
┌ *スニッツェル ────────── ┌ *サンデーサイレンス
└ スナップショット ──────── └ *ルフィーラ
```

32戦5勝／アーリントンC、関屋記念、富士S。

アーリントンCを好位差し、NHKマイルCはクラリティスカイの6着。デインヒル系らしく、高速マイルを得意とした大型馬で、5歳の夏秋に関屋記念と富士Sを連勝した。父スニッツェルは豪州の名種牡馬で、07年と11年の2シーズン、日本でシャトル供用されたGIスプリンター。産駒は少ないが、勝ち上がり率は優秀。芝もダートも堅実に着を重ねる。

距離	短マ	馬場	万	性格	堅	成長力	早

---

*ヨハネスブルグ　　Johannesburg

1999年生、●米●ストームキャット系

```
┌ *ヘネシー ────────────── ┌ *オジジアン
└ Myth ───────────────── └ Yarn
```

10戦7勝／BCジュヴェナイル（GI・8.5F）、ミドルパークS（GI・6F）、フェニックスS（GI・6F）、モルニ賞（GI・1200M）。
代表産駒／スキャットダディ（名種牡馬）、ネロ（京阪杯）、エイティーンガール（キーンランドC）、ナムラカメタロー（佐賀記念）、ホウライアキコ（デイリー杯2歳S）。

2歳時は7戦7勝。英、愛、仏のGIを制し、アメリカへ遠征してのBCジュヴェナイルも勝利した。3歳時はケンタッキー・ダービーに出走するも8着だった。仕上がりの早さが"売り"ながら、晩年は高齢馬の一発も多し。得意重賞、コースなど十八番を持つ産駒には近走に関係なく注意。孝行息子スキャットダディが大成功。一大父系に発展している。

距離	短中	馬場	ダ	性格	普	成長力	普

リーチザクラウン

2006年生、2024年死亡 ●サンデーサイレンス系

```
┌ スペシャルウィーク ─────── ┌ Seattle Slew
└ クラウンピース ─────────── └ *クラシッククラウン
```

26戦4勝／きさらぎ賞、読売マイラーズC。日本ダービー2着。
代表産駒／キョウヘイ（シンザン記念）、クラウンプライド（UAEダービー）。

きさらぎ賞を単勝1.5倍で逃げ切るも、皐月賞は折り合いを欠いて13着。ダービーは泥んこ不良馬場を2番手からロジユニヴァースの2着に踏ん張った。1番人気の菊花賞は逃げて5着。4歳でマイラーズCを制した。祖母クラシッククラウンはアメリカのダートGIを2勝。産駒は牡馬ならダ1800、牝馬なら芝1200の勝ち鞍が多く、芝ダート兼用。1600は不振。

距離	短中	馬場	万	性格	普	成長力	普

リヤンドファミユ

2010年生、2021年引退●サンデーサイレンス系

┌ ステイゴールド ──────── メジロマックイーン
└ オリエンタルアート ──────── エレクトロアート

24戦4勝／若駒S。
代表産駒／マメコ。

全兄オルフェーヴル（三冠）、ドリームジャーニー（有馬記念、宝塚記念）。京都芝2000の若駒Sを差し切り、クラシックに乗りかけたが故障。復帰後は準オープンの芝2000と芝2400を勝利。種牡馬入りにあたってクラウドファンディングが行われ、約387万円を集めた。ドリジャ産駒のように長距離や重馬場での一変に期待。1年めは地方で3頭が勝ち上がり。

距離	短中	馬場	万	性格	普	成長力	普

*ルックスザットキル Looks That Kill

2012年生、米●ストームキャット系

┌ Wildcat Heir ──────── Two Punch
└ Carol's Amore ──────── Lady Bering

23戦9勝／アフター5スター賞。

南関東公営を中心に走り、ダート短距離で9勝。大井重賞のアフター5スター賞（ダ1200）を逃げ切るなど、スピードが武器だった。16年の東京スプリントでコーリンベリーの5着がある。父ワイルドキャットエアは米国のダート6FのGIホース。その父フォレストワイルドキャットの日本での代表産駒にエーシンフォワード（マイルCS）。2歳戦向き。

距離	短マ	馬場	ダ	性格	普	成長力	早

レインボーライン

2013年生、2022年引退●サンデーサイレンス系

┌ ステイゴールド ──────── *フレンチデピュティ
└ レーゲンボーゲン ──────── レインボーファスト

22戦5勝／天皇賞・春、阪神大賞典、アーリントンC。

3歳でアーリントンC1着、NHKマイルC3着したときはマイラーかと思われたが、菊花賞2着、4歳で不良の秋天3着。5歳で本格化して、岩田父を背に阪神大賞典と天皇賞・春を連勝したステイヤーだった。母系にアンバーシャダイの血を持つ。距離延長で浮上する重賞級の晩成タイプや、道悪の鬼が出るか。1年目産駒から、水沢のダ1600の重賞勝ち馬が出た。

距離	マ中	馬場	万	性格	普	成長力	晩

レーヴミストラル

2012年生、2023年死亡●キングマンボ系

┌ キングカメハメハ ──────── Highest Honor
└ *レーヴドスカー ──────── Numidie

17戦4勝／青葉賞、日経新春杯。

芝2400重賞を2勝、15年日本ダービーはドゥラメンテの9着。半姉レーヴディソール（阪神JF）、半兄アプレザンレーヴ（青葉賞）、半兄レーヴドリアン（きさらぎ賞2着）。母はフランスの芝2000GI・サンタラリ賞に優勝。母の父はグレイソヴリン系。血統構成はルーラーシップやホッコータルマエを連想させるが、産駒は芝で勝ちきれず、ダートに活路。

距離	マ中	馬場	万	性格	普	成長力	普

レガーロ

2013年生●エーピーインディ系

┌ Bernardini ──────── Lemon Drop Kid
└ *サンタテレジータ ──────── Sweet Gold

12戦2勝／全日本2歳優駿2着。
代表産駒／アウトレンジ。

2歳で京都のダ1800を連勝後、全日本2歳優駿は追い込んでサウンドスカイの2着。3歳夏のレパードS3着もある。父父エーピーインディと母父レモンドロップキッドの母がきわめて近い血統のため、面白いクロスを持つ。産駒は少ないが、アウトレンジはダ1800で勝ち星を積み重ねている。勝つ時の強さと、負ける時のモロさが特徴。揉まれない展開で狙い。

距離	マ中	馬場	ダダ	性格	狂	成長力	普

レッドスパーダ

2006年生、2022年死亡●ヘイロー系

┌ タイキシャトル ──────── Storm Cat
└ *バービキャット ──────── Barbarika

27戦7勝／京王杯SC、東京新聞杯、関屋記念。NHKマイルC2着。
代表産駒／テイエムスパーダ（セントウルS）、クラヴィスオレア、ソウルトレイン。

父タイキシャトルと同じ藤沢和雄調教師の下、3歳でNHKマイルC2着。4歳で東京新聞杯を制するも、以後は大型馬ゆえの脚元の不安との戦いが続き、7歳でパラダイスSと関屋記念を連勝した。近親カーリンは米国の07、08年の年度代表馬。産駒は快速テイエムスパーダなどが出て、芝1000～2000向き。ダートも走れるはずだが、現状は不振。新潟直千も合う。

距離	短マ	馬場	芝	性格	普	成長力	早

ローエングリン

1999年生、2023年引退●サドラーズウェルズ系

```
┌ シングスピール ──────── ┌ Garde Royale
└ *カーリング ──────────── └ Corraleja
```

48戦10勝／中山記念2回、マイラーズC2回。ムーランドロンシャン賞2着（仏GI・芝1600M）、宝塚記念3着。
代表産駒／ロゴタイプ（安田記念）、カラクレナイ（フィリーズレビュー）、トーセンスーリヤ（新潟大賞典）、ヴゼットジョリー（新潟2歳S）。

皇月賞もダービーも抽選で除外の後、3歳で出走した宝塚記念は逃げて3着。4歳で後藤浩輝を鞍上に、中山記念とマイラーズCを連勝。その後、伊藤正徳師と師弟の縁が切れかけた後藤だったが、8歳で再び中山記念に勝利したドラマあり。母カーリングは95年の仏オークス、ヴェルメイユ賞。産駒は洋芝と相性が良く、一時不振でも古馬になって復活がある。

距離	マ中	馬場	芝	性格	普	成長力	強

*ロージズインメイ

Roses in May

2000年生、米●デヴィルズバッグ系

```
┌ Devil His Due ────────── ┌ Speak John
└ Tell a Secret ─────────── └ Secret Retreat
```

13戦8勝／ドバイワールドC（GI・2000M）、ホイットニーH（GI・9F）。
代表産駒／ドリームバレンチノ（JBCスプリント）、コスモオオゾラ（弥生賞）、マイネルバイカ（白山大賞典）、ウインムート（さきたま杯）。

ケンタッキー・ダービー当日にデビューし、4歳になって本格化。ホイットニーHなど重賞3勝を含め5連勝。BCクラシック2着もある。5歳時にはドバイワールドCを制した。父は北米ダート中距離GIを5勝。祖父の産駒にタイキシャトル。パワーとスタミナを武器にダート中距離以上で勝ち鞍を量産。距離延長は狙いどころ。使われながら調子を上げていく。

距離	中	馬場	ダ	性格	普	成長力	晩

ローズキングダム

2005年生、2018年引退●キングマンボ系

```
┌ キングカメハメハ ──────── ┌ *サンデーサイレンス
└ ローズバド ───────────── └ ロゼカラー
```

25戦6勝／ジャパンC、朝日杯FS、神戸新聞杯、京都大賞典、東スポ杯2着S。ダービー2着、菊花賞2着。
代表産駒／ロザムール（七夕賞2着）、アンブロジオ（クロッカスS2着）。

3連勝で09年の朝日杯FSを制し、皇月賞4着、ダービーはエイシンフラッシュの2着、菊花賞も2着。ジャパンCも2着入線だったが、ブエナビスタの斜行降着で1着に繰り上がった。母ローズバドはオークス2着、秋華賞2着など、近親スタニングローズの薔薇一族。自身も母も2着が多かったが、産駒も2着が多い。人気になりにくいタイプで、ヒモ穴向き。

距離	マ中	馬場	芝	性格	堅	成長力	普

ローレルゲレイロ

2004年生、2023年引退●リファール系

```
┌ キングヘイロー ──────── ┌ *テンビー
└ ビッグテンビー ───────── └ モガミヒメ
```

31戦5勝／高松宮記念、スプリンターズS、阪急杯、東京新聞杯。NHKマイルC2着、朝日杯FS2着。
代表産駒／アイオライト（全日本2歳優駿2着）、アイライン（オーロC2着）。

飛ばして粘るも勝ち切れず、NHKマイルCを終えて早くも重賞2着が5回。4歳でマイル重賞を2つ、5歳で芝1200のGIを両方とも制して頂点に立った。他の騎手を威圧するような藤田伸二の逃げがハマった。父キングヘイローの代表産駒。5代母クリヒデは昭和37年の天皇賞馬。産駒も1200と1400でムラ駆けの芝ダ兼用型。3着が多いので3連複向き。

距離	短マ	馬場	万	性格	狂	成長力	普

ロジユニヴァース

2006年生●サンデーサイレンス系

```
┌ ネオユニヴァース ──────── ┌ Cape Cross
└ アコースティクス ───────── └ ソニンク
```

10戦5勝／ダービー、弥生賞、札幌2歳S、ラジオNIKKEI杯2着S。
代表産駒／ロジティナ、ロジベルレスト。

新馬から弥生賞まで、ゆったりローテで4戦4勝。しかし皇月賞は単勝1.7倍で14着。ダービーは不良馬場の中、先に抜け出したリーチザクラウンをかわして優勝。横山典弘は悲願のダービージョッキーに。産駒の勝ち鞍の中心はダ1600から2100。芝は時計のかかる馬場に向き、3着の多さが特徴。近親ディアドラ、3代母ソニックレディは愛1000ギニー優勝。

距離	マ中	馬場	ダ	性格	普	成長力	普

ワンアンドオンリー

2011年生●サンデーサイレンス系

```
┌ ハーツクライ ──────── ┌ *タイキシャトル
└ ヴァーチュ ────────── └ サンタムール
```

33戦4勝／日本ダービー、神戸新聞杯、ラジオNIKKEI杯2着S。
代表産駒／アトラクティーボ。

3歳から本格的に横山典弘とコンビを組み、弥生賞2着、皇月賞は最後方から4着。ダービーは1枠から内の好位につけ、直線はイスラボニータとの一騎打ちを制した。ダービー2着続きだった橋口弘次郎調教師は「泣いてもええんかな」と男泣き。3代母アンブロジンの仔にノーリーズン（02皇月賞）。福島芝1800、阪神ダ2000など、切れ味不要のコース向き。

距離	中長	馬場	万	性格	普	成長力	普

その他の種牡馬

アーネストリー　父／グラスワンダー

6歳時の宝塚記念でブエナビスタを封じてレコード勝ち。産駒はダート短距離の傾向が強く、父の母の父ダンジグの影響を感じる。

アイファーソング　父／ソングオブウインド

ダ1800の重賞アンタレスS2着。父はエルコンドルパサー産駒の菊花賞馬という貴重なサイアーライン。23年に産駒が初勝利。

アグニシャイン　父／ハービンジャー

父の後継の第1号。現役時はわずか1勝も、祖母レディブロンド、近親ディープインパクトの良血が買われてスタッドイン。

アスカクリチャン　父／スターリングローズ

ダート血統ながら5歳の七夕賞を14番人気、6歳のアルゼンチン共和国杯を7番人気で快勝。浦和記念勝ちのクリノドラゴンが出た。

アドマイヤコジーン　父／Cozzene

無敗で朝日杯3歳Sを勝つも、2度にわたる骨折で1年半の休養。復帰後、6歳で安田記念勝ち。17年死亡。後継にスノードラゴン。

アドマイヤマックス　父／サンデーサイレンス

4歳で安田記念2着、6歳で高松宮記念に優勝した。産駒は穴率が高く、牡馬はダート寄りマイラー、牝馬は芝の短距離を中心に活躍。

アロマカフェ　父／マンハッタンカフェ

10年のラジオNIKKEI賞勝ち馬。祖母の半姉プロケード。カフェの冠の西川オーナーの持ち馬が中心で、ローカル向き。

エーシンシャラク　父／タイキシャトル

エイシンヒカリの半兄。近親にフェアリーS勝ちスマイルカナ。中央では芝・ダ1200mを中心に活躍した。ひまわり賞に期待。

エーシンフォワード　父／Forest Wildcat

3歳春からマイル重賞戦線で活躍、5歳でマイルCSを勝ってGIウイナーの仲間入り。ロードエースが中央ダート短距離で4勝。

オウケンブルースリ　父／ジャングルポケット

貴重なトニービン直系のサイアーライン。3歳4月デビューで夏に躍進し、菊花賞を制す。3代母はミスタープロスペクターの半妹。

ガルボ　父／マンハッタンカフェ

2歳から7歳まで長く活躍して、重賞4勝。少ない産駒から中央3勝馬を複数出し、春天にも出走を果たす。高知では二冠馬も誕生。

ギンザグリングラス　父／メジロマックイーン

日本で唯一残るヘロド系の種牡馬。父系を守るべく、熱心なファンの手で種牡馬入りし、20、21年は5頭、22年は2頭に種付け。

クラウンレガーロ　父／グラスワンダー

12年のデイリー杯2歳S2着、13年の若葉S2着。近親にアリゼオ。実質、クラウンの自家種牡馬。24年夏時点で中央未勝利。

グランシルク　父／ステイゴールド

父の産駒には珍しくマイルを得意とし、15年NHKマイルC5着、17年京成杯AH1着。千葉県の牧場で種牡馬入り。

クリーンエコロジー　父／キングカメハメハ

中央芝で5勝をあげたあと、ホッカイドウ競馬へ転厩。11年のBCクラシックを勝ったドロッセルマイヤーと祖母が同じ。

サウンドスカイ　父／ディープスカイ

15年にデビューし、未勝利から全日本2歳優駿まで4連勝も、その後は鳴かず飛ばず。ダービー馬ディープスカイの貴重な後継。

サクラオリオン　父／エルコンドルパサー

09年の中京記念と函館記念に勝利、札幌記念は3着。母の半兄に種牡馬ゴーンウエスト、父は凱旋門賞でモンジューの2着した名馬。

サクラゼウス　父／サクラバクシンオー

中央4戦2勝、ファルコンS3着のあと、屈腱炎で3年近いブランクを余儀なくされるも、高知で復帰し12戦12勝。

サムライハート　父／サンデーサイレンス

母エアグルーヴ、全姉アドマイヤグルーヴ、半弟ルーラーシップ。現役時代は5戦3勝、産駒は中距離向き。母父としてなかなか優秀。

シビルウォー　父／ウォーエンブレム

ダート長距離の交流重賞を勝ち、12年のJBCクラシック2着。父はアメリカ二冠馬で、その貴重な後継。産駒はダ1600から2000向き。

シングンオペラ　父／オペラハウス

生まれ故郷で種牡馬入りし、オーナーの馬に1頭ずつ種付け。その産駒が2年連続で中央で勝ち上がり、種付けは最大8頭まで増えた。

スノードラゴン　父／アドマイヤコジーン

新潟開催のスプリンターズSを単勝46.5倍の勝利。ダ1200重賞でも活躍。カロの父系。東海ダービー2着のツキミヒツツが出た。

セレスハント　父／コロナドズクエスト

北海道スプリントCなど交流重賞を4勝。父はフォーティナイナー直仔で、ダート短距離向き。産駒は主に地方で活躍中。

テイエムジンソク　父／クロフネ

東海S、みやこSとダート中距離重賞2勝。17年チャンピオンズCでゴールドドリームの2着。主戦は古川。産駒は主に佐賀で活躍。

トーセンファントム　父／ネオユニヴァース

09年の東スポ杯2歳Sでローズキングダムの2着。芝もダートも1600得意なマイラーで、現役産駒は「1200の外枠」に好走が目立つ。

トーセンブライト　父／ブライアンズタイム

中央でダ1400から1700のオープンを勝ったほか、園田や高知の交流重賞を4勝。産駒はダート中距離に向き、稍重や重の穴に注意。

ナムラタイタン　父／サウスヴィグラス

武蔵野Sなど中央9勝、地方12勝のダートマイラー。ダートの名種牡馬だった父の貴重な後継。ブンブンマルが名古屋重賞5勝。

ニホンピロアワーズ　父／ホワイトマズル

12年JCダート、14年東海Sなどダートのスタミナ自慢。数少ない中央所属産駒のなかからシゲルホサヤクがオープン入りした。

ハイアーゲーム　父／サンデーサイレンス

04年の青葉賞、07年の鳴尾記念を勝利。青葉賞後のダービーではキングカメハメハを負かしにいき3着。産駒はダートも走る。

ハギノハイブリッド　父／タニノギムレット

14年の京都新聞杯1着、15年函館記念2着。近親にレッドファルクス、スティンガー。ブライアンズタイムの父系を残せるか。

バンドワゴン　父／ホワイトマズル

新馬とエリカ賞を圧勝して、ダービー候補と呼ばれたが頓挫。半弟スワーヴリチャード。産駒はダート1800に合う。

プリサイスエンド　父／エンドスウィープ

米国のダ7FでGⅢ勝ち馬。代表産駒にカフジテイク、グロリアスノアなど。ダ1400からダ1800の堅実型が多く、高齢馬もしぶとい。

メジロダイボサツ　父／ディープインパクト

母メジロドーベルはオークス、秋華賞などGIを5勝の夢配合。現役時は芝長距離を1勝。産駒の中央初勝利は障害レース。

ルースリンド　父／エルコンドルパサー

地方でデビューした産駒が高確率で勝ち上がり、なかでもストゥディウム、ヤマショウブラックがそれぞれ重賞4勝をあげる。

ロードアルティマ　父／Seeking the Gold

現役時は故障に悩まされつつも芝1400〜1600mを中心に6勝をあげた。産駒は早熟の短距離型で上限は1700m。

ワークフォース　父／キングズベスト

英ダービーをレコード勝ち、凱旋門賞はナカヤマフェスタをアタマ差抑えて優勝。ステイヤーズS勝ち馬を出すなどスタミナが豊富。

ワイルドワンダー　父／ブライアンズタイム

アンタレスなどダート重賞を3勝、08年フェブラリーS3着。産駒の中央での勝利はダート1000〜2400mと幅広い。

ワンダーアキュート　父／カリスマティック

JBCクラシック、帝王賞に勝ち、GIの2着と3着が計15回！父は米三冠達成寸前で故障。アキュートガールが園田重賞勝利。

血統表に名を残す名種牡馬

アグネスタキオン

1998年生、2009年死亡 ●サンデーサイレンス系

```
┌ *サンデーサイレンス     ┌ *ロイヤルスキー
└ アグネスフローラ ──────┴ アグネスレディー
```

4戦4勝／皐月賞、弥生賞、ラジオたんぱ杯3歳S。
代表産駒／ディープスカイ（ダービー）、ダイワスカーレット（桜花賞）、キャプテントゥーレ（皐月賞）。
母の父／ノンコノユメ（フェブラリーS）、ワイドファラオ（ニュージーランドT）。

00年ラジオたんぱ杯は、伝説の2歳重賞と語り継がれる。2着に翌年のダービーとジャパンCを制するジャングルポケット、3着にNHKマイルCとJCダートを制するクロフネ。この両馬をデビュー2戦目で完封したのが、アグネスタキオンだ。無敗で皐月賞を完勝、ダービーを前に引退した。産駒は1600〜2000Mが得意。晩年の産駒はダート中距離型が多い。

| 距離 | マ中 | 馬場 | 芝 | 性格 | 堅 | 成長力 | 早 |

*アフリート　　　Afleet

1984年生、2014年死亡／加 ●ミスタープロスペクター系

```
┌ Mr. Prospector       ┌ Venetian Jester
└ Polite Lady ─────────┴ Friendly Ways
```

15戦7勝／ジェロームH（GI・8F）など重賞5勝。
代表産駒／プリモディーネ（桜花賞）、スターリングローズ（JCBスプリント）、バンブーエール（JCBスプリント）、ドモナラズ（七夕賞）、サカラート（東海S）。
母の父／ニシケンモノノフ（JCBスプリント）モルトベーネ（アンタレスS）。

3歳夏までカナダで走り、その後はアメリカを転戦した。近親にカナダの活躍馬多数。プリモディーネ、驚きのドモナラズなど芝の重賞勝ち馬を出したが、晩年はダートに集中。格上相手の番狂わせこそ少ないが、自分の能力を常に引き出す安定感は抜群。特に湿ったダ1400では四の五の言わずに買いだ。高齢になっても一線級で走る息の長さも自慢どころ。

| 距離 | 短マ | 馬場 | ダ | 性格 | 普 | 成長力 | 普 |

*ウォーエンブレム　　　War Emblem

1999年生、2020年死亡／米 ●ミスタープロスペクター系

```
┌ Our Emblem           ┌ Lord at War
└ Sweetest Lady ───────┴ Sweetest Roman
```

13戦7勝／ケンタッキー・ダービー（GI・10F）、プリークネスS（GI・9.5F）。
代表産駒／ブラックエンブレム（秋華賞）、ローブティサージュ（阪神JF）、オールブラッシュ（川崎記念）、シビルウォー（名古屋GP）、ウォータクティクス（アンタレスS）、ショウナンアルバ（共同通信杯）。

米二冠馬。三冠のかかったベルモントSは8着。父は名牝パーソナルエンサインの仔。母系近親に目立った活躍馬はいない。牝馬嫌いとあって、種付けに手こずり、それでも少ない産駒からGI勝ち馬を送り出したのは、ちがった意味でりっぱなものを持っていた。産駒はスピードを持続する能力に長け、芝の高速馬場に強かった。

| 距離 | マ中 | 馬場 | 万 | 性格 | 普 | 成長力 | 普 |

*エルコンドルパサー

1995年生、2002年死亡／米 ●キングマンボ系

```
┌ Kingmambo            ┌ Sadler's Wells
└ *サドラーズギャル ────┴ Glenveagh
```

11戦8勝／ジャパンC、NHKマイルC、サンクルー大賞（仏GI・2400M）。
代表産駒／ヴァーミリアン（JCダート）、ソングオブウインド（菊花賞）。
母の父／マリアライト（エリザベス女王杯）、クリソベリル（チャンピオンズC）、リアファル（神戸新聞杯）、クリソライト（ジャパンダートダービー）。

新馬からNHKマイルCまで5連勝。毎日王冠はサイレンススズカの逃げ切りを許すも、ジャパンCを3歳で優勝。翌年は欧州GIも制し、凱旋門賞では果敢に逃げてモンジューと一騎打ちの2着。現地メディアに「王者が2頭いた」と讃えられた。近親のサドラーズウェルズやヌレイエフが複雑に絡み合う配合。わずか3世代の産駒から一流馬を輩出した。

| 距離 | 中長 | 馬場 | 万 | 性格 | 普 | 成長力 | 強 |

*エンドスウィープ　　　End Sweep

1991年生、2002年死亡／米 ●フォーティナイナー系

```
┌ *フォーティナイナー    ┌ Dance Spell
└ Broom Dance ─────────┴ Witching Hour
```

18戦6勝／ジャージーショアBCS（GIII・7F）。
代表産駒／アドマイヤムーン（ジャパンC）、スイープトウショウ（宝塚記念）。
母の父／トーセンスターダム（きさらぎ賞）、ナムラビクター（アンタレスS）、ゲシュタルト（京都新聞杯）。

自身は短距離路線の中堅級で、輸入前の産駒もスプリンターで占められていた。ところが日本での産駒は1600〜2400をこなすどころか、マイル、中距離の芝GIを勝つのだから、恐れ入った。アドマイヤムーンに代表されるように、ためが利いたときの差し脚は一級品。母の父としてもトーセンスターダム、ナムラビクターを出し、俄然注目を浴びている。

| 距離 | 短マ | 馬場 | 万 | 性格 | 普 | 成長力 | 普 |

*エンパイアメーカー Empire Maker

2000年生、2020年死亡／米●アンブライドルド系

```
┌ Unbridled ──────── ┌ El Gran Senor
└ Toussaud          └ Image of Reality
```

8戦4勝／ベルモントS（GI・12F）、などGI3勝。
代表産駒／フェデラリスト（中山記念）、エテルナミノル（愛知杯）。イジゲン（武蔵野S）、ヒストリーメイカー（プロキオンS2着）、スマートダンディー（北海道スプリントC2着）、シャンパンクーペ。

ベルモントSでは二冠馬ファニーサイドを撃破。種牡馬としては北米で10頭を超えるGI馬を出し、三冠馬アメリカンファラオの父の父としても名声を博した。芝重賞好走馬を出したものの、現状はダート。中距離を中心に力のいる馬場向きか、軽い馬場向きか見分けつつ、狙うのが正解。大敗後の大駆けがあり、常に警戒は必要。高齢といって侮るなかれ。

| 距離 | 中 | 馬場 | ダ | 性格 | 普 | 成長力 | 普 |

---

*オペラハウス Opera House

1988年生、2016年死亡／英●サドラーズウェルズ系

```
┌ Sadler's Wells ──── ┌ High Top
└ Colorspin        └ Reprocolor
```

18戦8勝／"キングジョージ"（GI・12F）など重賞6勝。
代表産駒／テイエムオペラオー（ジャパンC）、メイショウサムソン（ダービー）、ミヤビランベリ（目黒記念）、アクティブバイオ（目黒記念）。
母の父／メジャーエンブレム（NHKマイルC）、リッカルド（エルムS）。

5歳時には"キングジョージ"などイギリス前半の主要中距離のGI3レースの完全制覇を果たしている。母は愛オークス馬。本格的欧州血統らしく、アベレージよりも常にホームラン狙い。強い産駒はとことん強い。一方で、目黒記念を勝つようないぶし銀も輩出。中山＆東京芝2500、ローカル芝2600は得意コース。高齢になってもタフに走り続けた。

| 距離 | 中長 | 馬場 | 芝 | 性格 | 普 | 成長力 | 強 |

キングヘイロー

1995年生、2019年死亡●リファール系

```
┌ *ダンシングブレーヴ ── ┌ Halo
└ *グッバイヘイロー    └ Pound Foolish
```

27戦6勝／高松宮記念、中山記念、東京スポーツ杯3歳S、東京新聞杯。
代表産駒／カワカミプリンセス（オークス、秋華賞）、ローレルゲレイロ（高松宮記念、スプリンターズS）、ダイアナヘイロー（阪神C）。
母の父／イクイノックス（有馬記念）、ピクシーナイト（スプリンターズS）。

スペシャルウィーク、セイウンスカイと3強のクラシックは、皐月賞2着、ダービー14着、菊花賞5着。折り合いを欠いて逃げたダービーの福永の騎乗は批判の的に。柴田善に乗り替わり、紆余曲折の末に5歳の高松宮記念でタイトル奪取。父は凱旋門賞など80年代の欧州名馬。母は米GIを7勝。近年の産駒は牡馬がダート、牝馬は芝が主戦場。5歳で充実。

| 距離 | マ長 | 馬場 | 芝 | 性格 | 普 | 成長力 | 強 |

---

*グラスワンダー

1995年生、2020年引退／米●ロベルト系

```
┌ Silver Hawk ────── ┌ Danzig
└ Ameriflora      └ Graceful Touch
```

15戦9勝／有馬記念2回、宝塚記念、朝日杯3歳S、毎日王冠、京王杯SC。
代表産駒／スクリーンヒーロー（ジャパンC）、アーネストリー（宝塚記念）、セイウンワンダー（朝日杯FS）、ビッグロマンス（全日本2歳優駿）、サクラメガワンダー（金鯱賞）。

97年朝日杯3歳Sを1分33秒6のレコードで4戦4勝。的場均は「自分が巡り合った最高の馬」と称賛した。99年の宝塚記念でスペシャルウィークを3馬身突き離し、同年有馬記念もライバルにハナ差勝ちして2連覇。安田記念2着もある。父は愛ダービー2着。近年の産駒は芝2000、ダ1200、ダ1400で好成績。短距離馬は内枠、中距離馬は古馬の成長を狙え。

| 距離 | マ中 | 馬場 | 芝 | 性格 | 普 | 成長力 | 普 |

サクラバクシンオー

1989年生、2011年死亡●プリンスリーギフト系

```
┌ サクラユタカオー ──── ┌ *ノーザンテースト
└ サクラハゴロモ    └ *クリアアンバー
```

21戦11勝／スプリンターズS2回、スワンS、ダービー卿CT、クリスタルC。
代表産駒／ショウナンカンプ（高松宮記念）、グランプリボス（NHKマイルC）、ビッグアーサー（高松宮記念）、ダッシャーゴーゴー（セントウルS）。
母の父／キタサンブラック（ジャパンC）、ハクサンムーン（セントウルS）。

1200Mで【7-0-0-1】。1400Mで【4-0-0-0】。1600M以上で【0-2-1-6】。引退戦の94年スプリンターズSは1分7秒1のレコードで、4馬身差の楽勝だった。父サクラユタカオーは天皇賞・秋をレコード勝ち、その父テスコボーイは70、80年代のトップ種牡馬。産駒は平坦向きか、坂コースOKか、高速馬場向きか、時計かかる馬場向きかを、見極めて取捨。

| 距離 | 短 | 馬場 | 芝 | 性格 | 堅 | 成長力 | 早 |

サッカーボーイ

1985年生、2011年死亡●ファイントップ系

```
┌ *ディクタス ────── ┌ *ノーザンテースト
└ ダイナサッシュ   └ *ロイヤルサッシュ
```

11戦6勝／マイルCS、阪神3歳S、函館記念、中日スポーツ賞4歳S。
代表産駒／ヒシミラクル（菊花賞、天皇賞・春）、ナリタトップロード（菊花賞）、ティコティコタック（秋華賞）、アイポッパー（ステイヤーズS）。
母の父／マイネルキッツ（天皇賞・春）、クリールカイザー（AJCC）。

関西2歳王者決定戦・阪神3歳Sを8馬身差でレコード勝ち。栃栗毛の馬体でテンポイントの再来と騒がれ、末脚の切れ味は弾丸シュートと形容された。クラシックは不調も、古馬相手の函館記念とマイルCSを楽々と連勝。種牡馬としてはスタミナを伝え、大舞台に強いステイヤーを送り出した。父はフランスのGIマイラー。全妹はステイゴールドの母。

| 距離 | 中長 | 馬場 | 芝 | 性格 | 狂 | 成長力 | 晩 |

血統表に名を残す名種牡馬

*サンデーサイレンス　Sunday Silence

1986年生、2002年死亡／米●ヘイロー系

```
┌ Halo              ┌ Understanding
└ Wishing Well ─── └ Mountain Flower
```

14戦9勝／ケンタッキー・ダービー（GI・10F）、プリークネスS（GI・9.5F）、BCクラシック（GI・10F）。
代表産駒／ディープインパクト（三冠）、ステイゴールド（香港ヴァーズ）。
母の父／アーモンドアイ（牝馬三冠、ジャパンC）、ドゥラメンテ（ダービー）。

左記のGIは全てイージーゴーアを破ったもの。産駒はキレキレの脚を武器とし、特にスロー→上がりの勝負に強く、高速馬場も得意としていた。母の父としては、エンドスウィープ産駒に2400GIを、サクラバクシンオー産駒にマイルGIを勝たせるなど、キレと底力を注入するうえ、距離の守備範囲も広げている。東京の重賞に強いのは種牡馬時代と同じ。

| 距離 | 万 | 馬場 | 万 | 性格 | 堅 | 成長力 | 強 |

---

*シンボリクリスエス

1999年生、2020年死亡／米●ロベルト系

```
┌ Kris S.     ┌ Gold Meridian
└ Tee Kay ─── └ Tri Argo
```

15戦8勝／有馬記念2回、天皇賞・秋2回、神戸新聞杯、青葉賞。
代表産駒／エピファネイア（菊花賞）、ストロングリターン（安田記念）、アルフレード（朝日杯FS）、ルヴァンスレーヴ（チャンピオンズC）。
母の父／レイデオロ（ダービー）、ソングライン（安田記念2回）。

02、03年の年度代表馬。青葉賞1着、ダービー2着の後、秋は天皇賞で古馬を一蹴。JC3着を経て、有馬記念はタップダンスシチーを差し切った。4歳で秋天と有馬を連覇し、どちらもレコードだった。父クリスエスの代表産駒にクリスキン（英ダービー）。芝とダート両部門のチャンピオンが出て、父系もつながりそう。1600も2400も締まった流れに強い。

| 距離 | マ中 | 馬場 | 万 | 性格 | 普 | 成長力 | 強 |

ステイゴールド

1994年生、2015年死亡●サンデーサイレンス系

```
┌ *サンデーサイレンス   ┌ *ディクタス
└ ゴールデンサッシュ ─── └ ダイナサッシュ
```

50戦7勝／香港ヴァーズ。ドバイシーマクラシック、目黒記念、日経新春杯。
代表産駒／オルフェーヴル（三冠）、ゴールドシップ（有馬記念）、フェノーメノ（天皇賞・春）、インディチャンプ（安田記念）、ドリームジャーニー（宝塚記念）、ウインブライト（香港C）。

「最強の重賞未勝利馬」と呼ばれ、春天、宝塚記念、秋天など何度も人気薄でGIの2着に飛び込んで愛された。6歳の目黒記念で重賞初制覇すると、キャラ変。7歳の日経新春杯を勝って向かったドバイシーマクラシックはファンタスティックライトに襲いかかり、大接戦勝ち！ 50戦目の香港ヴァーズは猛獣のような瞬発力で勝利し、黄金旅程を締めくくった。

| 距離 | 中長 | 馬場 | 芝 | 性格 | 狂 | 成長力 | 強 |

スペシャルウィーク

1995年生、2018年死亡●サンデーサイレンス系

```
┌ *サンデーサイレンス   ┌ マルゼンスキー
└ キャンペンガール ─── └ レディーシラオキ
```

17戦10勝／ダービー、天皇賞・春、天皇賞・秋、ジャパンC、弥生賞、京都新聞杯、AJCC、阪神大賞典、きさらぎ賞。
代表産駒／ブエナビスタ（JC、天皇賞・秋）、シーザリオ（オークス）。
母の父／エピファネイア（ジャパンC）、サートゥルナーリア（皐月賞）。

皐月賞3着、ダービー1着、菊花賞2着。武豊にダービージョッキーの称号をもたらすも、二冠をセイウンスカイに奪われた。4歳で春秋の天皇賞＋JCを勝利。締めくくりの有馬記念はグラスワンダーにハナ差敗れた。4代母はシラオキ。近年の産駒はコーナー4つの中距離や、坂のあるダートに良績、特に小倉の芝がいい。芝1200専門の牝馬も穴になる。

| 距離 | マ中 | 馬場 | 万 | 性格 | 堅 | 成長力 | 普 |

---

*タイキシャトル

1994年生、2022年死亡／米●デヴィルズバッグ系

```
┌ Devil's Bag     ┌ Caerleon
└ *ウェルシュマフィン ─── └ Muffitys
```

13戦11勝／ジャックルマロワ賞、安田記念、マイルCS2回など重賞8勝。
代表産駒／メイショウボーラー（フェブラリーS）、ウインクリューガー（NHKマイルC）、サマーウインド（JBCスプリント）、レッドスパーダ（京王杯SC）。
母の父／ストレイトガール（ヴィクトリアマイル）、ワンアンドオンリー（ダービー）。

全成績【11-1-1-0】の最強マイラー。3歳でマイルCSとスプリンターズS、4歳で不良の安田記念を完勝。1998年夏、フランスのマイルGIジャックルマロワ賞で、のちの大種牡馬ケープクロスなどを相手に優勝。鞍上は岡部幸雄。父デヴィルズバッグの父系の種牡馬は、ほかにロージズインメイ。17年の種付けを最後に引退。タテガミを切られる事件も。

| 距離 | 短マ | 馬場 | 万 | 性格 | 普 | 成長力 | 普 |

---

*ダンシングブレーヴ　Dancing Brave

1983年生、1999年死亡／米●リファール系

```
┌ Lyphard           ┌ Drone
└ Navajo Princess ─── └ Olmec
```

10戦8勝／凱旋門賞（GI・2400M）などGI4勝。
代表産駒／テイエムオーシャン（桜花賞、秋華賞）、キョウエイマーチ（桜花賞）、キングヘイロー（高松宮記念）。
母の父／メイショウサムソン（ダービー）、スイープトウショウ（宝塚記念）。

怒涛の末脚で制した凱旋門賞の他、英2000ギニー、"キングジョージ"などのGI優勝もある。父の産駒にモガミ。母系は全妹にジョリファ（仏オークスGI）。瞬発力勝負や緩急のある競馬を苦手とするが、淀みなく流れる展開になると距離、格に関係なく、先行しても追い込んでも無類の強さを発揮した。母の父としてもここ一番で凄みを見せる血統。

| 距離 | 万 | 馬場 | 芝 | 性格 | 普 | 成長力 | 強 |

ダンスインザダーク

1993年生、2020年死亡●サンデーサイレンス系

```
┌ *サンデーサイレンス ──── Nijinsky
└ ダンシングキイ ──────── Key Partner
```

8戦5勝／菊花賞、京都新聞杯、弥生賞。ダービー2着。
代表産駒／ザッツザプレンティ（菊花賞）、デルタブルース（菊花賞）、スリーロールス（菊花賞）、ツルマルボーイ（安田記念）、ダークシャドウ（毎日王冠）。
母の父／ラブリーデイ（天皇賞・秋）、アルバート（ステイヤーズS）。

皐月賞は回避。ダービーはフサイチコンコルドの2着。伝説の菊花賞、4角で瞬時に内から外へ進路を変えて上がり33秒8でロイヤルタッチを差し切った。全姉ダンスパートナー（オークス）、全妹ダンスインザムード（桜花賞）。産駒は持久力抜群で長い末脚を使える半面、一瞬の器用な脚はない。東京や新潟、京都外回りなど、長い直線替わりが狙い目。

距離	中長	馬場	芝芝	性格	普	成長力	晩

テイエムオペラオー

1996年生、2018年死亡●サドラーズウェルズ系

```
┌ *オペラハウス ───────── Blushing Groom
└ ワンスウェド ────────── Noura
```

26戦14勝／皐月賞、天皇賞・春（2回）、宝塚記念、天皇賞・秋、ジャパンC、有馬記念。
代表産駒／ダイナミックグロウ（阿蘇S）、テイエムヒッタマゲ（昇竜S）、タカオセンチュリー（マリーンS2着）。

3歳時はアドマイヤベガ、ナリタトップロードと3強を形成し、皐月賞に優勝。しかしその後は1強となる。圧巻は4歳だった2000年。京都記念から有馬記念まで古馬の王道路線を8戦全勝。強すぎて馬券の売り上げが落ちたと言われたほど。GIを7勝は当時シンボリルドルフに並ぶ最多タイ、獲得賞金は18億円を超えた。産駒は芝もダートも小倉が得意。

距離	短中	馬場	芝	性格	普	成長力	晩

*ディンヒル　　　　　　　　　Danehill

1986年生、2003年死亡●米●ダンジグ系

```
┌ Danzig ──────────── His Majesty
└ Razyana ─────────── Spring Adieu
```

9戦4勝／スプリントC（GI・6F）。
代表産駒／ファインモーション（エリザベス女王杯）、ロックオブジブラルタル。
母の父／フェノーメノ（天皇賞・春）、エイジアンウインズ（ヴィクトリアマイル）。

欧州、オセアニアでGI馬を多数輩出。多くの後継種牡馬を擁し、ノーザンダンサー系の主流父系として発展している。日本でも1年だけリース供用されたが、海外ほど成功しなかった。きっかけをつかむと上昇気流に乗り、一気に出世する。後継のダンシリ、リダウツチョイスらが各国・地域で首位サイアーとなり、母の父としてもフランケルを送り出した。

距離	マ中	馬場	芝	性格	普	成長力	普

トウカイテイオー

1988年生、2013年死亡●パーソロン系

```
┌ シンボリルドルフ ─────── ナイスダンサー
└ トウカイナチュラル ────── トウカイミドリ
```

12戦9勝／皐月賞、ダービー、ジャパンC、有馬記念、大阪杯。
代表産駒／トウカイポイント（マイルCS）、ヤマニンシュクル（阪神JF）、トウカイパルサー（愛知杯）、タイキポーラ（マーメイドS）。
母の父／レーベンスティール（セントライト記念）、ヴィーヴァヴォドカ（フラワーC）。

希代のドラマティック・ホース。安田隆行を背に6戦6勝で父と同じ無敗のダービー馬に輝くも、骨折で菊花賞は棒に振る。二度目の骨折から復帰後、4歳のジャパンCを制し、府中の杜にテイオー・コールが響く。三度目の骨折から復帰戦の有馬記念でも常識をくつがえして優勝。田原成貴が涙を流して馬を讃えた。今は母系に入って、しぶとさを与える。

距離	マ中	馬場	芝	性格	普	成長力	普

*トニービン　　　　　　　　　Tony Bin

1983年生、2000年死亡●愛●グレイソヴリン系

```
┌ *カンパラ ───────────── Hornbeam
└ Severn Bridge ─────────── Priddy Fair
```

27戦15勝／凱旋門賞（GI・2400M）など重賞8勝。
代表産駒／ジャングルポケット（ダービー）、ウイニングチケット（ダービー）、エアグルーヴ（天皇賞・秋）、オフサイドトラップ（天皇賞・秋）。
母の父／ハーツクライ（有馬記念）、アーネストリー（宝塚記念）。

産駒のGI13勝のうち東京／11勝。重賞61勝のうち東京／20勝、京都外回り／11勝。母の父としては万能血統。リンカーンやドリームパスポートらが長距離好走、ダイヤモンドS2勝などスタミナを、トランセンドには競っての底力を伝え、アーネストリーには成長力を、といった具合。苦手とした有馬記念も母の父としては勝ち馬ハーツクライを出した。

距離	中	馬場	芝芝	性格	普	成長力	普

ネオユニヴァース

2000年生、2021年死亡●サンデーサイレンス系

```
┌ *サンデーサイレンス ──── Kris
└ ポインテッドパス ─────── Silken Way
```

13戦7勝／皐月賞、ダービー、スプリングS、大阪杯、きさらぎ賞。
代表産駒／ヴィクトワールピサ（ドバイWC、有馬記念）、ネオリアリズム（Qエリザベス2世C、札幌記念）、ロジユニヴァース（ダービー）、アンライバルド（皐月賞）。

デムーロを背に2003年の皐月賞、ダービーの二冠制覇。菊花賞はザッツザプレンティの3着だった。種牡馬としてもダービー馬ロジユニヴァースなどのほか、海外GIの優勝馬を2頭出して適性の幅を示し、母の父としてもダート王ルヴァンスレーヴやデルマソトガケを出している。皐月賞勝利直後、ミルコが2着の田中勝春の頭を叩いた逸話も有名。

距離	中長	馬場	万	性格	普	成長力	普

*ノーザンテースト　Northern Taste

1971年生、2004年死亡／加●ノーザンダンサー系

```
┌ Northern Dancer ─┬ Victoria Park
└ Lady Victoria ────┴ Lady Angela
```

20戦5勝／ラフォレ賞（GI・1400M）。
代表産駒／ダイナガリバー（ダービー）、アンバーシャダイ（有馬記念）。
母の父／ダイワスカーレット（有馬記念）、ダイワメジャー（天皇賞・秋）、カンパニー（天皇賞・秋）、エアグルーヴ（天皇賞・秋）。

　吉田照哉氏がアメリカのセリ市で購買。欧州で走り、英2000ギニー4着、英ダービーは5着だった。3歳秋にラフォレ賞を制した。サンデーサイレンス以前の大種牡馬。産駒は丈夫な体とミラクルな成長力を持っていた。母の父としてもダイワスカーレット、ダイワメジャー、エアグルーヴ、サッカーボーイなどを出し、種牡馬としての特徴を伝えている。

| 距離 | 万 | 馬場 | 万 | 性格 | 堅 | 成長力 | 強 |

---

*ファルブラヴ　Falbrav

1998年生、2024年死亡／愛●フェアリーキング系

```
┌ Fairy King ──────┬ Slewpy
└ Gift of the Night ┴ Little Nana
```

26戦13勝／ジャパンC、香港C（GI・2000M）などGI8勝。
代表産駒／エーシンヴァーゴウ（セントウルS）、トランスワープ（函館記念）、エポワス（キーンランドC）、フォーエバーマーク（キーンランドC）。
母の父／ハープスター（桜花賞）、ステルヴィオ（マイルCS）。

　重賞勝ち鞍の全てがGI。その中にはサラファンと肉弾戦さながらのたたき合いの末、競り勝った第22回ジャパンCも含まれる。フェアリーキング×スルーピーの配合はエリシオ（本邦輸入種牡馬）と同じ。母の父としては種牡馬時代以上の成績を収めつつあり、ステルヴィオらのGI馬を始め、重賞好走馬を多数輩出。異系色が濃いのが母系に入っての強味。

| 距離 | 短中 | 馬場 | 万 | 性格 | 普 | 成長力 | 晩 |

---

*フォーティナイナー　Forty Niner

1985年生、2020年死亡／米●ミスタープロスペクター系

```
┌ Mr. Prospector ─┬ Tom Rolfe
└ File ───────────┴ Continue
```

19戦11勝／トラヴァーズS（GI・10F）、ハスケル招待H（GI・9F）。
代表産駒／マイネルセレクト（JBCスプリント）、シャドウスケイプ（根岸S）。
母の父／エポカドーロ（皐月賞）、トレイルブレイザー（京都記念）、マイスタイル（函館記念）、ダノンヨーヨー（富士S）、テイエムジンソク（東海S）。

　クラシックはケンタッキー・ダービー2着、プリークネスSが7着に終わるも、夏にハスケル招待H、トラヴァーズSを連勝した。母系近親にスウェイル（ケンタッキー・ダービーGI）。強さと脆さが同居するヤンキー不良血統。先行ぶっち切りがある一方、もまれての惨敗も多かった。母の父としては、父としてほどダート一辺倒ではなく、多彩な産駒を出している。

| 距離 | 短中 | 馬場 | ダ | 性格 | 狂 | 成長力 | 普 |

フジキセキ

1992年生、2015年死亡●サンデーサイレンス系

```
┌ *サンデーサイレンス ─┬ Le Fabuleux
└ *ミルレーサー ───────┴ Marston's Mill
```

4戦4勝／朝日杯3歳S、弥生賞。
代表産駒／カネヒキリ（ジャパンCダート）、サダムパテック（マイルCS）、キンシャサノキセキ（高松宮記念2回）、ファイングレイン（高松宮記念）、ダノンシャンティ（NHKマイルC）、コイウタ（ヴィクトリアマイル）。

　サンデーサイレンスの初年度産駒。無敗のまま、皐月賞を前に引退。3歳で種牡馬入りすると、サンデー系の長男として大成功した。4代母ミランミルは名馬ミルリーフの母。母父ルファビュルーはセントサイモン系の仏ダービー馬。母の父としてもサウンドトゥルーやパドトロワなどを輩出し、仕上がりの早さを与えている。

| 距離 | マ中 | 馬場 | 万 | 性格 | 堅 | 成長力 | 強 |

---

*ブライアンズタイム　Brian's Time

1985年生、2013年死亡／米●ロベルト系

```
┌ Roberto ──────┬ Graustark
└ Kelley's Day ──┴ Golden Trail
```

21戦5勝／フロリダ・ダービー（GI・9F）、ペガサスH（GI・9F）。
代表産駒／ナリタブライアン（三冠）、サニーブライアン（二冠）、タニノギムレット（ダービー）、マヤノトップガン（有馬記念）。
母の父／ディーマジェスティ（皐月賞）、エスポワールシチー（ジャパンCダート）。

　追い込み馬の宿命というか、大レースではプリークネスS2着など、惜敗続きだった。父の産駒にリアルシャダイ、クリスエス。母系近親に名種牡馬ダイナフォーマーで、同馬とは母の父系も共通し、ほぼ同じ血統構成。近年こそダート中距離を仕事場にしているが、かつては大レースで凄みをみせたものだ。替わって現在は母の父としてにらみを利かせている。

| 距離 | 中 | 馬場 | 万 | 性格 | 普 | 成長力 | 強 |

---

*フレンチデピュティ　French Deputy

1992年生、2017年引退／米●デピュティミニスター系

```
┌ Deputy Minister ─┬ Hold Your Peace
└ Mitterand ───────┴ Laledo Lass
```

6戦4勝／ジェロームH（GII・8F）。
代表産駒／クロフネ（同馬の項参照）、アドマイヤジュピタ（天皇賞・春）、エイシンデピュティ（宝塚記念）、レジネッタ（桜花賞）、ノボジャック（JBCスプリント）。
母の父／ゴールドドリーム（フェブラリーS）、ショウナンパンドラ（ジャパンC）。

　2歳11月のデビューから3歳秋のジェロームHまで4連勝したが、その後は2連敗。生涯最初で最後の大一番、BCクラシックGIは9着だった。ルールソヴァールが6歳で重賞初制覇、サウンドトゥルーが7歳でJBCクラシックを制し、産駒は老いてますます盛ん。近年はダート中心。母の父としてもマカヒキ、ゴールドドリームを出し、存在感がある。

| 距離 | マ中 | 馬場 | ダ | 性格 | 普 | 成長力 | 晩 |

*マイネルラヴ

1995年生、2012年死亡／米●ミスタープロスペクター系

- Seeking the Gold ┬ *リィフォー
- Heart of Joy ┴ Mythographer

23戦5勝／スプリンターズS、シルクロードS、セントウルS。朝日杯3歳S2着。
代表産駒／ゲットフルマークス（京王杯2歳S）、マイネルハーティー（ニュージーランドT）、ダブルウェッジ（アーリントンC）。
母の父／ドリームバレンチノ（JBCスプリント）。

グラスワンダーと同期の外国産馬で、朝日杯は同馬の2着。3歳でセントウルSを勝ち、スワンS7着の後、人気急落のスプリンターズSを単勝3760円でタイキシャトルに快勝した。父シーキングザゴールドは米国の名種牡馬で子孫にドバウィら。母ハートオブジョイは英1000ギニーでサルサビルの2着。産駒は2歳戦、ローカルの短距離、軽ハンデの牝馬が穴。

距離	短	馬場	万	性格	普	成長力	早

マルゼンスキー

1974年生、1997年死亡●ニジンスキー系

- Nijinsky ┬ Buckpasser
- *シル ┴ Quill

8戦8勝／朝日杯3歳S、日本短波賞。
代表産駒／サクラチヨノオー（ダービー）、ホリスキー（菊花賞）、レオダーバン（菊花賞）、スズカコバン（宝塚記念）、ニシノスキー（朝日杯3歳S）。
母の父／スペシャルウィーク（ダービー）、メジロブライト（天皇賞・春）。

圧勝続きだった無敗の黒船。中野渡騎手が「大外枠で賞金もいらないからダービーに出走させてくれ」と熱望したエピソードは有名。朝日杯で叩き出した1分34秒4のレコードは13年間破られなかった。父ニジンスキーは英三冠馬、祖母クイルは米最優秀2歳牝馬。母の父としてスペシャルウィークやメジロブライトを出し、大一番の爆発力を与える。

距離	万	馬場	万	性格	普	成長力	強

マンハッタンカフェ

1998年生、2015年死亡●サンデーサイレンス系

- *サンデーサイレンス ┬ Law Society
- *サトルチェンジ ┴ Santa Luciana

12戦6勝／菊花賞、有馬記念、天皇賞。
代表産駒／ヒルノダムール（天皇賞・春）、ジョーカプチーノ（NHKマイルC）、クイーンズリング（エリザベス女王杯）、グレープブランデー（フェブラリーS）。
母の父／タスティエーラ（ダービー）、テーオーケインズ（チャンピオンズC）。

3歳夏の札幌で芝2600を連勝すると、セントライト記念4着を経て、01年菊花賞を優勝。スローの内で折り合い、蛯名正義の手綱で鋭く差し切った。続く有馬記念も上がり33秒9で古馬を一蹴。天皇賞・春はジャングルポケットやナリタトップロードを抑えて優勝。秋は凱旋門賞に挑戦するが、体調不良で13着だった。半兄エアスマップ、近親ブエナビスタ。

距離	中長	馬場	芝	性格	堅	成長力	晩

*ミルジョージ

Mill George

1975年生、2007年死亡／米●ミルリーフ系

- Mill Reef ┬ Ragusa
- Miss Charisma ┴ *マタティナ

4戦2勝。
代表産駒／イナリワン（有馬記念）、エイシンサニー（オークス）。
母の父／セイウンスカイ（皐月賞）、カネツフルーヴ（帝王賞）、トウケイヘイロー（札幌記念）、ヤマカツリリー（フィリーズレビュー）。

大レースでのミルリーフの怖さを教えてくれた名種牡馬。スローペースより消耗戦に強く、前走が不振だったとしても展開が厳しくなると突っ込んできたものだ。成長力があり、高齢になって蘇る馬もいた。母の父としても消耗戦での強さを伝え、セイウンスカイ、ヤマカツリリーらも強気な競馬をしてこそ持ち味が活きた。母系に入っても大レース向き。

距離	中長	馬場	万	性格	普	成長力	強

メジロマックイーン

1987年生、2006年死亡●パーソロン系

- メジロティターン ┬ *リマンド
- メジロオーロラ ┴ メジロアイリス

21戦12勝／菊花賞、天皇賞・春（2回）、宝塚記念、阪神大賞典（2回）。
代表産駒／ホクトスルタン（目黒記念）、ヤマニンメルベイユ（中山牝馬S）。
母の父／オルフェーヴル（三冠）、ドリームジャーニー（有馬記念）、ゴールドシップ（天皇賞・春）、ラブイズブーシェ（函館記念）、フーラブライド（中山牝馬S）。

90年の菊花賞を3角先頭で完勝し、半兄メジロデュレンに続く兄弟制覇。春の天皇賞も制して、祖父メジロアサマ、父メジロティターンに続く父子三代の大記録達成。長距離では磐石の強さを保持し春天を連覇。獲得賞金は史上初の10億円突破。ステイゴールド産駒の母父としてオルフェーヴル、ゴールドシップらの重賞勝ち馬を輩出。

距離	中長	馬場	芝芝	性格	堅	成長力	晩

*リアルシャダイ

Real Shadai

1979年生、2004年死亡／米●ロベルト系

- Roberto ┬ In Reality
- Desert Vixen ┴ Desert Trial

8戦2勝／ドーヴィル大賞（GI・2700M）。
代表産駒／ライスシャワー（天皇賞・春2回）。
母の父／アドマイヤジュピタ（天皇賞・春）、イングランディーレ（天皇賞・春）、トウカイポイント（マイルCS）、サンライズバッカス（フェブラリーS）。

吉田善哉氏の所有馬としてフランスで走り、ドーヴィル大賞ではノーアテンションを破った。他に仏ダービー2着、凱旋門賞5着がある。初期にはマイラーや中距離馬も出したが、晩年はステイヤー種牡馬として存在感を示した。多少のジリっぽさがあるものの、消耗戦となれば一気に台頭した。母の父としてもスタミナや消耗戦での強さを伝えている。

距離	中長	馬場	芝	性格	普	成長力	晩

血統表に名を残す名種牡馬

海外の種牡馬

海外馬券について

ダービー

英／エプソム・芝12F

2024	City of Troy	父Justify（ストームキャット系）
2023	Auguste Rodin	父ディープインパクト（サンデーサイレンス系）
2022	Desert Crown	父Nathaniel（ガリレオ系）
2021	Adayar	父Frankel（ガリレオ系）

エプソム12Fはガリレオを筆頭とする本格的欧州選手権距離血統の独壇場だった。23年のオーギュストロダンこそ納得だが、24年はスピード血統のスキャットダディの孫シティオブトロイが優勝。果たして血統の転換点となるのか。それでもガリレオの影響力は絶大で、オーギュストロダンもシティオブトロイも母の父はガリレオ。

エクリプスS

英／サンダウン・芝10F

2024	City of Troy	父Justify（ストームキャット系）
2023	Paddington	父Siyouni（ヌレイエフ系）
2022	Vadeni	父Churchill（ガリレオ系）
2021	St Mark's Basilica	父Siyouni（ヌレイエフ系）

3歳と古馬の一流馬が激突するシーズン最初のレース。プリンスオブウェールズSと違い、格を重視。3歳勢は古馬と約4.5キロの斤量差から互角の勝負を挑み、24年はシティオブトロイが制し、これで4年連続でクラシック馬の優勝。ガリレオ系とドバウィ系の間を割ってヌレイエフ系が気を吐き、今後はストームキャット系も重視。

サセックスS

英／グッドウッド・芝8F

2024	Notable Speech	父Dubawi（ドバウィ系）
2023	Paddington	父Siyouni（ヌレイエフ系）
2022	Baaeed	父Sea The Stars（ケープクロス系）
2021	Alcohol Free	父No Nay Never（ストームキャット系）

マイルの"キングジョージ"で、3歳馬と古馬は互角の勝負。3歳馬はロイヤルアスコット開催のセントジェームズパレスS、古馬は同開催のクイーンアンSからが臨戦過程。格が物言い、GI実績を重視。かつてはフランケルを筆頭にサドラーズウェルズ系が有力父系だったが、近年はダンジグ系、ドバウィ系、ヌレイエフ系が躍進。

チャンピオンS

英／アスコット・芝10F

2023	King of Steel	父Wootton Bassett（ゴーンウエスト系）
2022	Bay Bridge	父New Bay（ドバウィ系）
2021	Sealiway	父Galiway（ガリレオ系）
2020	Addeybb	父Pivotal（ヌレイエフ系）

欧州中距離GI路線を締めくくるレース。凱旋門賞との間隔が詰まり、同レースからの参戦は少ない。例外は使える時には使う愛国オブライエン親子。同調教師の管理馬の軽視は禁物。よほどの短、マイル血統でない限り、中距離での実績重視。道悪になることが多く、重巧拙が勝敗を分ける。シーズン終盤とあって伏兵の一発あり。

プリンスオブウェールズS

英／アスコット・芝10F

2024	Auguste Rodin	父ディープインパクト（サンデーサイレンス系）
2023	Mostahdaf	父Frankel（ガリレオ系）
2022	State Of Rest	父Starspangledbanner（デインヒル系）
2021	Love	父Galileo（ガリレオ系）

勝ち馬の父系は多種多様。オーギュストロダンの勝利により、ディープインパクト系もガリレオ系、ドバウィ系、デインヒル系らと共に名を連ねた。各馬の臨戦過程も何戦か消化している馬とシーズン初戦の馬らと多種多様。それぞれの力関係の見極めが重要となる。使って調子を上げてきている馬や格で劣っても上がり馬には要注意。

キングジョージ6世＆クインエリザベスS

英／アスコット・芝12F

2024	Goliath	父Adlerflug（インザウイングス系）
2023	Hukum	父Sea The Stars（ケープクロス系）
2022	Pyledriver	父Harbour Watch（トライマイベスト系）
2021	Adayar	父Frankel（ガリレオ系）

高低差約20mあることから本格的欧州血統の出番。24年は独産のゴリアットが優勝。独血統の選手権距離での強さをみせつけた。3歳クラシック馬が勢いそのままに制する一方、ダービーと同じコースで行われるコロネーションCで好走した古馬の上がり馬にも注意。天候によっては極端な馬場悪化あり、道悪の巧拙が勝負を分ける。

インターナショナルS

英／ヨーク・芝10.3F

2024	City of Troy	父Justify（ストームキャット系）
2023	Mostahdaf	父Frankel（ガリレオ系）
2022	Baaeed	父Sea The Stars（ケープクロス系）
2021	Mishriff	父Make Believe（ドバウィ系）

中距離とあってドバウィ系とガリレオ系が互角の勝負を展開。これに待ったを掛けたのがシティオブトロイ。先に行われる中距離GIとのダブル制覇があり、勝ち馬は重視。23年のモスタダフはプリンスオブウェールズS、24年のシティオブトロイはエクリプスSを勝利しての参戦。凱旋門賞の重要ステップ戦でもあり、見逃せない。

愛チャンピオンS

愛／レパーズタウン・芝10F

2023	Auguste Rodin	父ディープインパクト（サンデーサイレンス系）
2022	Luxembourg	父Camelot（モンジュー系）
2021	St Mark's Basilica	父Siyouni（ヌレイエフ系）
2020	Magical	父Galileo（ガリレオ系）

中距離GI路線組と凱旋門賞を睨む馬が対戦。凱旋門賞回避馬は必勝態勢。ガリレオ系の他、マイルに強い種牡馬からも勝ち馬が出ている。ただ、中距離実績のないマイラーが勝てるほど甘くはない。エクリプスS、インターナショナルS敗退組の巻き返しがある。19～23年でR・ムーア騎手4勝。A・オブライエン調教師は5連覇。

ジャックルマロワ賞

仏／ドーヴィル・芝1600M

2024	Charyn	父Dark Angel（トライマイベスト系）
2023	Inspiral	父Frankel（ガリレオ系）
2022	Inspiral	父Frankel（ガリレオ系）
2021	Palace Pier	父Kingman（インヴィンシブルスピリット系）

総賞金額からもフランスの最重要マイル戦。英、愛からの参戦があり、22年には日本のバスラットレオンが挑戦した。ロイヤルアスコット開催のマイルGI好走馬が有力。サセックスSからの参戦は日程的に厳しく、体調の見極めが重要。ガリレオ系でもインスパイラルの父フランケルやスピードのあるマイラー系種牡馬が強い。

凱旋門賞

仏／ロンシャン・芝2400M

2023	Ace Impact	父Cracksman（ガリレオ系）
2022	Alpinista	父Frankel（ガリレオ系）
2021	Torquator Tasso	父Adlerflug（インザウイング系）
2020	Sottsass	父Siyouni（ヌレイエフ系）

過去10年でガリレオ系を筆頭とするサドラーズウェルズ系が8勝。22年、23年はフランケル系が連覇。ガリレオ系の取捨選択なくして的中はありえない。同時に忘れた頃の"ドイツ血統内包馬"を肝に銘じておくべし。独バーデン大賞の勝ち馬も重視。あとはSS系にキングカメハメハ系。良馬場条件に日本馬制覇への機は熟した。

プリークネスS

米／ピムリコ・ダ9.5F

2024	Seize the Grey	父Arrogate（アンブライドルド系）
2023	National Treasure	父Quality Road（ゴーンウエスト系）
2022	Early Voting	父Gun Runner（ファピアノ系）
2021	Rombauer	父Twirling Candy（ファピアノ系）

コーナーがタイトとあって逃げ、先行勢が有利なのと同時に、先行争いが激化する。血統を無視することはできないが、馬場状態、展開、脚質を重視。好位から差せる馬に妙味あり。ケンタッキー・ダービー組は日程的に厳しく、苦戦を強いられ、4年連続でケンタッキー・ダービー回避組が勝利している。イントゥミスチーフ系は未勝利。

BCクラシック

米／持ち回り・ダ10F

2023	White Abarrio	父Race Day（エーピーインディ系）
2022	Flightline	父Tapit（エーピーインディ系）
2021	Knicks Go	父Paynter（デピュティミニスター系）
2020	Authentic	父Into Mischief（ストームキャット系）

22年に続いて23年もエーピーインディ系が優勝。今後は選手権距離血統に、圧倒的なスピードで他を圧倒するストームキャット系が対する構図となるだろう。夏を境に急上昇した馬は要注意。3歳はトラヴァーズS、古馬はホイットニーS、パシフィッククラシックが夏の重要戦。近5年で3歳馬の優勝は20年のオーセンティックの1回。

ムーランドロンシャン賞

仏／ロンシャン・芝1600M

2023	Sauterne	父Kingman（インヴィンシブルスピリット系）
2022	Dreamloper	父Lope de Vega（ジャイアンツコーズウェイ系）
2021	Baaeed	父Sea The Stars（ケープクロス系）
2020	Persian King	父Kingman（インヴィンシブルスピリット系）

賞金総額が倍以上のジャックルマロワ賞に比べると出走馬の質は若干落ちる。しかし、このレースをステップに英クイーンエリザベス2世Sや米BCマイルに挑む馬もいるので見逃せない。ジャックルマロワ賞や中距離GI敗退組の巻き返し、短距離GIを制した馬の勝利がある。ガリレオ系など選手権距離に強い父系にも出番がある。

ケンタッキー・ダービー

米／チャーチルダウンズ・ダ10F

2024	Mystik Dan	父Goldencents（ストームキャット系）
2023	Mage	父Good Magic（スマートストライク系）
2022	Rich Strike	父Keen Ice（スマートストライク系）
2021	Mandaloun	父Into Mischief（ストームキャット系）

20、21年のイントゥミスチーフ産駒の連覇に続き、24年はイントゥミスチーフ系の産駒が優勝し、同父系の勢いには逆らえない。これに対抗しているのがスマートストライク系だが、選手権血統エーピーインディ系やアンブライドルド系が黙っているはずがない。あとは日本馬。ケンタッキー・ダービー制覇が現実のものとなりつつある。

ベルモントS

米／ベルモント・ダ12F（2024年はサラトガ・ダ10F）

2024	Dornoch	父Good Magic（スマートストライク系）
2023	Arcangelo	父Arrogate（アンブライドルド系）
2022	Mo Donegal	父Uncle Mo（インディアンチャーリー系）
2021	Essential Quality	父Tapit（エーピーインディ系）

前二冠以上に臨戦過程が重要。ケンタッキー・ダービーからの直行組にプリークネスSから臨む組、別路線からの挑戦など。近4年はケンタッキー・ダービー組と別路線組が優勝。別路線組はピーターパンSが重要ステップ戦。父系は従来からの選手権血統エーピーインディ系、アンブライドルド系、スマートストライク系が強い。

BCターフ

米／持ち回り・芝12F

2023	Auguste Rodin	父ディープインパクト（サンデーサイレンス系）
2022	Rebel's Romance	父Dubawi（ドバウィ系）
2021	Yibir	父Dubawi（ドバウィ系）
2020	Tarnawa	父Shamardal（ジャイアンツコーズウェイ系）

サドラーズウェルズ系の4連覇後は、ジャイアンツコーズウェイ系、ドバウィ系が2連覇。23年はディープインパクト産駒が勝利。欧州勢と北米勢の対決という構図ながら、芝の12Fになると前者に一日の長があり、これにオーギュストロダンの勝利により、日本勢が加わるのは必定。キングカメハメハ系、ロベルト系の日本馬も良し。

海外馬券について

BCマイル

米／持ち回り・芝8F

2023	Master of The Seas	父Dubawi（ドバウィ系）
2022	Modern Games	父Dubawi（ドバウィ系）
2021	Space Blues	父Dubawi（ドバウィ系）
2020	Order of Australia	父Australia（ガリレオ系）

ドバウィの産駒が3連覇。ターフと同様に世界のドバウィがさらに版図を拡大している。小回りに加え、スピードが要求され、ターフほどサドラーズウェルズ系に勢いはなく、むしろモアザンレディ系といったスピード血統が健闘している。器用さとスピードを備えているSS系、キングカメハメハ系、ロベルト系の日本馬にも合う。

サウジC

サウジアラビア／キングアブドゥルアジーズ・ダ1800M（2022年からGI）

2024	Senor Buscador	父Mineshaft（エーピーインディ系）
2023	パンサラッサ	父ロードカナロア（キングカメハメハ系）
2022	Emblem Road	父Quality Road（ゴーンウエスト系）
2021	Mishriff	父Make Believe（ドバウィ系）

2020年に新設され、22年にGI昇格。21年のミシュリフ、23年のパンパラッサと芝馬が制しているが、GI級のダート馬が本気で出走してくれば、後者に軍配を上げる。今後は北米勢と日本勢が有力とみる。北米勢はペガサスワールドCを叩いての参戦に注意。第1回の1位入線馬マキシマムセキュリティは24年、正式に失格が決まった。

ドバイシーマクラシック

UAE／メイダン・芝2410M

2024	Rebel's Romance	父Dubawi（ドバウィ系）
2023	イクイノックス	父キタサンブラック（サンデーサイレンス系）
2022	シャフリヤール	父ディープインパクト（サンデーサイレンス系）
2021	Mishriff	父Make Believe（ドバウィ系）

2400において質量とも世界を凌駕する日本勢。GI級を送り込めば勝ち負けは必至だ。サンデーサイレンス系、キングカメハメハ系、ロベルト系と血統的にも豊富な質量を擁する。欧州勢は選手権距離に強いサドラーズウェルズ系にドバウィ系。最終ステップ戦、ドバイシティオブゴールドの結果は重視。サウジでひと叩きの馬も注意。

ドバイゴールデンシャヒーン

UAE／メイダン・ダ1200M

2024	Tuz	父Oxbow（デビュティミニスター系）
2023	Sibelius	父Not This Time（ジャイアンツコーズウェイ系）
2022	Switzerland	父Speightstown（ゴーンウエスト系）
2021	Zenden	父Fed Biz（ジャイアンツコーズウェイ系）

海外馬券発売が実施された21年以降は荒れ模様。一筋縄ではいかず、変化球的な攻めも必要。前哨戦の結果を鵜呑みにせず、本番を見据えて、軽くひと叩きの馬に妙味あり。24年の1、2着馬は前走、惨敗からの参戦。BCスプリント勝利馬の過剰評価も禁物。ストームキャット系、ミスプロ系、デビュティミニスター系が好走。

BCフィリー＆メアターフ

米／持ち回り・芝9〜11F（開催競馬場で距離変更あり）

2023	Inspiral	父Frankel（ガリレオ系）
2022	Tuesday	父Galileo（ガリレオ系）
2021	ラヴズオンリーユー	父ディープインパクト（サンデーサイレンス系）
2020	Audarya	父Wootton Bassett（ゴーンウエスト系）

近年は欧州勢が強く、これに割って入ったのが日本馬。ターフ以上に脚質と展開が重要で、コース慣れしている北米勢の巻き返しやラブズオンリーユーに続く日本馬の優勝もありえる。実施する競馬場のコースが先行有利か追い込みが決まるのかの吟味は肝要。23年はマイルGI馬インスパイラルが優勝。欧州のマイラーは侮れない。

ドバイワールドC

UAE／メイダン・ダ2000M

2024	Laurel River	父Into Mischief（ストームキャット系）
2023	ウシュバテソーロ	父オルフェーヴル（サンデーサイレンス系）
2022	Country Grammer	父Tonalist（エーピーインディ系）
2021	Mystic Guide	父Ghostzapper（デビュティミニスター系）

ダートへ回帰以降、北米勢とゴドルフィン勢の対決が続いたが、割って入ったのが日本馬。今後も三者の争いになるのは間違いない。24年はイントゥミスチーフの産駒が優勝。中東の地でも同父系の勢いは止まらない。年によって馬場傾向が異なり、先行有利なのか、差しが決まるか、前哨戦から要確認。サウジCは重要ステップ戦。

ドバイターフ

UAE／メイダン・芝1800M

2024	Facteur Cheval	父Ribchester（ゴーンウエスト系）
2023	Lord North	父Dubawi（ドバウィ系）
2022	パンサラッサ	父ロードカナロア（キングカメハメハ系）
2022	Lord North	父Dubawi（ドバウィ系）
2021	Lord North	父Dubawi（ドバウィ系）

ワンターンのコースを得意とする日本勢、中距離の重みが増している欧州勢、ここを最大目標とするUAE勢。三つ巴の争いという構図。1800とあってマイラーと中距離馬が激突。両者、互角の勝負をしている。日本勢はSS系、キングカメハメハ系、ロベルト系。欧州、UAE勢はドバウィ系が強い。サドラーズウェルズ系は苦戦。

香港C

香港／シャティン・芝2000M

2023	Romantic Warrior	父Acclamation（トライマイベスト系）
2022	Romantic Warrior	父Acclamation（トライマイベスト系）
2021	ラヴズオンリーユー	父ディープインパクト（サンデーサイレンス系）
2020	ノームコア	父ハービンジャー（ディンヒル系）

23年はロマンチックウォリアーが連覇を果たし、香港馬として11年ぶりの5歳以上馬による優勝だった。過去10年では日本勢、香港勢とも5勝。香港勢はロマンチックウォリアー級の強豪を別にして、4歳馬が有力。前哨戦はあくまでも前哨戦と割り切ったほうが賢明。叩き一変がある。日本勢はコーナー4つの小回り重賞実績重視。

香港マイル

香港／シャティン・芝1600M

2023	Golden Sixty	父Medaglia d'Oro（エルプラド系）
2022	California Spangle	父Starspangledbanner（デインヒル系）
2021	Golden Sixty	父Medaglia d'Oro（エルプラド系）
2020	Golden Sixty	父Medaglia d'Oro（エルプラド系）

23年はゴールデンシックスティが通算3度目の優勝。17年、18年連覇のビューティジェネレーションなど、香港は時として超A級マイラーが出現する。こういった馬に逆らわないか、それとも日本勢で勝負するかは悩ましい。香港勢は前哨戦ジョッキークラブマイルの好走馬が有力だが、その時の負担重量を併せて検討材料とする。

香港ヴァーズ

香港／シャティン・芝2400M

2023	Junko	父Intello（ガリレオ系）
2022	ウインマリリン	父スクリーンヒーロー（ロベルト系）
2021	グローリーヴェイズ	父ディープインパクト（サンデーサイレンス系）
2020	Mogul	父Galileo（ガリレオ系）

日本勢対欧州勢というより、欧州勢は愛国オブライエン厩舎というのが近年の傾向。これに香港勢が割って入れるかだ。欧州、香港問わず、2400とあってはガリレオ系に、加えて三代以内にデインヒルを保有すれば完璧。日本勢はSS系を中心とし、宝塚記念、京都記念、オールカマーなど2200での実績馬。GⅡ級でも勝負になる。

チャンピオンズマイル

香港／シャティン・芝1600M

2024	Beauty Eternal	父Starspangledbanner（デインヒル系）
2023	Golden Sixty	父Medaglia d'Oro（エルプラド系）
2022	Golden Sixty	父Medaglia d'Oro（エルプラド系）
2021	Golden Sixty	父Medaglia d'Oro（エルプラド系）

24年は伏兵ビューティエターナルがゴールデンシックスティらを破って優勝。日本馬はヴィクトリアマイル、安田記念が迫っていることもあって、24年のエルトンバローズら3頭が16年モーリス以来の参戦だった。今後はドバイからの転戦があるかで、A級マイラーなら勝ち負け必至。香港馬はQEⅡC同様に香港GCから挑む馬を重視。

クイーンエリザベスS

豪／ランドウィック・芝2000M

2024	Pride Of Jenni	父Pride Of Dubai（マキアヴェリアン系）
2023	Dubai Honour	父Pride Of Dubai（マキアヴェリアン系）
2022	Think It Over	父So You Think（サドラーズウェルズ系）
2021	Addeybb	父Pivotal（ヌレイエフ系）

クルーガー、ダノンプレミアムがそれぞれ2着、3着に好走、日本馬にも勝機十分。良と道悪での時計の違いが極端にあり、馬場状態の巧拙による取捨選択が重要。17～19年3連覇のウインクスをはじめ、ストリートクライを経たマキアヴェリアン系が優勢を誇る。海外勢では英国W・ハガス調教師の管理馬。20、21年、23年と勝利。

香港スプリント

香港／シャティン・芝1200M

2023	Lucky Sweynesse	父Sweynesse（ザビール系）
2022	Wellington	父All Too Hard（デインヒル系）
2021	Sky Field	父Deep Field（フェアリーキング系）
2020	ダノンスマッシュ	父ロードカナロア（キングカメハメハ系）

ロードカナロアの2連覇など計3勝の日本勢だが、地元の短距離戦では香港勢に一目も二目も置かざるを得ない。前哨戦ジョッキークラブスプリントは結果とともに各馬の負担重量の差に注意。実績馬の復活がある。オーストラリアのデインヒルの父系、加えてダンジグ系の特に強いクロスを持つ馬は要注意。日本勢はGⅠ実績重視。

クイーンエリザベス2世C

香港／シャティン・芝2000M

2024	Romantic Warrior	父Acclamation（トライマイベスト系）
2023	Romantic Warrior	父Acclamation（トライマイベスト系）
2022	Romantic Warrior	父Acclamation（トライマイベスト系）
2021	ラヴズオンリーユー	父ディープインパクト（サンデーサイレンス系）

24年はロマンチックウォリアーが3連覇を達成。欧州勢の参戦は少なく、コロナ禍により地元馬だけで行われた22年を除き、近年は香港勢と日本勢の争い。香港馬は同コース、同距離で行われる直近の香港GC、香港ダービーの結果を重視。日本馬は小回り中距離実績。中山記念は重要ステップ戦。前年の札幌記念の好走馬は注意。

チェアマンズスプリントプライズ

香港／シャティン・芝1200M

2024	Invincible Sage	父Thronum（デインヒル系）
2023	Lucky Sweynesse	父Sweynesse（ザビール系）
2022	Wellington	父All Too Hard（デインヒル系）
2021	Wellington	父All Too Hard（デインヒル系）

23年こそザビール系の勝利だったが、香港スプリント以上にデインヒル系が幅を利かせ、同様にデインヒル系のクロスを持つ馬は注意。24年もデインヒル系が勝利し、デインヒル4×4のクロスを内包。臨戦過程としては上がり馬やハンデ戦の連勝馬。過剰人気になり馬券的な妙味は薄いが。オーストラリアからの遠征馬は一考。

コックスプレート

豪／ムーニーバレー・芝2040M

2023	Romantic Warrior	父Acclamation（トライマイベスト系）
2022	Anamoe	父Street Boss（マキアヴェリアン系）
2021	State Of Rest	父Starspangledbanner（デインヒル系）
2020	Sir Dragonet	父Camelot（モンジュー系）

ウインクス4連覇以降は日本馬、欧州移籍馬、欧州馬、地元馬が順に優勝し、24年は香港馬ロマンチックウォリアーが勝利。近年は調教国に優劣こそないが、遠征馬に関してオーストラリアの水に合うのかと特殊形態のコース適性の見極めが難しい。直線約170Mながら捲り追い込みが利く。QES同様マキアヴェリアン系は注意。

アロゲート

早世が惜しまれる
北米最高賞金獲得馬

2013年生 芦毛 アメリカ産 2020年死亡

アンブライドルズソング Unbridled's Song 芦 1993	アンブライドルド Unbridled	Fappiano
		Gana Facil
	トロリーソング Trolley Song	Caro
		Lucky Spell （4-m）
バブラー Bubbler 黒鹿 2006	ディストーテッドユーモア Distorted Humor	*フォーティナイナー
		Danzig's Beauty
	グレッチェル Grechelle	Deputy Minister
		Meadow Star (16-g)

Mr. Prospector 4×4、In Reality 5×5、Northern Dancer 5×5（母方）

現役時代

　北米、UAEで通算11戦7勝。主な勝ち鞍、BCクラシック（GI・10F）、ドバイワールドC（GI・2000M）、ペガサスワールドC（GI・9F）などGI4勝。

　デビューが遅く三冠は不出走だが、夏を境に急上昇。トラヴァーズSで重賞初制覇。BCクラシックはカリフォルニアクロームを半馬身交わしての優勝。4歳時も現役を続け、ペガサスワールドCを快勝。続くドバイワールドCは後方追走からひとまくり。2着ガンランナーに2馬身1/4差をつけて優勝、GI4連勝とした。勢いはここまでで北米帰国後は3戦未勝利に終わった。

血統背景

　父アンブライドルズソング。産駒にダンカーク。
　三代母メドウスターは北米GI6勝。

種牡馬成績

　代表産駒／アルカンジェロ（ベルモントSGI・12F）、シーズザグレイ（プリークネスSGI・9.5F）、ミスティックロア、アッシュルバニパル、ジュタロウ。

産駒の特徴

　2年目の産駒アルカンジェロがベルモントS、最後の世代3年目の産駒シーズザグレイが"死んだ種牡馬の産駒は走る"を証明するが如くプリークネスSをそれぞれ制覇。同父系アメリカンファラオの成功を見るだけに、早世が惜しまれる。日本でも北米同様にダートのマイル、中距離を仕事場とし、勝ち鞍上位コースに阪神ダ1800、東京ダ1600、中京ダ1800と並ぶ。湿ったダートは鬼といってよく、稍重、重、不良とも勝率は良馬場を上回る。アメリカンファラオ産駒同様に気性の悪さがあり、揉まれる内枠に入ろうものなら危ない、危ない。芝はシェイリーンが3勝Cを突破したものの、やはり勝負するならダート中距離。

アンクルモー

カロ系の大将格
仕上がり早を武器に新馬から注目

2008年生 鹿毛 アメリカ産

インディアンチャーリー Indian Charlie 鹿 1995	インエクセス In Excess	Siberian Express
		Kantado
	ソヴィエトソジャーン Soviet Sojourn	Leo Castelli
		Political Parfait (21-a)
プラヤマヤ Playa Maya 黒鹿 2000	アーチ Arch	Kris S.
		Aurora
	ディキシースリッパーズ Dixie Slippers	Dixieland Band
		Cyane's Slippers (8-c)

Northern Dancer 5×5・4

現役時代

　北米で通算8戦5勝。主な勝ち鞍、BCジュヴェナイル（GI・8.5F）、シャンペンS（GI・8F）。

　2歳時はGI2勝を含め3戦3勝。BCジュヴェナイルは2番手から2着馬に4馬身1/4差をつけての快勝だった。3歳時は初戦のリステッドで4連勝とするも、ウッドメモリアルSで3着に敗れて初黒星。その後の三冠は体調不良により棒に振った。復帰戦のキングズビショップSGIは2着。続くケルソHを制したが、BCクラシックは10着に終わり、引退となった。

血統背景

　父インディアンチャーリー。産駒にインディンブラッシング（BCジュヴェナイルフィリーズGI）、チャーリーブレイヴ（ヒヤシンスS）。
　母系は近いところに目立った活躍馬はいない。

種牡馬成績

　代表産駒／ナイキスト（ケンタッキー・ダービーGI・10F）、モードニゴール（ベルモントSGI・12F）、ゴールデンパル（BCターフスプリントGI・5F）。

産駒の特徴

　北米におけるグレイソヴリン→カロ系の大将格的な種牡馬。産駒は2歳からエンジン全開。クラシックの前哨戦に何頭も駒を進めるも、本番は結果を出せない連続だったが、ナイキストがケンタッキー・ダービー、モードニゴールがベルモントSを制し、勝負弱い種牡馬を脱却した。芝でもGI馬を送り出している。

　日本でも同様に仕上がり早く、2歳から3歳夏にかけて勝ち鞍を量産し、その後は3勝クラスの突破に苦労しているのが現状。北米での実績から油断は出来ないが。ダートの短、中距離血統とし、1400型と1800型に分かれ、1200以下、1600は冴えない。芝もこなすが、芝からダート替わり狙いに妙味あり。

海外の種牡馬

オーセンティック AUTHENTIC

コロナ禍の変則開催を乗り越えた
2020年の米国年度代表馬

2017年生 鹿毛 アメリカ産

イントゥミスチーフ Into Mischief 鹿 2005	ハーランズホリデー Harlan's Holiday	Harlan
		Christmas in Aiken
	レスリーズレディ Leslie's Lady	Tricky Creek
		Crystal Lady (23-b)
フローレス Flawless 黒鹿 2007	ミスターグリーリー Mr. Greeley	Gone West
		Long Legend
	オイスターベイビー Oyster Baby	Wild Again
		Really Fancy (3-n)

Icecapade 5×4

現役時代

　北米で通算8戦6勝。主な勝ち鞍、ケンタッキー・ダービー（GI・10F）、BCクラシック（GI・10F）、ハスケルS（GI・9F）、他GII、GIII各1勝。

　2020年の米クラシックはコロナ禍により変更を余儀なくされ、ベルモントSが距離短縮して最初に行われ、ケンタッキー・ダービーは9月に延期となった。

　2歳11月のデビュー戦を勝利し、3歳になってサンタアニタ競馬場のGIII、GIIを連勝。サンタアニタ・ダービーこそは2着に敗れたが、次走のハスケルSでGI制覇を果たした。迎えたケンタッキー・ダービーは15頭立ての大外枠発走から果敢に先頭を奪い、ベルモントS馬ティズザローに1馬身1/4差をつけて優勝した。三冠最終戦のプリークネスSは紅一点のスイススカイダイバーと一騎打ちを展開。クビ差2着惜敗。現役最後の一戦、BCクラシックはケンタッキー・ダービー同様に先手を取り、そのまま後続の追撃を抑えて優勝した。

血統背景

　父イントゥミスチーフは同馬の項参照。
　母系は母、祖母から目立った活躍馬は出ていない。

種牡馬成績

　2024年新種牡馬。

産駒の特徴

　スキャットダディ系とともにストームキャット系の版図拡大の中心的父系を担うイントゥミスチーフ系。同系種牡馬ゴールデンセンツがケンタッキー・ダービー馬ミスティックダンを送り出し、本馬の成功も間違いなしとする。ケンタッキー・ダービー戦線を賑わすだろう。仕上がり早く2歳から走り、3歳になってさらに力をつける産駒が出るとみた。ダートのマイル、中距離を中心に短距離をこなすスピードも備えている。

カーリン CURLIN

後継種牡馬も大活躍!!
大一番での強さを誇る血統

2004年生 栗毛 アメリカ産

スマートストライク Smart Strike 鹿 1992	ミスタープロスペクター Mr. Prospector	Raise a Native
		Gold Digger
	クラッシーンスマート Classy'n Smart	Smarten
		No Class (23-b)
シェリフズデピュティ Sheriff's Deputy 鹿 1994	デピュティミニスター Deputy Minister	Vice Regent
		Mint Copy
	バーバリカ Barbarika	Bates Motel
		War Exchange (19-c)

現役時代

　北米、UAEで通算16戦11勝。主な勝ち鞍、BCクラシック（GI・10F）、ドバイワールドC（GI・2000M）、プリークネスS（GI・9.5F）などGI7勝。

　常に王道路線を歩み、三冠はケンタッキー・ダービー3着、プリークネスS優勝、ベルモントS2着。秋にはBCクラシックを楽勝した。4歳時はドバイワールドCを7身3/4差で圧勝。この後、凱旋門賞挑戦を念頭に置いた芝のマンノウォーSGIで2着に敗れるが、ダートに戻るとGI連勝。BCクラシック2連覇も確実と思えたが、オールウェザー馬場という最大の敵を前に3コーナーからマクるも伸びを欠いて4着。

血統背景

　父スマートストライク。産駒にイングリッシュチャネル（BCターフ）。
　母系は近親にレッドスパーダ（京王杯SC）。

種牡馬成績

　代表産駒／パレスマリス（同馬の項参照）、グッドマジック（同馬の項参照）。ビヨンドザファザー。

産駒の特徴

　老いて盛んというか、まだまだ若いというか、23年のBCではディスタフ、ダートマイル、スプリントの各勝ち馬を輩出。大一番では侮れない種牡馬だ。BC、ケンタッキー・ダービー等の海外馬券発売の際は常に注意を払う必要あり。日本ではパワーとスタミナを持ち味に、一定の速さで流れる展開から前々で押し切るような競馬を得意とし、コーナー4つの中距離が向く。ユニコーンS、武蔵野SよりレパードS、マーチS。ビヨンドザファザーのマーキュリーC2着のように地方でも大箱の中距離が向く。ダート馬は晩成型や古馬になって頭角を現すのもいる。芝は時計のかかる馬場。それでも3歳春までが一杯いっぱい。

海外の種牡馬

ガリレオ

GALILEO

サドラーズウェルズ系の
保守本流

1998年　鹿毛　アイルランド産　2021年死亡

サドラーズウェルズ Sadler's Wells 鹿　1981	ノーザンダンサー Northern Dancer	Nearctic
		Natalma
	フェアリーブリッジ Fairy Bridge	Bold Reason
		Special　　(5-h)
アーバンシー Urban Sea 栗　1989	ミスワキ Miswaki	Mr. Prospector
		Hopespringseternal
	アレグレッタ Allegretta	Lombard
		Anatevka　(9-h)

Native Dancer 4×5

現役時代

　アイルランド、イギリス、北米で通算8戦6勝。主な勝ち鞍、英ダービー（GI・12F）、愛ダービー（GI・12F）、キングジョージ6世＆クイーンエリザベスS（GI・12F）など重賞4勝。

　英ダービーは3馬身半差、愛ダービーは4馬身差、"キングジョージ"は2馬身差と、すべて先行抜け出しでの優勝だった。しかし、勢いはここまで。"キングジョージ"の再戦となった愛チャンピオンSGIはアタマ差2着、BCクラシックGIは6着に終わった。

血統背景

　父サドラーズウェルズ。

　母アーバンシーは凱旋門賞GIなど重賞4勝。半弟にシーザスターズ（同馬の項参照）。近親にキングズベスト（本邦輸入種牡馬）。

種牡馬成績

　代表産駒／フランケル（同馬の項参照）、ナサニエル（同馬の項参照）、オーストラリア（同馬の項参照）、ファウンド（凱旋門賞GI・2400M）、ヴァルトガイスト（凱旋門賞GI・2400M）。

　母の父／オーギュストロダン（英ダービーGI・12F）、シティオブトロイ（英ダービーGI・12F）、ソットサス（凱旋門賞GI・2400M）。

産駒の特徴

　残された産駒は少なくとも欧州選手権距離での強さに変わりはない。母の父としてもオーギュストロダンはともかく、ジャスティファイの産駒シティオブトロイに英ダービーを勝たせてしまうのだから、その影響力は絶大。母の父にガリレオの名があれば一割、二割どころか三割増しとして良い。ただし日本では母の父としても重い。底力は持っているはずだから、強くなったのを見極めてから狙っても遅くはない。

ガンランナー

GUN RUNNER

GI5連勝の底力
成長力あるホームランバッター

2013年生　栗毛　アメリカ産

キャンディライド Candy Ride 鹿　1999	ライドザレイルズ Ride the Rails	Cryptoclearance
		Herbalesian
	キャンディガール Candy Girl	Candy Stripes
		City Girl　(13-c)
クワイエットジャイアント Quiet Giant 鹿　2007	ジャイアンツコーズウェイ Giant's Causeway	Storm Cat
		Mariah's Storm
	クワイエットダンス Quiet Dance	Quiet American
		Misty Dancer (17-b)

Fappiano 4×4、Blushing Groom 4×5、Lyphard 5×4、Northern Dancer 5×5（母方）

現役時代

　北米、UAEで通算19戦12勝。主な勝ち鞍、BCクラシック（GI・10F）、ペガサスワールドC（GI・9F）などGI6勝、GII3勝、GIII1勝。

　ルイジアナ地区のGIIステップ戦リズンスターSとルイジアナ・ダービーを連勝するもケンタッキー・ダービーはナイキストの3着だった。夏のトラヴァーズSがアロゲートの3着。BCダートマイル2着とGIでは好走するも勝ち切れなかったが、シーズン終盤のクラークHでGI初制覇すると、4歳になって完全本格化。ドバイワールドCこそアロゲートの引き立て役2着だったが、帰国後にGI5連勝。BCクラシックは後方で伸びを欠くアロゲートを尻目に逃げ切り勝ちを収めた。アロゲートは5着。翌年1月のペガサスワールドCを花道に現役を退いた。

血統背景

　父キャンディライド。亜、北米GI3勝。

　母クワイエットジャイアントは北米GII勝ち馬。近親にセイントリアム（BCクラシックGI）。

種牡馬成績

　代表産駒／アーリーヴォーティング（プリークネスSGI・9.5F）、エコーズール（BCジュヴェナイルフィリーズGI・8.5F）、パルクリチュード。

産駒の特徴

　初年度からクラシック馬を輩出。産駒は2歳から活躍し、クラシックが近づくと一段と頭角を現してくる。北米選手権距離であるダート10Fでは無類の強さを秘め、海外馬券発売の際は積極買い。日本でもダート中距離が中心。芝馬が出ることは頭に入れつつ、信頼性が高いのはダート。一連の○竜Sを沸かせる産駒が出るに違いない。3歳ダート路線の競走体系が整備されるのも追い風。目指せ羽田盃、東京ダービー。

キャメロット

CAMELOT

初年度から愛ダービー馬を出した
モンジューの後継

2009年生　鹿毛　イギリス産

モンジュー Montjeu 鹿　1996	サドラーズウェルズ Sadler's Wells	Northern Dancer
		Fairy Bridge
	フロリペーデ Floripedes	Top Ville
		Toute Cy　　(1-u)
ターファ Tarfah 鹿　2001	キングマンボ Kingmambo	Mr. Prospector
		Miesque
	フィクル Fickle	*デインヒル Fade　　(4-o)

Northern Dancer 3×5・5、Special 4×5、Native Dancer 5×5

現役時代

　アイルランド、イギリス、フランスで通算10戦6勝。主な勝ち鞍、英2000ギニー（GI・8F）、英ダービー（GI・12F）、愛ダービー（GI・12F）など、GIを4勝。英セントレジャー（GI・14.5F）2着。

　当初から三冠制覇を嘱望され、期待に違わず、英2000ギニー、英ダービーとも追い込み勝ちを決め、返す刀で愛ダービーも制覇。ニジンスキー以来の三冠が懸かったセントレジャーはスローペースに加え、後方の内で行き場を失う苦しい展開。そこから追い上げたものの3/4差の2着に敗れるとともに、初黒星を喫した。凱旋門賞GI7着。4歳時はGIII1勝に終わった。

血統背景

　父モンジュー。エルコンドルパサーを破った凱旋門賞などGI6勝。4頭の英ダービー馬を輩出した。

　母ターファは英GIII勝ち馬。母の父キングマンボの産駒にエルコンドルパサー、キングカメハメハ。

種牡馬成績

　代表産駒／ラトローブ（愛ダービーGI・12F）、ロスアンゼルス（愛ダービーGI・12F）、サンマルコ（独ダービーGI・2400M）、サードラゴネット（コックスプレートGI・2040M）。

産駒の特徴

　2000から2400の大レースに強く、GI勝ち馬は欧州だけに留まらず、オーストラリアや北米でも輩出。モティヴェーターと共にモンジュー系の後継を担う。サンマルコ、サードラゴネットはサドラーズウェルズ、イーヴンソーはデインヒル、ロスアンゼルスはデインヒル、キングマンボと、大種牡馬のクロスを持つGI勝ち馬が多い。5代血統表は要確認。日本競馬より海外馬券発売時の種牡馬というのはフランケル以外のガリレオ系と同じ。凱旋門賞では侮るな。

グッドマジック

GOOD MAGIC

未勝利で挑んだBCジュヴェナイル圧勝!
カーリン系らしいロングヒッター、現る

2015年生　栗毛　アメリカ産

カーリン Curlin 栗　2004	スマートストライク Smart Strike	Mr. Prospector
		Classy'n Smart
	シェリフズデビュティ Sherriff's Deputy	Deputy Minister
		Barbarika　　(19-c)
グリンダザグッド Glinda the Good 鹿　2009	*ハードスパン Hard Spun	Danzig
		Turkish Tryst
	マジカルフラッシュ Magical Flash	Miswaki
		Gils Magic　　(12-c)

Mr. Prospector 3×4、Northern Dancer 5×4・5

現役時代

　北米で通算9戦3勝。主な勝ち鞍、BCジュヴェナイル（GI・8.5F）、ハスケル招待S（GI・9F）、ブルーグラスS（GII・9F）。

　シャンペンS2着があるものの、未勝利の身でBCジュヴェナイルを制覇。3歳春はクラシック王道路線を歩み、ブルーグラスSを制して臨んだケンタッキー・ダービーは先に抜け出したジャスティファイの2着。続くプリークネスSはジャスティファイとの先行争いに持ち込むもゴール前で力尽き、同馬の4着に終わった。ベルモントSは回避し、休養を挟んでのハスケル招待Sを3馬身差の快勝。本命に推されたトラヴァーズSは中団から後退してよもやの9着敗退。この後に現役引退、翌年から種牡馬入りが発表された。

血統背景

　父は同馬の項参照。
　母系は近親に米GI2勝のマジカルメイデン。

種牡馬成績

　代表産駒／メイジ（ケンタッキー・ダービーGI・10F）、ドーノック（ベルモントSGI・10F）、ムース（アーカンソー・ダービーGI・9F）。

産駒の特徴

　「カーリン系らしく、単打を積み重ねるより、常に長打狙いだろう」どおりに初年度からケンタッキー・ダービー馬メイジを出し、2年目の産駒でメイジの全弟ドーノックがベルモントS優勝。大レースではカーリン系を舐めてかかると痛い目に遭う。かといって長打一発だけではなく、複数の2歳重賞勝ち馬を出し、今後も期待が持てる。BCでも強さを発揮するに違いない。日本でもダートの中距離血統とする。2歳からガンガン走るというよりも、頭角を現すのは3歳春以降。まずは東京ダービー。古馬になって大成する産駒も出る。

クラックスマン CRACKSMAN

英仏でGI4勝
フランケルの最初の後継種牡馬

2014年生 鹿毛 イギリス産

フランケル Frankel 鹿 2008	ガリレオ Galileo	Sadler's Wells
		Urban Sea
	カインド Kind	*デインヒル
		Rainbow Lake (1-k)
ラーデグンダ Rhadegunda 鹿 2005	ピヴォタル Pivotal	Polar Falcon
		Fearless Revival
	セントラデグンド St Radegund	Green Desert
		On the House (9-c)

Northern Dancer 4·5×5·5·5、Danzig 4×4、Special 5×5

現役時代

イギリス、アイルランド、フランスで通算11戦8勝。主な勝ち鞍、チャンピオンS（GI・10F）2回、コロネーションC（GI・12F）などGI4勝、他GII2勝。

英、愛ダービーとも僅差の3着、2着だったが、夏を境に本格化。GIIを2連勝し、続くチャンピオンSで2着ポエッツワードに7馬身差をつけて圧勝。4歳時はガネー賞、コロネーションCを連勝。プリンスオブウェールズS2着、"キングジョージ"は取り消し。プリンスオブウェールズS以来の出走となったチャンピオンSは6馬身差で圧勝、現役最後の一戦を同レースの2連覇で飾った。重賞6勝のうち4勝が重馬場。2着だったプリンスオブウェールズS、取り消した"キングジョージ"は良馬場だった。また、同期のエネイブルとの対戦は同厩舎とあってか、実現しなかった。

血統背景

父フランケルは同馬の項参照。
母系は三代母オンザハウスが英1000ギニー馬。同牝系にタイトルホルダー（天皇賞・春）。

種牡馬成績

代表産駒／エースインパクト（仏ダービーGI・2100M）、アロア（ドルメロ賞GII・1600M）。

産駒の特徴

エースインパクトの凱旋門賞制覇により23年の仏リーディングに輝いたものの、同馬に替わる重賞級が出ていない。一点豪華主義種牡馬ということか。父フランケル、母の父ピヴォタルの勝負強さと底力を期待できる配合。多くの産駒が冴えなくとも、大レースでは怖い。エースインパクトは父系祖父ガリレオの祖母アグレッタの5×4のクロスを持つ。産駒が海外馬券発売レースの出馬表に名を連ねていたら血統表は要確認。日本ではフランケル系といえども、若干重いか。

サクソンウォリアー SAXON WARRIOR

英2000ギニーなどGI2勝
欧州を沸かせたディープインパクト産駒

2015年生 鹿毛 日本産

ディープインパクト 鹿 2002	*サンデーサイレンス Sunday Silence	Halo
		Wishing Well
	*ウインドインハーヘア Wind in Her Hair	Alzao
		Burghclere (2-f)
*メイビー Maybe 鹿 2009	ガリレオ Galileo	Sadler's Wells
		Urban Sea
	スモラ Sumora	*デインヒル
		Rain Flower (1-t)

Northern Dancer 5×4·5

現役時代

アイルランド、イギリスで通算9戦4勝。主な勝ち鞍、英2000ギニー（GI・8F）、レーシングポストトロフィーS（GI・8F）、ベレスフォードS（GII・8F）。

愛国クールモアが繁殖牝馬を送り、ディープインパクトと配合。誕生後に愛国へ渡り、A・オブライエン調教師の元で現役生活を送った。2歳8月のデビューから英2000ギニーまで4連勝、日本産馬初の英クラシック制覇を果たした。しかし英、愛ダービーは4着、3着。中距離に路線変更してのエクリプスS、インターナショナルS、愛チャンピオンSとも2歳時のレーシングポストTで負かしたロアリングライオンの2着、4着、2着に敗退。その後、屈腱炎を発症。引退が決まった。

血統背景

父ディープインパクト。母の父ガリレオの配合馬に英ダービー馬オーギュストロダン。
母メイビーは2歳GIを勝ち、英1000ギニー3着。近親に英オークス馬ダンシングレイン。

種牡馬成績

代表産駒／ヴィクトリアロード（BCジュヴェナイルターフGI・8F）、ボルナ（伊ダービーGII・2200M）、ルミエールロック（ブランドフォードSGII・10F）、エラトー、アドマイヤイル。

産駒の特徴

産駒のボルナが伊ダービーを制し、続く独ダービーで2着好走、今後に期待を持たせるものだった。ボルナは名牝アレグレッタの5×3のクロスを持つ。日本での人気は高く20頭を超える産駒が導入されている。しかし、軽い馬場に手こずり、芝1800以上の下級条件で糊口を凌いでいるのが現状。時計のかかる馬場に向き、エラトーが函館で連勝したように、洋芝も合う。血統だけで飛びつかず、じっくりと見極めるのが賢明。

シーザスターズ SEA THE STARS

強烈な末脚で
8、10、12FのGIを制覇

2006年生　鹿毛　アイルランド産

ケープクロス Cape Cross 黒鹿　1994	グリーンデザート Green Desert	Danzig
		Foreign Courier
	パークアピール Park Appeal	Ahonoora
		Balidaress　(14-c)
アーバンシー Urban Sea 栗　1989	ミスワキ Miswaki	Mr. Prospector
		Hopespringseternal
	アレグレッタ Allegretta	Lombard
		Anatevka　(9-h)

現役時代

　アイルランド、イギリス、フランスで通算9戦8勝。主な勝ち鞍、英二冠、凱旋門賞（GI・2400M）。

　デビュー戦こそ4着に敗れたが、その後は引退まで無敗を誇った。距離不安視されたこともあって2番人気に甘んじた英ダービーは好位追走からゴール前で抜け出す完勝。その後、中距離GIを3連覇。凱旋門賞は最内中団追走から直線を向くと、馬群が開く一瞬を見逃さず、鋭く突き抜けて優勝した。レース後に解説者が語ったように、"アンビリーバブル"な末脚だった。英二冠馬の凱旋門賞制覇は初。

血統背景

　父ケープクロス。産駒にゴールデンホーン。

　母アーバンシーは凱旋門賞馬。半兄にガリレオ（同馬の項参照）、近親にキングズベスト（同馬の項参照）の母系は、名馬、名種牡馬の宝庫。

種牡馬成績

　代表産駒／ハーザンド（英ダービーGI・12F）、タグルーダ（"キングジョージ"GI・12F）、フクム（"キングジョージ"GI・12F）、バーイード（クイーンエリザベス2世SGI・8F）、シーザムーン（同馬の項参照）。

産駒の特徴

　ほぼ途切れることなく、各世代の産駒がGIを制し、大レースでの信頼性は高い。選手権距離に強く、英ダービー、"キングジョージ"、凱旋門賞では主役を張れる。成長力を備え、古馬になって急上昇する産駒も少なくない。選手権距離だけにとどまらず、アスコットゴールドC3連覇のストラディバリウスをはじめとする長距離実績があり、メルボルンCでも狙いが立つ（日本で馬券は買えないが）。フクムは現役引退後、24年から日本で種牡馬として供用。父の日本での成績が振るわなかっただけに、果たしてフクムはどうか。

ジャスティファイ JUSTIFY

わずか5カ月の現役生活で
数々の歴史を塗り替えた米三冠馬

2015年生　栗毛　アメリカ産

スキャットダディ Scat Daddy 黒鹿　2004	*ヨハネスブルグ Johannesburg	*ヘネシー Hennessy
		Myth
	ラヴスタイル Love Style	Mr. Prospector
		Likeable Style (1-w)
ステージマジック Stage Magic 栗　2007	ゴーストザッパー Ghostzapper	Awesome Again
		Baby Zip
	マジカルイリュージョン Magical Illusion	Pulpit
		Voodoo Lily　(1-h)

Mr. Prospector 5・3×5、Nijinsky 4×5、Narrate 5×5

現役時代

　北米で通算6戦6勝。主な勝ち鞍、米三冠、他GI1勝。

　3歳2月のデビューから無敗で三冠制覇。不良馬場でのケンタッキー・ダービーとプリークネスSは1、2番手併走から押し切り、良馬場のベルモントSはスタートから先手を取って逃げ切った。この後は脚部不安を発症。そのまま引退となった。3歳デビュー馬のケンタッキーダービー制覇は136年ぶり、キャリア4戦目での勝利は過去100年で2頭目。無敗の三冠馬はシアトルスルー以来、史上2頭目の快挙だった。

血統背景

　父スキャットダディ。産駒にミスターメロディ。

　母系は半兄に北米GⅢ勝ち馬ザルーテナント。

　本馬はヤーン、プリーチの全姉妹クロス4×4を持つ。

種牡馬成績

　代表産駒／シティオブトロイ（英ダービーGI・12F）、ジャストエフワイアイ（BCジュヴェナイルフィリーズGI・8.5F）、オーサムリザルト（エンプレス杯）、ユティタム（青竜S）、ラップスター。

産駒の特徴

　初年度産駒からGI勝ち馬を送り出し、2年目産駒はこれを上回る活躍で、北米、欧州で主要2歳GI戦を制した勢いそのままにシティオブトロイが英ダービー優勝。短マイル血統だったはずのスキャットダディ系から英ダービー馬を輩出。血統を転換する種牡馬となるのか。注目だ。日本でも多数の産駒が走り、日本での重賞初制覇をオーサムリザルトが果たしている。ダート1800に勝ち鞍を集中させつつ、東京ダ1600をこなす産駒も出している。2歳秋から3歳春にかけて、新馬、未勝利で勝ち上がり、時間を要せず1勝Cを突破する馬は素質があると見て良く、大きいところを狙える。道悪は鬼。現状は芝はさっぱり。

シユーニ　　SIYOUNI

仏クラシック馬を続々と送り出す
ヌレイエフ系の雄

2007年生　鹿毛　フランス産

ピヴォタル Pivotal 栗 1993	ポーラーファルコン Polar Falcon	Nureyev
		Marie d'Argonne
	フィアレスリヴァイヴァル Fearless Revival	Cozzene
		Stufida (7)
シチラ Sichilla 鹿 2002	*デインヒル Danehill	Danzig
		Razyana
	スリップストリームクイーン Slipstream Queen	Conquistador Cielo
		Country Queen (12-b)

Northern Dancer 4×4、Nearctic 5×5・5、Natalma 5×5・5

現役時代

　フランスで通算12戦4勝。主な勝ち鞍、ジャンリュックラガルデール賞（GⅠ・1400M）。

　2歳時は6戦4勝。2歳チャンピオン決定戦のジャンリュックラガルデール賞を制し、クラシックの有力馬に浮上。しかし、本命に支持された仏2000ギニーGⅠは後方から伸びず、ロペデヴェガの9着。その後はジャンプラ賞GⅠ2着、ムーランドロンシャン賞GⅠ3着と健闘するものの、3歳時は未勝利に終わった。

血統背景

　父ピヴォタル。産駒に英オークス馬サリスカ。

　母系は半妹にシユーマ（サンチャリオットSなどGⅠ2勝）。その仔にブレステイキング（プリンシパルS2着）。近親にスリックリー（パリ大賞GⅠ）。

種牡馬成績

　代表産駒／ソットサス（凱旋門賞GⅠ・2400M）、セントマークスバシリカ（仏二冠）、ローレンス（仏オークスGⅠ・2100M）、パディントン（エクリプスSGⅠ・10F）、タヒーラ（愛1000ギニーGⅠ・8F）、シンエンペラー（京都2歳S）、ヴィズサクセス。

産駒の特徴

　マイルから選手権距離まで幅広く活躍馬を送り出し、産駒はギニーで勝負になる仕上がりの早さと古馬になっての成長力を備える。ガリレオ系やドバウィが幅を利かせるなかで、仏供用種牡馬としてそれらに対抗できる存在だ。また、ヌレイエフ系の主流として同父系の発展を担っている。日本には10頭を超える産駒が導入され、これまでは素軽さを欠いていたが、ソットサスの全弟シンエンペラーがクラシック戦線を賑わし、さすが良血馬といったところを見せつけた。本格的な欧州血統は強くなるととことん強くなる。その見極めを間違えることなく、馬券に臨むのが肝要。

スタディオブマン　　STUDY OF MAN

愛生まれのディープ産駒から、
日本向きの期待馬登場！

2015年生　鹿毛　アイルランド産

ディープインパクト 鹿 2002	*サンデーサイレンス Sunday Silence	Halo
		Wishing Well
	*ウインドインハーヘア Wind in Her Hair	Alzao
		Burghclere (2-f)
*セカンドハピネス Second Happiness 鹿 2002	ストームキャット Storm Cat	Storm Bird
		Terlingua
	ミエスク Miesque	Nureyev
		Pasadoble (20)

Northern Dancer 5×4・4

現役時代

　フランス、アイルランドで11戦3勝。主な勝ち鞍、仏ダービー（GⅠ・2100M）、グレフュール賞（GⅡ・2100M）。ガネー賞（GⅠ・2100M）2着。

　欧州競馬界の有力生産者、馬主のニアルコス家が繁殖牝馬を日本に送り、ディープインパクトを交配。アイルランドで生まれたのが本馬だ。フランスのP・バリー調教師が管理。ステップ戦のグレフュール賞で重賞初制覇を果たし、仏ダービーも直線で抜け出して快勝。この年は英2000ギニーをサクソンウォリアー、日本ダービーをワグネリアンと、英、日、仏の3カ国クラシックをディープインパクトの産駒が制する快挙。この後は4歳まで現役を続けたが、勝ち鞍から遠ざかり、サクソンウォリアーと対戦した愛チャンピオンSは5着。4歳時のガネー賞は2着だった。

血統背景

　父ディープインパクト、母の父ストームキャット、祖母が名牝ミエスクの配合は、リアルスティールと4分の3が同じ血統構成。母は日本に輸入され、その仔マンボネフュー（2010年生、準OP）。

種牡馬成績

　代表産駒／バース（サンタラリ賞GⅡ・2000M）、ディープワン（ベルスフォードSGⅡ・8F）。

産駒の特徴

　ディープインパクト産駒の良血馬なら大駒の出現が待たれるところだが、GⅡでお茶を濁しているのが現状。長い目で見るほかないのか。ガリレオ牝馬との交配可能な強みもある。翻って日本ではリアルスティールと似た血統構成でもあり、さらなる期待が高まる。中距離を中心にマイルや長距離を走る産駒も出そうで、距離適性は個々によって判断するのが賢明。速い脚が使えるのか、ジリなのか、じっくり見極めたい。

スパイツタウン SPEIGHTSTOWN

日本での実績も十分
北米生まれのスピードスター

1998年生、2023年死亡　栗毛　アメリカ産

ゴーンウエスト Gone West 鹿　1984	ミスタープロスペクター Mr. Prospector	Raise a Native
		Gold Digger
	セクレテーム Secrettame	Secretariat
		Tamerett　　(2-f)
シルケンキャット Silken Cat 栗　1993	ストームキャット Storm Cat	Storm Bird
		Terlingua
	シルケンドール Silken Doll	Chieftain
		Insilca　　(9-b)

Secretariat 3×4、Bold Ruler 4×5・4、Nasrullah 5・5×5、
Tom Fool 5×5

現役時代

　北米で通算16戦10勝。主な勝ち鞍、BCスプリント（GI・6F）。他、GII3勝。

　4歳時に全休とあって重賞初制覇は6歳5月のチャーチルダウンズHだが、続くトゥルーノースBCH、アルフレッドGヴァンダービルトHとも早めに先頭に立って押し切り、重賞3連勝とした。アルフレッドGヴァンダービルトHは1分08秒04のレコード。しかもトップハンデの120ポンドを背負っての勝利。本命に推されたヴォスバーグSGI3着もBCスプリントで復権。3番手から残り300Mで先頭に立ち、本命馬ケラに1馬身1/4差をつけて快勝、引退の花道を飾った。10勝、2着、3着各2回。6着以下は2回だけだった。

血統背景

　父ゴーンウエスト。産駒にケイムホーム。

　母はカナダ2歳GIなど4戦3勝。半弟にアイラップ（ブルーグラスSGII）。

種牡馬成績

　モズスーパーフレア（高松宮記念）、フルフラット（サンバサウジダービーC）、マテラスカイ（プロキオンS）、リエノテソーロ（全日本2歳優駿）。

産駒の特徴

　北米での実績は元より、御用達種牡馬といえるぐらい日本での人気も高い。持ち前のスピードを最大限に活かし、ハイペース上等とばかりに短距離を一気に走り抜け、勝ち鞍を積み重ねている。反面、揉まれ弱く惨敗もあり、強さと危うさの両方を内に秘めている。近走の着順を度外視して、展開、馬場、枠順を見極めることが重要。条件さえ合えば、昇級戦でも即通用。2歳から走り、なおかつ4歳、5歳になって急上昇する産駒がいるので油断はできない。海外遠征は二割、三割増し。交流重賞も狙える。牝馬は芝が中心。

ソットサス SOTTSASS

仏ダービー、凱旋門賞を含む仏GI3勝
シユーニの後継種牡馬として期待大

2016年生　栗毛　フランス産

シユーニ Siyouni 鹿　2007	ピヴォタル Pivotal	Polar Falcon
		Fearless Revival
	シチラ Sichilla	*デインヒル
		Slipstream Queen (12-b)
スターレッツシスター Starlet's Sister 栗　2009	カリレオ Galileo	Sadler's Wells
		Urban Sea
	プレミアクリエーション Premiere Creation	Green Tune
		Allwaki　　(16-h)

Northern Dancer 5・5×4、Miswaki 4×4(母方)
Special 5×5、Mr. Prospector 5×5・5・5

現役時代

　フランス、アイルランドで通算12戦6勝。主な勝ち鞍、凱旋門賞（GI・2400M）、仏ダービー（GI・2100M）、ガネー賞（GI・2100M）。

　仏ダービーは仏2000ギニー馬ペルシアンキングを2馬身突き放し、コースレコードの2分02秒90で快勝、重賞初制覇をクラシック優勝で果たした。ニエル賞を勝って臨んだ凱旋門賞はヴァルトガイスト、エネイブルに次ぐ3着も翌年の同レースを制覇。内ラチ沿いの3番手追走から残り200Mで先頭に立ち、独ダービー馬インスウープの追撃をクビ差抑えての優勝。引退の花道を飾った。不良馬場の勝ち時計は2分39秒30。3着にペルシアンキング。3度目の制覇を狙ったエネイブルは6着に終わった。当初はC・スミヨンが主戦騎手だったが、仏ダービー以降、4歳秋の愛チャンピオンS以外はC・デムーロが手綱を取っていた。

血統背景

　父シユーニは同馬の項参照。

　母系は半姉にシスターチャーリー（BCフィリー＆メアターフなどGI7勝）、全弟にシンエンペラー。

種牡馬成績

　24年新種牡馬。

産駒の特徴

　産駒は24年にデビュー。シユーニの後継種牡馬として懸かる期待は大きいはず。父の産駒同様に中距離を中心にマイルから2400を守備範囲とし、加えて勝負強さと底力を備えていればしめたもの。2歳よりも3歳、さらには古馬になって成長する産駒が出るだろう。どの産駒も走るというよりは大レースでこそ凄みを発揮するとみた。日本でも登録済みの2歳馬がいるので、その走りが見られそうだ。おしなべて本格的欧州血統にいえることで、強くなる片鱗を見せたときに買いだ。

ダークエンジェル DARK ANGEL

産駒は短距離～マイルで活躍
英愛リーディング上位の常連種牡馬

2005年生　芦毛　アイルランド産

アクラメーション Acclamation 鹿　1999	ロイヤルアプローズ Royal Applause	*ワージブ Flying Melody
	プリンセスアテナ Princess Athena	Ahonoora
		Shopping Wise (19-c)
ミッドナイトエンジェル Midnight Angel 芦　1994	マキアヴェリアン Machiavellian	Mr. Prospector
		Coup de Folie
	ナイトアットシー Night At Sea	Night Shift
		Into Harbour (10-c)

Northern Dancer 5×4、Natalma 5·5（母方）

現役時代

イギリスで9戦4勝。主な勝ち鞍、ミドルパークS（GI·6F）、ミルリーフS（GII·6F）。

2歳4月にデビューし、2戦目で勝ち上がり、7戦目となるミルリーフSで重賞初制覇を果たした。続くミドルパークSも先行策から勝利。次走は初の7F。クラシックへ直結するデューハーストSに挑むも、ニューアプローチの9着に大敗。2歳で引退が決まり、翌年から種牡馬入りすることとなった。

血統背景

父アクラメーションは同馬の項参照。後継種牡馬にアクレイム。本邦輸入種牡馬ワージブから同じく輸入種牡馬トライマイベストに遡る父系。

母系は近親に目立った活躍馬はいない。

種牡馬成績

代表産駒／マングスティーヌ（仏1000ギニーGI·1600M）、パースエイシヴ（クイーンエリザベス2世SGI·8F）、カーデム（クイーンエリザベス2世ジュビリーSGI·6F2回）、マッドクール（高松宮記念）、シュバルツカイザー（カーバンクルS）。

産駒の特徴

ガリレオ、ドバウィらの大駒に伍して、英愛種牡馬成績上位の常連。柔軟姓のあるトライマイベスト系らしく、産駒は短距離を主戦としながら、マイルでのGI勝ち鞍があり、24年のロイヤルアスコット開催ではカーデムのクイーンエリザベス2世ジュビリーSの2連覇、チャリンのクイーンアンS優勝がある。日本ではOPまでは駆け上がっても重賞が大きな壁になっていたが、マッドクールがGIII、GIIを飛び越えて高松宮記念制覇。もう勝負弱い血統とは言わせない。欧州同様とする。格上げでも即通用し、3歳馬の3勝C突破率は高い。洋芝を含めローカル短距離で勝ち鞍量産。

タピット TAPIT

毎年活躍馬を多数送り出す
14～16年の北米首位種牡馬

2001年生　芦毛　アメリカ産

プルピット Pulpit 鹿　1994	エーピーインディ A.P. Indy	Seattle Slew
		Weekend Surprise
	プリーチ Preach	Mr. Prospector
		Narrate　　(2-f)
タップユアヒールズ Tap Your Heels 芦　1996	アンブライドルド Unbridled	Fappiano
		Gana Facil
	ルビースリッパーズ Ruby Slippers	Nijinsky
		Moon Glitter　(3-o)

Mr. Prospector 3×4、Nijinsky 5×3、In Reality 5×4（母方）

現役時代

北米で通算6戦3勝。主な勝ち鞍、ウッドメモリアルS（GI·9F）、他GIII1勝。

2歳時にローレルフュチュリティGIIIを制し、3歳時はクラシック路線に向かい、フロリダ・ダービーGI6着も、ウッドメモリアルSを中団からの追い込みを決めて優勝。ケンタッキー・ダービーGIは先行有利な不良馬場とあって末脚不発。スマーティージョーンズの9着に終わった。残りの二冠は回避。復帰戦のペンシルヴァニア・ダービーGII9着後に引退。

血統背景

父プルピット。産駒にパイロ（同馬の項参照）。

母系は一族にサマーバード（ベルモントS）。母の父アンブライドルドの産駒にエンパイアメーカー（同馬の項参照）。エーピーインディ系とアンブライドルド系の配合から重賞勝ち馬多数。

種牡馬成績

代表産駒／テスタマッタ（フェブラリーS）、ラニ（UAEダービーGII·1900M）、ラビットラン（ローズS）、ゴールデンバローズ（ヒヤシンスS）。

産駒の特徴

3年連続で北米首位種牡馬に君臨していた頃の勢いこそ失いつつあるが、海外馬券の発売の際や日本でもまだまだ甘く見ると痛い目に合う。ベルモントSに強いのは忘れずに。日本で走った産駒は東京1600と中距離のダートで2歳後半から3歳春に勝ち鞍を量産。さらに3歳後半から4歳にかけて上のクラスで勝利する。難なく昇級初戦を突破して連勝する産駒がいる一方、エーピーインディ系特有の気性の難しい産駒もいるので、そこの見極めは肝要。母の父としてはアルカンジェロ（ベルモントSGI。補足：母の父としてもベルモントSに強い）、グランアレグリア（安田記念）。

海外の種牡馬

チャーチル
CHURCHILL

初年度産駒が仏ダービー制覇
ガリレオの新たな後継種牡馬

2014年生 鹿毛 アイルランド産

ガリレオ Galileo 鹿 1998	サドラーズウェルズ Sadler's Wells	Northern Dancer
		Fairy Bridge
	アーバンシー Urban Sea	Miswaki
		Allegretta (9-h)
ミャウ Meow 鹿 2008	ストームキャット Storm Cat	Storm Bird
		Terlingua
	エアウェーヴ Airwave	Air Express
		Kangra Valley (19-a)

Northern Dancer 3×4

現役時代

アイルランド、イギリス、北米で通算13戦7勝。主な勝ち鞍、英2000ギニー（GI・8F）、愛2000ギニー（GI・8F）、デューハーストS（GI・7F）、ナショナルS（GI・7F）、他7Fの重賞2勝。

6Fのデビュー戦こそ3着に敗れたが、その後は7連勝。愛ナショナルS、英デューハーストSを制し、クラシックの最有力候補に躍り出た。ぶっつけで臨んだ英2000ギニー、続く愛2000ギニーも勝利。しかし、勢いはここまで。セントジェームズパレスSは英2000ギニー2着バニーロイ、愛2000ギニー2着サンダースノーらに先着を許しての4着。中距離へ挑んでのインターナショナルS2着、愛チャンピオンSは7着。マイルへ戻ってのクイーンエリザベス2世S3着。現役最後の一戦、BCクラシックは7着に終わった。

血統背景

父ガリレオ。

全妹クレミー、祖母エアウェーヴとも2歳短距離GIチェヴァリーパークSの勝ち馬で、スピードに勝った母系。ガリレオ×ストームキャットにグレンイーグルス（同馬の項参照）。この配合は3歳春が旬なのか。

種牡馬成績

代表産駒／ヴァデニ（仏ダービーGI・2100M）、ブルーローズセン（仏牝馬二冠）、アトリション（トゥーラクHGI・1600M）。

産駒の特徴

仏クラシック馬や豪GI勝ち馬の他に広くGII、GIII級を送り出している。2歳から走る仕上がりの早さがある反面、成長力は疑問符がつく。ガリレオ系の2歳、3歳のマイル、中距離路線を担う血統という役どころだろう。日本では同系グレンイーグルスが新潟2歳Sの勝ち馬を出しており、同様に早い時期に狙えるか。

ドバウィ
DUBAWI

ドバイミレニアムの貴重な後継
世界中で産駒が大活躍

2002年生 鹿毛 アイルランド産

ドバイミレニアム Dubai Millennium 鹿 1996	シーキングザゴールド Seeking the Gold	Mr. Prospector
		Con Game
	コロラドダンサー Colorado Dancer	Shareef Dancer
		Fall Aspen (4-m)
ゾマラダー Zomaradah 鹿 1995	ディプロイ Deploy	Shirley Heights
		Slightly Dangerous
	ジャワハー Jawaher	*ダンシングブレーヴ
		High Tern (9-e)

Raise a Native 4×5、Northern Dancer 4×5

現役時代

イギリス、アイルランド、フランスで通算8戦5勝。主な勝ち鞍、愛2000ギニー（GI・芝8F）、ジャックルマロワ賞（GI・芝1600M）などGI3勝。

2歳時はナショナルSGIを含め3戦3勝。英2000ギニーこそ3歳初戦とあって5着に敗れたが、愛2000ギニーは好位から抜け出して優勝した。英ダービーGI3着。マイルに戻ってのジャックルマロワ賞を勝ち、クイーンエリザベス2世SGIは2着。

血統背景

父ドバイミレニアムはドバイワールドCなどGI4勝。一世代の産駒を残しただけで急逝、本馬が唯一のGI勝ち馬。

母ゾマラダーが伊オークスGI馬。近親にハイライズ（英ダービーGI。ジャパンC3着）。

種牡馬成績

代表産駒／レベルスロマンス（BCターフGI・12F）、ガイヤース（同馬の項参照）、トゥーダーンホット（同馬の項参照）、モダンゲームス（BCマイル・8F）。

産駒の特徴

24年も英2000ギニーをノータブルスピーチ、英オークスをエゼリヤがそれぞれ制し、産駒は縦横無尽の活躍。この後はイギリスだけに限らず、欧州各国や北米でもGI制覇が見られるに違いない。世界全体を一括するとドバウィの右に出る種牡馬はなく、国、地域、距離、馬場に関係なくGI勝ち馬を輩出。海外馬券発売の際、ドバウィ産駒の取捨選択は馬券的中への絶対条件だ。ドバイワールドC開催はさらに強い。世界のドバウィでもこと日本の競馬になると3勝Cを突破するのでさえ四苦八苦の有様。ヴァルツァーシャルのマーチS、エトヴプレのフィリーズレビューなどドバウィ系として捉えると、徐々に馴染んできているようだが。

ナサニエル

NATHANIEL

ガリレオ王朝の新星
初年度産駒から超大物牝馬誕生

2008年生　鹿毛　アイルランド産

ガリレオ Galileo 鹿 1998	サドラーズウェルズ Sadler's Wells	Northern Dancer
		Fairy Bridge
	アーバンシー Urban Sea	Miswaki
		Allegretta (9-h)
マグニフィセントスタイル Magnificient Style 黒鹿 1993	シルヴァーホーク Silver Hawk	Roberto
		Gris Vitesse
	ミアカリナ Mia Karina	Icecapade
		Basin (9-f)

Nearctic 4×4、Hail to Reason 5×4、Nearco 5×5·5、
Native Dancer 5×5

現役時代

　イギリス、アイルランドで通算11戦4勝。主な勝ち鞍、キングジョージ6世＆クイーンエリザベスS（GI・12F）、エクリプスS（GI・10F）、キングエドワード7世S（GII・12F）。

　英ダービーを回避して臨んだキングエドワード7世Sで重賞初制覇を果たし、同レースと同じ舞台で行われた"キングジョージ"は2番手から抜け出し、ワークフォースに2馬身3/4差をつけて快勝した。4歳時にはエクリプスS勝ちがある。フランケルとは2歳デビュー戦、4歳時のチャンピオンSGIで対戦、それぞれ2着、3着に敗れている。

血統背景

　父ガリレオは同馬の項参照。

　母系は全妹にグレートヘヴンズ（愛オークスGI）、母の孫にレッドアンシェル（北九州記念）。母の父シルヴァーホークの産駒にグラスワンダー。

種牡馬成績

　代表産駒／エネイブル（凱旋門賞GI・2400M2回）、デザートクラウン（英ダービーGI・12F）、チャネル（仏オークスGI・2100M）。

産駒の特徴

　当初はエネイブルだけの一点豪華主義種牡馬と思えたが、チャネルの仏オークス制覇後に英ダービーをはじめ、グッドウッドC、英チャンピオンズフィリー＆メアズSとGI勝ち馬を輩出。24年も愛オークス馬ユーゴットトゥミーを出している。フランケルの背中も見えてきた。産駒は選手権距離に強く、長距離もこなし、GII、GIIIよりもGIでこそ大きく勝負したいところで、海外馬券発売でこその血統といえる。ダンジグ系牝馬との交配から重賞勝ち馬多数。一方、非ダンジグのエネイブルはサドラーズウェルズ3×2のクロスを持つ。

ノーネイネヴァー

NO NAY NEVER

2歳戦からエンジン全開
スキャットダディの欧州での後継種牡馬

2011年生　黒鹿毛　アメリカ産

スキャットダディ Scat Daddy 黒鹿 2004	*ヨハネスブルグ Johannesburg	*ヘネシー Hennessy
		Myth
	ラヴスタイル Love Style	Mr. Prospector
		Likeable Style (1-w)
キャッツアイウィットネス Cat's Eye Witness 鹿 2003	イルーシヴクオリティ Elusive Quality	Gone West
		Touch of Greatness
	コミカルキャット Comical Cat	Exceller
		Six Months Long (3-l)

Mr. Prospector 5·3×4、Northern Dancer 5×5·4

現役時代

　北米、イギリス、フランスで通算6戦4勝。主な勝ち鞍、モルニ賞（GI・1200M）、ノーフォークS（GII・5F）、ウッドフォードS（GIII・5.5F）。

　オールウェザーでのデビュー戦を勝利すると、欧州へ遠征。英国ロイヤルアスコット開催のノーフォークSを2歳コースレコードで快勝、フランスへ渡ってのモルニ賞も勝利。3連勝でシーズンを終えた。米国へ戻っての3歳初戦、ダートのスウェイルSは2着。この後は再度ロイヤルアスコット開催の参戦予定も、故障で秋まで休養。復帰後はウッドフォードSを制し、BCターフスプリントへ向かった。レースは2、3番手併走から直線で先頭に立った利那、ボビーズキトゥンに暴力的な末脚を喰らい、半馬身差2着に惜敗した。

血統背景

　父スキャットダディ。2015年死亡。

　母系は近親に複数の重賞勝ち馬がいる中堅級。母の父イルーシヴクオリティの産駒にレイヴンズパス。

種牡馬成績

　代表産駒／アルコールフリー（ジュライCGI・6F）、テンソヴリンズ（ジュライCGI・6F）、メディテイト（BCジュヴェナイルフィリーズターフGI・8F）。

産駒の特徴

　父同様に2歳初っぱなからエンジン全開。それこそロイヤルアスコット開催の2歳重賞に何頭も勝利している。しかし、そこはスキャットダディ系。早熟な短距離血統で収まらず、ジュライCの勝ち馬やマイルをこなす産駒もいる。日本ではユニコーンライオンが代表産駒で、自身のペースで走らせると強いのがストームキャット系ながら、短、マイルでこそ持ち味が活きる。函館、小倉の両2歳Sや中央に戻っての2歳1400重賞は勝機十分とみる。あわよくばNHKマイルCか。新潟千直も面白そう。

海外の種牡馬

メンデルスゾーン MENDELSSOHN

名種牡馬イントゥミスチーフと
鬼姫ビホルダーの半弟

2015年生　鹿毛　アメリカ産

スキャットダディ Scat Daddy 黒鹿　2004	*ヨハネスブルグ Johannesburg	*ヘネシー Hennessy
		Myth
	ラヴスタイル Love Style	Mr. Prospector
		Likeable Style (1-w)
レスリーズレディ Leslie's Lady 鹿　1996	トリッキークリーク Tricky Creek	Clever Trick
		Battle Creek Girl
	クリスタルレディ Crystal Lady	Stop the Music
		One Last Bird (23-b)

Mr. Prospector 5・3（父方）、Nijinsky 4×5、Northern Dancer 5×5

現役時代

　アイルランド、イギリス、北米、UAEで通算13戦4勝。主な勝ち鞍、BCジュヴェナイルターフ（GI・8F）、UAEダービー（GII・1900M）。

　BCジュヴェナイルターフ勝利後に管理する愛国A・オブライエン調教師が「この後はドバイからケンタッキー・ダービーへ向かう」と語ったように、3歳時はドバイのUAEダービーに出走。ここを後続に18馬身半差の逃げ切り圧勝とし、ケンタッキー・ダービー挑戦となった。しかし、不良馬場に加え、スタート直後に挟まれるやら、レース中に押しくらまんじゅうを強いられるやらの不利が重なり最下位の20着に終わった。勝ったのはジャスティファイ。この後はそのまま米国へ留まったが、トラヴァーズS2着が最高だった。

血統背景

　父スキャットダディ。産駒にジャスティファイ。

　母系は半兄姉にイントゥミスチーフ（同馬の項参照）、ビホルダー（北米GI11勝の鬼姫）。ビホルダーは祖父ヘネシーで、本馬と血統構成が似る。

種牡馬成績

　代表産駒／デライト（ジェサミンSGII・8.5F）、メンデルスゾーンベイ（UAE2000ギニーGIII・1600M）、ボールドゾーン、ショウナンガロ。

産駒の特徴

　仕上がりの早さが売りのスキャットダディ系にしては出足が鈍く、主要競馬国での2歳重賞勝ち馬は少ない。血統が血統だけに、結論を出すには2年目以降の産駒や3歳、古馬の走りをみてからでも遅くはない。日本でも同様に2歳時により3歳になって未勝利を脱する産駒が目立つ。しかも1600&1700&1800を仕事場とし、距離適性はジャスティファイと似る。連勝は少ないものの、2戦目で1勝Cを突破した産駒もいる。

ロペデヴェガ LOPE DE VEGA

世界中でGI馬を輩出!!
勢いのあるシャマーダル系種牡馬

2007年生　栗毛　アイルランド産

シャマーダル Shamardal 鹿　2002	ジャイアンツコーズウェイ Giant's Causeway	Storm Cat
		Mariah's Storm
	ヘルシンキ Helsinki	Machiavellian
		Helen Street (1-l)
レディヴェットーリ Lady Vettori 鹿　1997	ヴェットーリ Vettori	Machiavellian
		Air Distingue
	レディゴルコンダ Lady Golconda	Kendor
		Lady Sharp (11-d)

Machiavellian 3×3

現役時代

　フランスで通算9戦4勝。主な勝ち鞍、仏2000ギニー（GI・1600M）、仏ダービー（GI・2100M）。

　2歳時は3戦2勝。ジャンリュックラガルデール賞GIはシューニの4着だった。3歳初戦のフォンテンブロー賞GIIIも3着に敗れたが、続く仏2000ギニーで追い込みを決め、仏ダービーは早めに抜け出して優勝。父に続く仏二冠制覇を果たした。この後のマイルGI2戦は8着、5着。現役最後の一戦、凱旋門賞はワークフォースの11着に終わった。

血統背景

　父シャマーダル。産駒にブルーポイント（同馬の項参照）、ピナトゥボ（同馬の項参照）。

　母レディヴェットーリは仏GIII勝ち馬。半妹に仏GIII勝ち馬レディフランケル。母の父ヴェットーリは仏2000ギニー馬。父の母の父、母の祖父はマキアヴェリアン。

種牡馬成績

　代表産駒／ルックドゥヴェガ（仏ダービーGI・2100M）、ルーヒヤ（仏1000ギニーGI・1600M）、ホールネス（マーメイドS3着）。

産駒の特徴

　フランスの他、英、愛、北米、オセアニア、UAEでGI馬を輩出。24年はルックドゥヴェガ、ルーヒヤの仏クラシック馬を送り出した。新進気鋭のブルーポイント（同馬の項参照）もそうだが、現在のシャマーダル系の勢いは特筆もの。マイル、中距離を中心に、短距離もこなす。2歳から走り、古馬になっての成長力も備えているが、重賞級の産駒は早くから素質の片鱗をみせるだろう。香港での実績があるシャマーダル系。本馬の産駒も積極買い。日本での産駒は少ないながら、ホールネスが重賞で好走。海外と同様に扱う。

アクラメーション　ACCLAMATION

1999年生／英●トライマイベスト系

- Royal Applause
  - Ahonoora
  - Shopping Wise
- Princess Athena

16戦6勝／ダイアデムS（GⅡ・6F）。
代表産駒／ダークエンジェル（同馬の項参照）、ロマンチックウォリアー（安田記念）、エキスパートアイ（BCマイルGⅠ・8F）、マーシャ（ナンソープSGⅠ・5F）、アクレイム（ラフォレ賞GⅠ・1400M）。

4歳時のダイアデムSが重賞初制覇。父はスプリントCなどGⅡ2勝。祖父ワージブの産駒にラジオたんぱ賞のプレストシンボリ。三代父トライマイベストの産駒にラストタイクーン。同父系にサトノクラウン。当初は仕上がり早い短距離馬を出していたが、種牡馬としての円熟期を迎えると、マイルや中距離のGⅠ勝ち馬を輩出。産駒は高齢になっても走る。

| 距離 | 短マ | 馬場 | 芝 | 性格 | 普 | 成長力 | 普 |

アドラーフルーク　ADLERFLUG

2004年生、2021年死亡／独●インザウイングス系

- In the Wings
  - *ラストタイクーン
  - Alya
- Aiyana

11戦4勝／独ダービー（GⅠ・2400M）、ドイツ賞（GⅠ・2400M）。
代表産駒／トルカータータッソ（凱旋門賞GⅠ・2400M）、ゴリアット（"キングジョージ"GⅠ・12F）、インスウープ（独ダービーGⅠ・2400M）、メンドシーノ（バーデン大賞GⅠ・2400M）、アレンカー（タタソールズGCGⅠ・10.5F）。

独ダービーは7馬身差の圧勝。父の孫にローエングリン。母系は祖母がガリレオの祖母アレグレッタの全妹。ドイツは元より、トルカータータッソの凱旋門賞制覇など欧州各国の選手権距離でも強さを発揮。重馬場での実績しかなくとも、良馬場でいきなり一閃の末脚を繰り出すのがドイツ血統。侮るなかれ。古馬になっての成長力もあり、海外馬券では要注意。

| 距離 | 中長 | 馬場 | 芝 | 性格 | 普 | 成長力 | 晩 |

アルマンゾル　ALMANZOR

2013年生／仏●ゴーンウエスト系

- Wootton Bassett
  - Maria's Mon
  - Darkara
- Darkova

11戦8勝／仏ダービー（GⅠ・2100M）、愛チャンピオンS（GⅠ・10F）、チャンピオンS（GⅠ・10F）、ギヨームドルナノ賞（GⅡ・2000M）、他GⅢ1勝。
代表産駒／マンゾイス（ヴィクトリア・ダービーGⅠ・2500M）、サークルオブファイア（シドニーCGⅠ・3200M）。

仏ダービーを制し、秋の欧州中距離路線の重要レース、愛、英のチャンピオンSでは凱旋門賞馬ファウンドを破った。父の産駒にBCフィリー＆メアターフGⅠのアウダーリャ。母系は近親に仏1000ギニー馬ダルジナ。母の父の産駒にケンタッキー・ダービー馬モナーコス。基本はマイルから中距離向きとするも、オセアニアの中長距離線で気を吐いている。

| 距離 | マ中 | 馬場 | 芝 | 性格 | 普 | 成長力 | 普 |

イフラージ　IFFRAAJ

2001年生／英●ゴーンウエスト系

- Zafonic
  - Nureyev
  - Park Appeal
- Pastorale

13戦7勝／パークS（GⅡ・7F）などGⅢ3勝。
代表産駒／リブチェスター（クイーンアンSGⅠ・8F）、ジョンスノー（オーストラリアンダービーGⅠ・2400M）、ジャングルキャット（アルクオーツスプリントGⅠ・1200M）、ウートンバセット（ジャンリュックラガルデール賞GⅠ・1400M）。

他にジュライCGⅠ2着があるスプリンター。父の産駒にザール（本邦輸入種牡馬）。母系は母の半弟に名種牡馬ケープクロス。初年度産駒のデビュー年に2歳馬勝ち上がり頭数の欧州記録を更新。さすがに2歳からアクセル全開のザフォニック系。海外での産駒はともかく、京王杯2歳S向きとし、ニュージーランドTまでもてばもっけの幸いとする。

| 距離 | 短マ | 馬場 | 万 | 性格 | 普 | 成長力 | 早 |

インヴィンシブルスピリット　INVINCIBLE SPIRIT

1997年生／愛●グリーンデザート系

- Green Desert
  - Kris
  - Eljazzi
- Rafha

17戦7勝／スプリントC（GⅠ・6F）、ボーランドS（GⅢ・6F）など重賞3勝。
代表産駒／キングマン（同馬の項参照）、マグナグレーシア（英2000ギニーGⅠ・8F）、ローマン（仏ダービーGⅠ・2100M）、ダンヤー（アルクオーツスプリントGⅠ・1200M）、ヴェールオブヨーク（BCジュヴェナイルGⅠ・8.5F）。

4歳で重賞初制覇を果たし、5歳時にはスプリントCを制した。母は仏オークス馬。距離に融通性のあるダンジグ系、加えて母系近親にステイヤーがいるとあって、仏ダービー馬も出しているが、有り金勝負となると短距離、マイルだろう。仕上がりの早さとスプリント能力に優れ、産駒がごそっと輸入されたら1200＆1400の2歳Sは全部もっていかれそうだ。

| 距離 | 短マ | 馬場 | 芝 | 性格 | 普 | 成長力 | 普 |

*ウィルテイクチャージ　WILL TAKE CHARGE

2010年生／米●アンブライドルド系

- Unbridled's Song
  - *デヒア
  - Felicita
- Take Charge Lady

21戦7勝／トラヴァーズS（GⅠ・10F）、クラークH（GⅠ・9F）、他GⅡ3勝。
代表産駒／ゼゴズゴズハーバード（ハリウッドGCGⅠ・10F）、マニーワウ（フェニックスGⅡ・6F）、アバーン（WLマックナイトSGⅠ・12F）、ヘルシャフト（伏竜S）、フランスゴディナ（WLマックナイトSGⅠ・12F）。2023年から日本で供用。

クラシックは3戦とも完敗したが、トラヴァーズSでケンタッキー・ダービー馬オーブ、ベルモントS馬パレスマリスらを一蹴。3歳時のBCクラシックはムーチョマッチョマンのハナ差2着だった。父の産駒にアロゲート（同馬の項参照）。母はGⅠ3勝。出だしひと息の種牡馬成績だったが、徐々に産駒の活躍が目立ってきた。ダートのマイル、中距離向き。

| 距離 | マ中 | 馬場 | ダ | 性格 | 普 | 成長力 | 普 |

ヴェコマ
VEKOMA

2016年生／米●キャンディライド系

```
┌ Candy Ride ─────────┌ Speightstown
└ Mona De Momma ──────└ Society Gal
```

8戦6勝／メトロポリタンH（GI・8F）、カーターH（GI・7F）、ブルーグラスS（GⅡ・9F）、ナシュアS（GⅢ・8F）。
代表産駒／2024年新種牡馬。

ブルーグラスSを制して臨んだケンタッキー・ダービーは12着。その後、長期休養を余儀なくされ、4歳春に復帰すると、カーターH、メトロポリタンHを連勝。BCスプリントでは有力視されるも感冒発症により直前に取り消し。そのまま引退となった。父の産駒にガンランナー。初年度産駒は北米各地の2歳短距離線で勝ち名乗りを上げ、仕上がりは早そうだ。

| 距離 | 短マ | 馬場 | ダ | 性格 | 普 | 成長力 | 普 |

ウォーオブウィル
WAR OF WILL

2016年生／米●ウォーフロント系

```
┌ War Front ──────────┌ Sadler's Wells
└ Visions Of Clarity ──└ Imperfect Circle
```

18戦5勝／プリークネスS（GI・9.5F）、メーカーズマークマイルS（GI・8F）、リズンスターS（GⅡ・8.5F）、ルコントS（GⅢ・8.3F）。
代表産駒／2024年新種牡馬。

三冠全てに出走。ケンタッキー・ダービーは7着。プリークネスSは直線最内から抜け出して優勝。GI制覇をクラシックで飾った。ベルモントSは9着。4歳時には芝のマイルGIメーカーズマークマイルSを制している。父の産駒にデクラレーションオブウォー。日本のウォーフロント系同様に芝でもダートでも気持ちよく走らせると馬券に絡みそうだ。

| 距離 | マ中 | 馬場 | 万 | 性格 | 普 | 成長力 | 普 |

ウォーフロント
WAR FRONT

2002年生／米●ウォーフロント系

```
┌ Danzig ─────────────┌ Rubiano
└ Starry Dreamer ──────└ Lara's Star
```

13戦4勝／アルフレッドG・ヴァンダーヴィルトBCH（GⅡ・6F）。
代表産駒／デクラレーションオブウォー（同馬の項参照）、アメリカンペイトリオット（同馬の項参照）、ウォーオブウィル（同馬の項参照）、ユーエスネイヴィーフラッグ（ジュライCGI・6F）、フォッサマグナ、プロトポロス。

4歳時に重賞初制覇。父の産駒にグリーンデザート、デインヒル。北米、欧州、豪でマイル、中距離、香港で2400の各GI馬を輩出。産駒は一般的に仕上がりが早く2歳から活躍するが、成長力に多少の難点あり。日本でも同様に、京王杯2歳S、ファンタジーSが適重賞といった感じだ。3歳、古馬はあわよくば関屋記念。ダートは中距離もこなす。

| 距離 | マ中 | 馬場 | 万 | 性格 | 普 | 成長力 | 早 |

オーストラリア
AUSTRALIA

2011年生／英●ガリレオ系

```
┌ Galileo ────────────┌ Cape Cross
└ Ouija Board ─────────└ Selection Board
```

8戦5勝／英、愛ダービー（GI・12F）、インターナショナルS（GI・10.5F）。
代表産駒／ガリレオクローム（セントレジャーGI・14.5F）、オーダーオブオーストラリア（BCマイルGI・8F）、ブルーム（サンクルー大賞GI・2400M）、オーシャンロード（ゲイムリーSGI・9F）。

父が大種牡馬、母がGI7勝の名牝。産まれた時からクラシック制覇を義務づけられた良血で、その期待に応えた現役生活だった。2400ばかりでなく、中距離での適性も示した。産駒は2歳後半から頭角を現し、3歳になって急激に力をつけてくる成長曲線とみた。日本ではフランケル以外のガリレオ系の例に漏れず、中長距離の消耗戦になって出番か。

| 距離 | 中長 | 馬場 | 芝 | 性格 | 普 | 成長力 | 普 |

オスカーパフォーマンス
OSCAR PERFORMANCE

2014年生／米●エルプラド系

```
┌ Kitten's Joy ───────┌ Theatrical
└ Devine Actress ──────└ Devine Beauty
```

15戦8勝／BCジュヴェナイルターフ（GI・8F）、ベルモント・ダービー（GI・10F）、セクレタリアトS（GI・10F）、ウッドバインマイル（GI・8F）など。
代表産駒／トリカリ（ベルモント・ダービーGI・9.5F）、アンドザウィナーイズ（バーボンSGⅡ・8.5F）、マイネルビジョン。

北米芝戦線で活躍。2歳時にBCジュヴェナイルターフ、3歳時にベルモント・ダービーとセクレタリアトS、4歳時にはウッドバインマイルの他、マイルのコースレコード1分31秒23で制したポーカーSGⅢがある。BCは3歳時のターフが9着、4歳時のマイルが14着だった。父は同馬の項参照。母の父系も含めて芝向き血統。日本の軽い馬場にも対応可能。

| 距離 | マ中 | 馬場 | 芝 | 性格 | 普 | 成長力 | 普 |

オマハビーチ
OMAHA BEACH

2016年生／米●ウォーフロント系

```
┌ War Front ──────────┌ Seeking the Gold
└ Charming ───────────└ Take Charge Lady
```

10戦5勝／アーカンソー・ダービー（GI・9F）、マリブS（GI・7F）、サンタアニタスプリント選手権（GI・6F）、レベルS（GⅡ・8.5F）。
代表産駒／コピオン（サンタイネスSGⅢ・7F）、レゲエビーチ。

デビュー5戦目の3歳2月に未勝利を脱すると、中南部地区の重賞2連勝。ケンタッキー・ダービーの有力候補となるも、喉疾患により直前に取り消し。復帰後は短距離路線を進み、GI2勝がある。父は同馬の項参照。母系は半姉にテイクチャージブランディ（BCジュヴェナイルフィリーズ）など重賞勝ち馬多数。2歳、3歳のダート路線が活躍の場とみた。

| 距離 | マ中 | 馬場 | ダ | 性格 | 普 | 成長力 | 普 |

ガイヤース　GHAIYYATH

2015年生／愛●ドバウィ系

Dubawi ┌ Galileo
Nightime └ Caumshinaun

13戦9勝／バーデン大賞（GI・2400M）、コロネーションS（GI・12F）、エクリプスS（GI・10F）、インターナショナルS（GI・10.3F）、アルクール賞（GII・2000M）他、GIII3勝。
代表産駒／2024年新種牡馬。

4歳夏を境に急上昇。バーデン大賞でGI制覇を果たし、5歳時にはコロネーションC、エクリプスS、インターナショナルSのGI3連勝を果たした。父は世界の大種牡馬。母は愛1000ギニー馬。祖母の孫には目黒記念などGII2勝のキングオブコージがいる。「ドバウィ系の初年度産駒は走る」という本誌の格言から期待大。来春のクラシックが楽しみ。

距離	中	馬場	芝	性格	普	成長力	普

*カラヴァッジオ　CARAVAGGIO

2014年生／米●スキャットダディ系

Scat Daddy ┌ Holy Bull
Mekko Hokte └ Aerosilver

10戦7勝／コモンウェルスC（GI・6F）、フェニックスS（GI・6F）、コヴェントリーS（GII・6F）、フライングファイヴS（GII・5F）、ラッカンS（GIII・6F）。
代表産駒／ポルタフォルトゥナ（コロネーションSGI・8F）、ホワイトビーム（ダイアナSGI・9F）、アグリ（阪急杯）。2023年から日本で供用。

2歳時はフェニックスSなど4戦4勝。3歳時はコモンウェルスCを制した。父の産駒にジャスティファイ（米三冠）。母の父がヒムヤー系など母系色が濃く、配合牝馬によって特徴こそ違っても、そこはスキャットダディ系。産駒は満遍なく走るだろうし、期待に違わず初年度からGI勝ち馬を出している。まずは2歳から3歳春の短距離、マイル狙い。

距離	短マ	馬場	万	性格	普	成長力	早

カンタロス　KANTHAROS

2008年生／米●ストームキャット系

Lion Heart ┌ *サザンヘイロー
Contessa Halo └ Queen of Savoy

3戦3勝／サラトガスペシャル（GII・6.5F）、バシュフォードマナーS（GIII・6F）。
代表産駒／エックスワイジェット（ドバイゴールデンシャヒーンGI・1200M）、ワールドオブトラブル（カーターHGI・7F）、ラックスアットゼア、セントラルヴァレー。

2歳5月のデビュー戦を11馬身3/4差。続くバシュフォードマナーSは9馬身半差。サラトガスペシャルは7馬身1/4差と圧勝し、3戦3勝のキャリアのまま引退した。父の産駒にデインジャラスミッジ（BCターフGI）。ストームキャット系に、母の父がサザンヘイローならば早く、なおかつ速いのも納得。産駒にもスプリント適性を確実に伝えている。

距離	短マ	馬場	万	性格	普	成長力	早

キトゥンズジョイ　KITTEN'S JOY

2001年生、2022年死亡／米●エルプラド系

El Prado ┌ Lear Fan
Kitten's First └ That's My Hon

14戦9勝／ターフクラシック招待S（GI・12F）など重賞7勝。
代表産駒／ロアリングライオン（エクリプスSGI・10F）、カメコ（英2000ギニーGI・8F）、ジャンダルム（スプリンターズS）、ダッシングブレイズ（エプソムC）、ホークビル、オスカーパフォーマンスは同馬の項参照。

北米芝路線の一流馬。セクレタリアトSなども制し、BCターフ2着がある。同父のメダーリアドロとともに北米におけるサドラーズウェルズ系の二大巨砲。重賞の大半が芝ながら、北米ランキング上位の常連だった。勢力図は北米だけにとどまらず、欧州、UAE、日本と広範囲に渡る。距離への柔軟性や軽い芝の対応力を備えている。高齢になっても走る。

距離	中	馬場	芝	性格	普	成長力	普

クオリティロード　QUALITY ROAD

2006年生／米●ゴーンウエスト系

Elusive Quality ┌ Strawberry Road
Kobla └ Winglet

13戦8勝／フロリダ・ダービー（GI・9F）のGI4勝を含む重賞7勝。
代表産駒／エンブレムロード（サウジCGI・1800M）、ナショナルトレジャー（プリークネスSGI・9.5F）、シティオブライト（BCダートマイルGI・8F）、コーニッシュ（BCジュヴェナイルGI・8.5F）。

トラック・レコードを3回も叩き出した快速馬で、勝つ時は他馬を圧倒。現役最後の一戦となった4歳時のBCクラシックは12着。初の4着以下の敗戦だった。父の産駒にレイヴンズパス。母系は近親にアジナ（BCディスタフGI）。母の父はジャパンC7着。ダート、芝のそれぞれでGI馬を輩出。日本でもダート、芝兼用のマイル、中距離血統とする。

距離	マ中	馬場	万	性格	普	成長力	普

グレンイーグルス　GLENEAGLES

2012年生／愛●ガリレオ系

Galileo ┌ Storm Cat
You'resothrilling └ Mariah's Storm

11戦7勝／英2000ギニー（GI・8F）、愛2000ギニー（GI・8F）など。
代表産駒／パラディウム（独ダービーGI・2400M）、ハイランドチーフ（マンノウォーSGI・11F）、ラヴィングドリーム（ロワイヤリュー賞GI・2800M）、ミルストリーム（ジュライCGI・1200M）、ショックアクション（新潟2歳S）。

英、愛の2000ギニー、セントジェームズパレスSの3歳マイルGIトリプルを達成。全姉に愛1000ギニー馬マーヴェラス。母の全兄にジャイアンツコーズウェイ。2歳戦に古馬長距離路線、さらに欧州、北米、日本と国を問わずに重賞勝ち馬を輩出。24年には独ダービーまでも手中に収めた。産駒の特性は個々に判断。種牡馬の母の父ストームキャット恐るべし。

距離	マ中	馬場	芝	性格	普	成長力	普

コーザン   KHOZAN

2012年生／米●フォーティナイナー系

```
┌ Distorted Humor ──────── A.P. Indy
└ Delta Princess ───────── Lyphard's Delta
```

2戦2勝／未勝利戦（7F）、一般戦（8F）。
代表産駒／バックグラウンド（ロングエイカーズマイルGⅢ・8F）、フォギーナイト（デラウェア・オークスGⅢ・8.5F）、ジャスパーゴールド、ジャスパーロブスト。

3歳1月のデビュー戦を制し、続く一般戦を12馬身3/4で圧勝するも、この一戦を最後に引退となった。父の産駒にファニーサイド（ケンタッキー・ダービーGⅠ・10F）、ドロッセルマイヤー（BCクラシックGⅠ・10F）。母系は半姉にロイヤルデルタ（BCレディーズクラシックGⅠ）など近親にGⅠ勝ち馬多数。圧勝か惨敗かの血統。危ない、危ない。

距離	短マ	馬場	ダ	性格	狂	成長力	普

ゴーストザッパー   GHOSTZAPPER

2000年生／米●デピュティミニスター系

```
┌ Awesome Again ──────── Relaunch
└ Baby Zip ──────────── Thirty Zip
```

11戦9勝／BCクラシック（GⅠ・10F）などGⅠ4勝を含む重賞6勝。
代表産駒／ミスティックガイド（ドバイワールドCGⅠ・2000M）、ジュディザビューティ（BCフィリー＆メアスプリントGⅠ・7F）、グッドナイトオリーヴ（BCフィリー＆メアスプリントGⅠ・7F）、ワイルドフラッパー（エンプレス杯）。

当初は短距離路線を歩んでいたが、4歳夏からマイル、中距離路線に転向。BCクラシックではロージズインメイらを相手に逃げ切った。父もBCクラシックの勝ち馬。母系は近親にリルイーティ（ケンタッキー・ダービーGⅠ）。母の父はマンノウォー系。日本では骨量豊かなダート中距離馬がよく走る。仕上がりは遅く、なだらかな曲線を描きながら成長する。

距離	中	馬場	ダ	性格	普	成長力	普

ゴールデンセンツ   GOLDENCENTS

2010年生／米●イントゥミスチーフ系

```
┌ Into Mischief ──────── Banker's Gold
└ Golden Works ──────── Body Works
```

18戦7勝／BCダートマイル（GⅠ・8F）2回、サンタアニタ・ダービー（GⅠ・9F）など。
代表産駒／ミスティックダン（ケンタッキー・ダービーGⅠ・10F）、ゴーイングトゥヴェガス（ロデオドライヴSGⅠ・10F）、バイマイスタンダーズ（ルイジアナ・ダービーGⅡ・9F）、エアメテオラ。

ケンタッキー・ダービー17着、プリークネスS5着に終わると、短マイルへ路線変更。これが功を奏し、BCダートマイル2連覇などの活躍をみせた。ダート、芝のGⅡ、GⅢ級を輩出する中堅級種牡馬だったが、北米の大種牡馬として君臨する父に負けじとケンタッキー・ダービー馬を送り出した。イントゥミスチーフ系の勢いは止められないということか。

距離	マ中	馬場	ダ	性格	普	成長力	普

ゴールデンホーン   GOLDEN HORN

2012年生／英●ケープクロス系

```
┌ Cape Cross ──────── Dubai Destination
└ Fleche d'Or ──────── Nuryana
```

9戦7勝／英ダービー（GⅠ・12F）、凱旋門賞（GⅠ・2400M）、エクリプスS（GⅠ・10F）、愛チャンピオンS（GⅠ・10F）。
代表産駒／ボタニク（ドーヴィル大賞GⅡ・2500M）、グレゴリー（クイーンズヴァーズGⅡ・14F）、ゴールデナス（伊ダービーGⅡ・2200M）、ターキッシュパレス。

同父系シーザスターズを踏襲する現役時代。足りないのはマイルGⅠ勝ちがない。母系近親にレベッカシャープ（コロネーションSGⅠ）。母の父はキングマンボ系で、ポストボンド（"キングジョージ"GⅠ）の母の父。期待されたほどの種牡馬成績ではないが、徐々に中長距離血統としての本領を垣間見せている。近年は障害にも有力馬を送り出している。

距離	中長	馬場	万	性格	普	成長力	晩

コンスティチューション   CONSTITUTION

2011年生／米●エーピーインディ系

```
┌ Tapit ──────── Distorted Humor
└ Baffled ────── Surf Club
```

8戦4勝／フロリダ・ダービー（GⅠ・9F）、ドンH（GⅠ・9F）。
代表産駒／ティズザロー（ベルモントSGⅠ・9F）、ローラズライト（サンクレメンテSGⅠ・8F）、アマルフィサンライズ（ソレントSGⅡ・6F）、サンライズラポール。他、チリでGⅠの勝ち馬多数。

3歳1月のデビューからフロリダ・ダービーまで3連勝としたが、故障でクラシックは不参戦。4歳時にドンHを制した。父は同馬の項参照。日程変更、距離短縮のベルモントSを初年度産駒が制し、父の後継種牡馬として名乗りを上げた。北米だけではなく、日本でも実勢抜群の父系とあれば期待大。東京ダート1400＆1600で買いの一手。目指せヒヤシンスS。

距離	マ中	馬場	ダ	性格	狂	成長力	普

ザラック   ZARAK

2013年生／仏●ドバウィ系

```
┌ Dubawi ──────── Zamindar
└ Zarkava ─────── Zarkasha
```

13戦4勝／サンクルー大賞（GⅠ・2400M）、ドバイミレニアムS（GⅢ・2000M）。
代表産駒／メトロポリタン（仏2000ギニーGⅠ・1600M）、ザグレイ（バーデン大賞GⅠ・2400M）、アヤザーク（ガネー賞GⅠ・2100M）、ストレイト（ウニオンレネンGⅡ・2200M）。

父が大種牡馬ドバウィ、母が無敗の凱旋門賞馬ザルカヴァ。デビュー前から大きな期待を集めただろうが、3歳時は仏ダービー2着が精一杯。4歳になってUAEのドバイミレニアムSで重賞制覇を果たし、サンクルー大賞でGⅠ勝ち馬となった。種牡馬としても徐々に成績を上げ、24年には仏2000ギニー馬を送り出した。この父系だけに大レースでは侮れない。

距離	中	馬場	芝	性格	普	成長力	普

シーザムーン　SEA THE MOON

2011年生／独●ケープクロス系

```
┌ Sea The Stars        ┌ Monsun
└ Sanwa                └ Sacarina
```

5戦4勝／独ダービー（GI・2400M）、ウニオンレネン（GII・2200M）、他、GIII1勝。
代表産駒：ファンタスティックムーン（独ダービーGI・2400M）、ダーストン（コーフィールドCGI・2400M）、アルパインスター（コロネーションSGI・8F）、ワンダフルムーン（ウニオンレネンGII・2200M）。

ステップ戦2連勝で臨んだ独ダービーは、最終コーナーで大きくふくれながらの圧勝。凱旋門賞へ向けてのバーデン大賞GI2着後に故障が判明、引退となった。父は同馬の項参照。母系は母の全兄にサムム、スキャパレリの独ダービー馬。22年にコーフィールドCの勝ち馬、23年には独ダービー馬を輩出。遅ればせながら独血統の凄みを発揮し始めた。

| 距離 | 中長 | 馬場 | 芝 | 性格 | 普 | 成長力 | 強 |

シティオブライト　CITY OF LIGHT

2014年生／米●ゴーンウエスト系

```
┌ Quality Road         ┌ *デヒア
└ Paris Notion         └ Fabulous Notion
```

11戦6勝／BCダートマイル（GI・8F）、ペガサスワールドC（GI・9F）、マリブS（GI・7F）、トリプルベンドS（GI・7F）。
代表産駒：フィアースネス（BCジュヴェナイルGI・8.5F）、チョップチョップ（ビウィッチSGIII・12F）、ミミカクシ（UAEオークスGIII・1900M）。

デビューは3歳7月とあってクラシックこそ不出走だが、3歳12月のマリブSから4歳春にかけて重賞3連勝。夏の2戦は3着、2着に敗れるもBCダートマイルを楽勝。翌年のペガサスワールドCも圧勝して現役を退いた。父は同馬の項参照。母系は祖母がGI勝ち馬。3代母の仔に輸入種牡馬カコイーシーズ。中距離を中心に幅広い距離をこなすダート向き血統。

| 距離 | 中 | 馬場 | ダ | 性格 | 普 | 成長力 | 普 |

シャラー　SHALAA

2013年生／愛●グリーンデザート系

```
┌ Invincible Spirit    ┌ War Chant
└ Ghurra               └ Futuh
```

8戦6勝／モルニー賞（GI・1200M）、ミドルパークS（GI・6F）、ジュライS（GII・6F）、リッチモンドS（GIII・1200M）、ベンゴーS（GIII・6F）。
代表産駒：ノースピークアレクサンダー（メイトロンSGI・8F）、インビンシブルパパ、ジャストコル。

2歳時はGI2勝を含め6戦5勝。3歳時は故障で長期休養を余儀なくされ、復帰戦となった秋のベンゴーSを制するも、続く英チャンピオンズスプリントSで10着に敗れ引退となった。2歳時に大花火を打ち上げて終わったが、本馬はインヴィンシブルスピリット系成功のシャーペンアップ系クロスを持つ。同父キングマンの控え選手といったところか。

| 距離 | 短マ | 馬場 | 芝 | 性格 | 普 | 成長力 | 早 |

ショーケーシング　SHOWCASING

2007年生／英●グリーンデザート系

```
┌ Oasis Dream          ┌ Zafonic
└ Arabesque            └ Prophecy
```

7戦2勝／ジムクラックS（GII・6F）。
代表産駒：モハーザー（サセックスSGI・8F）、アドヴァータイズ（コモンウェルスCGI・6F）、クワイエットリフレクション（スプリントCGI・6F）、ペースセッティング（シンザン記念2着）。

デビューから6F路線を歩み、2歳時にジムクラックSを制した。父は短距離GI3勝。産駒にミッドディ（BCフィリー＆メアターフGI）。母系は半兄に英GIII2着のカマチョ。母の父の産駒にイフラージ。ゴーンウエスト系。グリーンデザート系のスピードを素直に受け継ぎ、短距離のGI勝ち馬を輩出。素質の高い馬はマイルもこなす。2歳から狙える。

| 距離 | 短 | 馬場 | 芝 | 性格 | 普 | 成長力 | 普 |

ズースター　ZOUSTAR

2010年生／豪●フェアリーキング系

```
┌ Northern Meteor      ┌ Redoute's Choice
└ Zouzou               └ Meteor Mist
```

9戦6勝／クールモアスタッドS（GI・1200M）、ゴールデンローズS（GI・1400M）、ロマンコンサルS（GII・1200M）、他、GIII1勝。
代表産駒：サンライト（ニューマーケットHGI・1200M）、ズートリー（ニューマーケットHGI・1200M）、スリーアイランド。

豪短距離路線で活躍し、GI2勝含め、重賞制覇はすべて3歳時のもの。4歳時は1戦未勝利に終わった。父もクールモアスタッドの勝ち馬で、種牡馬としては短距離、マイルのGI勝ち馬を出している。父同様にオセアニアを中心に短距離GI馬を多数輩出。日本でも短距離血統として間違いないだろう。スピードに任せてそのまま押し切る競馬が合いそう。

| 距離 | 短 | 馬場 | 芝 | 性格 | 普 | 成長力 | 早 |

スタースパングルドバナー　STARSPANGLEDBANNER

2006年生／豪●デインヒル系

```
┌ Choisir              ┌ Made of Gold
└ Gold Anthem          └ National Song
```

23戦7勝／ジュライC（GI・6F）など豪、英GI4勝。
代表産駒：ステートオブレスト（プリンスオブウェールズSGI・10F）、カリフォルニアスパングル（香港マイルGI・1600M）、ビューティーエターナル（香港チャンピオンズマイルGI・1600M）、プシュキン（ジャンプラ賞GI・1400M）。

オーストラリアでマイル、短距離GI制覇後、アイルランドのA・オブライエン厩舎へ移籍。英国のゴールデンジュビリーSとジュライCを連勝した。父も豪短距離GIと英ゴールデンジュビリーSを制覇。短、マイル中心ながら、代を経ると距離をこなすデインヒル系。産駒個々によって判断。仕上がり早く2歳から狙っていけ、なおかつ成長力もある。

| 距離 | 短マ | 馬場 | 芝 | 性格 | 普 | 成長力 | 普 |

*ストリートセンス

STREET SENSE

2004年生／米●マキアヴェリアン系

Street Cry ― Dixieland Band
Bedazzle ― Majestic Legend

13戦6勝／ケンタッキー・ダービー（GI・10F）、BCジュヴェナイル（GI・8.5F）、トラヴァーズS（GI・10F）。
代表産駒／マッキンジー（同馬の項参照）、マックスフィールド（クラークSGI・9F）、ファッショニスタ（JBCレディスクラシック）。

BCジュヴェナイルとケンタッキー・ダービーの両レース制覇は史上初の快挙。プリークネスS、BCクラシックはカーリンの2着、4着。父の産駒にウインクス、ゼニヤッタの豪、米の女傑。日本では13年に1シーズン供用。帰国後にGI勝ち馬を出している。輸入馬として日本で走る産駒がいるだろうが、日本産同様にダートの1400型と中距離型とする。

距離	短中	馬場	ダ	性格	普	成長力	普

スワイネス

SWEYNESSE

2011年生／豪●サートリストラム系

Lonhro ― Singspiel
Swansea ― River Swan

13戦4勝／スプリングS（GIII・1600M）、グルーミングS（GIII・1800M）。ランドウィックギニー（GI・1600M）2着。
代表産駒／ラッキースワイネス（香港スプリントGI・1200M）。

3歳時にGIII2勝の他、GIランドウィックギニーの2着がある。父、祖父ともオセアニアの超暫弓名馬。産駒から香港短距離界の強豪ラッキースワイネスが登場。香港国際競走の馬券発売の際には無視できない種牡馬となった。父系の実績、母のシングスピール×ナシュワンの配合から底力いっぱいの血統。強い馬はとことん強くなりそう。マイルも守備範囲。

距離	短マ	馬場	芝	性格	普	成長力	強

セントパトリックスデー

ST PATRICK'S DAY

2015年生／米●アンブライドルド系

Pioneerof the Nile ― Yankee Gentleman
Littleprincessemma ― Exclusive Rosette

10戦1勝／ルネサンスS（GIII・6F）2着。
代表産駒／フィオナズマジック（ダヴォナデールSGII・8F）。

米B・バファート厩舎からデビュー。2戦目で未勝利を脱し、3歳時に愛A・オブライエン厩舎に移籍。秋にはルネサンスSでの2着がある。アメリカンファラオの全弟という金看板を売りに種牡馬入り。産駒は日本にも輸入されており、見る機会はありそうだ。兄同様に振り幅の大きい、気の難しい産駒を出すのか。こぢんまりとした産駒なのか。楽しみだ。

距離	短マ	馬場	ダ	性格	普	成長力	普

テオフィロ

TEOFILO

2004年生／愛●ガリレオ系

Galileo ― *デインヒル
Speirbhean ― Saviour

5戦5勝／ナショナルS（GI・7F）、デューハーストS（GI・7F）など。
代表産駒／トレーディングレザー（愛ダービーGI・12F）、エグザルタント（香港ヴァースGI・2400M）、トワイライトペイメント（メルボルンCGI・3200M）、ウィズアウトアファイト（メルボルンCGI・3200M）、テリトーリアル（小倉大賞典）。

2歳時は5戦全勝も、膝を痛めたことにより3歳時は未出走のまま引退した。ガリレオ×デインヒルの配合からはフランケルをはじめGI馬多数。欧州の他、オーストラリア、香港でGI馬を送り出し、海外馬券の中には無視できない種牡馬。日本でもようやく重賞勝ち馬を送り出した。重馬場や厳しい流れの中距離以上で台頭する。北の2600でも狙って損はない。

距離	中長	馬場	芝	性格	普	成長力	晩

トゥーダーンホット

TOO DARN HOT

2016年生／英●ドバウィ系

Dubawi ― *シングスピール
Dar Re Mi ― Darara

9戦6勝／デューハーストS（GI・7F）、サセックスS（GI・8F）などGI3勝。
代表産駒／フォールンエンジェル（愛1000ギニーGI・8F）、ブロードサイディング（シャンペンSGI・1600M）、エトヴプレ（フィリーズレビュー）。

2歳時は4戦4勝。3歳時は脚部不安で調整が遅れたが、4戦目のジャンプラ賞で復活の狼煙を上げ、続くサセックスSを快勝。しかし、レースから5日後に骨折が判明。引退となった。母はドバイシーマークラシックの勝ち馬。近親にはGI勝ち馬多数。本誌格言の「ドバウィ系の初年度産駒は走る」どおりにクラシック馬を輩出。オセアニアでもGI馬を出している。

距離	マ中	馬場	芝	性格	普	成長力	普

トーナリスト

TONALIST

2011年生／米●エーピーインディ系

Tapit ― Pleasant Colony
Settling Mist ― Toll Fee

16戦7勝／ベルモントS（GI・12F）、ジョッキークラブGC（GI・10F）2回、シガーマイル（GI・8F）、他GII、GIII各1勝。
代表産駒／カントリーグラマー（ドバイワールドCGI・2000M）、トーナリスツシェイブ（ダヴォナディルSGII・8F）。

上がり馬として臨んだベルモントSは二冠馬カリフォルニアクロームらを破って優勝。BCクラシックは精細を欠き、3歳時、4歳時ともステップ戦を勝ちながら両年とも5着に敗れた。父は同馬の項参照。母系はエーピーインディと同牝系。母の父はリボー系。産駒が22年ドバイWC制覇。リボーを持つ種牡馬は怖い。日本でダート中距離での大仕事に注意。

距離	中	馬場	ダ	性格	普	成長力	普

ナイトオブサンダー NIGHT OF THUNDER

2011年生／愛●ドバウィ系

```
┌ Dubawi          ┌ Galileo
└ Forest Storm    └ Quiet Storm
```

11戦4勝／英2000ギニー（GI・8F）、ロッキンジS（GI・8F）。クイーンエリザベス2世S（GI・8F）2着、セントジェームズパレスS（GI・8F）2着。
代表産駒／サンダリングナイツ（プリティポリーSGI・10F）、ハイフィールドプリンセス（モーリスドゲスト賞GI・1300M）、エコノミクス（ダンテSGII・10.5F）。

英2000ギニーでキングマンを破って重賞初制覇を果たし、続くセントジェームズパレスSは同馬の2着。4歳時にはロッキンジSを制し、重賞2勝はマイルGIだった。父は同馬の項参照。近親に目立った活躍馬はいない。欧州の他、オーストラリアでもGI馬を輩出し、世界に版図を広げるドバウィ系らしさが窺える。マイル中距離を中心に距離適性は幅広い。

距離	マ中	馬場	芝	性格	普	成長力	普

ニューアプローチ NEW APPROACH

2005年生／愛●ガリレオ系

```
┌ Galileo          ┌ Ahonoora
└ Park Express     └ Matcher
```

11戦8勝／英ダービー（GI・12F）、チャンピオンS（GI・10F）などGI5勝。
代表産駒／マサー（英ダービーGI・12F）、ドーンアプローチ（英2000ギニーGI・8F）、タレント（英オークスGI・12F）、マックスウィニー（愛2000ギニーGI・8F）、ダーリントンホール（共同通信杯）。

2歳時は5戦5勝。英、愛2000ギニーは2着敗退も中1週で臨んだ英ダービーで復権を果たした。秋には愛、英の両チャンピオンSを制している。半兄に高松宮記念のシンコウフォレスト。産駒のマサーが英ダービーを制し、父ガリレオから続く三代にわたっての同レース制覇となった。日本では重馬場の日経賞や目黒記念という血統。バスラットレオンの母の父。

距離	中長	馬場	芝	性格	普	成長力	晩

ニューベイ NEW BAY

2012年生／英●ドバウィ系

```
┌ Dubawi          ┌ Zamindar
└ Cinnamon Bay    └ Trellis Bay
```

11戦5勝／仏ダービー（GI・2100M）、ギヨームドルナノ賞（GII・2000M）、ニエル賞（GII・2400M）、ゴンドビロン賞（GIII・2000M）。
代表産駒／ベイブリッジ（チャンピオンSGI・10F）、ベイサイドボーイ（クイーンエリザベス2世SGI・8F）、サフロンビーチ（サンチャリオットSGI・8F）。

仏2000ギニーでメイクビリーヴの2着に敗れたが、仏ダービーはハイランドリールに1馬身半差をつけて快勝。凱旋門賞はゴールデンホーンの3着だった。4歳時はGIII1勝。父は同馬の項参照。母系一族にオアシスドリーム、キングマン。万能のドバウィ系らしく、多種多様な産駒を送り出し、欧州、北米、オセアニアと国も問わないだろう。鬼門は日本か。

距離	マ中	馬場	芝	性格	普	成長力	普

*ハードスパン HARD SPUN

2004年生／米●ダンジグ系

```
┌ Danzig          ┌ Turkoman
└ Turkish Tryst   └ Darbyvail
```

13戦7勝／キングズビショップS（GI・7F）、レーンズエンドS（GII・9F）など。
代表産駒／アロハウエスト（BCスプリントGI・6F）、スパントゥラン（BCダートマイルGI・8F）、ハーディストコア（アーリントンミリオンGI・10F）、メイケイダイハード（中京記念）、ハードワイヤード。

堅実には走りながら、三冠は2着、3着、4着、BCクラシックが2着と、大レースにおける善戦マンだった。父の産駒にデインヒル、ウォーフロント。14年1シーズンを日本で供用。北米帰国後にBCダートマイルなど複数のGI馬を輩出。今後は外国産馬として日本で走る産駒が対象となり、日本産同様にダート1400＆中距離向きとする。湿ったダートは鬼。

距離	中	馬場	ダ	性格	普	成長力	普

*ハイランドリール HIGHLAND REEL

2012年生／愛●ガリレオ系

```
┌ Galileo     ┌ *デインヒル
└ Hveger      └ Circles of Gold
```

27戦10勝／キングジョージ6世＆クイーンエリザベスS（GI・12F）、BCターフ（GI・12F）、コロネーションC（GI・12F）、プリンスオブウェールズS（GI・10F）、香港ヴァーズ（GI・2400M）2回、セクレタリアトS（GI・10F）など。
代表産駒／アタミスケ（ドルメロ賞GII・1600M）。

走りに走ったり、通算7カ国で出走し、各国の代表レースを制した。日本馬との対戦も多く、16年の香港ヴァーズでサトノクラウンの2着も、翌年の同レースではキセキを破って優勝した。愛国で種牡馬入りした後、23年から日本で供用。父ガリレオ、母父デインヒルのフランケルと同配合ながら、他のガリレオ系同様に日本の馬場への対応力があるかだ。

距離	中長	馬場	芝	性格	普	成長力	晩

ハヴァナグレイ HAVANA GREY

2015年生／英●ガリレオ系

```
┌ Havana Gold       ┌ Dark Angel
└ Blanc de Chine    └ Nullarbor
```

16戦6勝／フライングファイヴS（GI・5F）、サファイアS（GII・5F）など。
代表産駒／ヴァンディーク（ミドルパークSGI・6F）、ジャスール（ジュライSGII・6F）、エディーズボーイ（エクリプス賞GIII・1200M）、マンマスガール（ネルグウィンSGIII・7F）、ヤクシマ（クロッカスS）。

2歳4月にデビューし、2歳時は8戦4勝。GIII勝ちの他、GIモルニ賞2着がある。3歳秋のフライングファイヴSでは古馬を一蹴、GI制覇も果たしている。父、母の父とも同馬の項参照。ガリレオ系ながら父同様に母系のスピード血統を全面に、欧州での産駒の勝ち上がり率は高く、仕上り早の短距離馬やマイラーを出している。日本は平坦2歳Sで要注意。

距離	短マ	馬場	芝	性格	普	成長力	早

ハヴァナゴールド
HAVANA GOLD

2010年生、2023年死亡／愛●ガリレオ系

┌ Teofilo ────────── ┌ Desert Style
└ Jessica's Dream ── └ Ziffany

11戦5勝／ジャンプラ賞（GI・1600M）、サマーヴィルタタソールS（GⅢ・7F）。
代表産駒／ハヴァナグレイ（同馬の項参照）、エルカバージョ（サンディレーン
SGⅡ・6F）、タブディード（ハックウッドSGⅢ・6F）、トレジャリング（カラSGⅢ・
5F）、ゴールデンシロップ。

仏2000ギニー、愛2000ギニーともそれぞれ5着、4着だったが、仏3歳マイル路線を締めくくるジャンプラ賞を制した。父は同馬の項参照。母は伊、愛で短距離GⅢ2勝。母の父の産駒に輸入種牡馬バチアー。母の血統が強く出たのか、ガリレオ系らしからぬ競走成績に種牡馬成績。日本でもスプリンターを出すとしてだが、力任せに走る産駒だろう。

| 距離 | 短マ | 馬場 | 芝 | 性格 | 普 | 成長力 | 普 |

ピナトゥボ
PINATUBO

2017年生／愛●ジャイアンツコーズウェイ系

┌ Shamardal ── ┌ Dalakhani
└ Lava Flow ── └ Mount Elbrus

10戦7勝／ジャンプラ賞（GI・1400M）、デューハーストS（GI・7F）、ナショナルS（GI・7F）、ヴィンテージS（GⅡ・7F）。
代表産駒／2024年新種牡馬。

2歳時はデューハーストSなど6戦6勝。クラシックの最有力馬となったが、コロナ禍で1ヵ月遅れの英2000ギニーは3着に敗れ、続くセントジェームズパレスSも2着。距離を短縮してのジャンプラ賞が3歳初勝利だった。古馬との対戦ムーランドロンシャン賞は2着。ジャイアンツコーズウェイ系の主流父系。マイルを中心に中距離もこなせそうだ。

| 距離 | マ中 | 馬場 | 芝 | 性格 | 普 | 成長力 | 普 |

ファー
FARHH

2008年生／英●ヌレイエフ系

┌ Pivotal ──── ┌ Lando
└ Gonbarda ── └ Gonfalon

10戦5勝／ロッキンジS（GI・8F）、チャンピオンS（GI・10F）。
代表産駒／キングオブチェンジ（クイーンエリザベス2世SGI・8F）、フォンテーヌ（サンチャリオットSGI・8F）、ノクターナルフォックス（オカール賞GⅡ・2400）、オフトレイル（ラジオNIKKEI賞）。

4歳時はマイル、中距離GIで好走するも勝ち切れなかったが、5歳時にGI2勝した遅咲きのマイル中距離馬。父の産駒にシューニ。母の父はJC馬。母は独GI2勝で、ビルクハーンを5本持つ問答無用の独血統。産駒のGI勝ちこそマイルだが、そこは濃厚な独血統。選手権距離でも怖い。3歳になって頭角を現し、古馬になっての成長力がある。

| 距離 | マ中 | 馬場 | 芝 | 性格 | 普 | 成長力 | 強 |

プラクティカルジョーク
PRACTICAL JOKE

2014年生／米●イントゥミスチーフ系

┌ Into Mischief ── ┌ Distorted Humor
└ Halo Humor ──── └ Gilded Halo

12戦5勝／ホープフルS（GI・7F）、シャンペンS（GI・8F）、HアレンジャーケンズS（GI・7F）、ドワイヤーS（GⅢ・8F）。
代表産駒／プラティカルムーヴ（サンタアニタ・ダービーGI・9F）、チョコレートジェラート（フリゼットSGI・8F）、デュガ、クロデメニル。

デビューから3連勝で臨んだBCジュヴェナイルは3着。3歳春はクラシックの王道路線を歩み、ケンタッキー・ダービーは5着だった。6着以下なしと堅実に走るも、大一番には縁がなかった。ストームキャット系×フォーティナイナー系の危険度いっぱいの配合。産駒もおしなべて知るべし。大敗後の大駆け、またその逆。穴血統として注意は怠らないこと。

| 距離 | 短マ | 馬場 | 万 | 性格 | 狂 | 成長力 | 早 |

ブルーポイント
BLUE POINT

2014年生／愛●ジャイアンツコーズウェイ系

┌ Shamardal ──── ┌ Royal Applause
└ Scarlett Rose ── └ Billie Blue

20戦11勝／アルクオーツスプリント（GI・1200M）、キングズスタンドS（GI・5F）2回、ダイアモンドジュビリーS（GI・6F）他、GⅡ2勝、GⅢ3勝。
代表産駒／ロサリオン（セントジェームズパレスSGI・8F）、ビッグイーヴス（BCジュヴェナイルターフスプリントGI・5F）。

2歳デビューからスプリント路線一筋に4歳時のキングズスタンドSでGI初制覇。圧巻は5歳時。GⅡ、GⅢを制し、続くGI3戦をぶち抜き、現役最後の一戦ダイアモンドジュビリーSはキングズスタンドSから中3日の勝利だった。父の産駒にロペデヴェガ、ピナトゥボ。初年度からクラシック馬、BC勝ち馬を輩出。シャマーダル系は止められない。

| 距離 | 短マ | 馬場 | 芝 | 性格 | 普 | 成長力 | 早 |

フロステッド
FROSTED

2012年生／米●エーピーインディ系

┌ Tapit ────── ┌ Deputy Minister
└ Fast Cookie ── └ Fleet Lady

19戦6勝／ウッドメモリアルS（GI・9F）、ホイットニーS（GI・9F）、メトロポリタンH（GI・8F）、マクトゥームチャレンジR2（GⅡ・1900M）。
代表産駒／トラベルコラム（フェアグランズ・オークスGⅡ・8.5F）、ジャスパークローネ（CBC賞）、ジャスパーノワール、シラキヌ。

クラシックの重要ステップ戦、ウッドメモリアルSで重賞制覇を果たし、三冠はケンタッキー・ダービー、ベルモントSともアメリカンファラオのそれぞれ4着、2着。4歳時にはGI2勝がある。父は同馬の項参照。母は北米GⅡ勝ち馬。近親にBCジュヴェナイルのミッドシップマン。芝馬が出ることも押さえつつ、中心はダートの短、マイルとする。

| 距離 | 短マ | 馬場 | ダ | 性格 | 普 | 成長力 | 普 |

ポイントオブエントリー　POINT OF ENTRY

2008年生／米●ロベルト系

┌ Dynaformer ┬ Seeking the Gold
└ Matlacha pass ┴ Our Country Place

18戦9勝／マンノウォーS（GI・11F）、ソードダンサー招待S（GI・12F）、ターフクラシック招待S（GI・12F）、マンハッタンH（GI・10F）など芝GI5勝。
代表産駒／ポイントミービー（ブルースDSGI・8F）、プリュクパルフェ（UAEダービーGII・1900M）、ロータスランド（京都牝馬S）。

芝の強豪だが、2度のBCターフは2着、4着だった。父の産駒にケンタッキー・ダービー馬バーバロ、メルボルンじの勝ち馬アメリケン。母系は半妹にアラバマSGIのパインアイランド。カナダ供用の中堅種牡馬という立ち位置ながら、父系の勝負強さ、自身の持つリボー系3×4のクロス。大一番で一発かます産駒を出せる血統背景は十分。日本でもしかり。

| 距離 | 中 | 馬場 | 芝 | 性格 | 普 | 成長力 | 晩 |

ボルトドーロ　BOLT D'ORO

2015年生／米●エルプラド系

┌ Medaglia d'Oro ┬ A.P.Indy
└ Globe Trot ┴ Trip

8戦4勝／デルマーフューチュリティ（GI・7F）、フロントランナーS（GI・8.5F）、サンフェリペS（GII・8.5F）。BCジュヴェナイル（GI・8.5F）3着。
代表産駒／タマラ（デルマーデビュータントSGI・7F）、メジャーデュード（ペンマイルSGII・8F）、フロムダスク（京王杯2歳S2着）。

デビューからGI2勝を踏めて3連勝も、BCジュヴェナイルは3着。ケンタッキー・ダービーはジャスティファイの12着。ベルモントSを回避してのメトロポリタンH11着が最後のレースとなった。父は同馬の項参照。母系は半弟にウッドワードSGIのグローバルキャンペン。適性は個々によって異なりそうだ。古馬になって成長する産駒も出るだろう。

| 距離 | 中 | 馬場 | 万 | 性格 | 普 | 成長力 | 普 |

マクリーンズミュージック　MACLEAN'S MUSIC

2008年生／米●フォーティナイナー系

┌ Distorted Humor ┬ Unbridled's Song
└ Forest Music ┴ Defer West

1戦1勝／未勝利戦（6F）
代表産駒／クラウドコンピューティング（プリークネスSGI・9.5F）、コンプレクシティ（シャンペンSGI・8F）、ジャッキーズウォリアー（チャーチルダウンズSGI・7F）、ウェイワードアクト（青竜S3着）、ルヴェルジュ。

現役時は3歳の未勝利戦のみ。父の産駒にファニーサイド（ケンタッキー・ダービーGI）。近親に北米重賞勝ち馬。初年度産駒がプリークネスS制覇。その他、パナマでチャンピオン級の産駒を出している。アイルハヴァナザーと同父系に、母の父がアンブライドルド系とくればダート中距離。東京ダ1600もこなすだろう。2歳よりも使われながら良くなる。

| 距離 | 中 | 馬場 | ダ | 性格 | 普 | 成長力 | 普 |

*マスタリー　MASTERY

2014年生／米●キャンディライド系

┌ Candy Ride ┬ Old Trieste
└ Steady Course ┴ Steady Cat

4戦4勝／キャッシュコールフューチュリティ（GI・8.5F）、サンフェリーペS（GII・8.5F）、ボブホープS（GIII・7F）。
代表産駒／ミッドナイトメモリーズ（ゼニヤッタSGII・8.5F）、テリフィックプラン、サクセスローレル。

2歳10月のデビューから3歳3月のサンフェリーペSまで4連勝も、同レース入線後に骨折が判明。無念の引退となった。2018年から米で種牡馬入りし、2024年から日本で供用。父の産駒にガンランナー。母の父はエーピーインディ系。日本では成功間違いなし。産駒は日本でも出走。サクセスローレルやテリフィックプランがいる。東京ダ1600と相性よし。

| 距.離 | マ中 | 馬場 | ダ | 性格 | 普 | 成長力 | 普 |

マッキンジー　MCKINZIE

2015年生／米●マキアヴェリアン系

┌ *ストリートセンス ┬ Petionville
└ Runway Model ┴ Ticket To Houston

18戦8勝／ペンシルベニア・ダービー（GI・9F）、マリブS（GI・7F）、ホイットニーS（GI・9F）、キャッシュコールフューチュリティ（GI・8.5F）、アリシバS（GII・8.5F）、トリプルベンドS（GII・7F）他、GIII1勝。
代表産駒／2024年新種牡馬。

クラシックこそ故障で不出走だが、3歳秋のペンシルベニア・ダービーでGI制覇を果たした。古馬になるとダートのマイル中距離路線の関脇の存在として活躍。ヨシダを下したホイットニーS優勝やBCクラシック2着がある。父は同馬の項参照。母は北米GII2勝。父の産駒同様にダートの短中距離が仕事場か。2歳からよりもじわっと力をつける叩き型。

| 距離 | 短中 | 馬場 | ダ | 性格 | 普 | 成長力 | 普 |

マリブムーン　MALIBU MOON

1997年生、2021年死亡／米●エーピーインディ系

┌ A.P.Indy ┬ Mr.Prospector
└ Macoumba ┴ Maximova

2戦1勝／未勝利戦（5F）。
代表産駒／オーブ（ケンタッキー・ダービーGI・10F）、オーブルチェフ（全日本2歳優駿）、パラバトルマリン（関東オークス）、マドラスチェック（TCK女王盃）、オーロラテソーロ（クラスターC）。

2歳2戦1勝で引退。同父系プルピットやマインシャフトとは母の父も同じ。三代母はノノアルコ（種牡馬）の半妹。重賞級の多くが牝駒だったが、13年にケンタッキー・ダービー馬を出し、エーピーインディ系を代表する種牡馬となった。マイルから中距離を守備範囲とし、2歳後半から3歳にかけて頭角を現わす。地方の交流重賞でも頼りになる種牡馬だ。

| 距離 | マ中 | 馬場 | ダ | 性格 | 普 | 成長力 | 普 |

メイクビリーヴ
MAKE BELIEVE

2012年生／英●ドバウィ系

┌ *マクフィ — Suave Dancer
└ Rosie's Posy — My Branch

7戦4勝／仏2000ギニー（GⅠ・1600M）、ラフォレ賞（GⅠ・1400M）。
代表産駒／ミシュリフ（ドバイシーマクラシックGⅠ・2410M）、ビリーヴインラヴ（ベルドゥニュイ賞GⅢ・2800M）、ローズオブキルデア（ミュージドラSGⅢ・10.5F）、オーシャンファンタジー（ヴィンターケーニギン賞GⅢ・1600M）。

仏2000ギニーは同父系のニューベイに3馬身差をつけての逃げ切り勝ち。父は本邦輸入種牡馬。母系は半姉の仔にフィリーズレビューのリバティハイツ、芙蓉Sのランドオブリバティ。母の父は凱旋門賞馬。祖父、父、自身とも初年度の産駒がクラシック制覇。幅広い距離で重賞勝ち馬を出すのもドバウィ系の真骨頂。ただし、日本での実績はいまひとつ。

距離	万	馬場	芝	性格	普	成長力	普

メダーリアドロ
MEDAGLIA D'ORO

1999年生／米●エルプラド系

┌ El Prado — Bailjumper
└ Cappucino Bay — Dubbed In

17戦8勝／トラヴァーズS（GⅠ・10F）、ドンH（GⅠ・9F）を含めGⅠ3勝。
代表産駒／ゴールデンシックスティ（香港マイルGⅠ・1600M3回）、レイチェルアレクサンドラ（プリークネスSGⅠ9.5F）、タリスマニック（同馬の項参照）、エーシンメンフィス（愛知杯）。

三冠はベルモントS2着が最高だが、"真夏のダービー"ことトラヴァーズSを制した。古馬になってもダート中距離路線で好走。BCクラシックは2着2回。同父のキトゥンズジョイとともに北米におけるサドラーズウェルズ系の発展に貢献。産駒の活躍は北米だけにとどまらず、アジア、オセアニアでもGⅠ馬を輩出。古馬になって急上昇する産駒に注意。

距離	中	馬場	万	性格	普	成長力	普

モアザンレディ
MORE THAN READY

1997年生、2022年死亡／米●ヘイロー系

┌ *サザンヘイロー — Woodman
└ Woodman's Girl — Becky Be Good

17戦7勝／キングズビショップS（GⅠ・7F）など短距離重賞4勝。
代表産駒／ロイエイチ（BCスプリントGⅠ・6F2回）、セブリング（ゴールデンスリッパーSGⅠ・1200M）、モアジョイアス（ドンカスターHGⅠ・1600M）、ヴェラザーノ（ウッドメモリアルSGⅠ・9F）、ジャングロ（ニュージーランドT）。

圧倒的スピードを持って短距離戦で活躍し、トラヴァーズSの短距離版キングズビショップSでは豪快に差し切りを決めた。父はアルゼンチンのサンデーサイレンス的大種牡馬。オセアニア、北米で成功。中距離馬も出しているが、本領発揮はスピードの活きる短、マイル。ドゥレッツァ、カフェファラオ、ノーブルロジャーの母の父として存在感を示している。

距離	短マ	馬場	万	性格	普	成長力	普

モティヴェーター
MOTIVATOR

2002年生／英●モンジュー系

┌ Montjeu — Gone West
└ Out West — Chellingoua

7戦4勝／英ダービー（GⅠ・12F）、レーシングポストトロフィー（GⅠ・8F）。
代表産駒／トレヴ（凱旋門賞GⅠ・2400M2回）、リダーシーナ（オペラ賞GⅠ・2000M）、パラセイター（ドンカスターCGⅠ・18F）。
母の父／タイトルホルダー（天皇賞・春）、ソールオリエンス（皐月賞）。

英ダービー快勝もその後は未勝利。父の産駒に英ダービー馬キャメロット、プールモア。凱旋門賞馬トレヴ以降、いまひとつの種牡馬成績ながら油断はできない。メルボルンCでも怖い。日本では決め手勝負で苦労するが、時計の掛かる馬場や消耗戦になると台頭する。母の父としてはタイトルホルダー、ソールオリエンスの大駒を輩出。底力は侮れない。

距離	中長	馬場	芝	性格	普	成長力	晩

ユーエスネイヴィーフラッグ
U S Navy Flag

2015年生／米●ウォーフロント系

┌ War Front — Galileo
└ Misty For Me — Butterfly Cove

19戦5勝／ジュライC（GⅠ・6F）、デューハーストS（GⅠ・7F）、ミドルパークS（GⅠ・6F）、ラウンドタワーS（GⅢ・6F）。愛2000ギニー（GⅠ・8F）2着。
代表産駒／ベンドラゴン（オークランドギニーGⅡ・1400M）。

2歳秋に英GⅠを連勝し、米国へ遠征してのBCジュヴェナイルは10着。欧州に戻って3歳初夏にジュライCでGⅠ3勝目。その後オーストラリアに遠征するも3戦着外に終わった。3歳時の8戦はともかく、2歳時は11戦。使える時には使うのが愛国A・オブライエン調教師。母は愛1000ギニー馬。海外成績ひと息でも日本で急上昇中のウォーフロント系。注目。

距離	短マ	馬場	芝	性格	普	成長力	早

ユニオンラグス
UNION RAGS

2009年生／米●ディキシーランドバンド系

┌ Dixie Union — Gone West
└ Tempo — Terpsichorist

8戦5勝／ベルモントS（GⅠ・12F）、シャンペンS（GⅠ・8F）。
代表産駒／エクスプレストレイン（サンタアニタHGⅠ・10F）、パラダイスウッズ（サンタアニタ・オークスGⅠ・8.5F）、フリードロップビリー（ブリーダーズフューチュリティGⅠ・8.5F）、アナンシエーション。

ケンタッキー・ダービーはアイルハヴアナザーの7着に終わったが、プリークネスSを回避して臨んだベルモントSに優勝。父にとっては本馬が初のクラシック馬。母の孫にデクラレーションオブウォー（同馬の項参照）。北米では複数の2歳GⅠ勝ち馬を出しており、案外と仕上がりが早い。日本ではパワーとスタミナ溢れるダート中距離血統とする。

距離	中	馬場	ダ	性格	普	成長力	普

海外の種牡馬

*ヨシダ

YOSHIDA

2014年生／日●サンデーサイレンス系

```
┌ ハーツクライ ─────────┬ Canadian Frontier
└ ヒルダズパッション ──────┴ Executricker
```

18戦5勝／ターフクラシック（GI・9F）、ウッドワードS（GI・9F）、ヒルプリンスS（GⅢ・9F）。
代表産駒／グレイヨッシュ（レイクブラッシドSGⅡ・8.5F）、デュアルウィルダー（青葉賞3着）。

ノーザンファームの生産馬。1歳セールで購買され、現役時は北米を拠点に出走。芝GI優勝の他、日本産駒馬として初の北米ダートGIを制した。海外でも結果を残すのがハーツクライ系の真骨頂。母系は半妹にシンザン記念のサンクテュエール。20年に米で種牡馬入りし、24年から日本で供用。青葉賞3着馬を出し、日本での滑り出しは上々とする。

距離	中	馬場	万	性格	普	成長力	普

リアムズマップ

LIAM'S MAP

2011年生／米●アンブライドルド系

```
┌ Unbridled's Song ──────┬ Trippi
└ Miss Macy Sue ────────┴ Yada Yada
```

8戦6勝／BCダートマイル（GI・8F）、ウッドワードS（GI・9F）。
代表産駒／カーネルリアム（ペガサスワールドCターフ招待SGI・9F2回）、ジュジュズマップ（アルシビアデスSGI・8.5F）、ベイスン（ホープフルSGI・7F）、ウィックウィスパー（フリゼットSGI・8F）、グランオルカ。

3歳夏のデビューで重賞初挑戦は4歳夏のホイットニーS。ここで2着に好走すると、続くウッドワードSで重賞初制覇。その勢いのままBCダートマイルも制した。初年度からペガサスWCターフ招待S優勝馬を送り出し、その後も2歳GI勝ち馬らを輩出。アンブライドルド系にエンドスウィープ系。芝GI馬を出しても、日本ではダートマイル・中距離血統とする。

距離	マ中	馬場	ダ	性格	普	成長力	普

リー

LEA

2009年生／米●ジャイアンツコーズウェイ系

```
┌ First Samurai ───────┬ Galileo
└ Greenery ──────────┴ High Savannah
```

19戦7勝／ドンH（GI・9F）、ハルズホープS（GⅢ・8F）2回、コモンウェルスターフS（GⅢ・8.5F）。BCダートマイル（GI・8F）2着。
代表産駒／ナギロック（フューチュリティSGⅢ・6F）、ポピーフラワー（インターコンチネンタルSGⅢ・6F）、テーオーグランビル。

3歳、4歳時は芝を中心に走り、GⅢ勝ちがある。5歳になってダート重賞路線に矛先を向けると本格化。ドンHをトラックレコードで制した他、ハルズホープS2連覇。6歳時にはドバイワールドC3着、BCダートマイル2着もある。父の産駒にシヴァージ（シルクロードS）。種牡馬としてもダート、芝で重賞勝ち馬を出している。日本でも同様とする。

距離	短マ	馬場	万	性格	普	成長力	普

ルッキンアットラッキー

LOOKIN AT LUCKY

2007年生／米●スマートストライク系

```
┌ Smart Strike ────────┬ Belong to Me
└ Private Feeling ───────┴ Regal Feeling
```

13戦9勝／プリークネスS（GI・9.5F）、ハスケル招待S（GI・9F）などGI5勝。
代表産駒／カントリーハウス（ケンタッキー・ダービーGI・10F）、アクセラレイト（BCクラシックGI・10F）、フルオブブラック（エル・ダービーGI・2400M）、ラカニータ（ラス・オークスGI・2000M）。

本命に推されたBCジュヴェナイル、ケンタッキー・ダービーはそれぞれ2着、6着だったが、鞍上を替えて臨んだプリークネスSを制した。父の産駒にカーリン、イングリッシュチャンネル（BCターフGI）。北米二大レースの勝ち馬を出しているものの、近年はチリでの活躍の産駒が目立つ。それでも大レースでは侮れないのがスマートストライク系だ。

距離	中	馬場	ダ	性格	普	成長力	普

レイヴンズパス

RAVEN'S PASS

2005年生／米●ゴーンウエスト系

```
┌ Elusive Quality ───────┬ Lord At War
└ Ascutney ──────────┴ Right Word
```

12戦6勝／BCクラシック（GI・10F）、クイーンエリザベス2世S（GI・8F）など。
代表産駒／タワーオブロンドン（スプリンターズS）、マッターホルン（アルマクトゥームチャレンジR3GI・2000M）、ロイヤルマリーン（ジャンリュックラガルデール賞GI・1600M）、ロマンティックプロポーザル（フライングファイヴSGI・5F）。

3歳秋に欧州マイル路線を締めくくるGIクイーンエリザベス2世Sと米国へ遠征してのBCクラシックを制覇。父の産駒に米二冠馬スマーティジョーンズ。母の父はウォーエンブレムの母の父でもある。ミスタープロスペクター系ながら、自身の5代までにクロスを持たず、なおかつ異系色が濃く、配合によって産駒の個性は多様。成長曲線はじっくり型とする。

距離	マ中	馬場	万	性格	普	成長力	普

レモンドロップキッド

LEMON DROP KID

1996年生、2021年引退／米●キングマンボ系

```
┌ Kingmambo ────────┬ Seattle Slew
└ Charming Lassie ──────┴ Lassie Dear
```

24戦10勝／ベルモントS（GI・12F）、トラヴァーズS（GI・10F）などGI5勝。
代表産駒／レモンポップ（フェブラリーS）、ビーチパトロール（同馬の項参照）、アポロキングダム（同馬の項参照）、カノックチェイス（カナダ国際SGI・12F）、リチャーズキッド（パシフィッククラシックGI・10F2回）。

ベルモントSでは単勝30倍ながら二冠馬カリズマティックらを一蹴。夏にはトラヴァーズSを制した。4歳時はウッドワードSなどGI2勝。父の産駒にエルコンドルパサー。母系近親にサマースコール、エーピーインディ兄弟がいる。芝、ダート兼用の中距離血統。1800＆2200は得意とするところだろう。使われながら力をつけ、2歳よりも3歳、古馬になってから。

距離	中	馬場	万	性格	普	成長力	普

欧米リーディング・サイアー 2023

種牡馬名のあとのカッコ内はその父です。

英 愛	仏	北 米
1 Frankel (*Galileo*)	1 Cracksman (*Frankel*)	1 Into Mischief (*Harlan's Holiday*)
2 Dark Angel (*Acclamation*)	2 Frankel (*Galileo*)	2 Curlin (*Smart Strike*)
3 Dubawi (*Dubai Millennium*)	3 Siyouni (*Pivotal*)	3 Gun Runner (*Candy Ride*)
4 Galileo (*Sadler's Wells*)	4 Wootton Bassett (*Iffraaj*)	4 Uncle Mo (*Indian Charlie*)
5 Siyouni (*Pivotal*)	5 Kingman (*Invincible Spirit*)	5 Quality Road (*Elusive Quality*)
6 Sea The Stars (*Cape Cross*)	6 Anodin (*Anabaa*)	6 American Pharoah (*Pioneerof the Niel*)
7 Kingman (*Invincible Spirit*)	7 Dabirsim (ハットトリック)	7 Munnings (*Speightstown*)
8 Kodiac (＊ディンヒル)	8 Lope De Vega (*Shamardal*)	8 Not This Time (*Giant's Causeway*)
9 Lope De Vega (*Shamardal*)	9 Zarak (*Dubawi*)	9 Practical Joke (*Into Mischief*)
10 No Nay Never (*Scat Daddy*)	10 Le Havre (*Noverre*)	10 ＊ハードスパン (*Danzig*)
11 Wootton Bassett (*Iffraaj*)	11 Churchil (*Galileo*)	11 Kantharos (*Lion Heart*)
12 Night of Thunder (*Dubawi*)	12 Galiway (*Galileo*)	12 Violence (*Medaglia d'Oro*)
13 ディープインパクト (＊サンデーサイレンス)	13 Toronado (*High Chaparral*)	13 Twirling Candy (*Candy Ride*)
14 Australia (*Galileo*)	14 Kendargent (*Kendor*)	14 Constitution (*Tapit*)
15 Nathaniel (*Galileo*)	15 Dubawi (*Dubai Millennium*)	15 Tapit (*Pulpit*)
16 Havana Grey (*Havana Gold*)	16 Al Wukair (*Dream Ahead*)	16 ＊ストリートセンス (*Street Cry*)
17 Muhaarar (*Oasis Dream*)	17 Shalaa (*Invicible Spirit*)	17 Arrogate (*Unbridled's Song*)
18 Camelot (*Montjeu*)	18 Camelot (*Montjeu*)	18 Candy Ride (*Ride the Rails*)
19 Dandy Man (*Mozart*)	19 Intello (*Galileo*)	19 Justify (*Scat Daddy*)
20 Starspanglegbanner (*Choisir*)	20 Sea The Stars (*Cape Cross*)	20 Ghoszapper (*Awesome Again*)
21 Gleneagles (*Galileo*)	21 Almanzor (*Wootton Bassett*)	21 Good Magic (*Curlin*)
22 New Bay (*Dubawi*)	22 Zelzal (*Sea The Stars*)	22 Nyquist (*Uncle Mo*)
23 Churchill (*Galileo*)	23 Goken (*Kendargent*)	23 Tonalist (*Tapit*)
24 Invincible Spirit (*Green Desert*)	24 Olympic Glory (*Choisir*)	24 Frosted (*Tapit*)
25 Zoffany (*Dansili*)	25 ＊ロックオブジブラルタル (＊ディンヒル)	25 Goldencents (*Into Mischief*)
26 Showcasing (*Oasis Dream*)	26 Pedro the Great (*Henrythenavigator*)	26 Cairo Prince (*Pioneerof the Nile*)
27 Exceed And Excel (＊ディンヒル)	27 Charm Spirit (*Invincible Spirit*)	27 Dialed In (*Mineshaft*)
28 Golden Horn (*Cape Cross*)	28 Al Mourtajez (*Dahess*)	28 English Channel (*Smart Strike*)
29 Mastercraftsman (*Danehill Dancer*)	29 Muhaarar (*Oasis Dream*)	29 Speightstown (*Gone West*)
30 Fastnet Rock (＊ディンヒル)	30 Myboycharlie (*Danetime*)	30 More Than Ready (＊サザンヘイロー)
31 Iffraaj (*Zafonic*)	31 Hunter's Light (*Dubawi*)	31 Liam's Map (*Unbridled's Song*)
32 Sioux Nation (*Scat Daddy*)	32 Gleneagles (*Galileo*)	32 Midshipman (*Unbridled's Song*)
33 Mehmas (*Acclamation*)	33 Elusive City (*Elusive Quality*)	33 Tapiture (*Tapit*)
34 Mayson (*Invincible Spirit*)	34 Manduro (*Monsun*)	34 War Front (*Danzig*)
35 Oasis Dream (*Green Desert*)	35 Galileo (*Sadler's Wells*)	35 Malibu Moon (*A.P. Indy*)
36 Territories (*Invincible Spirit*)	36 Reliable Man (*Dalakhani*)	36 Kitten's Joy (*El Prado*)
37 Charm Spirit (*Invincible Spirit*)	37 Territories (*Invincible Spirit*)	37 Maclean's Music (*Distorted Humor*)
38 Raaring Lion (*Kitten's Joy*)	38 Birchwood (*Dark Angel*)	38 Bernardini (*A.P.Indy*)
39 Blue Point (*Shamardal*)	39 Kodiac (＊ディンヒル)	39 Classic Empire (*Pioneerof the Nile*)
40 Profitable (*Invincible Spirit*)	40 Cloth of Stars (*Sea The Stars*)	40 Speightster (*Speighstown*)
41 Acclamation (*Royal Applause*)	41 Night of Thunder (*Dubawi*)	41 Bolt d'Oro (*Medaglia d'Oro*)
42 Teofilo (*Galileo*)	42 Dream Ahead (＊ディクタット)	42 Pioneerof the Nile (＊エンパイアメーカー)
43 Saxon Warrior (ディープインパクト)	43 Rajsaman (*Linamix*)	43 Distorted Humor (＊フォーティナイナー)
44 Ribchester (*Iffraaj*)	44 Invincible Spirit (*Green Desert*)	44 Medaglia d'Oro (*El Prado*)
45 Ulysses (*Galileo*)	45 Zoffany (*Dansili*)	45 Connect (*Curlin*)
46 Fast Company (*Danehill Dancer*)	46 Sea the Moon (*Sea The Stars*)	46 ＊ザファクター (*War Front*)
47 Camacho (＊ディンヒル)	47 Penny's Picnic (*Kheleyf*)	47 Mendelssohn (*Scat Daddy*)
48 Cotai Glory (*Exceed and Excel*)	48 Recoletos (*Whipper*)	48 Runhappy (*Super Saver*)
49 ＊カラヴァッジオ (*Scat Daddy*)	49 Seabhac (*Scat Daddy*)	49 Union Rags (*Dixie Union*)
50 Too Darn Hot (*Dubawi*)	50 The Grey Gatsby (*Mastercraftsman*)	50 Jimmy Creed (*Distorted Humor*)

『RACING POST』Web 版より　　『France Galop』Web 版より　　『The Blood-Horse』Web 版より

2023年度　中央平地競走サイアー・ランキング

23／22	種牡馬名	父馬名	出走回数／出走頭数	勝利回数／勝利頭数	アーニングIDX	2024年種付け料(万円)
1／3	ドゥラメンテ	キングカメハメハ	1188／292	118／82	2.17	
2／2	ロードカナロア	キングカメハメハ	1654／406	152／112	1.42	1200／受・FR
3／4	ハーツクライ	*サンデーサイレンス	1148／250	94／69	1.89	
4／5	キズナ	ディープインパクト	1207／295	125／100	1.59	1200／受・FR
5／1	ディープインパクト	*サンデーサイレンス	786／191	69／57	2.41	
6／13	キタサンブラック	ブラックタイド	597／143	76／59	2.91	2000／受・FR
7／7	モーリス	スクリーンヒーロー	1084／266	107／79	1.44	800／受・FR
8／15	*ハービンジャー	Dansili	935／215	75／57	1.38	PRIVATE
9／9	エピファネイア	*シンボリクリスエス	1256／323	97／81	0.91	1500／受・FR
10／8	ルーラーシップ	キングカメハメハ	1145／277	85／69	1.01	350／受・FR
11／16	*ドレフォン	Gio Ponti	988／234	108／79	1.13	600／受・FR
12／12	*ヘニーヒューズ	*ヘネシー	833／186	90／63	1.43	500／受・FR
13／6	キングカメハメハ	Kingmambo	482／104	33／27	1.97	
14／11	ダイワメジャー	*サンデーサイレンス	837／202	59／46	0.94	
15／21	*シニスターミニスター	Old Trieste	587／129	67／49	1.48	700／受
16／20	ジャスタウェイ	ハーツクライ	830／193	63／50	0.96	200／受・FR
17／10	オルフェーヴル	ステイゴールド	610／162	41／35	1.04	350／受・FR
18／19	リオンディーズ	キングカメハメハ	814／193	52／41	0.87	400／受・FR
19／23	ゴールドシップ	ステイゴールド	823／175	51／41	0.93	250／受・FR
20／27	シルバーステート	ディープインパクト	675／169	51／38	0.96	500／受・FR
21／18	ミッキーアイル	ディープインパクト	531／134	46／37	1.15	150／受・FR
22／14	スクリーンヒーロー	*グラスワンダー	465／105	34／25	1.43	
23／29	イスラボニータ	フジキセキ	632／148	48／34	0.99	200／受・FR
24／72	リアルスティール	ディープインパクト	536／141	64／50	0.99	300／受・FR
25／87	*サトノクラウン	Marju	519／126	21／17	1.09	200／受・FR
26／25	*マジェスティックウォリアー	A.P. Indy	628／165	47／36	0.73	180／受・FR
27／26	ホッコータルマエ	キングカメハメハ	589／142	43／30	0.81	300／受・FR
28／17	*キンシャサノキセキ	フジキセキ	701／156	33／30	0.65	
29／35	ブラックタイド	*サンデーサイレンス	443／96	33／25	1.05	PRIVATE
30／31	ビッグアーサー	サクラバクシンオー	522／132	35／29	0.74	300／受・FR
31／38	*アジアエクスプレス	*ヘニーヒューズ	508／118	33／23	0.78	120／受・FR
32／24	*パイロ	Pulpit	411／100	33／26	0.89	400／生
33／83	サトノダイヤモンド	ディープインパクト	422／118	39／31	0.73	150／受・FR
34／30	*マクフィ	Dubawi	460／108	26／22	0.74	100／不受返・不生返
35／51	コパノリッキー	ゴールドアリュール	471／115	32／21	0.69	100／受・FR、150／生
36／28	*ディスクリートキャット	Forestry	391／98	22／19	0.8	
37／58	*デクラレーションオブウォー	War Front	378／109	26／22	0.71	300／不受返・不生返
38／46	カレンブラックヒル	ダイワメジャー	391／84	23／21	0.89	70／受・FR
39／47	リアルインパクト	ディープインパクト	388／97	28／19	0.76	50／受・FR
40／52	*ダノンレジェンド	Macho Uno	315／80	30／24	0.91	100／受・FR、150／生
41／37	*アメリカンペイトリオット	War Front	395／90	30／23	0.8	150／生
42／44	サトノアラジン	ディープインパクト	335／84	23／18	0.74	100／受・FR、150／生
43／33	ヴィクトワールピサ	ネオユニヴァース	379／100	19／17	0.61	
44／―	スワーヴリチャード	ハーツクライ	151／62	25／20	0.99	1500／受・FR
45／68	*マインドユアビスケッツ	Posse	449／115	25／22	0.53	300／受・FR
46／34	*クロフネ	*フレンチデビュティ	96／23	5／4	2.57	
47／55	エイシンヒカリ	ディープインパクト	278／64	18／13	0.92	80／受・FR
48／48	ディープブリランテ	ディープインパクト	264／64	12／8	0.87	
49／66	ダノンバラード	ディープインパクト	356／75	16／14	0.72	250／受
50／76	ディーマジェスティ	ディープインパクト	241／51	20／16	1.02	50／受・FR

※2024年度種付け料の後の記号は、FR／不受胎、流産、死産の場合、翌年も種付けできる権利付き、受／受胎確認後支払い、生／産駒誕生後支払い、不受返／不受胎時返還、牝半返／牝馬が生まれた場合、半額を返金、不生返／死産、流産等の場合返還、です。なお、種付け料にはいくつかのバリエーションがあるケースも多いのでご注意ください。

23／22	種牡馬名	父馬名	出走回数／出走頭数	勝利回数／勝利頭数	アーニングIDX	2024年種付け料（万円）
51／114	ファインニードル	アドマイヤムーン	256／77	22／17	0.67	180／生
52／43	ワールドエース	ディープインパクト	344／87	10／8	0.57	
53／57	ドリームジャーニー	*サンデーサイレンス	72／14	3／2	3.53	
54／39	エスポワールシチー	ゴールドアリュール	234／57	17／16	0.8	200／受・FR
55／45	ラブリーデイ	キングカメハメハ	340／76	14／13	0.59	80／受・FR、120／生
56／110	Lemon Drop Kid	Kingmambo	5／2	3／1	21.93	
57／22	エイシンフラッシュ	*キングズベスト	330／75	11／9	0.57	80／受・FR
58／49	*ダンカーク	Unbridled's Song	286／81	21／14	0.51	30／受、50／生
59／108	ロゴタイプ	ローエングリン	263／65	15／11	0.63	50／受・FR
60／32	*アイルハヴアナザー	Flower Alley	117／25	7／7	1.59	
61／84	*シャンハイボビー	Harlan's Holiday	275／73	16／14	0.54	250／受・FR
62／67	トーセンラー	ディープインパクト	194／54	11／8	0.71	50／受・FR、80／生
63／50	トゥザグローリー	キングカメハメハ	140／26	9／7	1.4	
64／129	レッドファルクス	*スウェプトオーヴァーボード	278／79	20／16	0.44	50／受・FR
65／59	ジョーカプチーノ	マンハッタンカフェ	201／44	8／7	0.78	30／不生返
66／104	トランセンド	*ワイルドラッシュ	106／25	11／8	1.38	50／受・FR
67／70	Frankel	Galileo	110／22	12／9	1.56	
68／—	*ブリックスアンドモルタル	Giant's Causeway	155／64	16／12	0.53	600／受・FR
69／40	*ザファクター	War Front	201／34	8／8	0.99	
70／71	*バゴ	Nashwan	297／83	9／8	0.39	100／不生返
71／97	スピルバーグ	ディープインパクト	134／28	11／7	1.14	PRIVATE
72／111	グレーターロンドン	ディープインパクト	138／39	14／11	0.78	150／受・FR、200／生
73／80	Dark Angel	Acclamation	43／9	5／4	3.39	
74／41	*ノヴェリスト	Monsun	188／52	6／6	0.58	25／受・FR
75／60	ストロングリターン	*シンボリクリスエス	278／75	8／7	0.4	
76／81	*ラニ	Tapit	173／37	12／9	0.79	50／受・FR
77／—	*ニューイヤーズデイ	Street Cry	145／58	16／15	0.5	200／受・FR
78／130	*ビーチパトロール	Lemon Drop Kid	292／77	10／6	0.37	80／受・FR
79／163	*タリスマニック	Medaglia d'Oro	278／70	13／12	0.4	120／生
80／101	*ロージズインメイ	Devil His Due	180／39	9／8	0.72	50／不生返
81／184	Frosted	Tapit	25／6	7／3	4.51	
82／98	Kingman	Invincible Spirit	41／14	3／3	1.89	
83／138	ミッキーロケット	キングカメハメハ	169／48	12／7	0.54	50／受・FR
84／—	レイデオロ	キングカメハメハ	141／66	14／13	0.39	500／受・FR
85／99	Into Mischief	Harlan's Holiday	66／17	10／7	1.5	
86／74	フリオーソ	*ブライアンズタイム	173／40	9／7	0.62	50／生
87／73	*ベーカバド	Cape Cross	75／17	5／5	1.42	20／受・FR、30／生
88／77	ヴァンセンヌ	ディープインパクト	126／30	8／7	0.8	30／受・FR、50／生
89／63	メイショウボーラー	*タイキシャトル	223／53	8／6	0.45	
90／235	ゴールドアクター	スクリーンヒーロー	136／35	11／6	0.67	50／受・FR
91／123	バトルプラン	*エンパイアメーカー	122／28	7／4	0.82	
92／56	アドマイヤムーン	*エンドスウィープ	224／61	5／5	0.38	PRIVATE
93／36	ゴールドアリュール	*サンデーサイレンス	93／24	3／3	0.87	
94／350	*パレスマリス	Curlin	13／6	5／3	3.38	350／生
95／106	Arrogate	Unbridled's Song	43／13	8／6	1.51	
96／54	American Pharoah	Pioneerof the Nile	92／28	9／8	0.69	
97／53	*タートルボウル	Dyhim Diamond	35／11	3／3	1.74	
98／155	Justify	Scat Daddy	69／24	9／6	0.8	
99／69	リーチザクラウン	スペシャルウィーク	120／36	7／6	0.51	50／受・FR
100／116	*トビーズコーナー	Bellamy Road	94／22	9／6	0.83	20／生

2023年度　地方競馬サイアー・ランキング

全体

順位	種牡馬	着別度数	勝率	連対率	複勝率	重賞勝	収得賞金
1	シニスターミニスター	254-220-159-1129／1762	14.4%	26.9%	35.9%	18	112500.1 万円
2	エスポワールシチー	266-212-204-1095／1777	15.0%	26.9%	38.4%	19	95869.7 万円
3	パイロ	223-213-190-1305／1931	11.5%	22.6%	32.4%	10	83613.7 万円
4	ホッコータルマエ	274-216-151-1084／1725	15.9%	28.4%	37.2%	8	76742.9 万円
5	ヘニーヒューズ	219-171-157- 952／1499	14.6%	26.0%	36.5%	3	62989.4 万円
6	マジェスティックウォリアー	233-216-166-1119／1734	13.4%	25.9%	35.5%	7	61608.5 万円
7	フリオーソ	208-233-227-1595／2263	9.2%	19.5%	29.5%	3	49967.6 万円
8	キズナ	173-160-150- 829／1312	13.2%	25.4%	36.8%	4	49452.9 万円
9	ダノンレジェンド	215-179-164- 901／1459	14.7%	27.0%	38.2%	11	48489.1 万円
10	ロードカナロア	264-261-219-1199／1943	13.6%	27.0%	38.3%	3	46752.8 万円
11	オルフェーヴル	139-152-138- 947／1376	10.1%	21.1%	31.2%	3	46698.1 万円
12	アジアエクスプレス	217-204-153-1002／1576	13.8%	26.7%	36.4%	4	46057.3 万円
13	キンシャサノキセキ	199-209-237-1345／1990	10.0%	20.5%	32.4%	3	44428.5 万円
14	コパノリッキー	204-182-150- 930／1466	13.9%	26.3%	36.6%	3	38100.9 万円
15	サウスヴィグラス	142-142-119- 881／1284	11.1%	22.1%	31.4%	5	35415.7 万円
16	スマートファルコン	120-131-117- 771／1139	10.5%	22.0%	32.3%	1	33200.5 万円
17	カレンブラックヒル	150-135-142- 913／1340	11.2%	21.3%	31.9%	8	32887.4 万円
18	ルーラーシップ	203-166-151-1259／1779	11.4%	20.7%	29.2%	1	31260.6 万円
19	ディスクリートキャット	152-149-160- 904／1365	11.1%	22.1%	33.8%	0	30002.9 万円
20	ドレフォン	170-125- 94- 458／847	20.1%	34.8%	45.9%	3	29824.4 万円

大井1700〜2000m

順位	種牡馬	着別度数	勝率	連対率	複勝率	重賞勝	収得賞金
1	シニスターミニスター	5 - 4 - 4 - 21／34	14.7%	26.5%	38.2%	5	35778.0 万円
2	パイロ	6 - 6 - 1 - 26／39	15.4%	30.8%	33.3%	2	12464.5 万円
3	オルフェーヴル	2 - 0 - 0 - 0／2	100%	100%	100%	1	10180.0 万円
4	ドゥラメンテ	1 - 1 - 2 - 10／14	7.1%	14.3%	28.6%	1	8856.0 万円
5	ホッコータルマエ	4 - 8 - 4 - 17／33	12.1%	36.4%	48.5%	2	7821.0 万円
6	リーチザクラウン	2 - 2 - 2 - 6／12	16.7%	33.3%	50.0%	1	7566.0 万円
7	マジェスティックウォリアー	1 - 4 - 2 - 16／23	4.3%	21.7%	30.4%	1	6272.0 万円
8	ハーツクライ	0 - 2 - 4 - 9／15	0.0%	13.3%	40.0%	0	5980.0 万円
9	キズナ	4 - 4 - 3 - 19／30	13.3%	26.7%	36.7%	0	5208.0 万円
10	キタサンブラック	0 - 1 - 0 - 2／3	0%	33.3%	33.3%	0	4000.0 万円

船橋1600〜1800m

順位	種牡馬	着別度数	勝率	連対率	複勝率	重賞勝	収得賞金
1	パイロ	4 - 7 - 4 - 25／40	10.0%	27.5%	37.5%	1	10438.5 万円
2	シニスターミニスター	3 - 8 - 2 - 10／23	13.0%	47.8%	56.5%	1	4878.5 万円
3	オルフェーヴル	2 - 3 - 1 - 15／21	9.5%	23.8%	28.6%	1	4787.0 万円
4	キングヘイロー	4 - 2 - 0 - 5／11	36.4%	54.5%	54.5%	2	4438.0 万円
5	キンシャサノキセキ	6 - 3 - 6 - 13／28	21.4%	32.1%	53.6%	0	4149.0 万円
6	ヘニーヒューズ	1 - 2 - 0 - 14／17	5.9%	17.6%	17.6%	0	3654.0 万円
7	アイルハヴアナザー	5 - 4 - 6 - 17／32	15.6%	28.1%	46.9%	0	3585.0 万円
8	マジェスティックウォリアー	4 - 0 - 1 - 17／22	18.2%	18.2%	22.7%	1	3477.5 万円
9	トランセンド	3 - 2 - 4 - 13／22	13.6%	22.7%	40.9%	1	3260.5 万円
10	American Pharoah	2 - 0 - 0 - 2／4	50.0%	50.0%	50.0%	1	3250.0 万円

川崎1600〜2100m

順位	種牡馬	着別度数	勝率	連対率	複勝率	重賞勝	収得賞金
1	ホッコータルマエ	8 - 3 - 4 - 34 ／49	16.3%	22.4%	30.6%	2	9367.5 万円
2	シニスターミニスター	4 - 4 - 3 - 22 ／33	12.1%	24.2%	33.3%	2	9352.0 万円
3	オルフェーヴル	3 - 3 - 0 - 22 ／28	10.7%	21.4%	21.4%	1	8775.0 万円
4	エスポワールシチー	5 - 0 - 3 - 22 ／30	16.7%	16.7%	26.7%	2	4885.0 万円
5	リアルスティール	2 - 0 - 0 - 6 ／8	25.0%	25.0%	25.0%	1	4400.0 万円
6	ヘニーヒューズ	2 - 2 - 4 - 26 ／34	5.9%	11.8%	23.5%	1	4357.5 万円
7	キズナ	2 - 5 - 2 - 12 ／21	9.5%	33.3%	42.9%	0	4083.0 万円
8	Malibu Moon	1 - 0 - 0 - 0 ／1	100%	100%	100%	1	3500.0 万円
9	ドレフォン	3 - 0 - 2 - 5 ／10	30.0%	30.0%	50.0%	1	3131.5 万円
10	ノヴェリスト	1 - 1 - 0 - 7 ／9	11.1%	22.2%	22.2%	1	2759.5 万円

浦和1400m

順位	種牡馬	着別度数	勝率	連対率	複勝率	重賞勝	収得賞金
1	エスポワールシチー	11 - 7 - 11 - 57 ／86	12.8%	20.9%	33.7%	2	12378.0 万円
2	パイロ	14 - 8 - 7 - 59 ／88	15.9%	25.0%	33.0%	0	4733.5 万円
3	ホッコータルマエ	11 - 7 - 5 - 35 ／58	19.0%	31.0%	39.7%	1	4672.0 万円
4	シニスターミニスター	8 - 3 - 4 - 33 ／48	16.7%	22.9%	31.3%	1	4620.8 万円
5	マジェスティックウォリアー	6 - 11 - 8 - 44 ／69	8.7%	24.6%	36.2%	1	3439.5 万円
6	ドレフォン	8 - 3 - 4 - 12 ／27	29.6%	40.7%	55.6%	1	3045.0 万円
7	アジアエクスプレス	9 - 6 - 4 - 48 ／67	13.4%	22.4%	28.4%	0	2823.0 万円
8	フリオーソ	5 - 7 - 9 - 80 ／101	5.0%	11.9%	20.8%	0	2630.0 万円
9	コパノリッキー	7 - 10 - 7 - 35 ／59	11.9%	28.8%	40.7%	0	2608.0 万円
10	キズナ	5 - 3 - 5 - 12 ／25	20.0%	32.0%	52.0%	0	2357.5 万円

兵庫（園田＆姫路）1400m

順位	種牡馬	着別度数	勝率	連対率	複勝率	重賞勝	収得賞金
1	エスポワールシチー	23 - 15 - 28 - 70 ／136	16.9%	27.9%	48.5%	3	7592.2 万円
2	ヘニーヒューズ	17 - 15 - 14 - 66 ／112	15.2%	28.6%	41.1%	1	6784.8 万円
3	リオンディーズ	23 - 10 - 10 - 63 ／106	21.7%	31.1%	40.6%	1	5418.5 万円
4	シニスターミニスター	33 - 29 - 22 - 160 ／244	13.5%	25.4%	34.4%	0	5389.8 万円
5	マジェスティックウォリアー	31 - 29 - 14 - 86 ／160	19.4%	37.5%	46.3%	0	5234.3 万円
6	ホッコータルマエ	29 - 31 - 23 - 104 ／187	15.5%	32.1%	44.4%	0	5198.1 万円
7	キンシャサノキセキ	24 - 29 - 29 - 178 ／260	9.2%	20.4%	31.5%	0	5014.0 万円
8	パイロ	28 - 22 - 25 - 126 ／201	13.9%	24.9%	37.3%	0	4658.7 万円
9	ダノンレジェンド	14 - 14 - 12 - 82 ／122	11.5%	23.0%	32.8%	0	4224.1 万円
10	メイショウボーラー	25 - 18 - 19 - 146 ／208	12.0%	20.7%	29.8%	0	3681.0 万円

盛岡ダ1600m

順位	種牡馬	着別度数	勝率	連対率	複勝率	重賞勝	収得賞金
1	Lemon Drop Kid	1 - 0 - 0 - 0 ／1	100%	100%	100%	1	7000.0 万円
2	エスポワールシチー	6 - 6 - 3 - 19 ／34	17.6%	35.3%	44.1%	0	3184.2 万円
3	ホッコータルマエ	1 - 0 - 1 - 11 ／13	7.7%	7.7%	15.4%	0	1489.7 万円
4	ヘニーヒューズ	2 - 4 - 6 - 6 ／18	11.1%	33.3%	66.7%	0	1374.4 万円
5	アイルハヴァナザー	8 - 10 - 4 - 22 ／44	18.2%	40.9%	50.0%	0	1054.6 万円
6	カジノドライヴ	1 - 0 - 1 - 5 ／7	14.3%	14.3%	28.6%	1	1032.2 万円
7	ラブリーデイ	2 - 1 - 1 - 6 ／10	20.0%	30.0%	40.0%	1	877.1 万円
8	ゴールデンバローズ	1 - 0 - 0 - 0 ／1	100%	100%	100%	1	800.0 万円
9	スズカコーズウェイ	4 - 2 - 0 - 5 ／11	36.4%	54.5%	54.5%	0	740.5 万円
10	シニスターミニスター	4 - 4 - 6 - 30 ／44	9.1%	18.2%	31.8%	0	672.0 万円

主要4場種牡馬ランク・ベスト10／芝

東京 芝~1600

順位	種牡馬	着別度数	勝率	連対率	複勝率	重賞勝
1	ロードカナロア	61－62－49－375／547	11.2%	22.5%	31.4%	5
2	ディープインパクト	59－38－38－294／429	13.8%	22.6%	31.5%	9
3	エピファネイア	36－34－26－218／314	11.5%	22.3%	30.6%	2
4	ルーラーシップ	27－15－17－207／266	10.2%	15.8%	22.2%	1
5	ダイワメジャー	24－30－25－239／318	7.5%	17.0%	24.8%	3
6	ハーツクライ	22－31－29－178／260	8.5%	20.4%	31.5%	3
7	モーリス	21－22－26－172／241	8.7%	17.8%	28.6%	0
8	ドゥラメンテ	21－21－14－139／195	10.8%	21.5%	28.7%	1
9	キングカメハメハ	17－14－12－102／145	11.7%	21.4%	29.7%	0
10	スクリーンヒーロー	16－23－19－160／218	7.3%	17.9%	26.6%	1

MEMO▶15位キタサンブラックの【12-8-3-50/73】、勝率16.4%、連対率27.4%、複勝率31.5%にも注目。

中山 芝~1600

順位	種牡馬	着別度数	勝率	連対率	複勝率	重賞勝
1	ロードカナロア	37－43－24－286／390	9.5%	20.5%	26.7%	4
2	ディープインパクト	36－20－20－191／267	13.5%	21.0%	28.5%	8
3	ダイワメジャー	27－27－35－235／324	8.3%	16.7%	27.5%	1
4	シルバーステート	18－12－12－80／122	14.8%	24.6%	34.4%	1
5	キズナ	17－16－12－109／154	11.0%	21.4%	29.2%	3
6	エピファネイア	15－13－14－153／195	7.7%	14.4%	21.5%	1
7	ルーラーシップ	14－15－15－110／154	9.1%	18.8%	28.6%	1
8	ハーツクライ	14－10－12－144／180	7.8%	13.3%	20.0%	1
9	モーリス	12－10－10－123／155	7.7%	14.2%	20.6%	1
10	ハービンジャー	11－11－18－112／152	7.2%	14.5%	26.3%	1

MEMO▶昨年版9位のシルバーステートが順調に数字を伸ばして4位に浮上。3分の2は1600mでの勝利。

阪神 芝~1600

順位	種牡馬	着別度数	勝率	連対率	複勝率	重賞勝
1	ロードカナロア	69－61－54－478／662	10.4%	19.6%	27.8%	8
2	ディープインパクト	55－50－58－358／521	10.6%	20.2%	31.3%	12
3	ダイワメジャー	37－41－25－276／379	9.8%	20.6%	27.2%	5
4	モーリス	28－17－29－211／285	9.8%	15.8%	26.0%	1
5	キズナ	27－33－29－249／338	8.0%	17.8%	26.3%	1
6	ルーラーシップ	27－22－19－206／274	9.9%	17.9%	24.8%	4
7	エピファネイア	24－29－25－218／296	8.1%	17.9%	26.4%	3
8	ハーツクライ	24－15－24－208／271	8.9%	14.4%	23.2%	4
9	ハービンジャー	18－10－15－155／198	9.1%	14.1%	21.7%	1
10	ドゥラメンテ	18－7－9－127／161	11.2%	15.5%	21.1%	5

MEMO▶4番人気以下に絞るとロードカナロア19勝に対して、ダイワメジャーが18勝と肉薄。単勝回収率145%。

京都 芝~1600

順位	種牡馬	着別度数	勝率	連対率	複勝率	重賞勝
1	ロードカナロア	43－34－26－264／367	11.7%	21.0%	28.1%	3
2	ディープインパクト	34－32－33－173／272	12.5%	24.3%	36.4%	6
3	キズナ	23－13－15－145／196	11.7%	18.4%	26.0%	1
4	ダイワメジャー	22－21－17－204／264	8.3%	16.3%	22.7%	1
5	ルーラーシップ	13－13－8－130／164	7.9%	15.9%	20.7%	2
6	エピファネイア	11－15－18－123／167	6.6%	15.6%	26.3%	0
7	キングカメハメハ	10－10－3－56／79	12.7%	25.3%	29.1%	0
8	ヴィクトワールピサ	9－6－10－82／107	8.4%	14.0%	23.4%	0
9	ジャスタウェイ	9－1－7－81／98	9.2%	10.2%	17.3%	2
10	ハーツクライ	8－12－11－107／138	5.8%	14.5%	22.5%	1

MEMO▶ディープの京都巧者ぶりはいまだ変わらず。1400～ではロードカナロアを逆転し、単勝回収率150%超え。

順位	種牡馬	着別度数	勝率	連対率	複勝率	重賞勝
1	ディープインパクト	114-110- 90 -593／907	12.6%	24.7%	34.6%	11
2	ハーツクライ	60 - 64 - 58 -430／612	9.8%	20.3%	29.7%	6
3	エピファネイア	41 - 32 - 33 -228／334	12.3%	21.9%	31.7%	6
4	ドゥラメンテ	37 - 34 - 27 -202／300	12.3%	23.7%	32.7%	3
5	キングカメハメハ	35 - 33 - 14 -184／266	13.2%	25.6%	30.8%	7
6	モーリス	35 - 19 - 14 -116／184	19.0%	29.3%	37.0%	3
7	ハービンジャー	31 - 34 - 25 -297／387	8.0%	16.8%	23.3%	2
8	ロードカナロア	30 - 38 - 32 -204／304	9.9%	22.4%	32.9%	4
9	キズナ	29 - 39 - 28 -176／272	10.7%	25.0%	35.3%	1
10	ルーラーシップ	29 - 35 - 40 -290／394	7.4%	16.2%	26.4%	4

東京 芝1700~

MEMO▶モーリスは1800～2000で29勝。勝率は20％を超え、さらに1～3番人気に絞ると勝率40％超え。

順位	種牡馬	着別度数	勝率	連対率	複勝率	重賞勝
1	ディープインパクト	66 - 63 - 56 -354／539	12.2%	23.9%	34.3%	11
2	ハーツクライ	44 - 41 - 40 -366／491	9.0%	17.3%	25.5%	8
3	エピファネイア	35 - 26 - 29 -226／316	11.1%	19.3%	28.5%	5
4	ルーラーシップ	34 - 38 - 39 -304／415	8.2%	17.3%	26.7%	4
5	ドゥラメンテ	29 - 27 - 27 -165／248	11.7%	22.6%	33.5%	5
6	ハービンジャー	27 - 23 - 39 -293／382	7.1%	13.1%	23.3%	3
7	ロードカナロア	26 - 27 - 16 -153／222	11.7%	23.9%	31.1%	5
8	モーリス	25 - 19 - 18 -134／196	12.8%	22.4%	31.6%	4
9	キングカメハメハ	22 - 21 - 23 -148／214	10.3%	20.1%	30.8%	3
10	キズナ	22 - 18 - 19 -160／219	10.0%	18.3%	26.9%	7

中山 芝1700~

MEMO▶ドゥラメンテは1番人気5勝に対して2番人気10勝、3番人気7勝。2、3番人気の勝率27.4％。

順位	種牡馬	着別度数	勝率	連対率	複勝率	重賞勝
1	ディープインパクト	109- 91 - 84 -478／762	14.3%	26.2%	37.3%	13
2	キズナ	49 - 47 - 32 -246／374	13.1%	25.7%	34.2%	4
3	ハーツクライ	49 - 44 - 48 -408／549	8.9%	16.9%	25.7%	2
4	ルーラーシップ	37 - 39 - 41 -289／406	9.1%	18.7%	28.8%	4
5	ドゥラメンテ	32 - 31 - 26 -150／239	13.4%	26.4%	37.2%	4
6	エピファネイア	28 - 38 - 31 -237／334	8.4%	19.8%	29.0%	0
7	オルフェーヴル	27 - 19 - 26 -215／287	9.4%	16.0%	25.1%	5
8	キングカメハメハ	26 - 37 - 23 -174／260	10.0%	24.2%	33.1%	3
9	ロードカナロア	25 - 25 - 16 -187／253	9.9%	19.8%	26.1%	3
10	ハービンジャー	21 - 22 - 46 -304／393	5.3%	10.9%	22.6%	1

阪神 芝1700~

MEMO▶キズナは人気薄でも高い勝率をキープ。単勝50倍以内なら要・馬券検討で、ベタ買いでもプラス。

順位	種牡馬	着別度数	勝率	連対率	複勝率	重賞勝
1	ディープインパクト	65 - 48 - 49 -234／396	16.4%	28.5%	40.9%	11
2	キズナ	39 - 23 - 19 -156／237	16.5%	26.2%	34.2%	3
3	ハーツクライ	28 - 16 - 22 -213／279	10.0%	15.8%	23.7%	1
4	オルフェーヴル	19 - 19 - 19 -134／191	9.9%	19.9%	29.8%	1
5	ロードカナロア	19 - 18 - 9 -107／153	12.4%	24.2%	30.1%	1
6	ハービンジャー	18 - 30 - 23 -192／263	6.8%	18.3%	27.0%	1
7	エピファネイア	16 - 23 - 12 -125／176	9.1%	22.2%	29.0%	4
8	キングカメハメハ	14 - 13 - 17 - 90 ／134	10.4%	20.1%	32.8%	1
9	ジャスタウェイ	14 - 12 - 12 - 82 ／120	11.7%	21.7%	31.7%	0
10	ルーラーシップ	13 - 13 - 22 -160／208	6.3%	12.5%	23.1%	1

京都 芝1700~

MEMO▶ディープ・キズナ親仔がほぼ同じ勝率でワンツー。連対率、複勝率も高レベルで得意の京都で面目躍如。

主要4場種牡馬ランク・ベスト10／ダート

東京 ダ~1600

順位	種牡馬	着別度数	勝率	連対率	複勝率	重賞勝
1	ヘニーヒューズ	97－91－91－603／882	11.0%	21.3%	31.6%	2
2	ロードカナロア	57－38－39－363／497	11.5%	19.1%	27.0%	2
3	ドレフォン	37－33－28－225／323	11.5%	21.7%	30.3%	0
4	シニスターミニスター	36－34－38－305／413	8.7%	16.9%	26.2%	1
5	ドゥラメンテ	30－24－17－187／258	11.6%	20.9%	27.5%	0
6	パイロ	29－32－40－317／418	6.9%	14.6%	24.2%	0
7	キンシャサノキセキ	28－33－28－328／417	6.7%	14.6%	21.3%	0
8	ジャスタウェイ	25－22－19－204／270	9.3%	17.4%	24.4%	0
9	ルーラーシップ	24－21－28－251／324	7.4%	13.9%	22.5%	0
10	キングカメハメハ	23－28－19－178／248	9.3%	20.6%	28.2%	1

MEMO▶ベスト10のうち、キングマンボ系4頭、ストームキャット系2頭、エーピーインディ系2頭。

中山 ダ~1600

順位	種牡馬	着別度数	勝率	連対率	複勝率	重賞勝
1	ヘニーヒューズ	60－25－36－301／422	14.2%	20.1%	28.7%	0
2	キンシャサノキセキ	30－23－38－266／357	8.4%	14.8%	25.5%	0
3	ロードカナロア	28－18－18－192／256	10.9%	18.0%	25.0%	1
4	サウスヴィグラス	22－29－25－252／328	6.7%	15.5%	23.2%	0
5	アジアエクスプレス	20－26－14－151／211	9.5%	21.8%	28.4%	0
6	ディスクリートキャット	17－14－8－101／140	12.1%	22.1%	27.9%	0
7	ゴールドアリュール	16－12－10－106／144	11.1%	19.4%	26.4%	0
8	カレンブラックヒル	14－10－8－101／133	10.5%	18.0%	24.1%	0
9	リオンディーズ	14－8－6－71／99	14.1%	22.2%	28.3%	0
10	シニスターミニスター	13－11－20－159／203	6.4%	11.8%	21.7%	0

MEMO▶ヘニーヒューズが他を圧倒。ただし重・不良で勝率6％台と数字が急降下するので要注意。

阪神 ダ~1600

順位	種牡馬	着別度数	勝率	連対率	複勝率	重賞勝
1	ヘニーヒューズ	60－50－43－400／553	10.8%	19.9%	27.7%	0
2	ロードカナロア	33－34－32－345／444	7.4%	15.1%	22.3%	0
3	パイロ	26－21－29－190／266	9.8%	17.7%	28.6%	0
4	キンシャサノキセキ	24－34－37－271／366	6.6%	15.8%	26.0%	0
5	シニスターミニスター	24－19－30－196／269	8.9%	16.0%	27.1%	0
6	ドレフォン	24－11－16－145／196	12.2%	17.9%	26.0%	0
7	キズナ	23－12－15－154／204	11.3%	17.2%	24.5%	0
8	ダイワメジャー	22－27－20－249／318	6.9%	15.4%	21.7%	0
9	サウスヴィグラス	21－19－13－222／275	7.6%	14.5%	19.3%	0
10	モーリス	18－14－8－125／165	10.9%	19.4%	24.2%	0

MEMO▶キズナの23勝中20勝が1400でのもの。さらにそのうちの16勝は牡馬によるもの。

京都 ダ~1600

順位	種牡馬	着別度数	勝率	連対率	複勝率	重賞勝
1	ヘニーヒューズ	24－30－22－201／277	8.7%	19.5%	27.4%	－
2	ロードカナロア	20－23－14－140／197	10.2%	21.8%	28.9%	－
3	サウスヴィグラス	20－8－15－136／179	11.2%	15.6%	24.0%	－
4	キンシャサノキセキ	16－13－21－166／216	7.4%	13.4%	23.1%	－
5	シニスターミニスター	15－11－13－128／167	9.0%	15.6%	23.4%	－
6	オルフェーヴル	13－6－6－63／88	14.8%	21.6%	28.4%	－
7	クロフネ	12－9－5－86／112	10.7%	18.8%	23.2%	－
8	マジェスティックウォリアー	12－4－4－84／104	11.5%	15.4%	19.2%	－
9	ゴールドアリュール	10－17－14－134／175	5.7%	15.4%	23.4%	－
10	ダイワメジャー	10－4－6－102／122	8.2%	11.5%	16.4%	－

MEMO▶1200ではパイロが急浮上し、シニミニ、マジェとともにエーピーインディ系御三家がランクイン。

東京 ダ1700～

順位	種牡馬	着別度数	勝率	連対率	複勝率	重賞勝
1	キングカメハメハ	21 - 13 - 11 - 89 / 134	15.7%	25.4%	33.6%	－
2	ディープインパクト	9 - 9 - 6 - 61 / 85	10.6%	21.2%	28.2%	－
3	キズナ	9 - 7 - 9 - 58 / 83	10.8%	19.3%	30.1%	－
4	クロフネ	7 - 2 - 2 - 33 / 44	15.9%	20.5%	25.0%	－
5	ゴールドアリュール	6 - 6 - 9 - 48 / 69	8.7%	17.4%	30.4%	－
6	ホッコータルマエ	5 - 5 - 8 - 51 / 69	7.2%	14.5%	26.1%	－
7	オルフェーヴル	5 - 5 - 6 - 67 / 83	6.0%	12.0%	19.3%	－
8	アイルハヴアナザー	5 - 3 - 2 - 54 / 64	7.8%	12.5%	15.6%	－
9	ルーラーシップ	5 - 2 - 11 - 90 / 108	4.6%	6.5%	16.7%	－
10	キタサンブラック	5 - 2 - 3 - 16 / 26	19.2%	26.9%	38.5%	－

MEMO▶キタサンブラックがわずか3世代でランクイン。単勝回収率も100%を超えており、当コース注目種牡馬。

中山 ダ1700～

順位	種牡馬	着別度数	勝率	連対率	複勝率	重賞勝
1	ヘニーヒューズ	28 - 28 - 25 - 189 / 270	10.4%	20.7%	30.0%	1
2	ホッコータルマエ	26 - 18 - 17 - 164 / 225	11.6%	19.6%	27.1%	0
3	シニスターミニスター	25 - 27 - 17 - 162 / 231	10.8%	22.5%	29.9%	0
4	キングカメハメハ	24 - 26 - 14 - 160 / 224	10.7%	22.3%	28.6%	0
5	ハーツクライ	24 - 19 - 15 - 163 / 221	10.9%	19.5%	26.2%	1
6	クロフネ	22 - 18 - 20 - 153 / 213	10.3%	18.8%	28.2%	0
7	ドレフォン	21 - 12 - 9 - 106 / 148	14.2%	22.3%	28.4%	0
8	キズナ	21 - 8 - 16 - 133 / 178	11.8%	16.3%	25.3%	0
9	ゴールドアリュール	20 - 14 - 16 - 125 / 175	11.4%	19.4%	28.6%	1
10	ドゥラメンテ	20 - 13 - 7 - 121 / 161	12.4%	20.5%	24.8%	0

MEMO▶ホッコータルマエが昨年版9位から大幅ランクアップ。勝ち鞍はほぼ4番人気以内。

阪神 ダ1700～

順位	種牡馬	着別度数	勝率	連対率	複勝率	重賞勝
1	キズナ	40 - 48 - 38 - 207 / 333	12.0%	26.4%	37.8%	1
2	ルーラーシップ	38 - 33 - 39 - 302 / 412	9.2%	17.2%	26.7%	0
3	シニスターミニスター	33 - 24 - 16 - 134 / 207	15.9%	27.5%	35.3%	1
4	マジェスティックウォリアー	31 - 25 - 18 - 166 / 240	12.9%	23.3%	30.8%	2
5	ハーツクライ	24 - 25 - 23 - 211 / 283	8.5%	17.3%	25.4%	1
6	キングカメハメハ	24 - 23 - 17 - 164 / 228	10.5%	20.6%	28.1%	0
7	ジャスタウェイ	23 - 18 - 16 - 170 / 227	10.1%	18.1%	25.1%	0
8	オルフェーヴル	22 - 27 - 19 - 182 / 250	8.8%	19.6%	27.2%	0
9	ホッコータルマエ	22 - 15 - 13 - 175 / 225	9.8%	16.4%	22.2%	0
10	ドレフォン	21 - 15 - 16 - 113 / 165	12.7%	21.8%	31.5%	0

MEMO▶マジェスティックウォリアーは牝馬を除けば1位。同系シニミニとともに勝率17%超え。

京都 ダ1700～

順位	種牡馬	着別度数	勝率	連対率	複勝率	重賞勝
1	ハーツクライ	17 - 16 - 10 - 121 / 164	10.4%	20.1%	26.2%	0
2	マジェスティックウォリアー	16 - 17 - 9 - 107 / 149	10.7%	22.1%	28.2%	2
3	ルーラーシップ	16 - 10 - 21 - 122 / 169	9.5%	15.4%	27.8%	0
4	キズナ	15 - 18 - 16 - 117 / 166	9.0%	19.9%	29.5%	0
5	シニスターミニスター	15 - 18 - 7 - 88 / 128	11.7%	25.8%	31.3%	0
6	ドレフォン	15 - 15 - 12 - 74 / 116	12.9%	25.9%	36.2%	0
7	エンパイアメーカー	14 - 12 - 8 - 54 / 88	15.9%	29.5%	38.6%	0
8	ヘニーヒューズ	12 - 9 - 14 - 78 / 113	10.6%	18.6%	31.0%	1
9	パイロ	11 - 10 - 6 - 74 / 101	10.9%	20.8%	26.7%	0
10	ロードカナロア	11 - 8 - 7 - 83 / 109	10.1%	17.4%	23.9%	0

MEMO▶ランク外カジノドライヴも含めて、エーピーインディ系が良績。今後はカリフォルニアクロームにも期待。

短距離マイル率ランキング

順	種牡馬名	全	短マ	率
1	ビッグアーサー	88	86	97.7%
2	ディスクリートキャット	112	94	83.9%
3	キンシャサノキセキ	272	219	80.5%
4	ミッキーアイル	156	125	80.1%
5	アジアエクスプレス	114	87	76.3%
6	イスラボニータ	129	97	75.2%
7	ダイワメジャー	412	305	74.0%
8	カレンブラックヒル	113	83	73.5%
9	ヘニーヒューズ	468	335	71.6%
10	ロードカナロア	914	643	70.4%
11	ダノンレジェンド	99	68	68.7%
12	マクフィ	118	81	68.6%
13	エイシンヒカリ	59	40	67.8%
14	リオンディーズ	200	124	62.0%
15	リアルインパクト	123	76	61.8%
16	ディープブリランテ	117	71	60.7%
17	ディーマジェスティ	44	26	59.1%
18	アメリカンペイトリオット	80	47	58.8%
19	コパノリッキー	87	49	56.3%
20	サトノアラジン	70	39	55.7%

●短距離マイル率＝(1600m以下の勝利数)÷全体の勝利数。対象は2023年度中央平地種牡馬ランキングベスト50位内の種牡馬。

芝率ランキング

順	種牡馬名	全	芝	率
1	ディープインパクト	948	841	88.7%
2	ハービンジャー	344	303	88.1%
3	ゴールドシップ	208	178	85.6%
4	スワーヴリチャード	38	32	84.2%
5	エピファネイア	438	368	84.0%
6	シルバーステート	131	103	78.6%
7	サトノクラウン	47	35	74.5%
8	モーリス	385	282	73.2%
9	サトノダイヤモンド	74	54	73.0%
10	ヴィクトワールピサ	190	137	72.1%
11	ビッグアーサー	88	63	71.6%
12	キタサンブラック	185	129	69.7%
13	ダノンバラード	49	34	69.4%
14	ハーツクライ	629	434	69.0%
15	ダイワメジャー	412	275	66.7%
16	ロードカナロア	914	597	65.3%
17	ディープブリランテ	117	75	64.1%
18	キズナ	607	386	63.6%
19	ルーラーシップ	555	352	63.4%
20	スクリーンヒーロー	251	159	63.3%

●芝率＝(芝の勝利数)÷全体の勝利数。対象は2023年度中央平地種牡馬ランキングベスト50位内の種牡馬。

穴率ランキング

順	種牡馬名	全	穴	率
1	エイシンヒカリ	59	22	37.3%
2	ディープブリランテ	117	39	33.3%
3	マクフィ	118	38	32.2%
4	アメリカンペイトリオット	80	25	31.3%
5	コパノリッキー	87	27	31.0%
6	ダノンバラード	49	15	30.6%
7	シニスターミニスター	285	86	30.2%
8	サトノアラジン	70	21	30.0%
9	ヴィクトワールピサ	190	56	29.5%
10	リアルインパクト	123	36	29.3%
11	オルフェーヴル	426	121	28.4%
12	カレンブラックヒル	113	32	28.3%
13	キンシャサノキセキ	272	74	27.2%
14	デクラレーションオブウォー	63	17	27.0%
15	マジェスティックウォリアー	195	52	26.7%
16	スクリーンヒーロー	251	66	26.3%
17	クロフネ	153	40	26.1%
18	ルーラーシップ	555	142	25.6%
19	ジャスタウェイ	314	80	25.5%
20	ホッコータルマエ	150	38	25.3%

●穴率＝(5番人気以下の勝利数)÷全体の勝利数。対象は2023年度中央平地種牡馬ランキングベスト50位内の種牡馬。

晩成率ランキング

順	種牡馬名	全	晩成	率
1	キングカメハメハ	423	255	60.3%
2	ディープインパクト	948	547	57.7%
3	ハーツクライ	629	338	53.7%
4	オルフェーヴル	426	227	53.3%
5	ロードカナロア	914	480	52.5%
6	ダイワメジャー	412	205	49.8%
7	クロフネ	153	76	49.7%
8	ヴィクトワールピサ	190	90	47.4%
9	キンシャサノキセキ	272	128	47.1%
10	ルーラーシップ	555	256	46.1%
11	スクリーンヒーロー	251	111	44.2%
12	ディープブリランテ	117	51	43.6%
13	パイロ	215	93	43.3%
14	シニスターミニスター	285	123	43.2%
15	ヘニーヒューズ	468	201	42.9%
16	アジアエクスプレス	114	48	42.1%
17	ブラックタイド	187	78	41.7%
18	ハービンジャー	344	140	40.7%
19	ミッキーアイル	156	61	39.1%
20	マジェスティックウォリアー	195	75	38.5%

●晩成率＝(3歳9月以降の勝利数)÷全体の勝利数。対象は2023年度中央平地種牡馬ランキングベスト50位内の種牡馬。

芝道悪率ランキング

順	種牡馬名	芝全	芝道悪	率
1	ヘニーヒューズ	13	5	38.5%
2	エイシンヒカリ	37	13	35.1%
3	マクフィ	40	14	35.0%
4	マジェスティックウォリアー	16	5	31.3%
5	ディスクリートキャット	29	9	31.0%
6	カレンブラックヒル	26	8	30.8%
7	ブラックタイド	86	26	30.2%
8	ビッグアーサー	63	19	30.2%
9	ゴールドシップ	178	53	29.8%
10	キタサンブラック	129	38	29.5%
11	ダノンバラード	34	10	29.4%
12	スクリーンヒーロー	159	45	28.3%
13	デクラレーションオブウォー	32	9	28.1%
14	ルーラーシップ	352	98	27.8%
15	ハービンジャー	303	84	27.7%
16	サトノダイヤモンド	54	14	25.9%
17	イスラボニータ	79	20	25.3%
18	キズナ	386	97	25.1%
19	ダイワメジャー	275	68	24.7%
20	ジャスタウェイ	183	43	23.5%

●芝道悪率＝（芝稍重・重・不良での勝利数）÷芝の勝利数。対象は2023年度中央平地種牡馬ランキングベスト50位内の主な種牡馬（芝全勝利数10以上限定）。

ダート道悪率ランキング

順	種牡馬名	ダ全	ダ道悪	率
1	ディーマジェスティ	21	12	57.1%
2	ビッグアーサー	25	13	52.0%
3	サトノクラウン	12	6	50.0%
4	アメリカンペイトリオット	38	18	47.4%
5	オルフェーヴル	184	85	46.2%
6	マジェスティックウォリアー	179	79	44.1%
7	ミッキーアイル	82	36	43.9%
8	スクリーンヒーロー	92	40	43.5%
9	ディープブリランテ	42	18	42.9%
10	モーリス	103	44	42.7%
11	デクラレーションオブウォー	31	13	41.9%
12	キングカメハメハ	192	80	41.7%
13	パイロ	209	87	41.6%
14	カレンブラックヒル	87	36	41.4%
15	ディスクリートキャット	83	34	41.0%
16	シニスターミニスター	285	115	40.4%
17	ハーツクライ	195	78	40.0%
17	サトノダイヤモンド	20	8	40.0%
17	ダノンバラード	15	6	40.0%
20	アジアエクスプレス	99	39	39.4%

●ダート道悪率＝（ダート稍重・重・不良での勝利数）÷ダートの勝利数。対象は2023年度中央平地種牡馬ランキングベスト50位内の種牡馬（ダート全勝利数10以上限定）。

平坦芝率ランキング

順	種牡馬名	芝全	平坦	率
1	アジアエクスプレス	15	13	86.7%
2	マインドユアビスケッツ	17	12	70.6%
2	ダノンバラード	34	24	70.6%
4	ヘニーヒューズ	13	9	69.2%
5	ビッグアーサー	63	42	66.7%
6	サトノアラジン	29	18	62.1%
7	ディーマジェスティ	23	14	60.9%
8	ゴールドシップ	178	103	57.9%
9	ディープブリランテ	75	43	57.3%
10	キンシャサノキセキ	77	44	57.1%
11	ブラックタイド	86	49	57.0%
12	エイシンヒカリ	37	20	54.1%
13	マクフィ	40	21	52.5%
14	クロフネ	46	24	52.2%
15	サトノダイヤモンド	54	28	51.9%
16	ミッキーアイル	74	38	51.4%
17	ジャスタウェイ	183	93	50.8%
18	ダイワメジャー	275	138	50.2%
19	リアルインパクト	54	27	50.0%
20	ヴィクトワールピサ	137	68	49.6%

●平坦芝率＝（中京を除くローカル ＋ 京都の芝勝利数）÷芝の勝利数。対象は2023年度中央平地種牡馬ランキングベスト50位内の種牡馬（芝全勝利数10以上限定）。

芝広いコース率ランキング

順	種牡馬名	芝全	芝広い	率
1	ディスクリートキャット	29	17	58.6%
2	ディープインパクト	841	490	58.3%
3	イスラボニータ	79	46	58.2%
4	マジェスティックウォリアー	16	9	56.3%
5	エピファネイア	368	199	54.1%
6	アジアエクスプレス	15	8	53.3%
7	スワーヴリチャード	32	17	53.1%
8	キタサンブラック	129	67	51.9%
9	リアルスティール	74	38	51.4%
10	ハーツクライ	434	221	50.9%
11	キングカメハメハ	231	115	49.8%
12	モーリス	282	137	48.6%
13	リアルインパクト	54	26	48.1%
14	ドゥラメンテ	271	128	47.2%
15	ロードカナロア	597	278	46.6%
16	キズナ	386	176	45.6%
17	リオンディーズ	113	50	44.2%
18	ルーラーシップ	352	154	43.8%
19	クロフネ	46	20	43.5%
20	ジャスタウェイ	183	79	43.2%

●芝広いコース率＝（京都・阪神・新潟外回り+東京+中京の芝勝利数）÷芝の勝利数。対象は2023年度中央平地種牡馬ランキングベスト50位内の種牡馬（芝全勝利数10以上限定）。

田端 到（たばた・いたる）

1962年、新潟生まれ。週刊誌記者を経てフリーのライターに。競馬をはじめ、野球関連の著作も多い。競馬では血統の解釈とアプローチに斬新な手法を導入。独自の視点による産駒のデータ収集とその実践的な活用、また、辛辣ながらも軽妙な文章には定評があり、馬券初心者からベテランまで、多くのファンを持つ。
近著に『30年後まで使える王様の競馬教科書』（秀和システム）、『金満血統王国』シリーズ（KADOKAWA）ほか多数。『日刊スポーツ』紙上の「GIコラム」は連載29年を超え、好評を博している。

加藤 栄（かとう・さかえ）

1956年、東京生まれ。馬券は窓口で買うことを常としていたが、コロナ禍以降は、自宅で打つ日々を送っている。競馬だけでは飽き足らず、二台のパソコンとスマホを駆使して、モーニング競艇からミッドナイト競輪にまで手を出す博奕三昧の生活の日々。1980、90年代には頻繁に海外競馬を訪れ、幾多の大レースを、名馬を実際に観戦していた海外競馬のオーソリティにして、地方競馬、競輪、競艇、株、投資など、あらゆるオッズに賭けるギャンブラーでもある。

編集後記

▶今年も『田端到・加藤栄の種牡馬事典 2024-2025』を手に取っていただき、誠にありがとうございます。もしかすると今年初めて手にしたという方もいらっしゃるでしょうか。初めまして。オールドファンにもビギナーにもわかりやすい内容を目指して制作してきました。お楽しみいただけたでしょうか。

本書にはオールドファンは知っていて当然の馬でも、始めたばかりの方にはまったく馴染みのない血統・馬名もたくさん出てくることでしょう。先日も競馬場でこんな会話を耳にしました。おそらく競馬を始めたばかりであろう若いファン同士の会話でした。

「キングカメハメハって強かったの？」

「知らないけど、子供がいるということは強かったんじゃないの？」

愕然としました。彼らがキングカメハメハを知らないことに驚いたのではなく、彼らがキングカメハメハの現役時代を知らないほどの年月が経っていたことに驚いたんです。

たしかに考えてみれば、キングカメハメハがダービーを勝ったのは2004年。今からちょうど20年前のことです。当時生まれた方々が馬券を買える年齢になっているんですね。おじさん、びっくりです。

ただ、そういう若いファンたちに、たとえばYouTube映像やゲーム『ウマ娘』を通して、過去の名馬たちに興味をもってもらえることは非常に喜ばしいことでもあります。それは本書を手に取ってもらう機会が増えるからということではなく（それも多少はありますが）、競馬という文化が語り継がれること、血統について興味を持ってもらう第一歩になるからという意味で。

そういえば北海道のとある道の駅にウマ娘版ニシノフラワーの立て看板が置いてありまして、並んで写真を撮っている小学生ぐらいの兄弟がいました。彼らがそれをきっかけに競馬が好きになって、血統に興味を持って、そして何年か先に本書を手にする。そんな未来を夢想できるほどには、競馬・血統の裾野は広がってきた気がします。

その未来が来た時にちゃんとこの本がありますように、まずは"現役"の皆様、来年もよろしくお願い致します。とちゃっかり書いておきます。（松岡亮太）

※取材、制作にご協力をいただいたスタリオン関係者のみなさまに、心より御礼を申し上げます。ありがとうございました。

Cover Picture
小畠直子

Photo by
上田美貴子
P14,18,29,30,36,40,44,48,52,56,60,64,68,72,76,84,88,100,116,124,128,132,140,145,151,156,157,158,177,179,184,189

Arrowfield Stud
P12

©Darley
P16,144,148,153,163,186,191,199

株式会社ジェイエス
P25,92,170,175,183,193

©Pineyrua／Juddmonte Farms
P176,187,190

Special Thanks to
アイワード、アロースタッド、イーストスタッド、サラブレッドインフォメーションシステム、サラブレッド血統センター、サラブレッド・ブリーダーズ・クラブ、(株)ジェイエス、社台スタリオンステーション、ダーレー・ジャパン、ビッグレッドファーム、(有)ホースバンク、優駿スタリオンステーション、レックススタッド
&
日本軽種馬協会
JRA 日本中央競馬会

田端到・加藤栄の
種牡馬事典 2024-2025
2024年10月28日初版第一刷発行

著　　者	田端到、加藤栄
発行者	柿原正紀
デザイン	oo-parts design
編　　集	松岡亮太
発行所	オーパーツ・パブリッシング 〒235-0036 神奈川県横浜市磯子区中原2-21-22 グレイス杉田303号 電話：045-513-5891
発売元	サンクチュアリ出版 〒113-0023　東京都文京区向丘2-14-9 電話：03-5834-2507 FAX：03-5834-2508
印刷・製本	中央精版印刷株式会社